Schriftenreihe: Bauwirtschaft und Projektmanagement

Heft Nr. 1

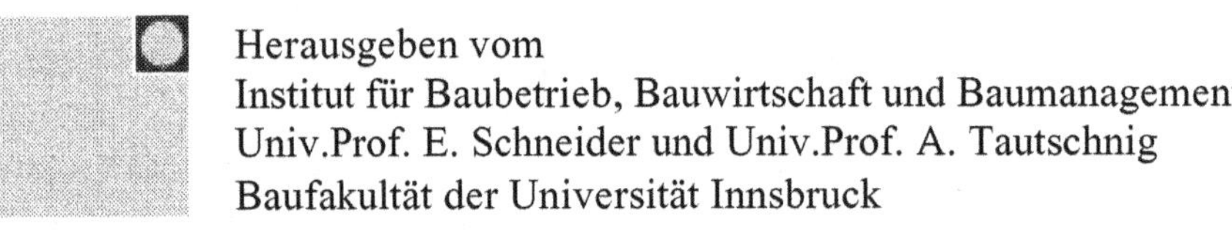

Herausgeben vom
Institut für Baubetrieb, Bauwirtschaft und Baumanagement
Univ.Prof. E. Schneider und Univ.Prof. A. Tautschnig
Baufakultät der Universität Innsbruck

Ein alternatives Konzept für Risikoverteilung und Vergütungsregelung bei der Realisierung von Infrastruktur mittels Public Private Partnership unter International Competitive Bidding

Mit Schwerpunkt auf den Untertagebau von Wasserkraftwerken

Markus Spiegl

innsbruck university press

Die Deutsche Bibliothek – CIP-Einheitsaufnahme

Ein Titeldatensatz für diese Publikation ist bei der Deutschen Bibliothek erhältlich.

ISBN 3-901249-57-5

http://www.university-press.at

Herstellung Books on Demand GmbH

Vorwort

Die vorliegende Arbeit entstand während meiner Zeit als Universitätsassistent am Institut für Baubetrieb, Bauwirtschaft und Baumanagement der Universität Innsbruck.

Es gehört zur guten Tradition, an den Anfang einer Arbeit den Dank an jene zu stellen, ohne die diese nicht oder jedenfalls nicht so zustande gekommen wäre.

Dies ist in aller erster Linie Herr o.Univ.Prof. DI Eckart Schneider, der mich als Assistent für sein neu zu bestellendes Institut angeworben hat und auf dessen Anregung diese Arbeit entstanden ist. Für seine Anregung - gespickt mit persönlichen Erfahrungen aus Indien - sowie für die fachlichen und persönlichen Diskussionen, die mir wertvolle Denkanstöße waren, und nicht zuletzt für das entgegengebrachte Vertrauen möchte ich meinen herzlichsten Dank aussprechen.

Mein besonderer Dank gilt auch Herrn o.Univ.Prof. Dr.-Ing. Gerhard Girmscheid (ETH Zürich) für die Bereitschaft zur Übernahme des Koreferates sowie für das gezeigte Entgegenkommen und seine Anregungen - sowohl persönlich, als auch durch eine Vielzahl von interessanten Veröffentlichungen - zum Thema Betreibermodelle und entsprechenden Geschäftsfeldern für die Bauindustrie.

Nicht zuletzt danke ich meinen KollegenInnen und den MitarbeiternInnen der letzten vier Jahre am Institut, welchen ich mich durch viele fachliche Diskussionen, gemeinsame Projekte und Freizeitaktivitäten verbunden fühle.

Dank geht auch an meine Eltern, die mir meine Berufsziele freigestellt und ermöglicht haben. Weiters danke ich meiner Lebensgefährtin Andrea für die entgegengebrachte Geduld und Rücksicht – speziell in den letzten Monaten.

Im Sinne von Adam Smith - *„Society gains when men compete to better their position"* (Adam Smith 1727-1790, engl. Nationalökonom) - kann ich nur der Hoffnung Ausdruck verleihen, daß der Gedanke des hier vorgestellten alternativen Modellkonzeptes in absehbarer Zeit eine praktische Umsetzung erfährt.

Innsbruck, im September 2000

Gegenüber der Originalausgabe der Dissertation wurden in dieser Ausgabe einige Druckfehlerberichtigungen vorgenommen

Innsbruck, im Juni 2002

Kapitelübersicht

Inhaltsverzeichnis

Kurzfassung

Public Private Partnership scheint ein attraktives Thema zu sein - davon zeugen zahlreiche Publikationen, und auch die Praxis hat das Konzept aufgegriffen und implementiert es zunehmend, wiewohl es kein gänzlich neuer Diskussionsstoff bzw. Lösungsansatz ist.

Während auf der einen Seite eine Grundsatzdiskussion über mehr oder weniger Staat losbricht, zwingt auf der anderen Seite die Knappheit öffentlicher Mittel zur Ausgliederung und Privatisierung (=Staatsverschlankung). Die Bereitstellung und Unterhaltung einer zeitgemäßen Infrastruktur entscheidet aber immer mehr über wirtschaftliche Standortqualität und die Lebensqualität jedes einzelnen Individuums.

Die Ausprägungsformen von Public Private Partnership sind vielfältig. Die im Bereich der Infrastruktur gängigste Form stellt das Betreibermodell dar. Die Abkürzungen BOT, BOO, BOOT usw. sind heute geflügelte Schlagworte.

Den Chancen dieser Modelle stehen aber auch beträchtliche Risiken für alle Beteiligten gegenüber - für die Betreiber z.B. länderspezifische Risiken, Währungsrisiken, „Construction Risks", „Operation Risks", für den Konzessionsgeber besteht die Gefahr des Ausraubens usw. und für die Leistungsnachfrager die Gefahr von sich in manchen Bereichen entwickelnden Monopole.

Für den Erfolg all dieser Modelle sind eine Vielzahl von Randbedingungen maßgeblich, welche zum einen vom Konzessionsgeber und zum anderen vom Konzessionsnehmer bestimmt werden sollen.

Umfassende Risiko-Identifikation und Risiko-Analyse sind eine Grundvoraussetzung für jedes seriöse Engagement. Für die Realisierung von Wasserkraftanlagen mit großem Hohlraumanteil mittels BOT spielt das Baugrundrisiko eine wesentliche Rolle.

Die Erfahrungen österreichischer Konzessionswerber in Asien und speziell in Indien zeigen, daß die Umsetzung von BOT-Modellen an der Frage des Baugrundrisikos scheiterte bzw. daß in der Frage der Vergütungsregelung, für die damit in unmittelbarem Zusammenhang stehenden zeitgebundenen Baustellengemeinkosten, oftmals grundsätzliche Auffassungsunterschiede bestehen, welche einen Vertragsabschluß unmöglich machen. Auf der anderen Seite ist der Ausbau der großen, brachliegenden Wasserkraftreserven Indiens von wenig Erfolg gekennzeichnet, bzw. verschiebt sich das ohnehin schon ungünstige Hydro/Thermal-Verhältnis weiter zu Ungunsten der Wasserkraft (24% / 76%), vor allem fehlt es an Kraftwerken zur Netzregelung.

Bei der für Wasserkraftanlagen typischen langen Realisierungszeit spielen die Finanzierungskosten eine große Rolle. Daher gilt es durch moderne Vortriebsverfahren (TBM) die Bauzeit für die meist am kritischen Weg liegenden Stollen zu verkürzen und dadurch die Attraktivität für den Betreiber zu erhöhen. Dieser Chance stehen aber auch die Risiken des mechanischen Vortriebes mit Vollschnittmaschinen unter schwierigen Gebirgsverhältnissen (Anstieg vom indischen Subkontinent in den Himalaja) gegenüber.

Wenn diese Projekte trotzdem mittelfristig realisiert werden sollen, müssen beide Partner mittels einer fairen Risikoteilung zum Erfolg beitragen. Public Private Partnership sollte ein „win-win Modell“ sein, bei dem jeder von der Umsetzung vielfältig partizipieren soll und kann.

An der Schnittstelle zur Bauunternehmung (welche Mitglied der „Project Company“ sein kann aber nicht muß) steht als wesentliches Instrumentarium der Bauvertrag. Konsequenterweise müssen schon im Implementation Contract[1] die Regelungen zur Risikoteilung aus dem Baugrund und entsprechende Vergütungsregelung installiert werden und bis zur Ausführung durchgebunden werden. Der prinzipiellen Gestaltung dieser Risikoteilung und Vergütungsregelung - welcher hier immer als Teil des Implementation Contract gesehen werden sollen - ist der Schwerpunkt der Arbeit gewidmet.

Augenmerk liegt dabei auf einer dem **Wettbewerb unterworfenen Konzessionsvergabe** unter den **Gesichtspunkten Kosten, Einbringung v. Know-how, Finanzierung, Innovation und Risikobereitschaft (K E F I R)**, welche in ihrer Gesamtheit die Wettbewerbsfähigkeit der Systemführerschaft honorieren soll.

Als Zuschlagskriterium soll nicht kritiklos der mit dem günstigsten geologischen Annahmen kalkulierende Billigstbieter zum Zuge kommen. Den Zuschlag soll jener Konzessionswerber erhalten, der in der Schnittmenge der Erwartungshaltungen von beiden Vertragspartnern das beste Angebot legt.

Das alternative Konzept soll trotzdem eine nachvollziehbare Bewertung der Angebote zulassen, der unterschiedlichen Erwartungshaltung an den Baugrund und seine „Bearbeitbarkeit“ von Konzessionsgeber und Konzessionswerber Rechnung tragen, die Wahl des Bauverfahrens dem Konzessionswerber freistellen sowie die in der Ausführung angetroffenen Verhältnisse einer sinnvollen Regelung betreffend Risiko- und damit Kostentragung zuführen.

Der Konzessionsnehmer muß für seine Einschätzung des Baugrundes bis zu einer für alle Bieter gleichen monetären Grenze gerade stehen. Darüber hinaus werden „außergewöhnliche Baugrundrisiken“ über einen „Geological Risk Fund“, der über das Projekt-Portfolio des Konzessionsgebers einen Ausgleich gewährleisten soll, übernommen.

[1] „Implementation Contract“ oder auch „Implementation Agreement“, „Concession Agreement“ , „Project Agreement“

Abstract

PPP is a popular procedure to install public services by the private sector. For infrastructure BOT-models are widely used by the construction industry. The BOT-model of project development has been heralded as bringing a step forward in contracting, particularly in the developing countries, through private-sector participating in building and operating of major projects such as Highways, Bridges, Tunnels or Power-plants. It opens up tremendous opportunities for contractors to penetrate into new markets.

Infrastructure projects establish the physical network upon which the country's economy depends. This network is important to the steady development of economy and society.

The BOT-concept represents a step forward in meeting the needs of industrialized and developing countries for more capital investment in infrastructure. However, for a private-sector consortium bidding for a BOT-concession, the road to winning a major BOT-contract ist not easy. The consortium must be willing to take calculated risks and at the same time be adaptable to changing demands and circumstances in the host country.

For this kind of project new contracts are necessary. Contracts with a higher involvement of the contractor on the basis of a two party approach. Risk-Sharing is one of the key factors in adopting successful BOT-models. FIDIC has taken up the subject by publishing its SILVER BOOK on „Conditions of Contract for EPC Turnkey Projects" (EPC means Engineer, Procure, Construct) for this type of projects.

By intention these forms were not designed for projects involving a substantial amount of Sub-surface or underground works. Therefore they are not applicable for Hydro Power-schemes or tunnels for public transport - in particular if these projects are located in montainous areas which is mostly the case. To improve this situation the paper deals with this topic by suggesting a concept which can be regarded as a supplementary modul (called K E F I R) to the FIDIC/EPC Turnkey-Book. By its application the realisation of Hydro Power-schemes by BOT-models in developing countries will be facilitated.

European contractors have pursued a number of Hydro Power-projects in Asia - particularly India, where the BOT-approach was favoured by a change in legislation some years ago (1991). Until today most attempts have failed, particularly because the parties involved were unable to agree on a formula for sharing the geological risks. For this reason the great expectations related to the new POLICY ON HYDRO-POWER DEVELOPMENT have been completely disappointed. So far only thermal power-projects have taken off.

The concept in this paper foresees that for a chosen project the owner has to provide the general design plus a cost estimate based on internationally acceptable rates. The project is then brought up for International Competitive Bidding (ICB). The bidders are explicitly invited to modify and / or improve the design and base their pricing on their own design. By this approach the risks resulting from construction methods and quantities are fully transfered to the bidders – with one exception → **the Geological Risk**.

The thesis is dealing exactly with this problem. The core of the proposal is a new method of handling the Geological Risks. It combines elements of an already established model - the GMP (Guaranteed Maximum Price or more popular „ceiling“) - method with elements providing a strong incentive for the bidder to base his bid on a realistic assessment of the geological conditions.

In case of favourable geological conditions the model foresees that the contractor - receives the savings. In case of adverse geological conditions - i.e. when the savings turn into cost overruns, the contractor has to bear the additional costs up to a monetary border (called „Grenz-Bonität des Angebots - GBA). Above this border the owner is bearing the cost overruns, which should be distributed over his project portfolio to balance the risk.

The well-functioning of this model depends on a great extent on the preparatory work provided by the owner, in particular a good general design and a sound cost estimate. If these conditions are fulfilled, the model can be applied successfully.

1 Thematik und Motivation

Eine Anregung von o.Univ.Prof. Eckart Schneider am Beginn meiner Tätigkeit als Assistent am Institut für Baubetrieb, Bauwirtschaft und Baumanagement der Universität Innsbruck hat mich auf diese Thematik aufmerksam gemacht.

Zu dieser Zeit waren gerade die letzten Arbeiten eines österreichischen Konsortiums am Angebot für eine Wasserkraftanlage in Indien im Gange, welche mittels indischer Partner als BOT-Modell realisiert werden sollte.

Im Endeffekt führten diese Vorarbeiten nicht zu einer Beauftragung, wenngleich diese Anlage auch zwischenzeitlich von niemandem anderen realisiert wird. So verblieb doch zum wiederholtem male die Erfahrung, daß der Einsatz von österreichischem Wasserkraftwerks-bau-, Tunnelbau- bzw. TBM - Know-how in Indien seit den ersten Bestrebungen anfangs der 80er Jahre nie zum Einsatz gekommen sind. Dadurch unterblieb auch der Beweis, daß die von den Bauunternehmen in Österreich bei vielen Wasserkraftanlagen erbrachten Leistungen in Hinblick auf Termin und Kosten auch in Indien realisierbar wären.

Der indische Wasserkraftwerksbau ist derzeit geprägt von exorbitanten Kosten- und Bauzeitüberschreitungen[2], auch und gerade weil es der indischen Bauwirtschaft an Tunnelbau – Know-how und vielfach an entsprechendem Equipment fehlt.

Der Hauptgrund für das Scheitern der österreichischen Bemühungen in Indien war immer die Handhabung des Baugrundrisikos und der damit in unmittelbarem Zusammenhang stehenden zeitgebundenen Baustellengemeinkosten (Bauregie). Gerade im Konfliktfeld zwischen rascher Bauabwicklung zur Minimierung der Finanzierungskosten und des Ausführungsrisikos spielte der TBM-Einsatz an den langen, am kritischen Weg liegenden Stollen eine entscheidende Rolle.

Durch das Fehlen eines projektübergreifenden Risikotopfes für „außergewöhnliche Risiken“ aus dem Baugrund konnte an den verfolgten Einzelprojekten nie ein „Risk-Sharing“, welches alle Beteiligten in eine „win-win“ Situation gebracht hätte, installiert werden.

---

[2] vgl. Tabelle 4-7, Seite 132: Von den 22 der zuletzt durch die indische Power Finance Corporation finanzierten Wasserkraftwerke hatten 64% eine Kostenüberschreitung von mehr als 200% und 64% eine Bauzeitüberschreitung von mehr als 4 Jahren (aus GOVIL K.K. 1999 a.a.O.).

IST-Situation Indien:

- Großes ausbauwürdiges Wasserkraftpotential (ca. 150.000 MW, derzeit 15,5% ausgebaut).
- Politischer Wille zur Vergabe von Konzessionen an private Investoren.
- Ungünstiges Hydro/Thermalverhältnis von 24%/76% mit weiterhin stark sinkendem Wasserkraftanteil, bedingt Netzinstabilität und schlechte Auslastung und Wirkungsgrad bei den Thermalkraftwerken.
- Fehlendes Know-how in Planung und Bau von Stollen bzw. Hohlraumbauten.
- Finanzierungsengpässe

IST-Situation Österreich:

- derzeit kein Engagement österreichischer Bauunternehmen an Wasserkraftwerken in Indien.
- Hohes Know-how in Planung und Ausführung von Hohlraumbauten, welches seit dem Abflauen des Wasserkraftausbaues Anfang der 90er Jahre, nur bedingt eingesetzt werden kann.
- Große Erfahrung im TBM-Einsatz bei Stollenbauten und den schwierigen Bedingungen in den Ostalpen und weltweit.
- Exportkreditgarantien durch die Republik Österreich.

Für mich war es von Beginn an eine interessante Kombination meiner Interessen, zumal der Schwerpunkt meiner Vertiefung im Diplomstudium der Wasserkraftanlagenbau (Hoch- und Mitteldruckkraftwerke) war, über welchen ich im Zuge meiner Diplomarbeit[3] zum Vortrieb von Stollen mittels TBM gestoßen bin. Durch die Erfahrungen im Zuge des Aufenthalts auf der Baustelle des Evinos-Tunnel-JV (Griechenland) reifte in mir der Entschluß, mich künftig mehr mit baubetrieblichen, bauwirtschaftlichen und bauvertragsrechtlichen Fragestellungen - speziell des Hohlraumbaues - zu beschäftigen.

Situation

Der Bedarf an zeitgemäßer Infrastruktur und die Suche nach rentablen Kapitalanlagen einerseits, sowie das Ausweichen der Bauunternehmen der Industrienationen auf den

[3] SPIEGL M.: Mechanischer Stollenvortrieb: Vergleich zwischen einer offenen bzw. geschlossenen Tunnelbohrmaschine – Fallbeispiel: Evinos-Mornos Projekt, Griechenland. Diplomarbeit am Institut für Wasserbau bei em.Univ.Prof. Gerhard Seeber, Universität Innsbruck, 1995.

Auslandsbau führen zu einer Forcierung der Konzessionsmodelle in den sich entwickelnden Staaten mit ihren problematischen Agglomerationszentren.

SCHWARZ (1997)[4] hat das am Beispiel der Wasserkraft so formuliert: „..... *Die „Erste Welt" hat Kapital. Das Kapital will arbeiten, Geld verdienen. Das Kapital sucht wie ein Magnet lukrative Objekte. Die „Dritte Welt", die „Vierte Welt", hat ungenutzte natürliche Reserven: Wasserkraftreserven. Energie ist die Voraussetzung für jede Entwicklung ....* ".

Elektrische Energie hat neben ihren positiven Effekten auf die Erleichterung des täglichen Lebens eine beträchtliche Wettbewerbswirkung auf den Wirtschaftsstandort.

Dieser Energiehunger und die Suche nach rentablen Kapitalanlagen hat in den letzten Jahren zu einem Boom an Ausschreibungen für Wasserkraftwerksanlagen geführt. Die besten Aussichten haben Projekte mit höchster Rendite bei geringstem Risiko. Es werden sich deshalb kurzfristig nur die gut vorbereiteten Projekte realisieren lassen. Von den Projekten, die noch im Vorentwurfsstadium sind, bleibt wohl nur ein kleiner Teil übrig, denn die Investoren bewerten auch die Anlauffinanzierung und Voruntersuchungen nach wirtschaftlichen Kriterien (SCHWARZ J. 1997). Nicht unwesentlich ist auch der zeitliche Ablauf, welcher auf Seiten der Investoren Frustration erzeugen bzw. diese zum Ausstieg veranlassen kann[5].

Auslandsbau

Die Flucht aus den derzeit wenig gewinnbringenden Inlandsmärkten forciert den Auslandsbau immens (vgl. z.B. deutsche Bauindustrie – Vervierfachung zw. 1987 und 1997[6]). Die oben erwähnten Bemühungen österreichischer Firmen am indischen Markt Fuß zu fassen, waren vor allem vom Vertrauen in das vorhandene Know-how im Wasserkraftwerksbau getragen → Planung von Wasserkraftwerken, Hohlraumbau (NÖT, TBM, Stollenauskleidungssysteme), Turbinen- und Generatorenlieferanten (E&M) → **Systemanbieter mit Nischenpolitik (Systemallokation)**[7].

---

[4] SCHWARZ J.: Neue Chancen für die Wasserkraft: BOT Modelle. a.a.O., S. 623.

[5] UNIDO: BOT-Guidelines. „Complexity of the BOT process", S. 17 „*The process of developing a BOT project may be complicated, time-consuming and, from the view of the sponsors, very expensive. For large projects, serveral years can elapse before signature of the project agreement or closing of the financing. In that time, sponsors may spend considerable amounts for feasibility studies, professional fees to advisers and consultants, and other out-of-pocket expenses, to say nothing of the cost of their own management time ...* " bzw. auch „Government commitment of conclude BOT projects within a reasonable time", S. 71.

[6] aus GIRMSCHEID G., BEHNEN O. 2000a: Strategien sind gefragt – Wettbewerbsstrategien für den Auslandsbau. Bauwirtschaft, Heft 1/00, S. 34-40 bzw. Zahlen im Detail z.B. auf http://www.eicontractors.de/vonoc.htm (Stand 20/04/00) und http://www.bauindustrie.de/hdb0004.htm (Stand 20/04/00).

[7] siehe GIRMSCHEID G.: Das Systemanbieterkonzept als Querschnittsthema. Jahresbericht des Instituts für Bauplanung und Baubetrieb, ETH Zürich, Zürich 1999a.
BEHNEN O.: BOT als Basis zu unternehmerischem Erfolg durch Systemanbieterschaft. 22. Deutscher

Insgesamt war und ist die österreichische Bauindustrie[8] nach wie vor von ihrer Struktur her zu klein um sich im selben Maß wie z.B. deutsche oder französische Firmen mit eigenen Niederlassungen in Überseemärkten dauerhaft zu betätigen.

Zunehmend werden jedoch weltweit Auslandsgeschäfte in weit weniger traditioneller Form abgewickelt, d.h. vielmehr über lokale Beteiligungen und Tochterunternehmen (siehe im Detail bei GIRMSCHEID G., BEHNEN O. 2000a).

Chancen des Auslandsbaues

Für die österreichische Bauwirtschaft besteht nach wie vor die Chance sich am Wasserkraftausbau in Indien zu beteiligen. Chancen im Auslandsbau bestehen vor allem durch Spezialkompetenzen, welche gerade auch im Wasserkraftwerksbau erforderlich sind.

Interessanterweise betätigen sich österreichische Bauunternehmungen derzeit weniger als Systemanbieter an solchen Projekten, als vielmehr nur als Subunternehmer für Stollenbauten oder überhaupt nur als TBM-Beisteller mit Schlüsselpersonal. Hier gilt es auf breiter Basis gegenzusteuern, damit sich die Bauunternehmen als Systemanbieter im Geschäftsfeld Wasserkraft positionieren können.[9]

Hohlraumbau

Ausgangspunkt meiner Arbeit war der Wasserkraftausbau in Indien und die damit verbundenen Risiken aus dem Baugrund. Grundsätzlich trifft die selbe Problematik für alle Arten von Hohlraumbauten zu, welche im Rahmen von BOT-Modellen realisiert werden, d.h. bei jeder Art von Projektfinanzierung für z.B. Verkehrstunnelbauten mit dem Ziel einer möglichst hohen Kosten- und Terminsicherheit → Wunsch „Pauschalpreis" und „Fixtermin".

Außenwirtschaftstag - Betreibermodelle für das Ausland, 11. Feb. 1999.
HÜLSKÖTTER E.: Neue Wege für die Bauindustrie - Modularisierung und Systemgeschäft in der Bauwirtschaft, Teil 2, Bauwirtschaft, Heft 8/00, S. 18-21, 2000.

[8] Die BAUHOLDING STRABAG AG (http://www.bauholding.at (Stand 12/08/00)) bildet hier heute sicher eine Ausnahme, trotzdem ist sie außerhalb Europas bzw. in Übersee durch Niederlassungen praktisch nicht vertreten.

[9] vgl. „Was ist eine Kernkompetenz?" in: HAMEL G., PRAHALAD C.K.: Wettlauf um die Zukunft – Wie Sie mit bahnbrechenden Strategien die Kontrolle über Ihre Branche gewinnen und Märkte von morgen schaffen. S. 307-394, Wirtschaftsverlag Ueberreuter, Wien 1995.

Bearbeitung

- **Methodik:** Die Methodik der Arbeit ist Problemorientierung und fußt auf den von österreichischen Firmen in Indien gemachten Erfahrungen (Dulhasti, UHL III, SEWA II, Austrian HYDEL Power Workshop New Dehli, vgl. Punkt 4.3.6). Dabei wurden zuerst die bearbeiteten Projekte untersucht, praktizierte Vertragsformen analysiert und ein Alternativkonzept entworfen.
- **Problembereich:** Der Problembereich ist mit den Schlagworten:
    - anpaßbarer Pauschalpreis für Hohlraumbauten (→ primär für BOT-Modelle)
    - Einbeziehung der Erwartungshaltung von Konzessionsgeber bzw. Auftraggeber und Konzessionsnehmer bzw. Auftragnehmer
    - Forcierung von Innovation und Know-how
    - Begrenzung der außergewöhnlichen Risiken aus dem Baugrund für den Konzessionsnehmer/Auftragnehmer

  am Besten zu beschreiben.
- **Abgrenzung wissenschaftlicher Disziplinen:** CZAYKA L.[10] spricht in seinem Buch „Systemwissenschaft" vom Konflikt der Arbeitsteilung bzw. Gliederung in der Wissenschaft. Die hier vorliegende Arbeit will nur einen alternativen Denkanstoß geben und behandelt nur einen sehr kleinen Aspekt im Bereich der derzeit populären Form der Infrastrukturentwicklung (PPP/BOT) und erhebt keinen Anspruch auf Vollständigkeit oder Kongruenz mit allen Nachbardisziplinen.

[10] CZAYKA L.: Systemwissenschaft. a.a.O., S. 7.

2 PPP-Modelle für Infrastrukturprojekte

2.1 Einführung

Unter **Public Private Partnership (PPP)** versteht man im wesentlichen die partnerschaftliche Kooperation zur gemeinsamen Errichtung und/oder Betrieb von Infrastruktureinrichtungen[11] (im weitesten Sinne) durch die **öffentliche Hand**[12] bzw. **öffentliche Unternehmen** und **privaten Wirtschaftssubjekten zu beiderseitigem Nutzen.**[13]

Im Extremfall beschränkt sich der „Staat" auf eine Lenkungsfunktion (hoheitsrechtliche Aufgaben und Kontrollfunktion). Dies stellt insofern einen **Paradigmenwechsel** dar, als sich in den letzten Jahrzehnten der „Staat" in den meisten Volkswirtschaften für die zur Verfügungsstellung von Infrastruktur verantwortlich erachtete.

Siehe dazu auch Vorwort von SIR WILLIAM PURVES, Chairman of HSBC Holdings plc. in „Privatized infrastructure: The BOT approach": *„.... Until a decade or two ago, this would been unthinkable. The planning and construction of public works were everywhere regarded as one of government's principal responsibilities. Increasingly, however, this view has changed. We are returning to the model of a century ago when the most of the world's major public works – canals, railroads, tollways, tramways, bridges, telephone systems – were financed and build by private enterprise .... "*.[14]

Die logische Auswirkung waren staatliche Monopolstrukturen in den wesentlichen Sektoren:

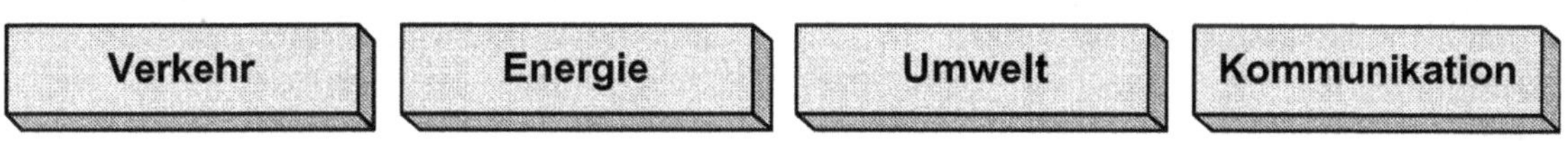

Abbildung 2-1: Infrastruktursektoren

---

[11] Der Bereich der Infrastruktur stellt eine vollkommen überholte Einschränkung der möglichen Bereiche für Public Private Partnership dar. So kann praktisch jede Form der Zusammenarbeit zwischen öffentlichen Einrichtungen und Privaten dem Grunde nach als Public Private Partnership bezeichnet werden.

[12] Öffentliche Hand - im weiteren bezeichnet mit „Staat", einschließlich aller anderen mit hoheitlichen Rechten ausgestatteten Körperschaften wie Bundesländer, Städte und Gemeinden usw.

[13] siehe u.a. MUTHESIUS TH.: Praktische Erfahrungen und Probleme mit Public Private Partnership in der Verkehrswirtschaft, in: Budäus D., Eichhorn P. (Hrsg.), Public Private Partnership – Neue Formen öffentlicher Aufgabenerfüllung. Schriftenreihe der Gesellschaft für öffentliche Wirtschaft, Heft 41, S. 169, Nomos Verlagsgesellschaft, Baden-Baden, 1997.

[14] in WALKER Ch., SMITH A.J.: Privatized infrastructure: The BOT approach. Thomas Telford Publications, London 1995.

Im Wesen solcher öffentlicher Monopolstrukturen liegt oft die Ursache für mangelnde Effizienz und Kundenorientierung.

Der Sinn von Public Private Partnership kann auch als der Versuch verstanden werden, bislang rein staatliche Gestaltungsaufgaben und –instrumente mit unternehmerischer Effizienz und Flexibilität zu verbinden und privaten Sachverstand – gegebenenfalls auch privates Kapital – einzubinden[15].

Dieser Aspekt spielt vor allem in Ländern mit großem Nachholbedarf an infrastrukturellen Einrichtungen eine wesentliche Rolle, z.B. die Neuen Bundesländer in Deutschland oder aufstrebende Entwicklungsländer und industrielle Schwellenländer.

Public Private Partnership ist kein gänzlich neuer Diskussionsstoff bzw. Lösungsansatz.[16] Schon seit längerem befaßt man sich im Rahmen gemischtwirtschaftlicher Unternehmen, internationaler Joint-Ventures und verschiedenen Privatisierungsaktivitäten mit der Zusammenarbeit zwischen öffentlicher Hand und Privaten.

Während auf der einen Seite eine Grundsatzdiskussion über mehr oder weniger Staat losbricht, zwingt auf der anderen Seite die Knappheit öffentlicher Mittel zur Ausgliederung und Privatisierung.

Die Bereitstellung und Unterhaltung einer zeitgemäßen Infrastruktur entscheidet immer mehr über wirtschaftliche Standortqualität und die Lebensqualität jedes einzelnen Individuums.

2.2 Begriffsdefinition Infrastruktur

Unter „Infrastruktur" verstehen wir im engeren Sinn die von staatlicher und/oder privater Seite erbrachten Unterstützungsleistungen in den Sektoren Verkehr, Energie, Umwelt und Kommunikation.[17]

2.3 Begriffsdefinition von PPP

Das Herkunftsland des PPP-Konzeptes[18] sind die USA, wo ein Erfahrungshintergrund besteht, der bis in die 40er Jahre[19] dieses Jahrhunderts zurück reicht. Der „Boom" des PPP-Konzeptes

---

[15] MIROW T.: Public Private Partnership – eine notwendige Strategie zur Entlastung des Staates, a.a.O., S. 16; BEHNEN O. a.a.O., S. 5-7; UNIDO: „Advantages and challenges of the BOT approach" a.a.O., S. 5-8.

[16] Siehe u.a. EICHHORN P.: Public Private Partnership und öffentlich-privater Wettbewerb, in: Budäus D., Eichhorn P. (Hrsg.), Public Private Partnership – Neue Formen öffentlicher Aufgabenerfüllung. Schriftenreihe der Ges. für öffentl. Wirtschaft, Heft 41, S. 199, Nomos Verlagsgesellschaft, Baden-Baden, 1997.

[17] siehe in: Public Private Partnership in Mitteleuropa. Enquete 7.5.96 und Workshop 26.-28.3.96 (Hrsg.: Roland Berger & Partner, Weiss-Tessbach und Geoconsult), S. 5, Wien 1996.

fand allerdings auch dort erst wesentlich später statt. Erst Ende der 70er Jahre begannen Kommunen in großem Umfang Partnerschaften mit Privaten einzugehen.[20]

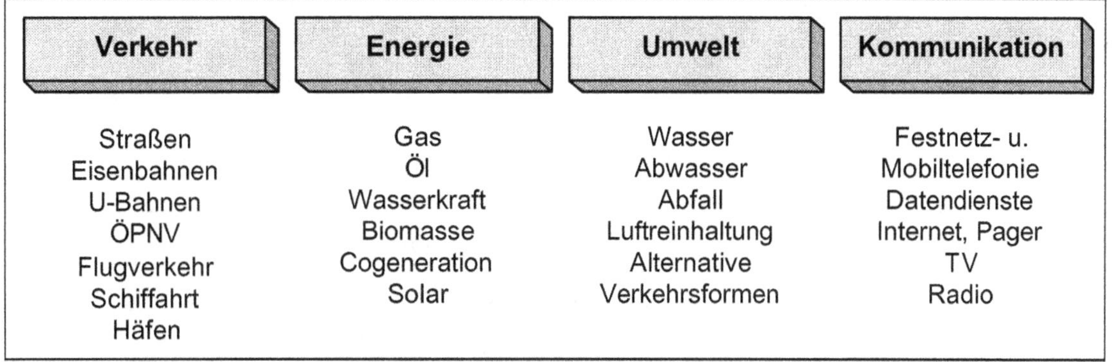

Verkehr
Energie
Umwelt
Kommunikation
Straßen
Eisenbahnen
U-Bahnen
ÖPNV
Flugverkehr
Schiffahrt
Häfen
Gas
Öl
Wasserkraft
Biomasse
Cogeneration
Solar
Wasser
Abwasser
Abfall
Luftreinhaltung
Alternative
Verkehrsformen
Festnetz- u.
Mobiltelefonie
Datendienste
Internet, Pager
TV
Radio

Abbildung 2-2: Die vier wesentlichen Infrastruktur-Sektoren.

Public Private Partnership (PPP) scheint zwischenzeitlich auch in Mitteleuropa, vor allem aber in Asien ein attraktives Thema zu sein; davon zeugen zahlreich erschienene Publikationen, und auch die Praxis hat das Konzept aufgegriffen und implementierte es zunehmend.

Nichts desto trotz herrscht über die Verwendung des Begriffes „Public Private Partnership" eine regelrechte Sprachverwirrung und inflationäre Verwendung. Die PPP-Literatur ist sich nur in einem Punkt vollkommen einig:

Es gibt keine exakte und allgemeingültige Definition von PPP.

Der Begriff verliert aber restlos an Schärfe, wenn jedwede Zusammenarbeit zwischen Akteuren aus dem privaten oder dem öffentlichen Sektor als PPP bezeichnet wird.[21]

Vielfach kann auch nicht von Public Private Partnership, sondern nur von einer reinen Finanz-, Dienstleistungs- oder Organisationsprivatisierung gesprochen werden.

---

[18] Public Private Partnership im Sinne des Betriebes von Infrastruktureinrichtungen durch Private war in der zweiten Hälfte des vorigen Jahrhunderts wohl eher die Regel als die Ausnahme.

[19] Allegheny Conference on Community Development in Pittsburgh (1943), zur Planung und Koordinierung von Maßnahmen um den ursprünglich einseitig von der Stahlindustrie dominierten Ballungsraum Pittsburgh, vor dem Verfall zu retten bzw. wiederzubeleben.

[20] BUDÄUS D., GRÜNING G.: Public Private Partnership - Konzeption und Probleme eines Instruments zur Verwaltungsreform aus Sicht der Public Choice-Theorie, in: Budäus D., Eichhorn P. (Hrsg.), Public Private Partnership – Neue Formen öffentlicher Aufgabenerfüllung. Schriftenreihe der Ges. für öffentl. Wirtschaft, Heft 41, S. 25, Nomos Verlagsgesellschaft, Baden-Baden, 1997.

[21] BUDÄUS D., GRÜNING G. a.a.O., S. 46.

Privatisierung ist in der aktuellen ordnungspolitischen Diskussion ein Reizwort geworden, bei dem die unterschiedlichsten weltanschaulichen Positionen und verschiedensten wirtschaftlichen Interessen aufeinandertreffen. Der Begriff „Partnerschaft" ist wesentlich positiver besetzt als „Privatisierung". In diesem Zusammenhang ist es sicher richtig von einem Modewort zu sprechen. Als ein Modewort, das als ungenau verwendeter Sammelbegriff für alle möglichen neuen und bereits bekannten Formen der Zusammenarbeit zwischen öffentlicher Hand und Privaten dient[22] [23].

Eine Eindeutschung des aus dem Amerikanischen kommenden Begriffes hat inzwischen stattgefunden, indem manche Autoren von „Öffentlich–Privaten Partnerschaften" sprechen.

Von manchen Autoren wird der Begriff Public Private Partnership umgestellt auf Private Public Partnership, aus dem Grund, daß private Initiative zum Wohl der Allgemeinheit, treibende Kraft für diese eine Art von Initiativen sein sollten (z.B. Sanierung von öffentlichen Schulen, durch die Eltern unter Einbeziehung von Sponsoring der lokalen Wirtschaft wegen fehlender öffentlicher Mittel nach dem Motto „Bürger nehmen Dinge selbst in die Hand", Gemeinnützige Stiftungen von Unternehmen bzw. Privaten)[24].

Eindeutiger formuliert bei BERNHARD JAGODA[25]: *„Ich würde mich freuen, wenn im Bereich der Arbeitsförderung aus „Public Private Partnership" wirklich „Private Public Partnership" würde, also verstärkt Initiative von Privaten ergriffen und gemeinsam mit dem öffentlichen Sektor umgesetzt würde".*[26] [27]

Diese Art der Zusammenarbeit wird im Allgemeinen als der „dritte Sektor" bezeichnet. In den USA kooperieren viele Non-Profit Organisationen gut mit dem Staat. Ein älteres Beispiel ist die kooperative Kriegswirtschaft im Ersten Weltkrieg (Reichsernährungsamt, Deutschland) - eine aus der Not geborene Staatsverschlankung.[28]

Erforderlich ist deshalb um so mehr eine Definition des Begriffes PPP-Public Private Partnership.

---

[22] siehe im wesentlichen bei BUDÄUS D., GRÜNING G. a.a.O., S. 47.

[23] z.B. Forschungskooperationen zwischen einer mit öffentlichen Mitteln finanzierten Universitäten und privaten Unternehmen.

[24] vgl. SPÄTH L., MICHELS G., SCHILY K.: Das PPP-Prinzip. Private Public Private Partnership . Die Privatwirtschaft als Sponsor öffentlicher Interessen, Verlag Droemer, München 1998.

[25] Präsident der Deutschen Bundesanstalt für Arbeit, Nürnberg.

[26] siehe JAGODA B.: Private Public Private Partnership als Instrument zum Abbau der Arbeitslosigkeit, in: Späth Lothar, Michels Günter, Schily Konrad (Hrsg.): a.a.O., S. 105.

[27] weltanschauliche Positionen sind sicher mit ein Grund für diese Wortspiele und Interpretationsergebnisse.

2.3.1 Abgrenzung nach Handlungsfelder

Vielfach setzen Autoren für ihre Definition von PPP auf eine Abgrenzung durch Handlungsfelder, deckungsgleich mit den von ihnen untersuchten Bereichen, z.B. Stadterneuerung, Stadtentwicklung, Ausbildungsoffensive usw.

Das spezifische Handlungsfeld ist jedoch für Public Private Partnership in seiner Gesamtheit kein geeigneter Definitionsbestandteil, wenn er auch gerade für den Praktiker, spez. Techniker als der Naheliegenste erscheint.

2.3.2 Abgrenzung nach dem Grad der Formalisierung bzw. Institutionalisierung

Kern der Definition ist die Kooperation (Partnerschaft) zwischen öffentlichen und privaten Akteuren mit dem gemeinsamen Bestreben nach konvergierenden Zielen zur Realisierung von Synergie-Effekten in sozialen und kommerziellen Bereichen, unter Wahrung der Identität und Verantwortung der Partner[29].

Eine Definition in dieser Weise beinhaltet alle möglichen Formen von PPP-Modellen, ohne Einschränkung auf bestimmte Handlungsfelder. Sie beinhaltet damit auch die Betreibermodelle, im speziellen jene am Sektor Infrastruktur.

Die Schlagworte „win-win" Strategie oder „two party approach" sind in ihrem Inhalt deckungsgleich mit dieser Definition.

2.3.3 Definition von PPP

Zusammenfassend aus obiger Diskussion ergibt sich folgender Befund: [30]

---

[28] Diskussionsbeitrag von SCHUPPERT G. in : Budäus D., Eichhorn P. (Hrsg.), Public Private Partnership – Neue Formen öffentlicher Aufgabenerfüllung. Schriftenreihe der Ges. für öffentl. Wirtschaft, Heft 41, S. 144, Nomos Verlagsgesellschaft, Baden-Baden, 1997.

[29] im Detail bei KOUWENHOVEN V.: Public Private Partnership : A Model for the Management of Public-Private Cooperation, in: Jan Kooiman (Hrsg.), Modern Governance – New Government-Society Interactions, London 1993, S. 120.

[30] siehe im wesentlichen bei BUDÄUS D., GRÜNING G. a.a.O.

- **Interaktion zwischen öffentlicher Hand und Akteuren aus dem privaten Sektor**
- **Fokus auf die Verfolgung komplementärer Ziele**
- **Synergiepotentiale bei der Zusammenarbeit**
- **Prozeßorientierung**
- **Identität und Verantwortung der Partner bleiben intakt**
- **die Zusammenarbeit ist vertraglich formalisiert**

D.h. nicht, daß es nicht auch PPP-Modelle gibt, die nicht alle oben angeführten Punkte entsprechen. Beispiele für erfolgreiche Lösungen gibt es viele, aber ebenso lang ist die Liste von gescheiterten PPP-Modellen. Als bekanntestes Beispiel sei nur auf das Projekt Canary Wharf – London Dockland hingewiesen, welches schlußendlich zur Zahlungsunfähigkeit des privaten kanadischen Investors Olympia & York (O&Y)[31] führte.[32]

Hingewiesen sei an dieser Stelle auf den Punkt 2.7, wo Chancen und Risiken von PPP diskutiert werden bzw. im Punkt 3.8.1.5. am Beispiel von BOT-Modellen[33].

2.4 Geschichtlicher Rückblick

Private und gemischtwirtschaftliche Unternehmen zur Erfüllung öffentlicher Aufgaben, speziell am Verkehrssektor sind nichts grundsätzlich Neues.

Prinzipiell waren die Wegzollstationen des Mittelalters nichts anderes als die Bemautung von Verkehrswegen, mit der mehr oder weniger wahrgenommenen Verpflichtung der Wegerhaltung und Wegsicherung und damit eine „frühe, etwas rudimentäre Form" des Konzessionsmodells.[34]

Frankreich ist und war einer der führenden Staaten bei der Adaption von Konzessionsmodellen. Nach MONOD (1982)[35] war der Bedarf nach einer zentralen Trinkwasserversorgung für Paris der Anstoß für das erste Konzessionsmodell - die

[31] Olympia & York, Unternehmen der Brüder Reichmann, Canada: Eine der bis dahin weltweit erfolgreichsten Immobiliendevelopmentfirmen, z.B. World-Trade-Center, New York.

[32] Natürlich spielt auch der Sturzflug der Büromieten Ende der 80er Jahren in London ein nicht unwesentliche Rolle sowie das große Beharrungsvermögen der Mieter in der Londoner City → Mentalitätsproblem.

[33] siehe auch UNIDO: BOT-Guidelines: „ Risk identification and management" a.a.O., S. 151-177.

[34] vgl. UNIDO: a.a.O., S. 3: *"... Some commentators have written that the BOT concept has its historical roots in the concession systems of the nineteenth and early twentieth centuries. Others believe that BOT projects differ so significantly from the old concession approach that their roots are much more recent. The old concessions normally entitled the private sector to the virtually free use – some authors have called it ‚exploitation' (=Ausbeutung) – of the project, with very little participation and control by the host governments.".*

[35] MONOD J.: The private sector and the management of public drinking water supply. World Bank, 1982.

Trinkwasserversorgung der Brüder Perier, für welche die Konzession 1782 erteilt wurde. Ein weiteres frühes und großes Konzessionsprojekt war der Bau des Suez-Kanals, für welchen die Suez Canal Company am 30. Nov. 1854 eine 99-jährige Konzession erwirkte. Die Suez Canal Company wurde vorerst durch den Engländer Thomas Waghorn und später durch den Franzosen Ferdinand de Lesseps[36] vertreten. Die offizielle Inbetriebnahme des Suez Canal erfolgte am 17. Nov. 1869.

Bei beiden Projekten wurde die Konzessionszeit nicht erreicht - beide hatten ein ähnlich schicksalhaftes Ende. Der privaten Suez Canal Company (1869-1956) wurde die Suez-Krise (1949-1956)[37] [38] zum Verhängnis und der Betreibergesellschaft der Brüder Perier für die Wasserversorgung Paris machte die Französische Revolution 1789 ein Ende.

Selbst das Österreichische Wasserrechtsgesetz sah für die Genehmigung von Wasserkraftwerken eine Laufzeit von max. 90-Jahren mit anschließendem Heimfallsrecht (primär des Wasserrechts) zugunsten der Republik Österreich vor[39]. Auch wenn damals noch niemand etwas von PPP gehört hat, ist dies doch schon der klassische Fall eines BOT-Modells.

2.4.1 Die Eisenbahnen als frühe Konzessionsmodelle

Die Pionierzeit der Eisenbahn assoziiert wohl jeder mit dem Bild der mutigen, innovativen Privatinvestoren; daß dieses Bild nicht überall und zur selben Zeit richtig ist und war, sollen die nächsten Absätze zeigen.

Mit der Errichtung der ersten Eisenbahnlinie (12,3 km von Stockton nach Darlington - durch Stephenson, 27. Sept. 1825[40]) in Europa und den USA wurde erstmals privates Kapital in großem Umfang in Verkehrsinfrastruktur investiert.[41] Nachdem die wirtschaftliche und strategische Bedeutung dieses neuen Verkehrsmittels offenkundig wurde, setzte ein regelrechter Bauboom ein.

---

[36] Hingewiesen sei hier auch auf den Planer des Suez-Kanals, den Altösterreicher Alois Negrelli, dessen Pläne Lesseps sich nach heutigen Erkenntnissen unter diskussionswürdigen Umständen angeeignet hatte.

[37] 1956 Verstaatlichung der „Suez Canal Company“ durch Ägyptens Staatspräsidenten Gamal Abdel Nasser im Zuge der Suez-Krise (1949-1956), Gründung der staatlichen „Suez Canal Authority“; 1963 zahlte der ägyptische Staat die letzte Abfindung an die ehemaligen Aktionäre der Betreibergesellschaft.

[38] mehr Infos siehe http://www.suezcanal.com (Stand 01/12/99).

[39] Wasserrechtsgesetz BGBL. Nr. 215/1959 §21(2) bzw. aktuelle Novelle 1990.

[40] im Grubenbetrieb gab es in England schon ab 1804 Dampflokomotiven (von Richard Trevithik).

[41] unter Eisenbahn fallen auch z.B. Pferde(eisen)bahnen, wie die private Linie Budweis-Linz-Gmunden (K.k. privilegierte Erste Eisenbahn-Gesellschaft), 129 km, Inbetriebnahme 1832.

Im wesentlichen trifft dies später auch auf den Energie- und Telekomsektor zu und heute ganz besonders auf den Mobiltelefonbereich. Beispielhaft wird in den nächsten Punkten aber nur der Bereich der Eisenbahninfrastruktur erwähnt.

USA

In den USA wurde 1826 die erste Pferdebahn in Betrieb genommen. Von diesem Zeitpunkt an setzte ein regelrechter Eisenbahnbauboom ein, finanziert durch im wesentlichen privates Kapital. Hingewiesen sei hier beispielhaft auf die wirtschaftlich bedeutenden Bahnen wie Massachusetts Railroads (war als öffentliches Projekt vorerst nicht realisierbar, aber als privates mit staatlichen Garantien)[42] und Hudson River Railroad (privat finanziert von New Yorker Kaufleuten um dem Handel zwischen dem Westen und Boston Paroli bieten zu können)[43].

DUNLAVY (1993) schreibt über die private Beteiligung an diesen Investitionen: *„...most railroads in both countries were privately owned and operated and because they demanded such large sums of capital, they made important contributions to the development of modern business methods. Even though American lines tended to rely more heavily on state aid, railroads in both countries were the first enterprises to make widespread use of the joint-stock form of corporate organization, and they were also the first to introduce broad segments of puplic to the stock market. Through the 1840s railroads investment in both countries came largely from private, domestic sources of capital. Foreign capital took some importance in the United States during 1830s, but only after 1850, as Carter B. Goodrich observes, were American railroads ‚able to raise substantial sums in the european market', and the bulk of foreign investment came after the Civil War.“* [44]

Interessant ist in diesem Zusammenhang die Deckung des Schienenbedarfes[45] in den USA durch im wesentlichen Importe aus England und Wales, unterstützt durch eine im Vergleich zu Preußen geringen Zoll auf Fertigprodukte. Die Folge war ein Export großer Teil der Wertschöpfung nach Europa und eine nur langsam prosperierende Eisenverarbeitung in den USA.[46]

---

[42] MARTIN A.: Railroads Triumphant. The Growth, Rejection, and Rebirth of a Vital American Force. Oxford University Press, S. 15, 1992.

[43] MARTIN A. a.a.O., S. 16, 1992.

[44] DUNLAVY C.A. a.a.O., S 34.

[45] Das Gewicht und die Qualität der Schienen in den USA, war bis in die 1870er sehr schlecht, d.h. zum Teil wurden nur mit Metall beschlagene Holzschienen verwendet; dadurch die Fahrgeschwindigkeiten im Mittel sehr nieder, siehe bei MARTIN A. a.a.O., S. 19 und DUNLAVY C.A. a.a.O., S. 36-38.

[46] DUNLAVY C.A. a.a.O., S. 37.

Die Entwicklung in den USA im Vergleich zu Preußen, der aufstrebenden Macht in Europa ist in nachfolgenden Tabellen dargestellt.

Tabelle 2-1: Vergleich der Eisenbahninvestitionen in den USA und Preußen von 1839-1860[47].

	Jahr	USA	Preußen
Bevölkerung [in Mio]	1820	9,6	11,3
	1830	12,9	13,0
	1839	16,7	---
	1840	17,1	14,9
	1850	23,2	16,6
	1860	31,5	18,3
Totale Gleis-länge [km]	1840	4.500	185
	1850	14.400	2.970
	1860	49.000	5.760
Gleis-länge pro 10.000 Einw.	1840	2,6	0,1
	1850	6,2	1,8
	1860	15,6	3,1
Ges. Eisenbahninv. [Mio $]	1839	Mio $ 96	
	1840		Mio $ 5
	1850	Mio $ 301	Mio $ 107
	1860	Mio $ 1.151	Mio $ 268
Invest. pro Kopf	1839	$ 5,75	$ 0,34
	1850	$ 12,97	$ 6,45
	1860	$ 36,54	$ 14,64

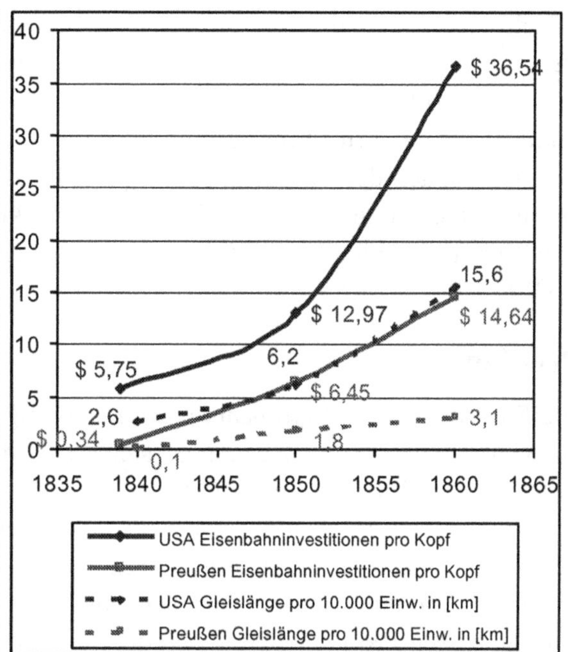

Die Kapitalaufbringung über den Aktienmarkt erreichte ungeahnte Höhen - in den USA 1860 ca. 13% des gesamten inländischen Aktienmarktes (siehe unten).

Tabelle 2-2: Anteil der Eisenbahninvestitionen am Aktienmarkt; 1850-1860 [48]

Jahr	USA	Preußen
1850	6,8%	3,0%
1860	12,7%	5,4%

Die rasante Zunahme der Schienenkilometer ab 1850 ist auf die Erschließung des Westens der USA zurückzuführen. Diese nach Westen vordringenden Eisenbahngesellschaften waren eigentlich PPP-Modelle wie unter Punkt 2.8.2 beschrieben. Wirtschaftlich interessant waren

---

[47] Zahlen aus: DUNLAVY C.A.: Politics and Industrialization. Early railroads in the United States and Prussia. Princeton University Press, S. 29, 1993.

[48] aus DUNLAVY C.A. a.a.O., S. 35.

diese Unternehmungen primär durch das damit verbundene Recht der Landvergabe an den neu erschlossenen Gebieten und erst in zweiter Linie durch den damit sich entwickelnden Personen- und Warenverkehr.

Die Eigentümer- bzw. Investorenverhältnisse vieler amerikanischer Eisenbahnen wechselten jedoch mehrfach, so kam es nach Jahren des staatlichen Eisenbahnbaues in Folge der Depression und Finanzkrise in den frühen 1840er Jahren zu einer Privatisierungswelle (im Detail nachzulesen bei DUNLAVY 1993). Vielfach wurden auch von öffentlicher Seite Garantie für die Rentabilität des privat investierten Kapitals übernommen[49]. Insgesamt litten die Eisenbahnen der USA aber unter hohen Fixkosten und permanent fallenden Frachtpreisen und in Folge waren Bankrotte ein Charakteristikum des Amerikanischen Eisenbahnwesens[50], sodaß immer wieder von Seite der Bundesregierung regulierend eingegriffen werden mußte (KOLKO 1970).

Preußen

Die Entwicklung der Eisenbahninvestitionen in Preußen wurde bis Mitte des 19. Jahrhunderts nur von privatem Kapital getragen (siehe auch die Tabelle 2-1 und Tabelle 2-2 im Absatz vorne – *Vergleich USA versus Preußen*). In den wirtschaftsliberalen USA mußten die Bahnen sogar mit mehr Einflußnahme von Seiten der öffentlichen Hand rechnen als im zentralstaatlich verwalteten Preußen[51]. Häufig waren auch gemischtwirtschaftliche Gesellschaften mit staatlichen Garantien und im Gegenzug auch staatlichen Sonderdividenden bei Überschreitung eines gewissen Profits üblich.[52] Ab dem Revolutionsjahr 1848 setzte jedoch ein Wandel ein; bis 1879 wurde der Großteil der vormals privaten Eisenbahnen vom Staat übernommen, bzw. die neuen Linien selbst errichtet.

England

In England startete der Eisenbahnbau mit der Linie Stockton nach Darlington, 1825. Im Unterschied zu den meisten anderen Staaten war das englische Parlament legislativ eher hinderlich bei der Vergabe privater Eisenbahnkonzessionen.

[49] diese Garantien wurden jedoch oft nicht anerkannt; siehe bei MARTIN A.: Railroads Triumphant. The Growth, Rejection and Rebirth of a Vital American Force. Oxford University Press, S. 18, 1992.

[50] KOLKO G.: Railroads and Regulation 1877-1916. W.W.Norton & Company Inc., New York, S. 7, 1970.

[51] aus DUNLAVY C.A. a.a.O., S. 34.

[52] über Staatliche Fonds und eine Erhöhung der Salzsteuer, siehe bei DUNLAVY C.A. a.a.O., S. 54.

Frankreich

In Frankreich wurde 1842 ein gemischter Weg eingeschlagen, d.h. die Schieneninfrastruktur wurde vom Staat erstellt, während der Betrieb privaten Gesellschaften übertragen wurde.

Österreich

In der Österreichischen Monarchie ging man schon 1841 auf das Staatsbahnprinzip über, welches die Errichtung von Eisenbahnen nur mehr auf Staatskosten vorsah[53]. Interessant dabei ist der Umstand, daß erst 1837 die erste Eisenbahnlinie in Österreich von Wien nach Deutsch-Wagram[54] feierlich eröffnet wurde, d.h. privaten Initiativen wurde schon früh das Ende beschert. Privilegien (Konzessionen) wurden jedoch vorher noch für mehrere Bahnen vergeben, z.B. noch für die „K.k. priv. Wien-Raaber Eisenbahn-Gesellschaft" von Wien nach Triest. Diese Bahn wurde jedoch vorerst nicht fertiggestellt und nur bis Gloggnitz gebaut (umbenannt in „K.k. priv. Wien-Gloggnitzer Eisenbahn-Gesellschaft"). Sie wurde indirekt Opfer eines nicht fixierten Konkurrenzverbotes bei der Konzessionsvergabe.[55]

Schweiz

In der Schweiz wurde nach Annahme der Bundesverfassung 1848 die Schaffung von Eisenbahnen von der Bundesversammlung als dringlich notwendig für die wirtschaftliche Zukunft des Landes erachtet. In der Vorlage an die Bundesversammlung wird explizit auf die Konzessionsbedingungen für Privatbahnen hingewiesen:

> *„3. Gutachten und Anträge, die Beteiligung des Bundes bei der Ausführung des schweizerischen Eisenbahnnetzes, die Konzessionsbedingungen für den Fall der Erstellung der Eisenbahnen durch Privatgesellschaften usw. betreffend."*[56]

– mit diesem Gesetz wurde das Privatbahnsystem angenommen.

Doch unmittelbar brach eine Diskussion über mehr oder weniger Bundeseinfluß los, nach langem hin und her entschloß sich schließlich die Bundesversammlung im Juli 1852 mit Mehrheit gegen: *„..... den Bau und Betrieb der Eisenbahnen durch den Bund oder unter seiner Mitwirkung".*[57]

---

[53] DULTINGER J.: Die Brennerbahn-Gestern Heute Morgen. Verlag Rudolf Erhard, Rum 1980.

[54] Salomon v. Rothschild erhielt im Jahre 1836 vom Kaiser das Privileg (Konzession) zum Bau der „Kaiser Ferdinands-Nordbahn" von Wien nach Krakau.

[55] siehe bei DULTINGER J.: Die „Erzherzog Johann-Bahn", Verlag Erhard, S. 25, Rum 1985.

[56] WEISSENBACH P.: Die Eisenbahnverstaatlichung in der Schweiz. Sonderdruck aus „Archiv für Eisenbahnwesen", S. 4, Springer, Berlin 1905.

[57] WEISSENBACH P. a.a.O., S. 8.

Selbst die Konzessionsvergabe wurde ohne allgemeine Regeln den Kantonen überlassen, was dazu führte, daß alpenübergreifende Schienenwege vorerst nicht in Angriff genommen wurden.[58]

Diese Schwachstelle wurde alsbald allgemein erkannt - mit dem Bundesgesetz über den *„Bau und Betrieb der Eisenbahnen auf dem Gebiet der schweizerischen Eidgenossenschaft vom 23. Dez. 1872"* wurden die Rechte des Bundes aufgewertet (Konzessionsvergabe, Rückkaufsrecht) - ausgehend von den Bestrebung zum Bau des großen Gotthardtunnels[59], nach Abschluß eines bilateralen Vertrags zwischen der Schweiz, Italien und dem Norddeutschen Bund (bzw. ab 28. Okt. 1871 das Deutsche Reich)[60]. Verbunden waren diese Konzessionsvergaben mit strikten Baubeginn- und Bauvollendungsfristen bzw. allfälligen daraus resultierendem Konzessionsverlust mit nachfolgender Zwangsversteigerung (WEISSENBACH 1905).

Von den ersten möglichen konzessionsgemäßen Rückkäufen im Sinne des neuen Eisenbahngesetzes wurde 1883 vom Bundesrat kein Gebrauch gemacht. Dies scheiterte nicht am wirtschaftlichen Desinteresse des Bundes, sondern an der undurchsichtigen Bilanzierung der Bahngesellschaften, welche keine einvernehmliche Bewertung der Unternehmungen zuließ. Dieser Mißstand wurde durch die Erlassung des Bundesgesetzes über *‚Das Rechnungswesen der Eisenbahnen'*[61] versucht zu beseitigen.[62]

Die Stimmen für eine Verstaatlichung des Eisenbahnwesens in der Schweiz verstummten nie, im Gegenteil ab 1857 gab es immer wieder Gesetzesanträge zum Aufkauf von Bahnaktien oder zur frühzeitigen Übernahme von Konzessionsgesellschaften durch den Bund. Der wesentlichste Schritt war die Annahme des Rückkaufgesetzes[63] durch das Schweizer Volk in der Abstimmung vom 20. Feber 1898 und damit die Schaffung der Schweizerischen Bundesbahnen.[64]

---

[58] WALDIS A.: Alpenbahnprojekte schon von Anfang an. Der Gotthard-Durchstich als Ergebnis eines langen Ringens, in Neue Zürcher Zeitung v. 4. Jan. 1996.

[59] verwiesen sei auch auf die in Romanform verfaßte Geschichte über die Verhandlungen und den Bau des Gotthardtunnels von MOESCHLIN F.: Wir durchbohren den Gotthard. Bd. I und II, Büchergilde Gutenberg, Zürich 1947.

[60] WALDIS A. a.a.O. und bei WEISSENBACH P. a.a.O., S. 12.

[61] Schweizer Bundesgesetz vom 21. Dez. 1883.

[62] WEISSENBACH P. a.a.O., S. 23-25.

[63] Schweizer Bundesgesetz: *„Bundesgesetz, betreffend die Erwerbung und den Betrieb von Eisenbahnen für Rechnung des Bundes und die Organisation der Verwaltung der schweizerischen Bundesbahnen vom 15. Oktober 1897"*. Betroffen waren davon folgende fünf Hauptbahnen: Jura-Simplon-Bahn, Schweizerische Zentralbahn, Schweizerische Nordostbahn, Vereinigte Schweizerbahnen und Gotthardbahn; siehe bei WEISSENBACH P. a.a.O., S. 40 und 46.

[64] WEISSENBACH P. a.a.O., S. 46-70.

2.4.2 Die Verstaatlichung der Infrastruktur

Im vergangenen Jahrhundert - in ihren Anfängen - waren viele Verkehrs-, Telekom- und Energieinfrastruktureinrichtungen als private Unternehmen entstanden (vgl. Punkt 2.4.1). Noch vor dem 1. Weltkrieg hatte dann eine Reglementierung und Überführung in öffentliches Eigentum begonnen. Eine Welle, die in den 40er und 50er Jahren ihren Höhepunkt erreichte. In der Folge eine illustrative Liste der Gründe, mit denen damals Unterstellung unter die öffentliche Hand betrieben wurde:[65]

- **Vorteile aus der Zusammenlegung kleiner Betriebe zu flächendeckenden Systemen („System Integration")**
- **Bedenken gegen ausländisches Eigentum**
- **Stärkung der nationalen Schlagkraft**
- **Erschließung öffentlicher Mittel**

2.4.3 Krisensymptome im öffentlichen Sektor

Ausgehend vom Stahlindustriestandort Pittsburgh wurde das Konzept des PPP populär. Dort startete 1943 mit der Allegheny Conference on Community Development in Pittsburgh, eine Initiative zur Planung und Koordinierung von Maßnahmen um den ursprünglich einseitig von der Stahlindustrie dominierten Ballungsraum Pittsburgh, vor dem Verfall zu retten bzw. wiederzubeleben - das PPP-Konzept im „klassischen Sinne" (vgl. Punkt 2.8.1).

Aber erst Ende der 70er Jahre nach einer Häufung von Krisensymptomen im traditionell strukturierten öffentlichen Sektor der USA, kam es als Folge zu einer tiefgreifenden Umstrukturierung nach dem Konzept des PPP-Modells.

Zwischenzeitlich ist PPP auch in Europa populär. In der Revitalisierung von städtischen Problemzonen ebenso wie im Bereich der Infrastruktur und in allen Bereichen öffentlicher Leistungen (vgl. Punkt 2.5).

2.4.4 Neuordnung der öffentlichen Infrastruktureinrichtungen

Die Neuordnung der öffentlichen Infrastruktureinrichtungen (nicht nur Verkehr), in einem Europa der Marktwirtschaft, ist eines der großen wirtschaftspolitischen Themen unserer Zeit. In praktisch allen westeuropäischen Staaten stehen derzeit die nach dem 2. Weltkrieg geschaffenen Strukturen zur Diskussion.

---

[65] GEHART F.: Öffentlich-Private Partnerschaften, Versorgung mit Infrastruktur durch Private: Rezente Erfahrungen anhand ausgewählter Beispiel in EU-Staaten. Studie im Auftrag des Bundesministeriums für Finanzen, Wien 1996.

In Ländern mit historisch gewachsenen Staats- und Verwaltungssystemen und weitgehend staatlich erstellter Infrastruktur sind Vorbehalte gegen „Geschäfte mit Brücken und Tunnel“ noch sehr verbreitet.

Wenn derartige Projekte nur dort wirtschaftlich zu betreiben sind, wo ihre Nutzer praktisch ohne Alternativen sind, liegt der Vorwurf einer Ausnutzung von Monopolsituationen sehr nahe.[66]

2.5 Modernisierungsstrategie der Staaten

Die Ausgangssituation für PPP-Modelle ist in den verschiedenen Nationalökonomien eine durchaus differenzierte.

Industriestaaten

Entgegen den Entwicklungen seit der Jahrhundertwende (vgl. Punkt 2.4.2) geht der Trend seit einigen Jahren zu weniger Staat und mehr Privat.

In den USA kam es Ende der 70er Jahre zu einer Häufung von Krisensymptomen im traditionell strukturierten öffentlichen Sektor, welche als Folge eine tiefgreifende Umstrukturierung mit sich brachten. Diese manifestiert sich vor allem in den Schlagworten „New Public Management“, „Lean Administration“ und ist im deutschen Sprachraum unter „Verwaltungsreformdiskussion“ geläufig.

In den modernen west- und nordeuropäischen Staaten ist die Struktur von Staat und Verwaltung hoch vertikal integriert. Dieses klassische Verwaltungs- und Versorgungsmodell hat nach weitgehend übereinstimmendem Urteil auch die Grenzen seiner Leistungsfähigkeit erreicht.[67]

Selbst vor Österreich macht diese Entwicklung zumindest gedanklich nicht halt. Beispielhaft erwähnt sei hier das Vorwort für eine PPP betreffende Untersuchung vom ehemaligen Bundesminister für Finanzen KLIMA V.: *„Die Bereitstellung einer umfassenden und funktionalen Infrastruktur spielt eine wesentliche Rolle für die Wettbewerbsfähigkeit der österreichischen Wirtschaft und für den allgemeinen Wohlstand der österreichischen Bevölkerung.*

Wenn diese Aufgabe in Österreich typischerweise von der öffentlichen Hand wahrgenommen wird, so erscheint heutzutage eine grundsätzliche Auseinandersetzung mit alternativen Organisations- und Finanzierungsmodellen wichtig. Sie können dazu beitragen, die

---

[66] BILLAND F.: Erfahrungen und Entwicklungen im Auslandsbau. Die private Finanzierung von Verkehrsinfrastruktur. BBauBI, Heft 5, S. 269, 1989.

[67] BANNER G.: Neue Trends im kommunalen Management. Verwaltungsführung VOP, Nr. 1, 1994.

finanziellen Beschränkungen, denen die öffentlichen Budgets unterliegen, möglichst wenig auf die Infrastrukturversorgung durchschlagen zu lassen.

Weiters muß gerade die Politik immer wieder die Struktur der staatlichen Aufgabenerfüllung hinterfragen. Um zukünftigen Anforderungen gerecht werden zu können, sollten Aktivitäten, die auch von anderen Sektoren wahrgenommen werden können, dorthin transferiert werden ....".[68]

Die Hinterfragung der Aufgabenerfüllung durch die öffentliche Hand führte zu einem regelrechten Paradigmenwechsel (dieser Wechsel findet in den einzelnen Staaten mit stark unterschiedlicher Geschwindigkeit statt).

Altes Paradigma
Neues Paradigma
Der Staat macht alles selbst
Der Staat regelt über Rahmenbedingungen
Nationale Lösungen
Grenzüberschreitende, internationale Lösungen
Staatliche Finanzierung
Staatlich/privatwirtschafltlicher Finanzierungs-Mix
Netz und Betrieb in einer Hand
Trennung von Netz und Betrieb
Geschützter Monopolmarkt
Konkurrenz durch Liberalisierung
Angebotsseitiges Marketing
Nachfrageorientiertes Marketing
Eindimensionale Anbieter-Produkt-Struktur
Vernetzte Anbieter-Produkt-Strukturen

Abbildung 2-3: Paradigmenwechsel des Infrastrukturmarktes[69]

[68] KLIMA V.: Vorwort des Bundesministers für Finanzen, in: Gehart F.: Öffentlich-Private Partnerschaften, Versorgung mit Infrastruktur durch Private. a.a.O., S. I.

[69] siehe in: Public Private Partnership in Mitteleuropa. Enquete 7.5.96 und Workshop 26.-28.3.96 (Hrsg.: Roland Berger & Partner, Weiss-Tessbach und Geoconsult), S. 6, Wien 1996.

Insbesondere die Liberalisierung innerhalb der Europäischen Union löst bestehende Monopolstrukturen auf. Die Folge ist eine viel stärker an die Kundennachfrage orientierte Erstellung von Infrastrukturleistungen, welche jedoch nur zu marktkonformen Preisen abgesetzt werden können (Public-Choice Theorie).

Einzelne Autoren meinen, daß die Besinnung auf privates Unternehmertum bloß Bestandteil eines Zyklusses darstellt, welcher sich früher oder später wieder in Richtung öffentliche Hand bewegt, dann nämlich wenn die Nachteile einer privaten Infrastruktur wieder stärker erkennbar sein werden (private Monopole bzw. Oligopole für gemeinwirtschaftliche Leistungen).[70]

Der derzeitige Paradigmenwechsel ist grundsätzlicher Natur. Ein Zitat des vormaligen englischen Finanzministers *KENNETH CLARKE* soll dies verdeutlichen: *„Shifting the Public Sector from being a service provider to a service purchaser - but with economies .... .“*

Betrachtet man Public Private Partnership von diesem Standpunkt, geht es nicht um einzelne Projekte, sondern um eine grundsätzliche Änderung der Kostenstruktur des Staates. Zitat: *„Collectively we have to change the culture.“*[71]

Seitens der Europäischen Union besteht heute die Überzeugung, daß eine „Neuordnung der Infrastrukturfinanzierung“ notwendig ist, und daß die Beteiligung des Privatsektors bei der Finanzierung des Baues zunehmen wird müssen.[72]

Entwicklungsländer und Industrielle Schwellenländer

In Entwicklungsländern[73] und industriellen Schwellenländern[74] ist es weniger die Intention einer Modernisierungsstrategie für den Staat, als die Frage, wie die für eine wirtschaftliche Entwicklung erforderliche Infrastruktur geschaffen werden kann - unter dem Nebenaspekt eines überdurchschnittlichen Bevölkerungswachstums (siehe auch Punkt 2.6).

---

[70] Buchtip: KLEIN M.: Back to the future. The potential in infrastructure privatization, World Bank, Washington D.C 1994.

[71] siehe bei REICHL M. in: Public Private Partnership in Mitteleuropa. Enquete 7.5.96 und Workshop 26.-28.3.96 (Hrsg.: Roland Berger & Partner, Weiss-Tessbach und Geoconsult), S. 28, Wien 1996.

[72] GÖLLES H.: Finanzierung von Verkehrsinfrastruktur aus öffentlichen Mitteln – und sonst nichts?. VIBÖ, Heft 210, S. 6, Wien 1997.

[73] Es gibt unterschiedlichste Kriterien für die Abgrenzung zwischen Entwicklungsländern und entwickelten Ländern: Als entwickelt gelten im Allgemeinen Länder, welche mit dem Aufbau Ihrer Infrastruktur vor dem 2. Weltkrieg begonnen haben und deren pro Kopf Bruttosozialprodukt 1990 U$ 2.000 überstiegen hat - dazu gehören Westeuropa, Nord Amerika, Japan und Australien.

[74] im englischen Terminus auch als NIC, Newly Industrialized Countries bezeichnet, z.B. Malaysia, Hong Kong, Südkorea, Taiwan, Singapore usw. diese Länder haben die Trennline von U$2000 GDP (Gross-Domestic-Product) gerade überwunden, vgl. auch Fußnote [73].

2.6 Knappheit öffentlicher Mittel

Wesentlichste Motivation für alle Formen von Privatisierungen ist unabhängig von weltanschaulichen Positionen das „Diktat der leeren Kassen".

Die Ausgangslage ist durchaus sehr differenziert. Während in den Industriestaaten der Ausbau der Infrastruktur schon auf sehr hohem Niveau ist bzw. teilweise stagniert, geht es in den industriellen Schwellenländern und vor allem in den Entwicklungsländern um die Befriedigung von grundsätzlichen Lebensbedürfnissen (Trinkwasserver-, Abwasserentsorgung) und der dauerhaften Absicherung der wirtschaftlichen Entwicklung (Verkehrs- und Kommunikations-infrastruktur), nachrangig um die Sicherung der Umwelt (Abwasserreinigung, ÖPNV statt Individualverkehr).

Industriestaaten

In den Industriestaaten ist die Situation heute zum Teil so, daß die öffentlichen Budgets trotz Staatsquote von ca. 50% schwer defizitär sind, während auf der anderen Seite das Privatvermögen der Haushalte zunimmt (1996).[75]

In der EU führte der Druck zur Erreichung der Maastricht-Kriterien für die Teilnahme an der Europäischen Währungsunion zu einem regelrechten Boom an Privatisierung und Ausgliederung von öffentlichen Infrastruktureinrichtungen (Wirtschaftsbetrieben ähnlichen Einrichtungen) in geänderte Rechtsformen (Ges.m.b.H., AG).[76]

Die Einhaltung der Konvergenzkriterien zum einen und die Forcierung von privaten Konsumausgaben (Soziale Transferzahlungen, Personalausgaben) unter dem kurzfristigen, politisch motivierten Blickwinkel der nächsten Wahl, verengen den Spielraum für Infrastrukturinvestitionen in der Zukunft noch weiter.

Ein Artikel in der Zeitung „The Economist" vom 6. März 1993 unterlegt dies mit Zahlen: „*... between 1970 and 1991 Britain built an extra 9% of main roads and motorways. Over the same period, passenger cars drove 116% more miles; vans and goods vehicles, 75% more.*

---

[75] Einwurf (Mai 2000): Defizit sind z.T. Überschüssen gewichen → Aktionen zeigen budgetäre Erfolge.

[76] Kommunale Eigenbetriebe wurden lediglich in privatrechtliche Organisationsformen übergeführt – Hanns-Eberhard SCHLEYER als Generalsekretär des Deutschen Handwerks (ZDH) hat dies sehr treffend formuliert: „*Eine Mogel-packung ist auch die Überführung kommunaler Eigenbetriebe lediglich in privatrechtliche Organisationsformen. Diese Scheinprivatisierung hat zwar immerhin den Vorteil, daß die Betriebe den Regeln der Kameralistik entzogen werden. Sie schaffen sich damit die Möglichkeit, mit betriebswirtschaftlichen Instrumenten Informationen über ihre Kosten zu erhalten. Allerdings bleibt das Risiko weiter bei den Kommunen. Ein Konkurs ist nicht zu erwarten, da die Kommunen im Falle einer Insolvenz einspringen würden." in SCHLEYER H.E.: Weniger Staat - mehr Privatinitiative: Veränderte Spielräume für Investitionen? a.a.O.*

Crowded Britain is not unique. Between 1970 and 1990 America's vehicle miles almost doubled, while the amount of its urban roads rose by just 4%..."[77]

Eine der wesentlichen Ursachen für die Budgetknappheit sind die überproportional zunehmenden Ausgaben für den Sozialbereich und das Gesundheitswesen. In einigen Industriestaaten ist das Wachstum der Gesundheitsausgaben um den Faktor 2 höher als das Wachstum des Bruttosozialprodukts (GDP).[78]

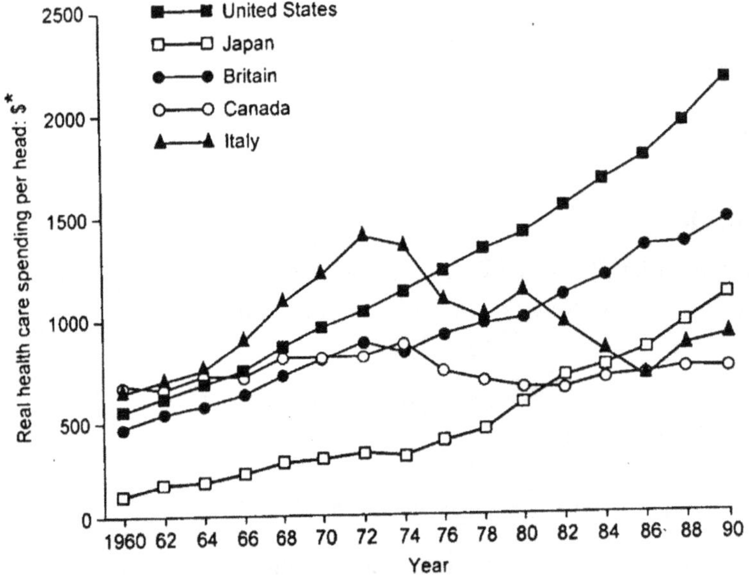

Abbildung 2-4: Trend der Gesundheitsausgaben pro Kopf in ausgewählten Industrieländern[79] (GDP...Gross Domestic Product = Bruttosozialprodukt).

Auch in den neuen Bundesländern Deutschlands führen die erforderlichen Infrastrukturinvestitionen notwendigerweise zu privater Beteiligung. Besonderes Augenmerk liegt auch auf den ehemaligen Oststaaten.

Finanzierungsmöglichkeiten bestehen dabei über die EBRD oder EIB, neben den Exportkreditfinanzierungen der ausländischen Projektpartner (z.B. HERMES/BRD; Kontrollbank/Ö).

[77] Artikel aus dem „The Economist" v. 6.März 1993, aus WALKER C., SMITH A.J. a.a.O., S. 2.

[78] Einschub: Die Kreditfinanzierung von Infrastrukturvorhaben in öffentlichen Budgets ist grundsätzlich nicht falsch, profitieren doch auch in den nächsten Jahrzehnten die Menschen von deren Benützung.

[79] aus WALKER C., SMITH A.J. a.a.O., S. 3, Quelle OECD.

Entwicklungsländer und Industrielle Schwellenländer

Der große Nachholbedarf, das große Bevölkerungswachstum, die weitverbreitete Landflucht usw. stellen diese Volkswirtschaften vor schier unlösbare Probleme.

Die Finanzierung großer Infrastrukturinvestitionen erfolgt vorwiegend über Kredite der Weltbank, Asian Development Bank usw., bzw. über Exportkreditfinanzierungen der ausländischen Projektspartner (z.B. HERMES (BRD); Kontrollbank(Ö)).

Das Investoreninteresse ist in Staaten mit prosperierender Wirtschaft naturgemäß größer, z.B. in den asiatischen Tigerstaaten mit jahrelangen zweistelligen Wachstumsraten bis zur Asienkrise 1998.

2.7 Voraussetzungen für PPP-Modelle

Damit ein PPP-Modelle funktioniert, sind eine Vielzahl von Randbedingungen zu definieren. Dazu sind nicht prinzipiell aufwendige Vertragswerke erforderlich, der Beginn der PPP-Idee 1943 in Pittsburgh hat z.B. nur informellen Charakter (vgl. Punkt 2.4.3, 2.8.1).

Speziell im Bereich der Infrastruktur (im Allgemeinen BOT, BOOT, BOO) sind jedoch aufwendige Vertragswerke unbedingt notwendig.

Das schwierige ist eine Formel zu finden, welche die notwendigen Beziehungen zwischen politischen, finanziellen und technischen Anforderungen befriedigend löst, und daß der Gesamt-Output alle drei Bereiche, bzw. deren Repräsentanten zufrieden stellt (=„win-win Modell").

Das Hauptkriterium ist, um welche Art von Projekt es auch immer geht, daß die öffentliche Hand, Kreditgeber, Projektbetreiber und Bauunternehmer eine transparente Formel finden, welche sicherstellt, daß die involvierten Risiken bewertet werden und denen zugeteilt werden, welche sie schlußendlich am Besten tragen können.

Nachfolgende Ausführungen sind im wesentlichen dem Bereich der Infrastruktur zuzuordnen.

2.7.1 Projektbeteiligte an Public Private Partnership

Durch den Rückzug der öffentlichen Hand aus der Rolle des Projektbetreibers und Kapitalgebers müssen die Parteien, die neben der hoheitlichen Verwaltung bisher an Infrastrukturprojekten mitgewirkt haben, neu organisieren und koordiniert werden.

Im Einzelnen handelt es sich dabei um:

- **Öffentliche Hand (Staat), Nachfrager bzw. Konsument**
- **Projektgesellschaft**
- **Errichter**
- **Betreiber**
- **Instandhalter**
- **Lieferanten**
- **Fremdkapitalgeber**
- **Investoren**
- **Versicherungen**

Aus diesen Projektbeteiligten kristallisieren sich zwei wesentliche Gruppen mit grundsätzlich unterschiedlichen Interessenslagen heraus.

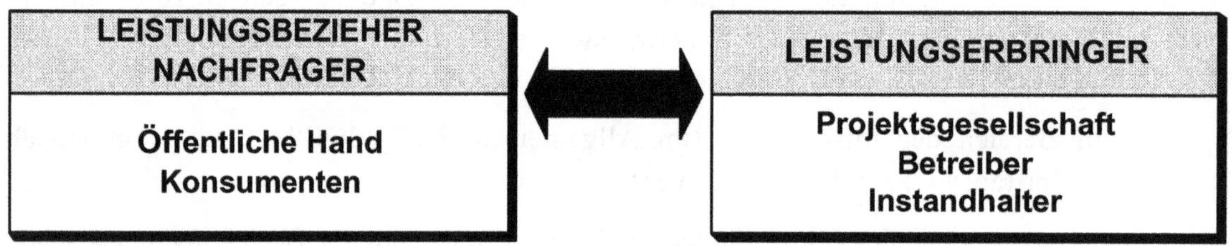

Abbildung 2-5: Die zwei wesentlichen Projektbeteiligten

Auf eine detaillierte Untersuchung bzw. Diskussion des Nachfrageverhaltens nach öffentlichen Leistungen (Public-Choice Theorie usw.) kann hier nicht eingegangen werden - verwiesen sei auf die im Literaturverzeichnis (z.B. BUDÄUS D., EICHHORN P.;Hrsg. 1997) angegebene Literatur.

Aus der Zuordnungen der Interessen ergeben sich für alle Beteiligten die Anforderung an ein Public Private Partnership-Modell.

2.7.2 Anforderungen

Die Motivation für PPP ist für den öffentlichen und den privaten Partner eine grundsätzlich andere. Die öffentliche Hand will Versorgungssicherheit bei sozial verträglichen Preisen für die Leistungsbezieher. Der private Partner strebt vereinfacht formuliert nach maximalem Gewinn, bei geringstem Risiko.[80]

---

[80] Es sind auch Finanzierungsvarianten denkbar die solche Situationen ausschließen, erwähnt sei hier nur die Dartford Bridge (GB): Das Finanzkonsortium hatte bewußt auf Eigenkapital und damit verbundene Dividendenzahlungen

Interessen \ Projektbeteiligte	Öffentliche Hand	Kunden	Projektgesellschaft	Bauunternehmung	Lieferanten	Investoren	Kreditoren	Versicherungen
Versorgungssicherheit	●	•						
Inanspruchnahme privater Finanzmittel	●							
Hohe Qualität	•	●						
Faire Preise	•	●						
Klare Projekt-Spezifizierung	●		●	●	•	●	•	●
Verläßliche rechtliche Rahmenbedingungen			●	•	•			
Hoher ROI/Gewinn			●	•	•	●	●	●
Staatliche Garantien			●			●		
Definiertes EXIT Szenario						●		

Leistungsbezieher: Versorgungsqualität, faire u. sozial verträgliche Preise

Leistungserbringer: Geringes Risiko, hoher Gewinn

Abbildung 2-6: Analyse der Interessenten führt zu zwei Gruppen mit unterschiedlichen Interessen. [81]

Dieser Interessenkonflikt kann durch den **Partnerschaftsansatz** gelöst werden: Die Idee wird vom Gedanken einer Partnerschaft getragen - im Sinn des Wortes steckt auch schon die Intention, daß alle Beteiligten am Erfolg oder Mißerfolg dieser „Partnerschaft" teilhaben.

Entsprechend denn Möglichkeiten der Partner bringt jeder seine Vorteile ein: Im hoheitlichen Bereich sind dies primär stabile Rahmenbedingungen und die Vorgabe der Leistungskriterien. Die allgemeinen Erwartungen an den privaten Partner sind operative Effizienz, Kundenorientierung, Kundenservice; Know-how und Profitabilität.

verzichtet, und stattdessen ein Modell entwickelt, das unerwartete Einnahmen-Überschüsse für eine vorzeitige Kredittilgung und Projektübergabe an den Staat vorsieht, siehe bei BILLAND F. a.a.O., S. 269.

[81] Abbildung geändert, aus: Public Private Partnership in Mitteleuropa. a.a.O., S. 10.

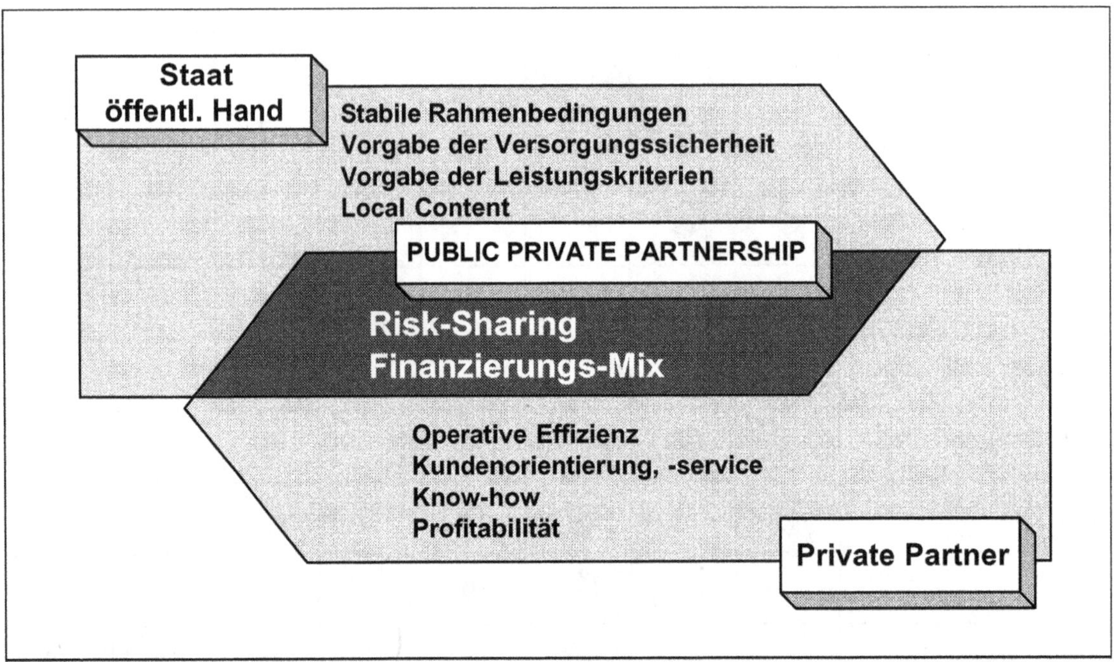

Abbildung 2-7: „Risk-Sharing und Finanzierungsmix in der Schnittmenge des Partnerschafts-ansatzes.[82]

In der Schnittmenge dieser beiden sind die Bereiche „Risk-Sharing" und „Finanzierungs-Mix" zu definieren.

2.7.3 Eignung

PPP-Modelle werden durch zwei Kriterien bestimmt: Marktattraktivität und Größenordnung der Einbindung der öffentlichen Hand. Einfacher gesagt, je marktattraktiver das Projekt, desto weniger wird es auf öffentliche Mittel angewiesen sein.

[82] Abbildung geändert aus: Public Private Partnership in Mitteleuropa: a.a.O., S. 11.

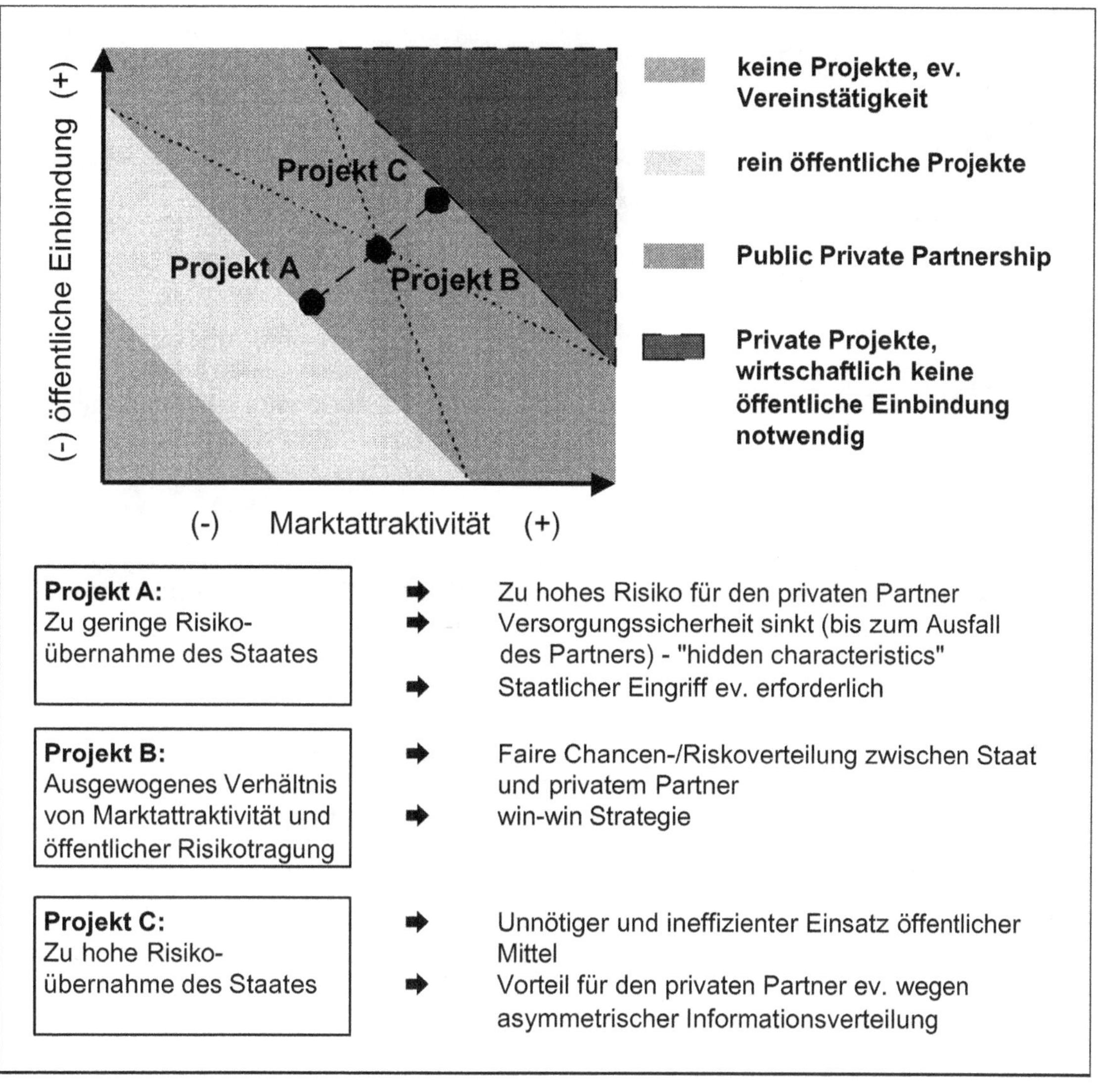
(-) öffentliche Einbindung (+)
Projekt C
Projekt A
Projekt B
(-) Marktattraktivität (+)
keine Projekte, ev. Vereinstätigkeit
rein öffentliche Projekte
Public Private Partnership
Private Projekte, wirtschaftlich keine öffentliche Einbindung notwendig
Projekt A:
Zu geringe Risiko-übernahme des Staates
Zu hohes Risiko für den privaten Partner
Versorgungssicherheit sinkt (bis zum Ausfall des Partners) - "hidden characteristics"
Staatlicher Eingriff ev. erforderlich
Projekt B:
Ausgewogenes Verhältnis von Marktattraktivität und öffentlicher Risikotragung
Faire Chancen-/Riskoverteilung zwischen Staat und privatem Partner
win-win Strategie
Projekt C:
Zu hohe Risiko-übernahme des Staates
Unnötiger und ineffizienter Einsatz öffentlicher Mittel
Vorteil für den privaten Partner ev. wegen asymmetrischer Informationsverteilung

Abbildung 2-8: *Eignung des Projekts für PPP unter den Aspekten Einbindung der öffentlichen Hand und Marktattraktivität.* [83]

Der wesentlichste Punkt für einen privaten Investor ist die Marktattraktivität des Projekts, so kann eine Mautautobahn durch z.B. Verkehrsbeschränkungen auf Parallelstrecken in seiner Attraktivität gesteigert werden (hoheitlicher Eingriff), ohne daß damit eine höhere Risiko- und Kapitaleinbindung der öffentlichen Hand erforderlich ist (eventuell sogar eine geringere Einbindung, siehe untenstehende Abbildung 2-9).

[83] Abbildung geändert, angelehnt an: Public Private Partnership in Mitteleuropa: a.a.O., S. 17.

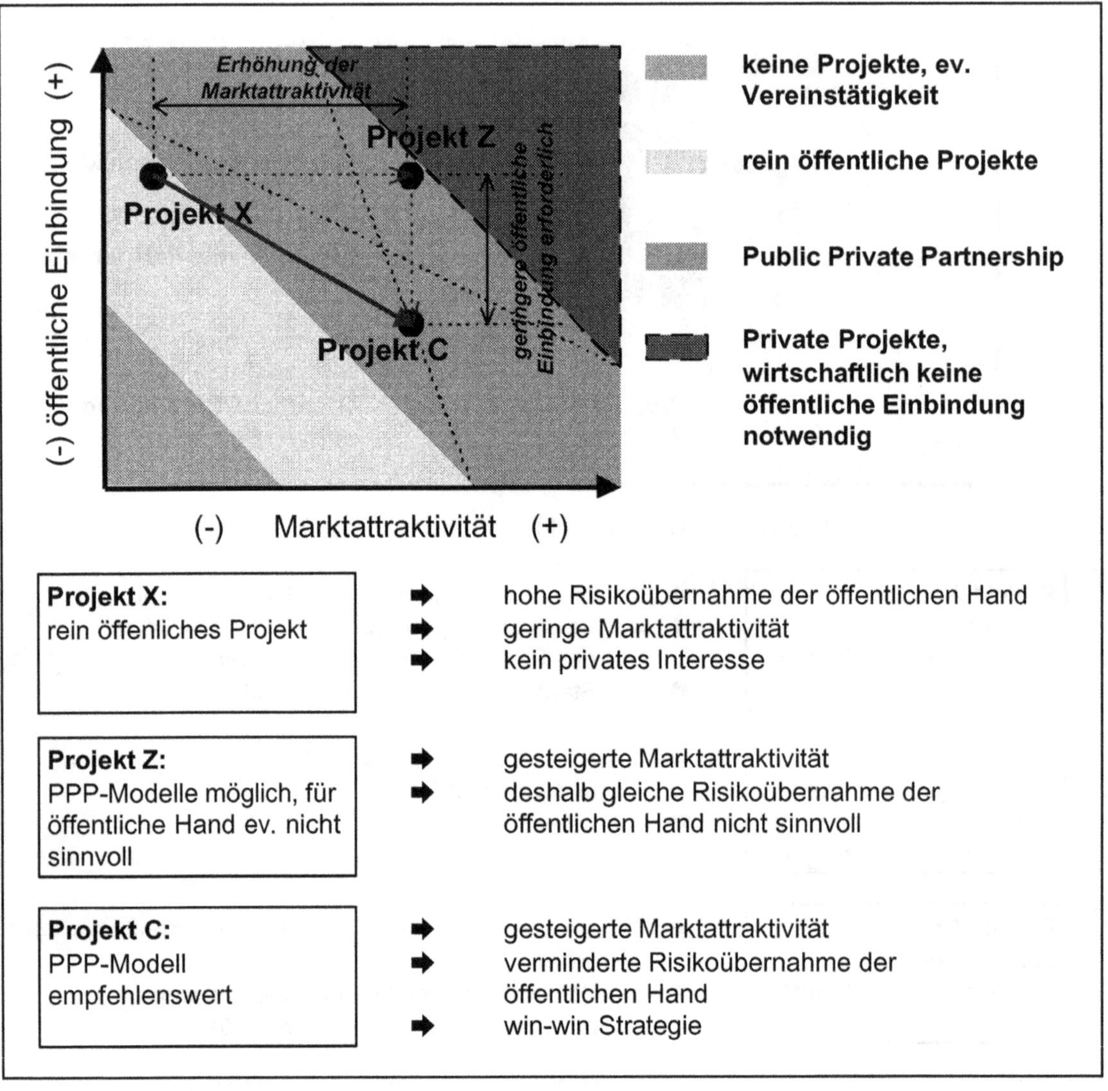

Abbildung 2-9: Erhöhung der Chancen für ein PPP-Modell durch Steigerung der Marktattraktivität bei gleichzeitiger Verminderung der öffentlichen Einbindung.

Hoheitlichen Eingriffe stellen sowohl Chancen wie auch Risiken dar. Wesentlich sind dabei vor allem „Konkurrenzverbote“[84], d.h. der öffentliche Partner (Hoheitsträger) darf für die selbe

[84] Dieses „Konkurrenzverbot“ widerspricht dem Wunsch nach Aufhebung von Monopolrechten und der Schaffung eines freien Wettbewerbs, ist aber gerade im Bereich der Verkehrsinfrastruktur mit ihren hohen Investitionskosten und der Laufzeit der Projekte nicht anders umsetzbar. Zudem ist diesem Wettbewerb am Sektor Verkehrsinfrastruktur

zu erbringende Leistung keine zweite Bewilligung (Konzession) vergeben[85], vorausgesetzt der Konzessionsnehmer kann den Bedarf der Nachfrager entsprechendem den vorgegebenen Leistungskriterien, wie z.B. Versorgungssicherheit und Preisangemessenheit befriedigen (vgl. Punkt 2.7.2 und Abbildung 2-7).

2.7.4 Chancen und Risiken von PPP-Modellen

Trotz viel investierter Vorarbeit scheitern PPP-Modelle oft schon im Vorvertragsstadium. RON FREEMAN, First Vice President EBRD hat das in ein recht plakatives Sprichwort gefaßt: *„PPPs remind us of the way young fellows talk about girls: There is a lot of talk, but there is not quite so much action.“* [86]

Wo liegen die Hauptproblem bei der Installation von PPP-Modellen: Der wesentliche Faktor für die erfolgreiche Umsetzung von komplexen PPP-Modellen ist eine detaillierte Identifizierung und Bewertung wirtschaftlicher und nicht-wirtschaftlicher Risiken, welche mit dem Projekt verbunden sind, deren ausgewogene Zuweisung an jene Partei, die Aufgrund Ihrer Funktion am besten zur Kontrolle des jeweiligen Risikos in der Lage ist.[87] [88]

Dieses „Risk-Sharing“ bedingt eine Vielzahl von vertraglichen Regelungen, die durch Versicherungen, Garantien und ein System von Beendigungsmöglichkeiten (EXIT-Szenario) für das Vertragsverhältnis unterstützt werden.

---

durch raumordnungspolitische Entscheidungen ohnehin kein Spielraum gegeben; dies gilt in dieser Strenge zumindest in Mitteleuropa.

[85] Ein älteres Beispiel für ein vertraglich nicht geregeltes „Konkurrenzverbot“ ist die „K.k. priv. Wien-Raaber Eisenbahn-Gesellschaft“, geplant von Wien nach Triest, welche dadurch auch nicht fertiggebaut werden konnte (vgl. Punkt 2.4.1).

[86] siehe Public Private Partnership in Mitteleuropa: a.a.O., S. 2, Wien 1996

[87] siehe Public Private Partnership in Mitteleuropa: a.a.O., S. 13, Wien 1996

[88] in ähnlicher Form diskutiert bei der Zuweisung des Baugrundrisikos:

- nach der wirtschaftlichen Stärke bei: PURRER W.: Ausgewogenen Risikoverteilung des Baugrundrisikos im Hohlraumbau – Der österreichische Weg. Felsbau 16, Heft Nr. 5, S. 395-399, 1998
- nach der Einflußsphäre bei: SCHNEIDER E., BARTSCH R., SPIEGL M.: Vertragsgestaltung im Tunnelbau. Felsbau 17, Heft Nr. 2, 1999
- bzw. allgemein zum Vertragswesen in den Grundsätzen der FIDIC-Verträgen, sinngemäß: *„Die Vertragsdokumente sollen eine faire Risikozuteilung in den Verträgen vornehmen, auf Basis des Prinzips, daß das Risiko von dem Vertragspartner getragen werden soll, der am besten in der Lage ist, dieses Risiko zu kontrollieren.“*

Einschub: Was ist Risiko?

Risiko liegt im Wesen jeden Projekts, jeder Entscheidung und jeder Handlung. Je komplexer z.B. eine Bauprojekt, desto schwieriger wird die Identifikation und noch problematischer die monetäre Bewertung dieser vielschichtigen Zusammenhänge.

In der Literatur stößt man auf eine Vielzahl von unterschiedlichen Risiko-Definitionen, welche nachfolgend kurz angeführt werden:[89]

- Risiko läßt sich auf das italienische Wort *„ris(i)co"*, die Klippe (die zu umschiffen ist) zurückführen, was eine bildliche Darstellung der Bedeutung des Begriffes zuläßt.

- Der DUDEN (1989) definiert Risiko wie folgt: *„Möglicher negativer Ausgang bei einer Unternehmung, mit dem Nachteil, Verlust, Schaden verbunden sind; mit einem Vorhaben, Unternehmen verbundenes Wagnis."*

- Nach ROTHKEGEL et.al. (1992) ist Risiko die Wahrscheinlichkeit dafür, daß die durch eine Entscheidung ausgelösten Abläufe nicht notwendigerweise zum angestrebten Ziel führen. Er verknüpft damit das Risiko mit einer Entscheidung, welches dadurch zu einer speziellen Komponente des Entscheidungsprozesses wird. Das reine Wirken von Einflüssen auf einen Prozeß stellt noch kein Risiko dar, aber die dann getroffenen oder eben unterlassenen Entscheidungen können zu Risiken für den betrachteten Prozeß führen.

Systemtheoretische Ansätze hingegen heben in ihren Risikointerpretationen Managementfaktoren hervor:[90]

- HALLER und LEMBKE (1992) interpretieren den Begriff Risiko als Möglichkeit, daß sich Erwartungen des Systems Unternehmen aufgrund von Störprozessen nicht erfüllen. Die Störprozesse unterscheiden zwischen Aktionsrisiken und Bedingungsrisiken. Aktionsrisiken beeinträchtigen direkt die Erfüllung von Unternehmenszielen und entstehen durch die Handlungen des Unternehmens, der Firmenleitung oder Bauleitung (z.B.: falsche Produktwahl, verfehlte Personalpolitik). Bedingungsrisiken gefährden die Zielerfüllung durch die Verletzung von meist unbewußt vorausgesetzten Randbedingungen (z.B. Produkthaftpflicht, politische Krisen, Informationsdefizite bezüglich Baugrundverhältnisse, etc.).

---

[89] Nachfolgende Ausführungen basieren inhaltlich teilweise auf den Ausführungen von LINK. D a.a.O., S. 5ff.

[90] siehe bei LINK D. a.a.O., S. 5.

Ein Großteil der wirtschaftswissenschaftlichen Literatur, bzw. wahrscheinlich auch der Durchschnittsbürger auf der Straße wird dem Wort Risiko eine negative Bedeutung beimessen → im Sinne einer negativen Zielabweichung, demgegenüber steht die positive Zielabweichung, welche als Chance interpretiert wird.[91]

In der bauwirtschaftlichen Fachliteratur wird der Begriff Risiko und Wagnis synonym gebraucht:

- HABISON (1975) definiert bauwirtschaftlich die Begriffe Wagnis/Risiko folgendermaßen: *„Unter Wagnis oder Risiko versteht man im Bauwesen eine drohende Verlustgefahr, deren eintreten mehr oder weniger vom Zufall abhängt“* bzw. differenziert er (1997) unter dem Begriff *„Unsicherheitssituation“* nach *„Risikosituation und Unsicherheitssituation“*:

Risikosituation: Man kann Wahrscheinlichkeit für den Eintritt von Umweltzuständen angeben.

Unsicherheitssituation: Nach HABISON (1997) kommt in der Wagniskalkulation daher der Risikoquantifizierung eine große Bedeutung zu, er unterscheidet dabei nach:

Objektive Wahrscheinlichkeit *ist empirisch festgestellte relative Häufigkeit eines zufälligen Ereignisses.*
Subjektive Wahrscheinlichkeit *ist die Schätzung der objektiven Wahrscheinlichkeit eines zufälligen Ereignisses durch Gedankenexperimente.*

- ÖNorm B2061: „Der Wagniszuschlag läßt sich nur erfahrungsgemäß und vergleichsweise abschätzen. Er ist unter Berücksichtigung der in der Ausschreibung bzw. im Angebot vorgesehenen Risikoverteilung und unter Bedachtnahme auf Art und Größe des Bauvorhabens, örtliche Lage, Jahreszeit und sonstige Umstände der Bauausführung festzulegen.“

[91] Im angelsächsischen Bereich unterscheidet man reine Risiken (pure risks) und spekulative Risiken (speculative risks). Unter reinen Risiken versteht man Risiken die im schlimmsten Fall einen Schaden verursachen können und die im besten Fall keinen Schaden hervorrufen. Demgegenüber versteht man unter spekulativen Risiken solche, die einerseits einen Schaden verursachen, andererseits aber auch einen Gewinn hervorbringen können. aus UMIKER B., KUHN H.: Risken fordern das Management heraus ... - ... und sind mehr als nur technischer Natur. in: IOmanagement, Heft 6/2000.

Für mich erscheint am praktikabelsten eine Risikodefinition nach folgendem Muster:

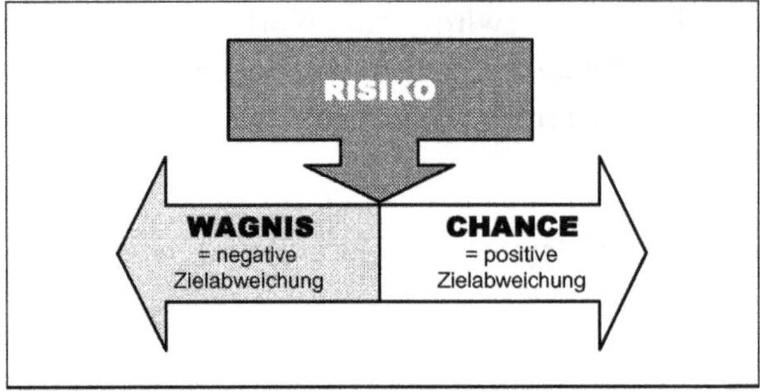

Abbildung 2-10: Risikodefinition als Überbegriff für Wagnis und Chance (entspricht sowohl positiver wie auch negativer Zielabweichung).

Monetär kann Risiko nachfolgend definiert werden:

$$R = P(U) \times P(S/U) \times K$$

R = Risiko in Werteinheiten
P(U) = Ursachenwahrscheinlichkeit
P(S/U) = Schadenswahrscheinlichkeit
K = Schadenskosten in Werteinheiten

oder vereinfacht als

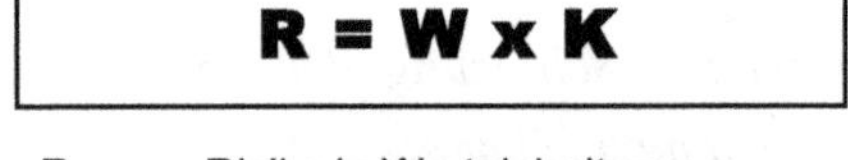

R = Risiko in Werteinheiten
W = Ursachenwahrscheinlichkeit
K = Schadenskosten in Werteinheiten

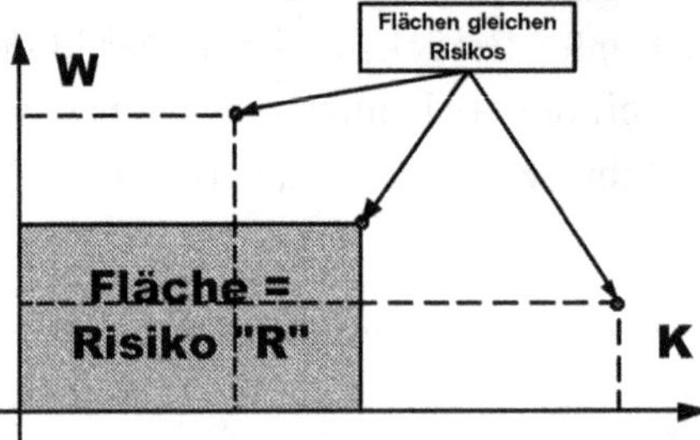

Obige häufig in der Literatur publizierte Formeln sehen Risiko wieder nur als negative Zielabweichung (→ e.g. Schadenswahrscheinlichkeit, Schadenskosten).

Methoden des Risikomanagement siehe Punkt 3.8.1.5 Risikoidentifikation und Risikomanagement.

Risiken sind Teil der Existenz von Individuen, wie auch von Wirtschaftssubjekten und können nie komplett ausgeschlossen werden, vielmehr gilt es sie zu identifizieren, den Einfluß zu analysieren und nach Zuweisung an die Projektbeteiligten eine permanente Risikokontrolle und Risikominimierung (Risikomanagement) zu installieren.

Prinzipiell sollte der Grundsatz Anwendung finden, daß jeder Partner die Risiko-Auswirkungen trägt, die in der Risiko-Ursache von ihm beeinflußt werden können oder ihm zuzuordnen sind – untechnisch am besten mit den Begriffen „fair oder ausgeglichen" zu umschreiben.

Nach dem Ursprung können auch bei PPP-Modellen zwei Risikobereiche unterschieden werden:

- **Externe Risiken:** z.B. Legislative Risiken, Wechselkurse, Inflation, Konvertierbarkeit der Landeswährung, Parallelkonzessionen usw.
- **Interne Risiken:** z.B. Construction, Completion and Operation Risks, Kostenüberschreitung, Bauzeitüberschreitungen usw.

Externe Risiken: Die Beeinflußbarkeit externer Risiken ist aus Sicht des Konzessionsnehmers im Regelfall klein, sieht man von ungesetzlichen Möglichkeiten ab. Die grundsätzliche Entscheidung im Risikomanagement fällt schon mit der Entscheidung - Engagement in diesem Land und diesen Randbedingungen Ja oder Nein!?

Interne Risiken: Risiken aus der Errichtung und dem Betrieb sind vorerst alle Risiken aus dem Bau bzw. der Umsetzung des Projekts, wie z.B. Bauzeit- und Kostenüberschreitungen aufgrund zu optimistischer Annahmen, nicht fristgerechten Zulieferern usw.

Die Beeinflußbarkeit und Steuerbarkeit und eventuelle Versicherbarkeit ist in der Regel höher als bei Externen Risiken.

Risiken bei PPP-Modellen haben verschiedenste Ursachen und in Folge verschiedenste Auswirkung auf die Projektbeteiligten.

Die Risikoklassifizierung kann grundsätzlich nach folgenden Hauptkriterien erfolgen:

- **wirtschaftliche Risiken**
- **nicht-wirtschaftliche Risiken**
- **projektspezifische Risiken**
- **Länderrisiken**

Je nach Projekt können darüber hinaus eine Vielzahl spezifischer Risikogruppen identifiziert und den Projektbeteiligten zugewiesen werden.

Ein PPP bzw. BOT-Projekt birgt nicht grundsätzlich mehr Risiken, als eine herkömmliche Projektabwicklung, der Unterschied liegt in der eventuell geänderten Risikoverteilung.

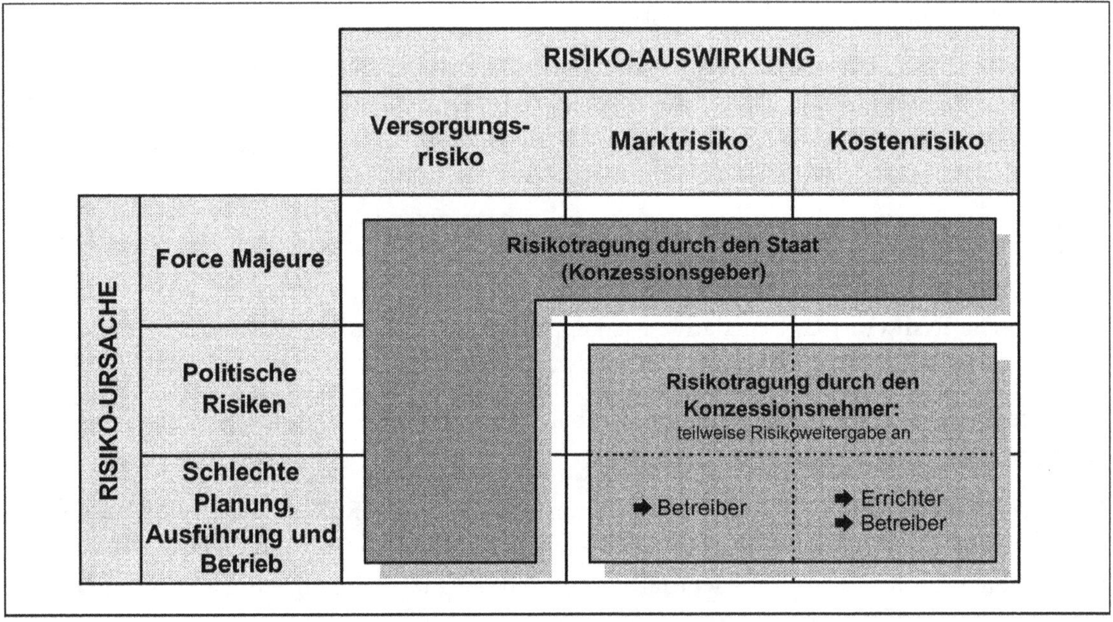

Abbildung 2-11: Beispielhafte Darstellung zu Risikoklassifizierung und grundsätzlicher Risikotragung.[92]

Diese Risikofaktoren haben je nach Projekt sehr unterschiedlichen Stellenwert. Die Risikoquantifizierung wird im Einzelfall sehr unterschiedlich sein und von vielen Faktoren beeinflußt, z.B.:

- **Art des Projekts**
- **Wirtschaftliche Bewertung der Risiken**
- **Legislative Mittel zur Problemlösung**
- **Länderspezifisches Umfeld**
- **Politisches Umfeld**
- **Priorität der privaten Beteiligten**

[92] Abbildung aus: Public Private Partnership in Mitteleuropa: a.a.O., S. 15, verändert.

Risikoträger / Risiko	Project company	Insurance	other contractors	Host-government
political risk				
country commercial risk				
country legal risk				
Developmentrisk				
Construction/ completion risk				
Operation risk				
Liability risk				

Abbildung 2-12: Vereinfachtes Worksheet zur Risikoidentifikation und Risiko-Zuordnung. [93]

Weiters sind auch für die einzelnen Phasen von Projekten unterschiedliche Risiken festzustellen:[94]

Definitionsphase: Detaillierungsgrad der Projektdefinition, Vorhersehbarkeit des Bewilligungsprozesses, Erzielung beiderseits akzeptabler Vertragsbestimmungen, wirtschaftliche Bewertung des Projektes, Bewertung des Länderrisikos am Standort des Projektes.

Bauphase: Rechtzeitiger Baubeginn, archäologische Probleme und Umweltprobleme, Baugrund, Geologie, Gründungsschwierigkeiten, Bauzeit- und Baukostenüberschreitung, Wechselkursschwankungen, Währungskonvertibilität, Änderung der Gesetzeslage.

Betriebsperiode: In dieser Phase sind die hauptsächlichen Risiken solche in Verbindung mit Mängeln bei der Leistungserbringung und mit den Möglichkeiten zur „Repatriierung" der privaten Investitionen.

Neben den bisher besprochenen Risiken gibt es auch Risiken die aus der Partnerschaft resultieren. Wie in den Punkten 2.7.1, 2.7.2 angesprochen, haben die beiden Hauptbeteiligten –

[93] Abbildung geändert aus UNIDO: Guidelines for Infrastructure Development through Build-Operate-Transfer (BOT) Projects. United Nations Industrial Development Organization, S. 155, Wien 1996

[94] aus: Public Private Partnership in Mitteleuropa, a.a.O., S. 14.

Öffentliche Hand versus privatem Investor – meist grundsätzlich unterschiedliche Interessen. Darüber hinaus besteht

speziell bei einem unbekannten privaten Investor die Gefahr für den öffentlichen Partner übervorteilt zu werden[95]. In diesem Zusammenhang fallen immer wieder folgende Schlagworte:

„Asymmetrische Informationsverteilung“: Der private Partner ist über den Markt und die Investitionsmöglichkeiten besser informiert.

„Hidden characteristics“: Qualität und Leistungsfähigkeit des privaten Partners sind eventuell unbekannt.

„Hold up oder Ausrauben“: Wenn sich der öffentliche Partner bereits in hohem Maß an eine Zusammenarbeit gebunden hat, ist er anfällig für unfaires Verhalten des Partners.[96]

„Schwarzfahrerproblematik“: Bei nicht formalen PPP kommt es vielfach vor, daß nicht jeder sich aktiv daran beteiligt, sondern z.B. in einer Einkaufsstraße alle Geschäfte an deren Aufwertung mitpartizipiert („Schwarzfahrerproblematik“).

„Hidden action“ oder „Moral hazard“: Das vertragskonforme Verhalten des privaten Partners ist nicht sicher, insbesondere wenn die öffentliche Hand den Installation eines Partnerschaftskonzepts weitgehend dem Privaten überläßt. Der Private kann versuchen den öffentlichen Partner zu übervorteilen – „moral hazard“.

Nicht unerwähnt soll bleiben, daß dies natürlich mit umgekehrten Vorzeichen genauso stattfinden kann, speziell in Ländern mit etwas anderer Mentalität, betreffend die Anbahnung von Geschäften.

Wichtig ist, daß im öffentlichen Sektor sich das Bewußtsein und die Qualifikation für einen „Smart Buyer“ bzw. „Smart Partner“ etablieren kann.

Chancen: Als die zwei wesentlichsten Punkte für den Erfolg von PPP-Modellen, werden der Gewinn von Zeit und die Effizienzsteigerung durch die Privatwirtschaft gesehen.

Die kameralistische Budgetierung bzw. die volkswirtschaftlichen Einschränkungen, welche sich für die Schuldenaufnahme ergeben, zwingen zum zeitlichen Hinausschieben von erforderlichen oder gewünschten Infrastrukturinvestitionen.

---

[95] vgl. auch UNIDO, a.a.O., S. 37 *„Costs due to an imbalance in experience. Governments with little experience in BOT contracts are advised to initiate BOT projects on a manageable scale and seek professional advice to compensate the often greater experience of the private sector“.*

[96] vgl. Fall der Wirtschaftbetriebe Oberhausen-WBO in: BUDÄUS D., GRÜNING G.: Public Private Partnership - Konzeption und Probleme eines Instruments zur Verwaltungsreform aus Sicht der Public Choice-Theorie. a.a.O., S. 58.

Durch außerbudgetäre Finanzierungen, bei welchen nur die jährlichen Annuitäten das Budget belasten, kann teilweise Abhilfe geschaffen werden.

Unproblematisch sind solche Investitionen bei Projekten die sich direkt rechnen. Projekte bei denen eine Refinanzierung aus dem Betrieb selbst nicht möglich ist, sind immer eine Belastung für zukünftige Generationen. In diesem Fall macht es kaum einen Unterschied ob das Projekt von der öffentlichen Hand oder einem Privaten realisiert wird. Die Bezuschußung erfolgt im einen Fall eben durch Tilgung der Annuitäten und im PPP-Fall durch Bezahlung von Schattenmauten zur Refinanzierung. Abzuwägen sind der eventuell Produktivitätsgewinn des privaten Projektbetreibers gegenüber der günstigeren Finanzierungsmöglichkeit für die öffentliche Hand. Die zügige Realisierung der Projekte wirkt sich auch positiv auf Investitionen, Wachstum und Beschäftigung aus.

Dieser „Zeitgewinn" kostet jedenfalls Geld und gleichzeitig werden die Investitionsspielräume künftiger Haushalte beschnitten. Das Refinanzierungsproblem wird in die Zukunft verschoben.

Ein gutes, funktionierendes Beispiel für die unter Punkt 2.8.4 angeführten Formen der Finanzprivatisierung ist die Vorfinanzierung des Bang Na Expressway in Bangkok durch das JV BBCD, siehe bei BROCKMANN CH. (2000): *„Eine Eigenfinanzierung durch öffentliche Mittel wäre wegen eines niedrigeren Zinssatzes günstiger gewesen, aber wegen der Haushaltslage nicht möglich. Wenn man von den geleisteten Zinszahlungen jedoch die Mauteinnahmen aus einer vorgezogenen Inbetriebnahme abzieht, ergibt sich für den Bauherrn ein positives Gesamtergebnis. .... Die Abstimmung mit den zuständigen Behörden war innerhalb des ersten Jahres geleistet. Die Effizienz von privaten Unternehmen kann nicht eindeutiger aufgezeigt werden, als durch einen Vergleich mit dem Planungshorizont der öffentlichen Hand (fünf bis acht Jahre) für die gleiche Aufgabe."*

Zusammenfassend kann gesagt werden, PPP- und Betreibermodelle sind zwar nicht billiger, es kann aber auf diese Art kurzfristig „mehr" Infrastruktur finanziert werden.[97]

[97] aus: Bauen trotz leerer Kassen. Bau & Immoblien Report 5, 1997.

2.8 Formenvielfalt von PPP

Alle weiteren Ausführungen beziehen sich im wesentlichen nur mehr auf einen PPP-Begriff wie er für Modelle im Zusammenhang mit Projektentwicklung im Bereich Infrastruktur verstanden werden kann (vgl. Punkt 2.3.2).

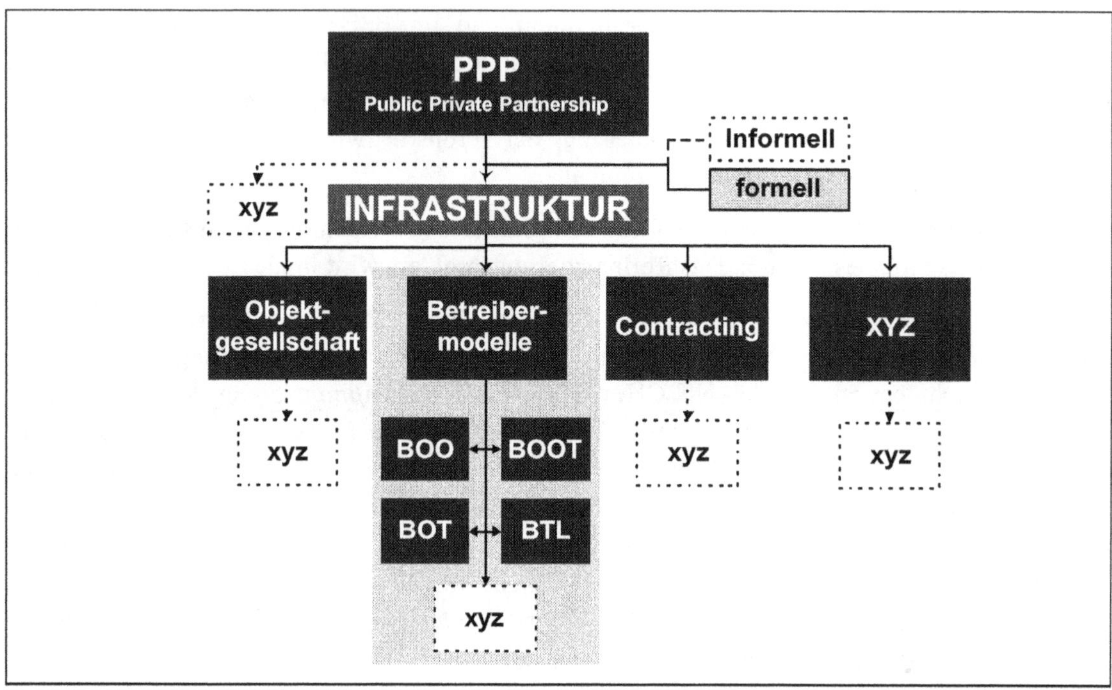

Abbildung 2-13: PPP als Überbegriff für die Betreibermodelle u.ä. Formen. Für Infrastruktur kommt praktisch nur das formelle Betreibermodell in Frage.

Public Private Partnership kann als Spezialgebiet der Projektentwicklung für einen Großkunden, nämlich die öffentliche Hand, definiert werden. Projektentwicklung – eine Erweiterung der Geschäftsfelder der konventionellen Bauindustrie[98] – umfaßt das gesamte Paket der Dienstleistungen, um einem Nutzer z.B. funktionsfähige Infrastruktur zur Verfügung zu stellen und diese gegebenenfalls auch noch zu unterhalten und zu betreiben[99].

[98] siehe auch GIRMSCHEID G., BENZ P.: Neue Geschäftsfelder für Bauunternehmungen. BOT-Build Operate Transfer, Generelle Studie zum BOT-Ansatz, Diplomarbeit an der ETH Zürich, Zürich 1998.

[99] HOFMANN H:: Private Public Partnership, in: Diederich C.J. (Hrsg.) Handbuch der strategischen und taktischen Bauunternehmensführung, S. 428, Bauverlag, Wiesbaden und Berlin, 1996.

2.8.1 PPP im „klassischen Sinne“

Private und Öffentliche Hand schließen sich formell oder informell zusammen, um gemeinsam die Entwicklung und/oder Revitalisierung städtischer Problemzonen in Angriff zu nehmen.

Tabelle 2-3: Beispiele für PPP im „klassischen Sinne“

Projekt	Land	Charakter der Zusammenarbeit	Jahr
Pittsburgh – Monostrukturierter industrieller Ballungsraum; Allegheny Conference on Community	USA	informell	1943
Hong Kong Harbor Tunnel	HK	formell	1972 [100]
Amsterdam-Zeedijk[101]-Einkaufsstraße	NL	formell	1985
Malaysian North-South Expressway	MAL	formell	1988
Autobahn M1/M15	HUN	formell	1993
Warnow-Querung, Rostock	BRD	formell	1999

2.8.2 PPP in „neuerer Form“

Typischer Fall: Immobiliendevelopment in der Nähe von Autobahnen, alten Güterbahnhöfen und Kasernen usw. für Einkaufscenter, Gewerbeparks, u.ä.

Tabelle 2-4: Beispiele für PPP in „neuerer Form“

Projekt	Land	Charakter der Zusammenarbeit	Jahr
Canary Wharf – London Dockland Neues Büroviertel in brachliegendem Hafengelände	GB	formell	1981
Fairfield (Einkaufszentren)	USA	formell	---
Media-Park, Köln[102] Technologiestandort	BRD	formell	1985
International Airport Toronto, Terminal 3	CAN	formell	1991

[100] Jahr der Inbetriebnahme.

[101] siehe bei BUDÄUS D., GRÜNING G.: Public Private Partnership - Konzeption und Probleme eines Instruments zur Verwaltungsreform aus Sicht der Public Choice-Theorie, a.a.O., S. 43.

[102] siehe bei KIRSCH D.: Public Private Partnership . Eine empirische Untersuchung der kooperativen Handlungsstrategien in Projekten der Flächenerschließung und Immobilienentwicklung, S. 280-285, Verlag Rudolf Müller, Köln 1997.

2.8.3 Funktionalprivatisierung bzw. Organisationsmodelle

Als typische Beispiel für gesellschaftsvertraglich geregelte Public Private Partnerships gibt es 4 Typen:

- **die offene Beteiligung Privater an bestehenden öffentlichen Unternehmen**
- **die offene Beteiligung öffentlicher Unternehmen an bestehenden privaten Unternehmen**
- **die Gründung neuer gemeinsamer Unternehmen**
- **die stille Beteiligung Privater an öffentlichen Unternehmen**

Die Reichweite der Beteiligung bzw. Einflußnahme und vertraglichen Konstruktion kann sehr unterschiedlicher Natur sein. Bestimmt durch die Anforderungen bzw. möglichen Leistungen beider Vertragspartner und den Chancen und Risiken solcher Konstellationen (vgl. Punkt 2.7).

Der Vertragstyp unterscheidet sich daher auch nach dem gewünschten Organisationsgrad:

- **Regiebetrieb**
- **Eigengesellschaft**
- **Betreibermodell**
- **usw.**

sowie nach Funktionsbereichen im jeweiligen Organisationsmodell[103]:

- **Projektvorbereitung**
- **Projektmanagement**
- **Vorgaben für Planung**
- **Projektsplanung**
- **Kostenschätzung**
- **Finanzierung (vgl. Punkt 2.8.4)**
- **Bau und Ausrüstung**
- **Betrieb**
- **Instandhaltung**
- **Wartung und Reparatur**
- **Überwachung und Kontrolle**

Im den folgenden Absätzen sollen die wesentlichen Typen für die **Bereiche der Ver- und Entsorgungswirtschaft** nach Ziel und Vertragstyp diskutiert werden.[104]

[103] KIRCHHOFF U.: Aktuelle Organisations- und Finanzinstrumente im öffentlichen Infrastrukturbereich, in: Zimmerman Gebhard (Hrsg.): Neue Finanzierungsinstrumente für öffentliche Aufgaben. Schriftenreihe der Ges. für öffentl. Wirtschaft, Heft 39, S. 104, Nomos Verlagsgesellschaft, Baden-Baden, 1997.

2.8.3.1 Zusammenarbeitsvertrag

Formelle Zusammenarbeit ohne Gründung einer eigenen Gesellschaft, z.B. öffentliches Fernheizwerk bedient sich eines privaten Vertriebspartners.

Ein anderes Beispiel ist die Privatisierungstendenz in der Betrieblichen Erhaltung von Straßen.

Für die weiteren Überlegungen im Zuge dieser Arbeit ist das reine Betriebsführungsmodell nicht mehr von Interesse.

2.8.3.2 Betriebsführungsmodell

Der private Betriebsführer betreibt auf vertraglicher Basis und gegen Entgelt Anlagen des öffentlichen Auftraggebers in dessen Namen und dessen Rechnung und Risiko; er erbringt so im Außenverhältnis Leistungen des Auftragträgers. Unmittelbare Rechtsbeziehungen zu den Nutzern kommen nicht zustande.[105]

Für die weiteren Überlegungen im Zuge dieser Arbeit ist der Zusammenarbeitsvertrag nicht mehr von Interesse.

2.8.3.3 Contractingmodell

Die bekannteste Form ist das sogenannte Einsparcontracting, bei welchem durch Einsparung von Energiekosten, die erforderlichen Investitionen und Betriebskosten finanziert werden können.

Kennzeichen eines Contracting-Modells ist, daß z.B. die Energieversorgungsanlagen eines Gebäudes nicht mehr vom Gebäudeeigentümer gekauft, gewartet und betrieben werden, sondern diese in Form eines Outsourcing von einem externen Unternehmen übernommen werden. Dies kann z.B. ein Hersteller von Heizanlagen, ein Dienstleister der Energietechnik oder ein örtliches Energieversorgungsunternehmen sein. Dieser sogenannte „Contractor" investiert, wartet und betreibt die Energieerzeugungs- und –verteilungsanlagen des Gebäudes. Der Kunde bezahlt nur noch für die benötigte Wärme.[106]

---

[104] Hingewiesen sei auch darauf, daß von vielen sozialwirtschaftlichen Autoren nicht zielkomplementäre Formen der Zusammenarbeit wie z.B. Contracting oder Betreibermodelle aus dem PPP-Begriff ausgeschlossen werden; z.B. bei BUDÄUS D., GRÜNING G. a.a.O., S. 54; dem entgegen empfiehlt der Sachverständigenrat zur Begutachtung der gesamtwirtschaftlichen Situation (BRD) das Betreibermodell als eine Möglichkeit der Public Private Partnership.

[105] TETTINGER P.J.: Die rechtliche Ausgestaltung von Public Private Partnership, in: Budäus D., Eichhorn P. (Hrsg.), Public Private Partnership – Neue Formen öffentlicher Aufgabenerfüllung. Schriftenreihe der Ges. für öffentl. Wirtschaft, Heft 41, S. 127, Nomos Verlagsgesellschaft, Baden-Baden, 1997.

[106] Energieagentur NRW, Pressemeldung, Rheinische Kliniken Bonn erhalten neueste Energieeffizienztechnik - ohne eine Investitionsmark auszugeben. http://www.ea-nrw.de/presse/effizienz.htm (Stand 20/12/98).

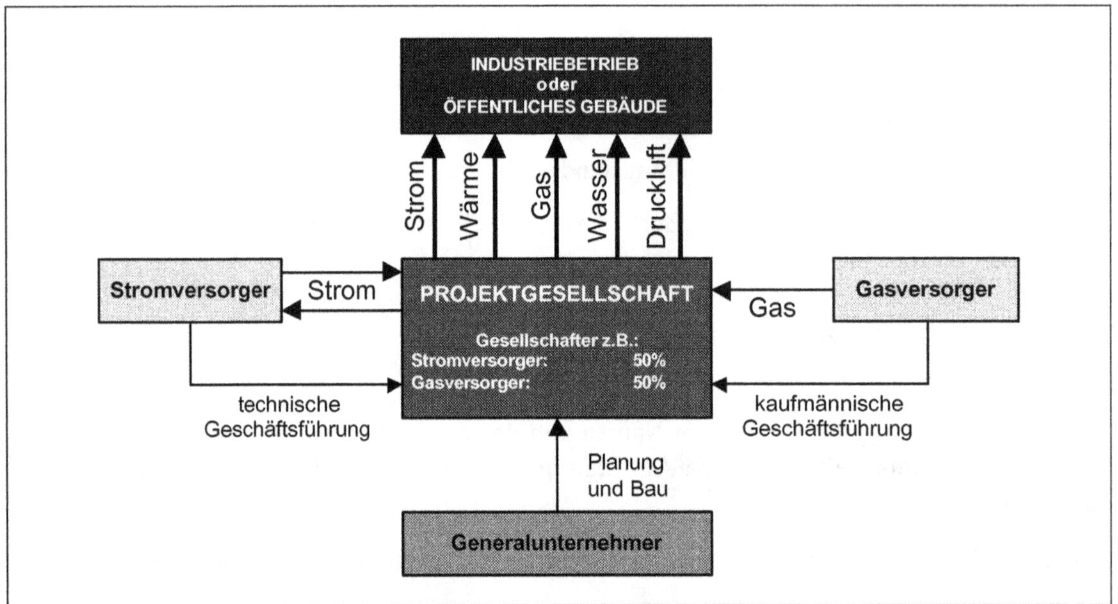

Abbildung 2-14: Beispielhafte Gestaltung einer Contractinggesellschaft (Abbildung aus ALTENHOFER ST.(1997), verändert).

Contracting ist ein stark wachsender Markt und wird unterteilt in:[107]

- **Performance-Contracting**
- **Operations-Contracting**
- **Energy-Contracting**

Für die weiteren Überlegungen im Zuge dieser Arbeit ist das Contracting-Modell nicht mehr von Interesse.

2.8.3.4 Betreibermodell

Formaler Vertrag zwischen öffentlicher Hand und Privatem mit dem Ziel der Planung, Finanzierung, Bau und Betrieb einer Anlage (ganzheitliche Optimierung) auf eigene Rechnung. Die vertragliche Bindung ist langfristig angesetzt. Zwischen dem Betreiber und den Nutzern besteht im Allgemeinen keine direkte vertragliche Beziehung.

Bei der kurzläufigen Variante, BOT (Build-Operate-Transfer) handelt es sich um einen Sonderfall der lediglich auf einige Jahre eingerichtet ist, und danach an die öffentlichen Hand zurück übertragen (Transfer) wird. Die öffentliche Hand übernimmt eine betriebsbereite

[107] HONIES H.F.: Das künftige Milliardengeschäft. A3bau, Heft 12/97, S. 114, Gießhübl 1997

Anlage, das in den ersten Jahren (Anlaufphase) höher anzusetzende technische Risiko liegt beim privaten Betreiber.

Die für den weiteren Teil der Arbeit wichtigen Aspekte von Betreibermodellen werden im Kapitel 1 detailliert behandelt.

2.8.3.5 Konzessionsmodell

Beim Konzessionsmodell handelt es sich um ein Betreibermodell mit einem oligopolen Gemeingut, z.B. Konzession für eine bemautete Autobahnen oder für ein Wasserkraftwerke (vgl. Punkt 2.8.3.4 und Kapitel 1).

2.8.4 Finanzprivatisierung

Neben den verschiedenen Organisationsmodellen haben sich entsprechend dem angestrebten Organisationsgrad eine Vielzahl von Finanzierungsmodellen herausgebildet.

Prinzipiell muß davon ausgegangen werden, daß eine private Finanzierung nicht günstiger ist als eine von der öffentlichen Hand.[108] - Die Vorteile liegen in anderen Bereichen (vgl. Punkt 2.6).

Hierbei handelt es sich um keine echten privatwirtschaftlichen Lösungen, durch die öffentliche Haushalte nachhaltig entlastet werden. Vielmehr finanziert das Unternehmen die Baumaßnahmen lediglich bis zur Abnahme vor. Danach treten Banken in die Finanzierung ein, die vom Bauherrn in gleichen Jahresraten abgelöst werden. Die Belastung wird also nur auf zukünftige Haushalte verschoben.[109] [110]

---

[108] Die Bonität von industrialisierten Staaten als Schuldner ist im Allgemeinen sehr hoch, die entsprechenden Ratings durch internationale Agenturen daher sehr groß. Die Kombination aus erfolgversprechendem Betreibermodell mit staatlichen Garantien für die Finanzaufnahme führte beim Øresund-Konsortium zu einem AAA-Rating: „*The low real interest rate is partly due to the interest level of Øresundskonsortiet's borrowing and partly to the fact that Øresundskonsortiet is regarded as a very sound borrower, even more so than Denmark and Sweden. The two leading credit rating institutes, Standard & Poors and Moody's Investor Services regard Øresundskonsortiet's loans as a "foolproof" investment. Both have given Øresundskonsortiet their highest rating AAA and Aaa respectively. Standard and Poors rates Sweden AA+ while Moody's rates Sweden AA2. Denmark is rated AA+ by Standard & Poors and Aa1 by Moody's. The reasons for Øresundskonsortiet's high rating is that the loans are irrevocably guaranteed by the Swedish and Danish states.*" http://www.oresundskonsortiet.com/newsinfo/status/index.htm (Stand 20/02/00) oder in T&T: *Øresund keeps funding costs down. Nov. 1998.*

[109] ALFEN H.W.: Projektentwicklung – Infrastruktur als Geschäftsfeld der Bauindustrie (Teil 2). Bauwirtschaft 5, S. 24, 1999.

[110] Kreditfinanzierte Infrastrukturinvestitionen machen insoferne Sinn, als die Lebensdauer dieser Investitionen oft mehrerer Jahrzehnte beträgt und somit die zukünftigen Nutzer auch an den Rückzahlungen (Abnützung durch Benutzung) beteiligt werden.

Für den öffentlichen Sektor dienen diese Modelle dazu die Belastung der öffentlichen Budgets aktuell zu verringern, aber oft auch nur um die Schulden für neue Infrastruktureinrichtungen „auszulagern“[111] (siehe Punkt 2.6), unter dem Stichwort „Kameralistische Budgetkosmetik“ hinlänglich bekannt.

Für private Investoren haben diese Modelle im Allgemeinen steuerliche Vorteile, welche jedoch auf der anderen Seite dem „Staat“ Einnahmenausfälle bringen. So kann eine Kommune von PPP budgetär sehr wohl profitieren, während auf der anderen Seite eine hoheitlich übergeordnete Stelle Steuerausfälle zu verbuchen hat. Für den öffentlichen Sektor kommt es budgetär dadurch oft zu einem „Null-Summenspiel“.

Die nachfolgende Aufzählung erhebt keinen Anspruch auf Vollständigkeit, die Vielzahl von Kombinationen ist praktisch beliebig.

2.8.4.1 Leasing- bzw. Objektgesellschaften

Die Anlage wird von Privaten finanziert (i.R. fremdfinanziert) und gebaut und anschließend an den öffentlichen Sektor vermietet, z.B. Schulen, Rathäuser usw.

Die extremste Ausprägung ist sicher das „SALE and LEASE-BACK-Verfahren“, welches bei Finanzierungsengpässen für neue Infrastruktur nicht direkt Vorteile bringt, aber z.B. die Möglichkeit bietet, durch den Verkauf und anschließendes „Rückleasen“ bestehender Infrastruktur, Liquiditätsspielraum zu bekommen und zukünftig aus den Leasingaufwendungen steuerliche Vorteile zu ziehen.[112]

Die steuerlichen Nachteile für die um eine Stufe höher angesiedelte Gebietskörperschaft wurden schon unter dem vorherigen Punkt angesprochen.

2.8.4.2 Fondsfinanzierung

Finanzierung über Verkauf von Fondsanteilen sowie Fremdkapital. Der Vorteil liegt in der niedrigeren Verzinsung der Fondsanteile gegenüber dem Fremdkapital.

2.8.4.3 Forfaitierung

Die Betreibergesellschaft verkauft ihre zukünftigen Forderungen (Gebühren, Mieten usw.) gegenüber der öffentlichen Hand an ein Kreditinstitut.

---

[111] typisches Beispiel in Österreich ist die ASFINAG (Autobahnen- und Schnellstraßenfinanzierungs AG).

[112] Ein außerhalb des Infrastrukturbereiches interessantes Beispiel ist der Verkauf von hunderten Lokomotiven und Eisenbahnwaggons durch die österreichische Bundesbahn an eine amerikanische Leasinggruppe und das unmittelbare Rückleasen durch den Bahnbetreiber.

Die wesentlichen Vorteile sind:

- Geringere Zinsbelastung, weil eine Forderung gegenüber der öffentlichen Hand abgetreten wird
- 100%ige Finanzierung ohne Eigenmittel möglich
- der Kreditspielraum des privaten Partners wird nicht eingeschränkt

2.8.4.4 Beteiligungsfinanzierung

Stille Beteiligung an ausgelagerten Ver- und Entsorgungsbetrieben als Anschubinvestition um Engpässe bei der Eigenkapitalausstattung zu überbrücken – Beteiligung ist meist als Partnerschaft „auf Zeit" konzipiert – Stiller Gesellschafter haftet bis zur Höhe der Einlage im Konkursfall.

Vorteile dieser Finanzierungsform sind aus Sicht der Kommune (Beispiel aus der BRD):[113]

- Lösung des Eigenkapitalproblems
- Ausschüttungen an den stillen Gesellschafter sind als Betriebsausgabe steuerlich absetzbar
- Stille Einlage unterliegt weder der Vermögen- noch Gewerbesteuer

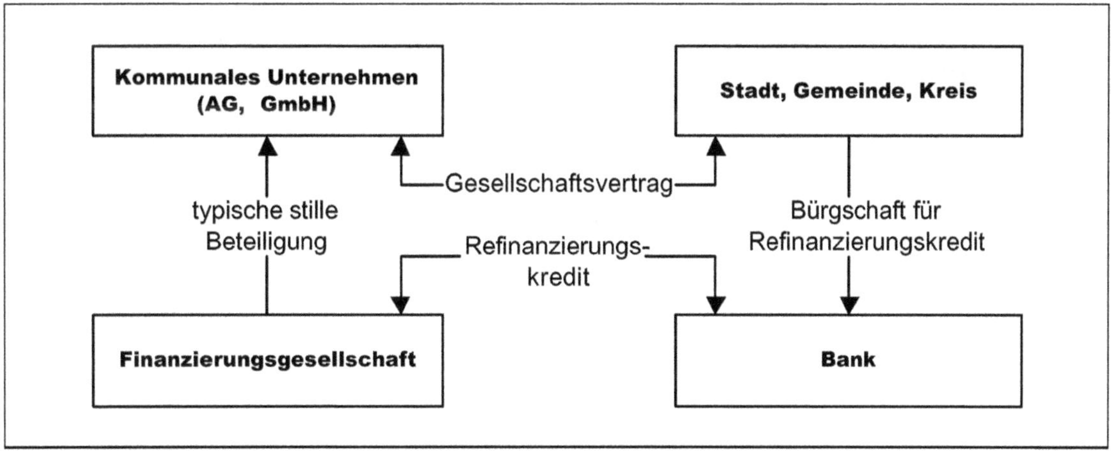

Abbildung 2-15: Modell für eine Beteiligungsfinanzierung über eine stille Beteiligung. [114]

---

[113] aus KIRCHHOFF U. a.a.O., S. 104.

[114] Abbildung aus KIRCHHOFF U. a.a.O., S. 104.

2.9 Zusammenfassung

Zusammenfassend kann gesagt werde, daß Public Private Partnership-Modell einen interessanten Ausweg aus dem Diktat der leeren Kassen darstellen. In der kameralistischen Budgetierung öffentlicher Körperschaften werden dadurch Mittel frei für andere Investitionen. Projekte welche nur durch finanzielle Einbindung der öffentlichen Hand realisiert werden können bzw. sich z.B. durch Schattenmauten aus öffentlichen Budgets refinanzieren, sind Vorgriffe auf die Zukunft, und belasten damit zukünftige Generationen (siehe dazu auch Fußnote [110]).

Als allgemeine Prämisse kann Effizienzsteigerung in der Abwicklung und beim Betrieb durch private Beteiligte unterstellt werden. Politisch ist es leichter zu verkaufen, daß ein privater Investor kostendeckende Mauten einhebt, als die öffentliche Hand. Mittelfristig ist damit größere Kostenwahrheit für gemeinwirtschaftliche Leistungen zu erreichen, verbunden mit einer Bezahlung bei Leistungsbezug und nicht über leistungsfremde Steuern.[115]

Das Maß der öffentlichen Einbindung hängt von der Marktattraktivität und den Umsetzungsrisiken ab, die daraus resultierenden Organisationsmodelle bedingen eine differenzierte Kostenintensität.

[115] vgl. auch BEHNEN O. a.a.O., S. 6, „Kostentransparenz".

3 Betreiber- und Konzessionsmodelle

3.1 Einführung

Nachdem im Kapitel 2 grundsätzlich über Public Private Partnership (PPP) diskutiert wurde, beschränkt sich Kapitel 1 auf die Betreiber- und Konzessionsmodelle für Infrastrukturprojekte. Diese Einschränkung ist schon deshalb notwendig, weil Public Private Partnership einen viel zu weiten Bereich umfaßt - die Formen keinem vorgegebenen Vertragsmustern folgen - jeder Fall für sich betrachtet werden muß.

Das Konzessionsmodell als Sonderform des Betreibermodells (vgl. Punkt 2.8.3.4, 2.8.3.5) **wird in den weiteren Betrachtungen - im wesentlichen für Wasserkraftwerke - mit dem Betreibermodell gleichgesetzt.**

Durch die nachfolgenden Überlegungen zieht sich ein Roter Faden mit im wesentlichen zwei Prämissen:

- Bauunternehmungen als Interessenten für Betreibermodelle
- Errichtung von Wasserkraftwerken mit großem Anteil an unterirdischen Hohlraumbauten – i. spez. Hoch- und Mitteldruckanlagen, moderner Konzeption mit untertägigen Druckstollen und Druckschächten, eventuell Kavernen und Unterwasserstollen.

Systemanbieter für Komplettleistungen sind in der Lage sich vom reinen Preiswettbewerb zu lösen. Betreibermodelle sind dafür optimale Geschäftsfelder. Die Systemführerschaft innerhalb eines Konsortiums ist die Schlüsselposition für Engagement und Steuerung von Risiken.

Für Bauunternehmen bieten sich am Energiesektor vor allem Wasserkraftwerke an. Die Bauleistung und damit verbundene Risiken sind bei Wasserkraftwerken überproportional (im Vergleich zu einem Kalorischen-Kraftwerk). Bei den oben erwähnten Ausleitungskraftwerken mit hohem Hohlraumanteil wird dieses Verhältnis noch drastischer.

3.2 Felder für Betreibermodelle

Die Felder für Betreibermodelle sind vielschichtig. Besonders interessant für Bauunternehmungen sind jedoch alle Formen von Infrastrukturprojekten mit hohem Bauanteil.

In den unter Punkt 2.1 angeführten Sektoren

- **Verkehr**
- **Energie**
- **Umwelt**
- **Kommunikation** (für Bauunternehmen bedingt interessant)

gibt es weltweit große Unterschiede in Quantität und Qualität des Angebots, aber auch der Grad der Privatisierung unterscheidet sich substantiell.

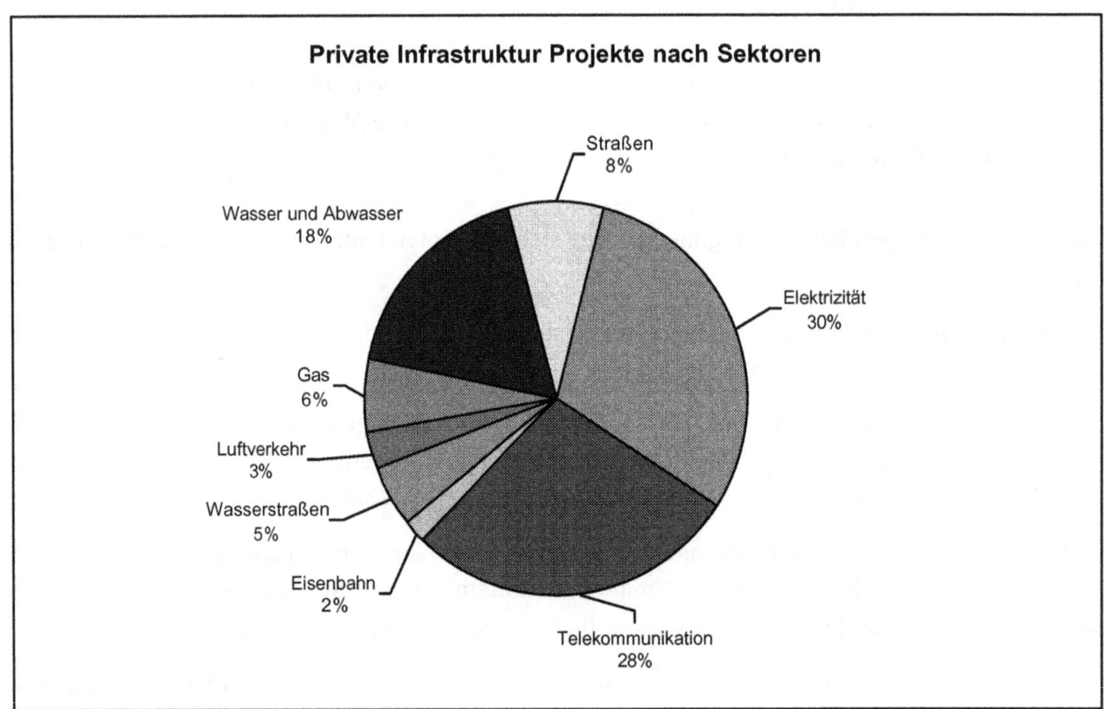

Abbildung 3-1: Private Infrastruktur Projekte nach Sektoren (Quelle: World Bank, Private Infrastructure Project Database [116]).

[116] nach HAARMEYER D., MODY A.: Private Capital in Water and Sanitation, World Bank Discussion Paper, Finance & Development, März 1997.
http://www.imf.org/external/pubs/ft/fandd/1997/03/index.htm (Stand 25/08/99).

3.2.1 Verkehr

Unter Verkehrsinfrastruktur fallen Straßen- und Schienenverkehrswege, Flughäfen und Binnenwasserstraßen. Die Attraktivität für Betreibermodelle in diesen Bereich definiert sich über die Konkurrenzsituation.

Im Straßenbau ist dies am offensichtlichsten – Mauteinhebung auf Autobahnen bringt unmittelbar Ausweichverkehr auf den parallelen (mautfreien) Bundesstraßen. Akzeptanz für die direkte Mauteinhebung ist nur auf „singulären" Routen zu bekommen, z.B. Alpenpaßstraßen, Autobahntunnel im Zuge der Querung von Gebirgsketten und städtische Ringautobahnen. Als Lösung bieten sich sonst nur Modelle mit Scheinmaut an.

Beispiele für Straßenmaut auf singulären Strecken gibt es in Österreich mehrere, die Betreibergesellschaften sind aber alle in 100% Besitz von öffentlichen Körperschaften:

- **Brennerautobahn**
- **Arlbergtunnel**
- **Tauernautobahn**
- **Gleinalmtunnel**

Zu den wirklichen Betreibermodellen auf dem Verkehrssektor zählen Autobahnen in Frankreich, Ungarn bzw. der Sydney Harbour Tunnel oder der Hongkong Harbour Tunnel.

Im Bereich der Schieneninfrastruktur in den EU-Staaten ist es durch die Verstaatlichung der letzten 70 Jahre zu einer Monopolstellung gekommen. Dies und die Kameralistische Budgetierung führten zu fehlender Kostenwahrheit und Marktattraktivität. Selbst die Trennung von Infrastruktur und Betrieb werden nur langsam die Attraktivität für private Schieneninfrastrukturinvestitionen steigern.

Beispiele in diesem Bereich sind z.B. der Eurotunnel, die Flughafenbahn zwischen Stockholm und dem Flughafen Arlanda[117], Sydney Airport Link[118] usw.

3.2.2 Energie

Auf dem Energiesektor gibt es ebenfalls eine nicht mehr zu überblickende Anzahl von Projekten - Strom aus Kalorischen Kraftwerken, aus Kombikraftwerke, aus Wasserkraftwerken, die Erschließung von Öl- und Gasfeldern usw.

---

[117] siehe http://www.railway-technology.com/projects/arlanda/index.html(Stand 09/06/00).

[118] siehe http://www.transfield.com.au/internetsite/airportlink.nsf (Stand 09/06/00).

Aber gerade an Wasserkraftwerken zeigt sich, daß BOT dort eine ganz besondere Herausforderung darstellt. Aber auch ohne BOT ist die Situation um die Wasserkraft in manchen Regionen der Welt sehr schwierig. In Europa war es vor der Liberalisierung in geschützten Versorgungsgebieten - durch die Gebundenheit an den Gebietsverteiler auf kommunaler, regionaler und überregionaler Ebene - möglich eine Kostenüberwälzung auf den Endkunden vorzunehmen und dadurch waren auch kleine EVU's in der Lage große Investitionen mit langen Abschreibungszeiten und großem Fremdkapital in Form technisch hochwertiger Wasserkraftwerksinfrastruktur zu errichten.[119]

Der Wegfall dieser geschützten Märkte hat in Europa den weiteren Wasserkraftwerksausbau vorläufig zum Erliegen gebracht.

3.2.3 Umwelt

In den Bereich der Umwelt fallen auch die Wasserver- und Abwasserentsorgung sowie die Sammlung, Behandlung und Deponierung von Müll.

Nach der in Abbildung 3-1 dargestellten Studie ist der Bereich Wasser und Abwasser an der 3. Stelle der als Public Private Partnerships betriebenen Infrastrukturprojekte.

Gerade bei Trinkwasser stellen die hohen Anfangsinvestitionen und langen Amortisationszeiten für die vergrabenen Leitungen eine Hürde dar, der auf der Nutzerseite der tägliche Bedarf an sauberem Trinkwasser gegenüber steht. Sozialpolitisch ist dadurch aber der Preis nach oben limitiert, denn jeder benötigt sauberes Wasser – aber nicht jeder z.B. ein Mobiltelefon. Zudem ist durch die Langfristigkeit und die hohen Kosten auch keine Konkurrenz möglich (weltweit führend am Sektor Trinkwasser sind vor allem französische Firmen, vgl. Punkt 3.4.1.4).

3.2.4 Kommunikation

Die Kommunikationsdienstleistung (Festnetz- und Mobiltelephonie) sind wohl das absolute Beispiel dafür, wie private Infrastrukturinvestitionen in Kombination mit Wettbewerb den Markt revolutionieren können. War vor ca. 10 Jahren die monatelange Wartezeit auf einen Telefonanschluß des einzigen staatlichen Anbieters („Amtes") noch die Regel (jedenfalls in Österreich) und dessen Benützung durch hohe Preise faktisch „kontingentiert", so hat sich dieses Bild heute grundsätzlich verändert.

---

[119] siehe bei HÖNLINGER H. a.a.O., S. 3: *„Es zeigt sich, daß z.B. neu zu errichtende Wasserkraftanlagen gegen einen liberalisierten Strommarkt im Wettbewerb viel schwerer zu finanzieren sind als bisher. Hier muß gefragt werden, ob die betriebswirtschaftlichen Entscheidungskriterien für einen Neubau nicht früher oder später um Elemente des externen Nutzens bzw. der volkswirtschaftlichen Betrachtung erweitert werden müssen."*

Dies gilt ebenso für TV, Radio, Internet und alle sonstigen Kommunikations- und Informationsdienste (eine Ausnahme bilden in Österreich derzeit noch die terrestrisch ausgestrahlten TV-Programme des staatlichen Fernsehens).

3.2.5 Weitere Felder

Als weitere Felder für Betreibermodelle gelten Gefängnisse, Krankenhäuser, Bildungseinrichtungen usw.

3.3 Interessenten für Betreibermodelle

Wer sind die Interessenten für Betreibermodelle? In Punkt 2.7.1 wurden die Projektbeteiligten an Public Private Partnerships besprochen, welche durchaus differenzierte Interessen daran haben können → Ziel ist die Aufrechterhaltung einer „win-win"-Situation über die gesamte Laufzeit des Projekts.

Regierung, „Host Government", Konzessionsgeber: Das primäre Interesse besteht darin, Projekte mit geringst möglichen Subventionen (optimal ohne), zeitlich vorgezogen zu realisieren (Gewinn von Zeit – mit den positiven Effekten auf die Wirtschaft). Trotz Konzessionsvergabe an den privaten Sektor, soll die Regierung ihre langfristigen Interessen (z.B. Tarifgestaltung) sicherstellen.

Projektgesellschaft, „Projekt Company (PC)", Konzessionsnehmer: Die Project Company ist Konzessionsträgerin und geht aus dem erfolgreichen Bieterkonsortium hervor. Eigentümer sind die Sponsoren (Shareholder). Die Rechte und Pflichten der Projektgesellschaft sind im Konzessionsvertrag geregelt. Die Mitglieder der Project Company stellen deren Eigenkapital bereit (ca. 10-20%) und wickeln das Projekt ab (Planung, Finanzierung, Bau und Inbetriebnahme).

Elementar ist die Notwenigkeit zur erfolgreichen Systemführerschaft der Project Company (vgl. MORTON A. 1998, BEHNEN O. 1999, UNIDO 1996). Eventuell fallen der Project Company auch Verpflichtung zum Technologietransfer zu, [120] zudem empfiehlt sich die Beteiligung lokaler Partner.

Sponsoren, Investoren: Sind die Eigenkapitalgeber der Project Company, meist auch die Akquisiteure des Projekts („Treibende Kraft"). Das Eigenkapital wird in Form von „Off-Balance Sheet Finanzierung" von den Sponsoren in die Project Company eingebracht.

Unternehmer, Lieferanten, „Konsortien": Unabhängig ob als Mitglied der Project Company oder nicht, geht es darum, Umsatzvolumen zu akquirieren. Aus Sicht der Bauunternehmung ist

[120] UNIDO: a.a.O., S. 12, S. 73-90.

es bei Infrastrukturprojekten sinnvoll, sich möglichst frühzeitig einzubringen. Dadurch können beträchtliche Kosteneinsparungen realisiert werden. Für den Fall des Wasserkraftwerksbaues (vgl. Kapitel 4) mit großem Hohlraumanteil kann der Bauanteil bis zu 80% der Baukosten ausmachen. Deshalb sollten die führenden Mitglieder des Baukonsortiums in der Project Company vertreten sein. Für das im Kapitel 7 vorgeschlagene Modell zur Risikotragung aus dem Baugrund ist dies der einzig sinnvolle Weg (siehe auch Punkt 6.3.1 Status der Bauunternehmung in und zur „Project Company - PC").

Für Projekte mit hohem Anteil an technischer Ausrüstung gilt selbiges für die Lieferanten und Ausrüster. Häufig spielen die Bauunternehmen in solchen Projekten eine untergeordnete Rolle, bzw. sind sehr oft nicht in der Project Company vertreten. Daraus resultieren sehr wenig vorteilhafte „Construction Contracts", welche alle Risiken der Bauunternehmung übertragen.

Kreditgeber, „Lenders": Banken und Versicherungen treten als Geldgeber für die Project Company auf. Diese Kredite werden vorrangig aus dem Cash-flow bedient. Die Größenordnung des Fremdkapitals liegt bei ca. 80%, je nach spezifischem Projektrisiko (größeres Risiko, Eigenkapitalanteil steigt z.B. von 20% → 40%).

Betreiber: Der Betreiber ist häufig eine Tochtergesellschaft der Project Company, welche wiederum aus Teilen der Sponsoren gebildet werden kann. Betreibt das Projekt und ist an einem funktionstüchtigen Projekt, welches der Nachfragesituation gerecht wird interessiert. Wunsch ist ein betriebskostenmäßig optimiertes Projekt.

Berater, Consulter: Berater und Consulter haben verschiedenste Aufgaben für verschiedene Beteiligte im Projekt. Der Konzessionsgeber hat Berater um das BOT-Projekt für den Wettbewerb aufzubereiten, die eingehenden Angebote zu prüfen und den Implementation Contract mit dem erstgereihten Bieterkonsortium (Konzessionswerber) auszuarbeiten. Sinnvollerweise wird derselbe Beraterstab für den Konzessionsgeber die vertragsgemäße Umsetzung überwachen.

Das Bieterkonsortium benötigt für die Angebotsausarbeitung eventuell Fachplaner und Berater sowie später als Project Company für die Detailplanung. Diese Berater können aber müssen nicht Mitglieder der Project Company sein. Ihr Anteil wird sich im Allgemeinen aufgrund der möglichen Eigenkapitaleinbringung in Grenzen halten, wiewohl es Sinn macht, die Planer dadurch zusätzlich in die Projektsoptimierung zu involvieren.

Die Kreditgeber und die Investoren haben ihrerseits Bedarf an einer zusätzlichen unabhängigen Beratung.

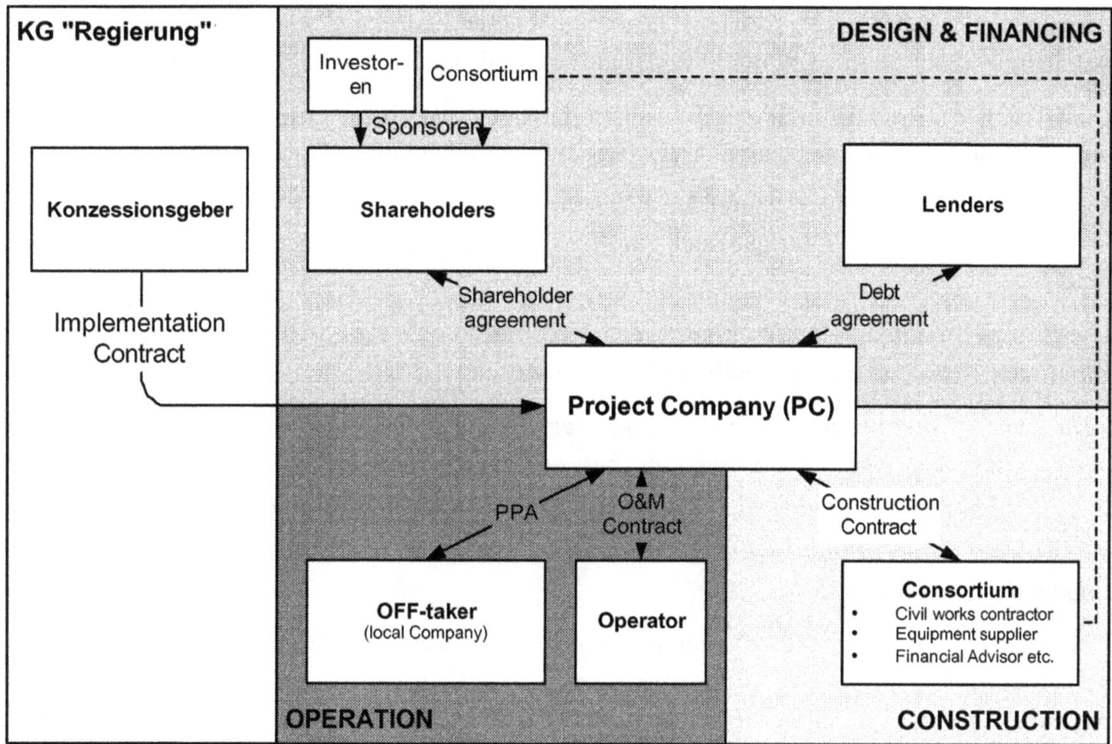

Abbildung 3-2: *Die Projektbeteiligten haben vielfache Beziehungen zueinander, bzw. können einzelne Projektsbeteiligte auch deckungsgleich sein (z.B. CW JV und E&M Lieferanten sind Teil der Project Company (Beispiel für ein Konzessionsprojekt am Energiesektor).*

3.4 Geschichte, aktuelle Situation und Beispiele

Zu Beginn dieser Arbeit 1996 wäre es in den meisten Ländern vielleicht noch möglich gewesen, die vergebenen Infrastrukturkonzessionen zu überblicken, wie z.B. heute noch in Österreich oder der BRD.

Anderenorts hat eine rasante Entwicklung die Zahl der Konzessionen vervielfacht. Nachfolgende Aufstellung kann und soll daher keine vollständige Dokumentation sein, vielmehr soll die Geschichte und aktuelle Situation in bestimmten Teilen der Welt skizziert werden bzw. einige beispielhafte Projekte kurz beschrieben oder erwähnt werden.

3.4.1 Europäische Union

Die Teilnahme an der gemeinsamen Währung, zwang die einzelnen Staaten zur Einhaltung der Maastrich-Kriterien. Im Zuge dessen wurden als einfachste Form der Budgetkosmetik, Infrastrukturbetriebe, welche den Charakter von Wirtschaftsbetrieben hatten ausgelagert, darunter fallen z.B. Verkehrsbetriebe, Gas- und Wasserversorgung, Abwasserreinigung usw. – Alleineigentümer blieb i.d.R. die öffentliche Hand selbst.

Grundsätzlich wurde dadurch eine Bewegung in Richtung Privatisierung ausgelöst, mit höchst unterschiedlicher Reichweite an privater Beteiligung in den einzelnen Mitgliedsstaaten.

Vor allem die unter TEN[121] laufenden Infrastrukturprojekte innerhalb der EU erfordern einen hohen Investitionsbedarf, welche auch durch private Beteiligung aufgebracht werden soll bzw. muß:

Diesbezüglich enthält das Weißbuch der Kommission „on Growth Competitiveness and Employment“ folgende grundsätzliche Stellungnahmen:

„The massive investment required in some sectors, particulary in transport infrastructures, necessitates new types of partnerships between private and public financing, backed by financial engeneering encompassing all the different sources and types of financing....

The Member States broadly agreee on the need for greater role for private financing and better financial engineering ....

Consequently, the objective of comission's proposals must be attract private investment in networks by helping to create the conditions it will flourish, for example by removing the obstacles that persis, among others in the slowness of procedures at various levels, and by supplementing private investment with public funds where necessary .... it will advance projects which would otherwise not be implimented, however necessary and ripe they may be....“[122]

Probleme ergeben sich derzeit auch aus dem komplizierten Rechtssystem der Europäischen Union, welches eine gleichzeitige Einhebung von zeit- und streckenabhängigen Gebühren nicht zuläßt (siehe auch Punkt 3.4.1.2). Zusätzlich ergeben sich aus den vergaberechtlichen Vorgaben Problem bei der Umsetzung von privaten Infrastrukturinvestitionen (siehe Punkt 3.4.1.1).

Die EU (über ECIP – European Community Investment Partners) fördert auch die Entwicklung von PPP-Modellen in den ALAMEDSA-Ländern (Asia, Latin America, the Mediterranean and South Africa) durch Unternehmen der Mitgliedsländer.[123]

---

[121] TEN: Trans-European-Networks, die Liste der „Priority Projects“ umfaßt im Transportsektor ein Investitionsvolumen von 220 Mrd. €, wovon derzeit nur 90 Mrd. € von den Mitgliedstaaten aufgebracht werden können (aus: GERHART F. a.a.O., S. 75).

[122] übernommen aus GERHART F. a.a.O., S. 86.

[123] http://europa.eu.int/en/comm/dg1b/ecip/index_en.html (Stand 26/04/00).

3.4.1.1 Österreich

Auch in Österreich wurden die Auslagerung von öffentlichen Infrastruktureinrichtung im Vorfeld der EURO-Einführung massiv bis in jede kleine Landgemeinde betrieben um die Maastrich-Kriterien erfüllen zu können. Ähnliche Initiativen zur Umgehung der jährlichen Budgetproblematik wurden schon mit der ASFINAG (Autobahnen und Schnellstraßenfinanzierungs AG) gestartet (Stichwort: langfristige Planung versus Budget-Kameralistik).

Die Bemühungen im Bereich der Infrastruktur Konzessionsmodelle zu etablieren sind bis dato wenig weit gediehen.

Als einziges gebautes Infrastrukturprojekt mit Ansätzen von privater Beteiligung gilt derzeit die **Umfahrung Linz/Ebelsberg**. Als Bauherr trat dort die UEB Umfahrungsstraße Ebelsberg Errichtungsgesellschaft, bestehend aus der Bauunternehmung STRABAG Österreich GmbH und der Raiffeisen Landesbank OÖ als Finanzier auf. Das Projekt wurde zu einem Pauschalpreis mit Übernahme des Baugrundrisikos errichtet, mit 3 Ausschlüssen – kontaminierter Boden, Kriegsrelikte und archäologischer Funde. Wobei die Tunnellänge nur sehr kurz war und die prognostizierten Baugrundverhältnisse schon so schlecht waren, daß es nicht mehr wesentlich schlimmer kommen konnte.[124] Zudem gab es Diskussionen vergaberechtlicher Natur, welche aus dem Gemeinschaftsrecht der EU herrührten, und von der Errichtergesellschaft als großes Hindernis für die Initiierung von Privaten Infrastrukturinvestitionen in Österreich gesehen werden.

Semmering Basistunnel: 1997 wurden in einer europaweiten Ausschreibung Konzessionäre für den Semmering Basistunnel gesucht. Aufgrund spezifisch österreichisch föderalistischer Zustände konnte bis dato vom Bauherrn, der HL-AG kein positiver Naturschutzrechtlicher Bescheid erwirkt werden.[125] Aus diesen Gründen wurde der Bau des Semmering Basistunnels

[124] Information aus Interview mit Dir. Petter, STRABAG Österreich GmbH.

[125] Als Vorleistung wurden vom Auftraggeber ein Pilot- bzw. Erkundungsstollen beauftragt. Die Erkundung sollte vor allem die geologisch und hydrogeologisch schwierige Situation im Semmeringmassiv klären und für die Konzessionswerber eine Basis für die Angebotserstellung bilden. Der Stollen wäre später als parallel laufender Fluchtstollen in das Rettungskonzept integriert worden und wäre während des Baus der Hauptröhre zudem von baubetrieblichem Vorteil gewesen. Aufgrund eines negativen Naturschutzbescheides der Niederösterreichischen Landesregierung konnte der Stollen mit großem zeitlichen Verzug nur von Süden fallend vorgetrieben werden. Die erwarteten problematischen Bergwasserverhältnisse führten zu einem plötzlichen, starken Wassereinbruch, welcher den Stollen flutete. Diese Situation wurde zwischenzeitlich saniert und der Stollen bis ca. an die Grenze zwischen den Bundesländern Steiermark und Niederösterreich vorgetrieben. Die Anfechtung des negativen Naturschutzrechtlichen Bescheides durch die HL-AG als Bauherr vor dem Verfassungsgerichtshof (RS Erkenntnis 1999/06/25 B 1287/98 und RS Erkenntnis 1999/06/25 G 256/98), führte zu dessen Aufhebung. Ein vom Bundesministerium für Verkehr beauftragtes Rechtsgutachten kommt zum Schluß, daß die niederösterreichische Landesregierung als Tunnelgegner den Bau noch bis zu 10 Jahre verhindern könnte (Stand Juni 2000).

zwischenzeitlich auf die lange Bank geschoben, die Realisierung des ersten großen Verkehrinfrastrukturbaues mittels Konzessionsmodell harrt immer noch seiner Umsetzung.

Brenner Basistunnel: Aufgrund der angespannten Budgetlage in Österreich, werden nun wieder Überlegungen angestellt, Teile der Eisenbahnachse München - Verona mittels eines Konzessionsmodells zu realisieren. Als Kernstück für den internationalen Verkehr ist der Brenner Basistunnel ein prädestiniertes Projekt. Die Bemühungen werden sicher viel Beachtung finden und es ist zu hoffen, daß in Österreich damit der Durchbruch gelingt, sowohl was den Bereich der Konzessionsmodelle als auch die private Investition in zukünftig erforderliche Verkehrsinfrastruktur betrifft.[126]

EU konforme Vergabeverfahren erschweren derzeit auch die praktische Umsetzung von Konzessionsmodellen. Verwiesen sei auf die Sektorenrichtlinie bzw. Einhaltung der Vergabegesetzgebung.

Nichts desto trotz gibt es einige erfolgreiche Beteiligungen österreichischer Unternehmern an BOT-Projekten im Ausland, welche an dieser Stelle erwähnenswert sind:

Tabelle 3-1: Ausländische BOT-Projekte mit österreichischer Beteiligung (keine vollzählige Aufzählung).

Projekt	Land	Type	Österr. Firmen	Kosten
Birecik[127]	Türkei	Wasserkraft	STRABAB, Verbundplan	1.400 Mio. ATS
M1, M5	Ungarn	Autobahnen	ILBAU	3.320 Mio. ATS

3.4.1.2 Deutschland

In Deutschland gibt es die zwei Bereiche Abwasser und Straßenbau in denen private Infrastrukturinvestitionen bis dato praktiziert werden.

Eine Vorreiterrolle spielte dabei die Abwasserentsorgung und –reinigung, erwähnenswert ist hierbei das NRW-Betreibermodell.

Im Straßenbau gibt es nachfolgende Entwicklungen und Projekte:

Mogendorfer Modell: Dabei handelt es sich um eine Umfahrungsstraße in Mogendorf, einem Ort im Westerwald, welche durch mittelständische Unternehmen gebaut und finanziert wurde.

---

[126] W. Brenner als Chef der Schieneninfrastrukturfinanzierungs GmbH (Kurier v. 4. Nov. 1997) erwartete z.B. für das Jahr 2000 bereits 10% der Schienenmaut von privaten Schienen-Benützern - diese Erwartung hat sich nicht erfüllt.

[127] siehe im Detail Punkt3.4.2

Durch eine Schattenmaut des Landes Rheinland Pfalz refinanziert sich die Betreibergesellschaft (= Einkauf von Zeit durch Ratenkauf).

Soweit noch nichts besonderes, erwähnenswert ist dieses Modell deshalb, weil durch an den Baufortschritt angepaßt Ausstellung von Bau-Testaten (= Bestätigungen der vertragskonformen Ausführung) eine mittelstandsfreundliche Vorfinanzierung möglich war, soll heißen, nach Ausstellung des Testates konnte die Forderung von der Errichtergesellschaft an Banken abgetreten werden (Forfaitierung).

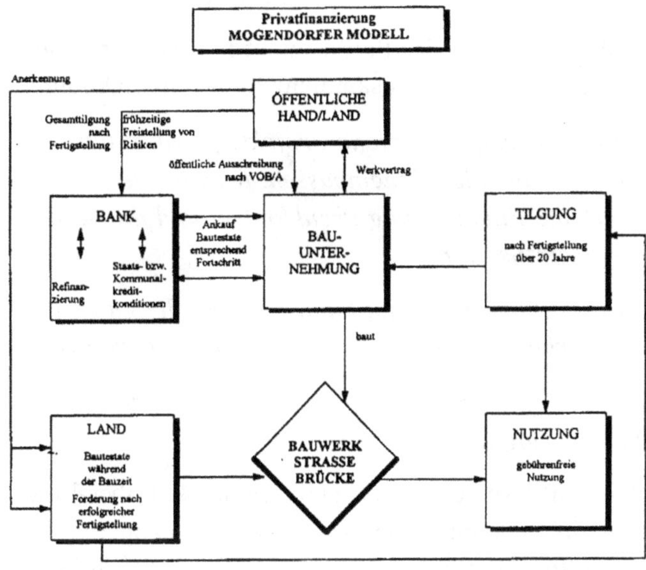

Abbildung 3-3: Finanzierungsmodell für den Ratenkauf mit Forfaitierung, nach dem Mogendorfer Modell (Abbildung aus HOFMANN, nach MERKEL).[128]

Der „Einkauf von Zeit" wie oben beschrieben, belastet die zukünftigen Budgets (Schattenmaut, Benützungsentgelt), verschiebt die Probleme in die Zukunft. Dem sind also auch budgetäre Grenzen gesetzt.

„Ich kann den Haushalt des Verkehrsministers im Jahre 2005 damit vielleicht zu 10 Prozent belasten, aber nicht zu 50 Prozent. Die private Vorfinanzierung ist deshalb nur eine Brücke, aber nicht die Lösung des Problems", erklärte Bundesverkehrsminister Wissmann (BRD) seine finanzpolitischen Vorstellungen (1998).

---

[128] Abbildung aus HOFMANN H.: Private Public Partnership. S. 438 in (Hrsg.): DIEDERICHS C.J.: Handbuch der strategischen und taktischen Bauunternehmensführung. a.a.O.

Als Ausweg bieten sich richtige Betreibemodelle an (Planung, Bau, Betrieb und Unterhaltung), welche über direkte Bemautung refinanziert werden – dafür gibt es auch schon Beispiele.

Fernstraßenbauprivatfinanzierungsgesetz (FstrPrivFinG) 1994: Betreibermodelle mit direkter Bemautung können auf Grund des europäischen Rechts nur bei Bauwerken an Engpässen angewendet werden: Brücken und Tunnel, Gebirgspässe und autobahnähnlich ausgebaute Bundesstraßen. Schließlich müssen schwere LKW auf Bundesfernstraßen seit 1995 eine zeitbezogene Straßenbenutzungs-Gebühr bezahlen. Eine zusätzliche Maut würde zu einer Doppelbelastung führen, die nach EU-Recht nicht zulässig ist.

Der Bauwirtschaft ist das Vorgehen der Politik nicht konsequent genug. Von Vertretern des HVDBI[129] kommt Kritik, die in etwa so zusammengefaßt werden könnte:

- *„Der Staat wollte bisher lediglich solche Projekte privat finanzieren lassen, die in seine eigenen Finanzierungspläne nicht hineinpassen. Richtig wäre es, alle Straßenprojekte auf Eignung für eine private Finanzierung abzuklopfen, und die verfügbaren Mittel dann für die weiteren Projekte einzusetzen.*
- *Die „schlechten Erbsen" müssen beim Staat bleiben, die guten gehören in den Topf des Investors, ansonsten erhält der Investor auch keine Kredite von den Banken.*
- *Man sollte nicht dort beginnen, wo die Investitionen am höchsten sind sondern dort, wo ein tragfähiger Betrieb möglich ist."*

Die Bauindustrie hat schon deshalb großes Interesse an Betreiber-Modellen, weil das damit verbundene Know-how in anderen Ländern mit noch knapperen Kassen außerordentlich gefragt ist, nach dem Motto: *„Wenn Sie kein Betreiber-Modell im eigenen Land vorweisen können, bekommen Sie den Auftrag auch im Ausland nicht."*

Die Situation, daß gerade Deutschlands erstes Verkehrsinfrastrukturprojekt von einer französischen Gesellschaft errichtet wird, ist beinahe ein klassischer Beweis obiger Befürchtung.

Warnow-Querung, Rostock: Der mit 417 Millionen Mark veranschlagte Tunnel, gebaut von einem Konsortium unter der Führung des französischen Mischkonzerns Bouygues, ist Deutschlands erstes privat finanziertes und gebautes Straßenbauprojekt (30 Jahre Konzessionszeit).

Travequerung, Lübeck: Ersatz der alten Herrenbrücke (Klappbrücke über die Trave).

[129] Hauptverband der deutschen Bauindustrie.

Tabelle 3-2: Erste private Straßenbauprojekte[130] nach dem Fernstraßenprivatfinanzierungsgesetz 1994.

Projekt	Type	Betreibergesellschaft	Kosten
Warnow-Querung Rostock[131]	Tunnel	Bouygues	ca. 420
Trave-Querung Lübeck[132 133]	Tunnel	Herrentunnel Lübeck GmbH&Co.KG[134]	ca.300 Mio. DM

Tabelle 3-3: Weitere in der BRD als Betreibermodelle in Diskussion stehende Projekte (ohne Anspruch auf Vollständigkeit, April 2000).

Projekt	Projekttyp
A6 zw. Heilbronn und	Autobahn
Querung der Hochmosel bei Trier	Bundesstraßenverbindung der A60 mit der B50

Erwähnenswert ist noch die Beteilung der HOCHTIEF AG am neuen Athener Flughafen[135] und der PH. HOLZMANN AG[136] am türkischen Wasserkraftwerk Birecik (vgl. Punkt 3.4.2) bzw. an deren Realisierung als BOT-Projekte.

3.4.1.3 England

In England gibt es zwischenzeitlich viele Beispiele für privates Engagement im Infrastrukturbereich. Forciert durch die Politik der Regierung Thatcher kam es zu einer breiten Welle von Privatisierungen und neuen Konzessionsvergaben in allen Infrastruktursektoren.

Angeführt sind nur einige wenige markante Beispiele bzw. wird kurz auf die PFI Initiative verwiesen (Private Finance Initiative).

DARTFORD Bridge: 1986 wurde an ein rein privates Konsortium eine Konzession für Planung, Bau, Finanzierung und Betrieb einer dritten Themse-Querung bei Dartford vergeben. Das Finanzierungsvolumen von 200 Mio. £ inkludiert die 86 Mio. £ Investitionskosten für die

[130] Interessanterweise bezeichnen beide Projektbetreiber ihr Projekt als das jeweils erste in Deutschland (vgl. untenstehende Links).

[131] http://www.tourist-mv.de/tourist-mv/umwelt/umwelt-3.html(Stand 15/08/00).

[132] http://www.hochtief.de/hochtief/deutsch/html/index_a.htm (Stand 15/08/00).

[133] ALFEN H.W., KNOP D.: Durchbruch bei Betreibermodellen in Deutschland. Bauingenieur. Heft Januar/00, Band 75, S. 7-14, 2000.

[134] Tochterunternehmen der HOCHTIEF Projektentwicklung GmbH und Bilfinger + Berger BOT GmbH.

[135] http://www.hochtief.de/hochtief/deutsch/html/index_a.htm (Stand 15/08/00).

[136] http://www.philipp-holzmann.de (Stand 15/08/00).

neue Brücke und den Erwerb der bestehenden Tunnel inklusive Restschulden. Die Konzessionszeit beträgt maximal 20 Jahre, maximal deshalb, weil bei unerwarteten Einnahmenüberschüssen eine vorzeitige Kredittilgung und Projektübergabe an den Staat vorgesehen ist.

EUROTUNNEL: Der Ärmelkanaltunnel ist das derzeit größte Beispiel für privat finanzierte Infrastruktur[137]. Nach zahlreichen vergeblichen Versuchen Großbritannien mit Frankreich durch einen Tunnel zu verbinden, wurde mit dem EUROTUNNEL-Konsortium eine Form ohne staatliche Subventionen verwirklicht. Der Kanaltunnel ist damit ein Paradebeispiele für die Möglichkeit privaten Engagements im Infrastrukturbau. Dazu einige Zahlen[138] [139]:

Budgetierte Kosten 86/87: £ 5,1 Mrd. (bis Mitte 1993)

Ende 1994 £ 9,4 Mrd. (bis zur Eröffnung)

25% der Kostenüberschreitung entfielen auf Zinsen, die in der Zeitverzögerung von Mitte 1993 bis Ende 1994 bezahlt wurden.

Nach SIR MORTON ALSTAIR hatte das Projekt von Anfang an einige Erbsünden im Gepäck. So gab es am Anfang keinen eigentlichen Bauherren für das Projekt, sondern nur Baufirmen die bauen wollten und Banken die finanzieren wollten, d.h. es gab keine eigentliche „Project Company" die als Systemführer und eventueller späterer Betreiber aufgetreten wäre. Konzessionsvertrag, Bauvertrag und Zugang der staatlichen Eisenbahnen wurden vor der Installation der „Project Company" (= später EUROTUNNEL) durch die beiden Regierungen, 10 Bauunternehmen und 5 Banken fixiert. Erforderlich für das Funktionieren ist aber ein Konzessionär als Projekt-Gesellschaft und Bauherr, der Systemführer ist und aus dem Bauprojekt ein funktionierendes Transportsystem schafft, d.h. der Konzessionär existiert frühzeitig und führt die Verhandlungen mit den Aufsichtsbehörden, den Benutzern, Geldgebern, Lieferanten und Baugesellschaften durch, bevor Verpflichtungen gegenüber irgendwelchen Vertragsparteien eingegangen werden. Wie formuliert SIR MORTON A. weiter: *„... Großbritannien mag 1986 weltweit führend bei Privatisierungen gewesen sein, hatte aber die Prinzipien von Public Private Partnership noch nicht verstanden ......"*[140].

[137] lt. dem EUROTUNNEL-Ehrenvorsitzenden SIR MORTON A. *„ ... eine sehr primitive Form von PPP, welche vieler Verbesserungen bedarf....",* siehe in MORTON A.: Der EUROTUNNEL - Gründung, Finanzierung und Verwirklichung: Lehren für andere Tunnel-Großprojekte. a.a.O., S. 73.

[138] Zahlen aus MORTON A. a.a.O., S. 77.

[139] siehe auch Case-Studie EUROTUNNEL in UNIDO .a.a.O., S. 204-206.

[140] Zusammenfassung aus MORTON A. a.a.O.

PFI-Private Finance Initiative

Ist die Fortsetzung des britischen Weges der Privatisierung öffentlicher Leistungen der 1984 mit der Privatisierung der British Telecom erfolgreich begonnen hat. Die PFI-Initiative wurde 1992 von der Regierung gestartet um weiterhin das Niveau an öffentlichen Leistungen aufrecht zu erhalten, ohne dabei die öffentliche Kreditaufnahmen zu steigern.

PFI entspricht den bisher gebräuchlichen PPP-Modellen[141]. Einige sprachliche Feinheiten sind eventuell von Bedeutung, so heißt z.B. die Konzessionsgesellschaft „Special Purpose Vehicle (SPV)“ anstelle von „Project Company“.

3.4.1.4 Frankreich

Bei manchen Autoren gilt Frankreich als das Geburtsland des Konzessionsmodells[142]. Wie im Punkt 2.4 angeführt erwähnt MONOD (1982) die zentrale **Trinkwasserversorgung für Paris** der Brüder Perier als erstes Konzessionsmodell. Die Konzession wurde 1782 erteilt, 1789 machte aber die Französische Revolution der Betreibergesellschaft ein frühes Ende.

Ein weiteres frühes und großes Konzessionsprojekt, welches von Frankreich aus betrieben wurde, war der Bau des Suez Kanal, für welchen die Suez Canal Company am 30. Nov 1854 eine 99-jährige Konzession erwirkte[143]. Die private Suez Canal Company (1869-1956) erlitt mit der Suez Krise (1949-1956) ein ähnlich schicksalhaftes Ende wie die oben erwähnte Wasserversorgung von Paris (vgl. auch Punkt 2.4 und Fußnoten [37] [38]).

In Frankreich wird die Zusammenarbeit zwischen öffentlicher Hand und Privaten in zwei Gruppen eingeteilt:

Délégations de service public: Projekte mit direkter Bemautung bzw. Bezahlung von Benützungsgebühren durch den individuellen Benutzer.

Marchés publics: Benützungsentgelt durch die öffentliche Hand, z.B. Schattenmaut.

Bemautete Fernstraßen: 1955 wurde das Konzessionssystem für Fernstraßen als Mischsystem, d h. Staatliche Institutionen als Mehrheitsaktionäre eingeführt und verschaffte damit den französischen Baufirmen einen großen Know-how Vorsprung. ¾ der Autobahnen sind durch solche Gesellschaften errichtet worden.

---

[141] *„... Private Finance Initiative (PFI) sometimes called Public Private Partnership (PPP).“* in, PFI: Constructors' key guide to PFI. Construction Industry Council, Thomas Telford, S. 25, London 1998.

[142] Diese Abgrenzung ist sicher strittig, denn es hat schon früher „rudimentäre Formen von Konzessionsmodellen“ auf Basis von z.B. Wegzollstationen gegeben, welche auch mit einer Verpflichtung zur Erhaltung und Sicherung des damit verbunden Weges verknüpft waren usw.

[143] auch der Panamakanal wurde ursprünglich von französischen Investoren betrieben.

Mont Blanc Tunnel: Der Mont Blanc Tunnel ist aufgrund seiner verkehrstrategischen Lage ein prädestiniertes Beispiel dafür, daß direkte Bemautung zur Refinanzierung eines solchen Projektes ausreichen kann. Der Tunnel ist trotz massiver Baukostenüberschreitung ein sehr profitables Projekt, dessen jährliche Einnahmenüberschüsse seit der Kredittilgung 1982, das Mehrfache des ursprünglichen Eigenkapitals betragen.

Zwischenzeitlich ist der Tunnel allerdings mehr durch den schweren Brandunfall und offensichtlich veralteten bzw. fehlenden Sicherheitseinrichtungen negativ in die Schlagzeilen gekommen, welche als Kehrseite der überdurchschnittlichen Profitabilität gesehen werden können.

Wasserversorgung: 80% der Wasserversorgungseinrichtungen sind durch Private Versorger errichtet worden.

Aufgrund er langen Praxis, sind französische Unternehmen mit den Usancen und Erfordernissen von Public Private Partnership gut vertraut und zwischenzeitlich weltweit tätig – nachfolgend einige Beispiele:

Suez-Lyonnaise des Eaux: Der französische multinationale Konzern Suez-Lyonnaise des Eaux[144] ist seit 120 Jahren einer der Weltführer im Bereich privaten Infrastrukturservices, speziell in den Feldern Wasserversorgung, Wassermanagement und Abwasserreinigung (70 Mio. Endkunden weltweit).[145]

Ein Unternehmensteil ist die Baugruppe Dumez-GTM[146], welche an einer Vielzahl von Konzessionsprojekten in allen Infrastruktursektoren weltweit beteiligt ist.[147]

Weitere Gesellschaften: Compagnie Générale des Eaux, Bouygues, La Caisse des Dépôts et Consignation.

Das erste nach dem neuen deutschen Fernstraßenbauprivatfinanzierungsgesetz umzusetzende Konzessionsmodell, die Warnow-Querung in Rostock wird vom französischen Mischkonzern Bouygues errichtet, welcher ebenfalls weltweit am Betreibermodell–Sektor tätig ist.[148]

---

[144] http://www.suez-lyonnaise-eaux.fr/english/index.htm (Stand 20/12/99).

[145] im Detail siehe Business Areas: http://www.suez-lyonnaise-eaux.fr/english/metier/index.htm (Stand 20/12/99).

[146] http://www.dumez-gtm.fr/english/index.htm (Stand 01/05/00).

[147] aktuelle Konzessionsprojekte von GTM: http://www.suez-lyonnaise-eaux.fr/english/metier/appui/const/conces.htm (Stand 20/12/99).

[148] http://www.bouygues.fr/version_anglaise/groupe/groupe/nous.htm (Stand 30/04/2000).

3.4.1.5 Italien

80% der Autostradas werden mit privater Beteiligung von ca. 20 Mautgesellschaften in Form eines Mischsystems, d h. staatliche Institutionen sind als Mehrheitsaktionäre beteiligt, betrieben. Begonnen wurde damit schon Mitte der zwanziger Jahre, aufgrund wirtschaftlicher Schwierigkeiten wurden viele davon wieder mehrheitlich vom Staat übernommen, was zu oben beschriebener Situation führte (GEHART F. 1995). Die direkte Bemautung ist aber ein eingeführter und akzeptierter IST-Zustand, im Unterschied zu Österreich oder Deutschland.

3.4.1.6 Skandinavien

In Norwegen gibt es z.B. Betreibermodelle im Bereich der Ölförderung und in Schweden ist die Schnellbahnstrecke zwischen Stockholm und dem Flughafen Arlanda[149] berichtenswert.

Zudem sind die staatlichen skandinavischen Wasserkraftwerksbetreiber (z.B. Statkraft SF[150], Vattenfall AB[151]) derzeit dabei sich weltweit bei der Errichtung von Wasserkraftwerken auf BOT-Basis zu etablieren.

3.4.1.7 Südosteuropa

Erwähnenswert ist die Errichtung des neuen Athener Großflughafens als Betreibermodell. Die Aktivitäten in der Türkei werden im untenstehenden Punkt auszugsweise angesprochen.

3.4.2 Türkei

Die Türkei kann als typisches Schwellenland bezeichnet werden. Zur Sicherstellung der wirtschaftlichen Entwicklung ist dabei der Ausbau der Elektrizitätsversorgung von ausschlaggebender Bedeutung. Lag die installierte Kraftwerksleistung 1970 noch bei 2.235 MW, betrug sie Ende 1995 bereits 20.951 MW. Bis 2010 ist geplant, eine zusätzliche Erzeugungskapazität im Ausmaß von 39.340 MW bereitzustellen. Eine weitere Zielvorstellung geht dabei von einem Wasserkraftanteil von rund 40% im Jahr 2010 aus. Ein derartiges Investitionsvolumen würde die

öffentlichen Mittel bei weitem überlasten, sodaß zunehmend BOT-Modelle zur Anwendung kommen. Eines dieser Projekte ist das Wasserkraftwerk Birecik.[152]

[149] vgl. Fußnote [117] oder HENTSCHEL H.: Privatfinanzierung und Bau der Arlandabanan zum Flughafen Stockholm. Tunnel 6, S. 25-30, 1997.

[150] http://www.statkraft.no (Stand 15/08/00).

[151] http://www.vattenfall.se (Stand 15/08/00).

Kraftwerk Birecik

Das Kraftwerk Birecik ist Teil des Südost-Anatolien-Plans (GAP) [153] zur landwirtschaftlichen Nutzbarmachung und Entwicklung der türkischen Südostregion. Das Kraftwerk ist Teil der Firat-Nehri-Kaskade und liegt 90 km flußabwärts des Atatürk Dammes (siehe Abbildung 7-11) in der Provinz Urfa.

Technische Daten:

Ausbauleistung	672 MW	Dammhöhe	62 m
Einheiten	6x112 MW	Francisturbinen	
Jahresproduktion	2.500 GWh		
Einzugsgebiet	100.702 km²	PMF[154] 17.353 m³/s	
Ausbauwassermenge		Q_{100} = 5.440 m³/s	
Natürlicher jährlicher Abfluß		ca. 30.400x10⁶ m³	
Speichervolumen	1.220 Mio. m³	davon nutzbar 620 Mio. m³	
Bauzeit	1996-2000		

Von 1970 bis 1979 wurde mittels eines Bohrprogramms die günstigste Sperrenstelle gesucht. 1982-1984 wurde von der VERBUNDPLAN ein Feasibility Report erarbeitet. 1985 erfolgte die Ausschreibung durch die türkische Regierung, erst zwei Jahre später wurde das Projekt einem internationalen Firmenkonsortium zugesprochen, welchem seit 1988 die VERBUNDPLAN und STRABAG Österreich GmbH angehören. Im März 1993 wurde der Implementation Contract abgeschlossen, welcher vorsieht, daß das Projekt als BOT-Modell realisiert wird. 1994 konnte von der VERBUNDPLAN das Final Design erstellt werden, welches schließlich die Grundlage für den Errichtervertrag bildete. Alle Projekte und Finanzierungsverträge wurden bis zum November 1995 ausverhandelt, die Rechtskraft der Verträge ist mit April 1996 (Effective Date) eingetreten.

152 KAUPA H., HARREITER H.: Privatwirtschaftlich orientierte Modelle zur Finanzierung von wasserbaulichen Maßnahmen. a.a.O., S. 299.

153 Die türkischen Wasserkraftwerksanlagen sind Teil des Südost Anatolien Projekts (GAP), welches von der türkischen Regierung seit Jahrzehnten verfolgt wird, um den unterentwickelten Südosten des Landes Bewässerungsmöglichkeiten und Energie zur Verfügung zu stellen. Insgesamt umfaßt das Projektgebiet eine Fläche von 75.000 km² an Euphrat (Firat) und Tigris, 22 Dämme, 19 Wasserkraftwerke, 2 Bewässerungstunnel und hunderte Kilometer von Kanälen und Verteilgerinnen).

154 ohne Berücksichtigung der Retentionswirkung der stromauf liegenden Speicher (spez. Atatürk).

Tabelle 3-4: Prozentuelle Beteiligungsverhältnisse an den Gesellschaften und Konsortien des BOT-Projektes Birecik.[155]

Beteiligung	Birecik Company (100 %)				Beteiligung nach Nationalität	
	Construction Consortium (70%)			Stromabnehmer (30%)		
	CWJV	E&M (HME)	Planung		Türkei	Ausland
Philipp Holzmann	16,9 %					16,9 %
Strabag Österreich GmbH	8,4 %					8,4 %
GEC Alstrom		6,8 %				6,8 %
CEGELEC S.A.		3,1 %				3,1 %
CEGELEC ACEC S.A.		3,1 %				3,1 %
Sulzer Escher Wyss		3,7 %				3,7 %
GEC Alstom Neyrpic S.A.		3,7 %				3,7 %
GAMA	18 %				18 %	
Verbundplan			4,3 %			4,3 %
TGT			2,0 %		2 %	
TEAS				30 %	30 %	
Σ	**43,3 %**	**20,4 %**	**6,3 %**	**30 %**	**50 %**	**50%**
CWJV ... Civil Works Joint Venture E&M ..... Elektro- & Maschinentechnische Ausrüster						

Die Birecik Company ist zu 50% in türkischem und zu 50% in ausländischem Eigentum. Das Errichterkonsortium besteht aus dem Civil Work JV (CWJV), dem E&M Lieferanten (HEM) und der VERBUNDPLAN als Designer und Koordinator (vgl. Tabelle 3-4). Dieses Konsortium errichtet das Projekt im Rahmen eines Lump-sum/Turnkey-Vertrages (mit Preisgleitung). Die Bauzeit beträgt 5,5 Jahre und die anschließende Betriebsperiode 15 Jahre, nach welcher das Kraftwerk an das Energieministerium transferiert wird.

Aus österreichischer Sicht interessant ist die Beteilung der STRABAG Österreich GmbH an diesem Projekt. Es stellt somit das erste erfolgreiche österreichische Engagement an einem BOT-Wasserkraftwerk dar. Wenn auch das Risiko aus dem Baugrund bei einem Flußkraftwerk als eher gering einzustufen ist – im speziellen Fall wurde das Baugrundrisiko der

[155] aus Broschüre der Birecik Betreibergesellschaft Birecik Baraji Isietme Ltd. Sti., S. 11, 1999.

Sperrengründung vom „Geological Risk Fund" des Konzessionsgeber übernommen. Dieser Risk Fund wurde auch angesprochen, als im Zuge des Bauwerksaushubs eine aus den Aufschlußbohrung nicht ersichtliche annähernd horizontale 2 cm Tonlage angetroffen wurde[156]. Der erforderliche Mehraushub bzw. Ersatzbeton im Ausmaß von ca. 58.000 m³ wurde abgegolten.

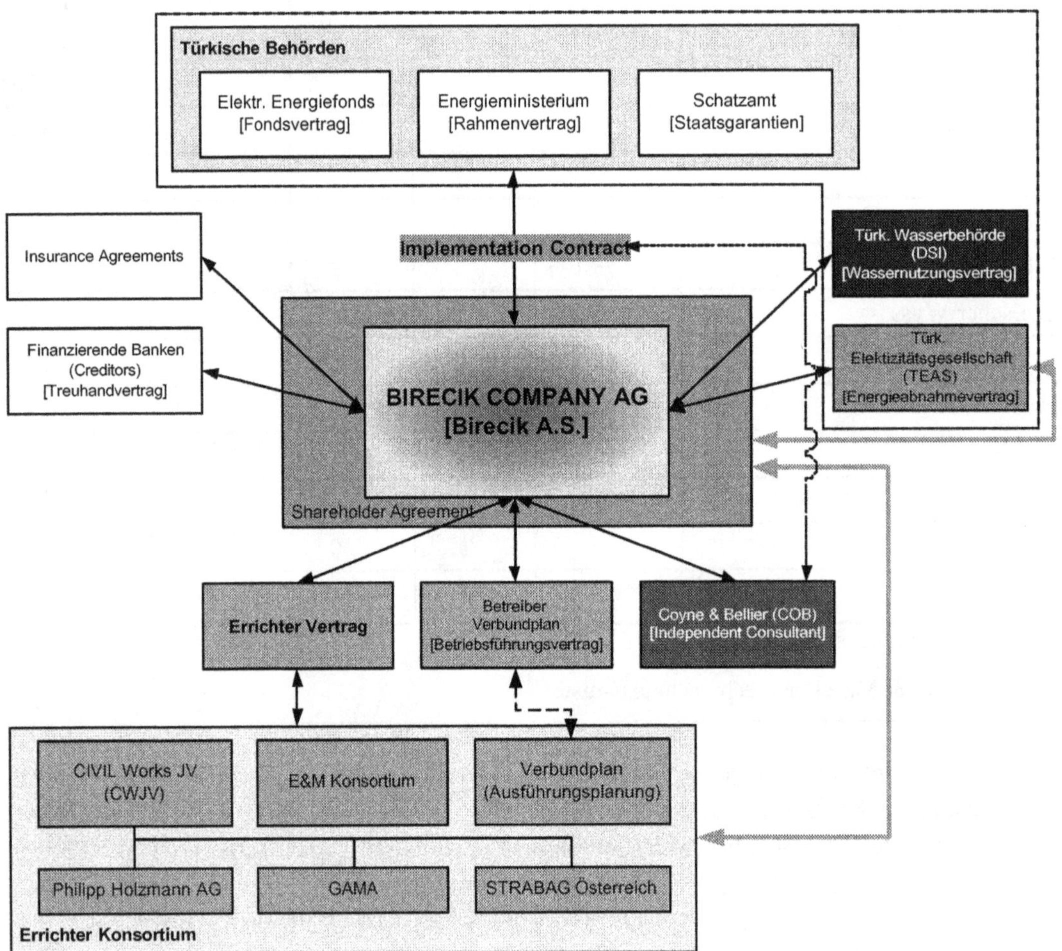

Abbildung 3-4: Organigramm über die wesentlichen Beziehungen beim BOT-Projekt Birecik.

Aktuell sind weitere Wasserkraftwerke, welche als BOT-Projekt realisiert werden sollen in Verhandlung.

---

[156] im Detail bei NADERER R., EDLMAIR G., ZENZ G.: Geotechnical Investigations and Analyses for the Foundation of the Birecik Dam. Felsbau 15, Nr. 5, 1997.

3.4.3 USA

Keine Beispiele angeführt (vgl. Einleitung zu Punkt 3.4 Geschichte, aktuelle Situation und Beispiele).

3.4.4 Asien

Asien ist derzeit der Markt für große private finanzierte Infrastruktur, speziell am Energiesektor (auch Wasserkraft). Nachfolgend sollen nur einige wenige Länder kurz besprochen werden (vgl. Einleitung zu Punkt 3.4 Geschichte, aktuelle Situation und Beispiele).

3.4.4.1 Indien

In Punkt 4.3 wird die Situation der Stromerzeugung und -verteilung in Indien untersucht. Die indische Regierung (GOI) versucht seit Jahren in allen Infrastrukturfeldern Betreibermodelle zu etablieren.

Interessant für die weiteren Betrachtungen ist die Erzeugung von elektrischer Energie. Am Sektor der Thermalkraftwerke wurde schon eine Vielzahl von Betreibermodellen realisiert, im Bereich der Wasserkraft besteht ein hoher Bedarf, eine großes ausbauwürdiges Potential, die Erfolge hinken jedoch hinterher.

Ein Handikap sind die fehlende Tarifstruktur für die Spitzenstromerzeugung durch Wasserkraftwerke sowie deren allgemein lange Amortisationszeit und deren Risiken aus dem Baugrund. Mit „Incentive Package for Power Producers in Private Sector" wird versucht die Energieproduktion angekurbelt:

- *A 16 percent return on equity assures for investment in power.*
- *The private sector can take up distribution as licensees or can come in as generating companies.*
- *The private sector can set up projects – thermal, Hydel, wind and solar of any size.*
- *Maximum debt equity ratio of 4:1 allowed.*
- *Eleven percent of outlay must come from promoter's contribution.*
- *Sixty percent of outlay must come from sources other than Indian public financial institutions.*
- *Foreign private investment up to 100 percent foreign equity permitted.*
- *Five-year tax holiday allowed for new companies involved in either generation or distribution.*
- *Custom duty for import of equipment reduced to 20 percent.*
- *Generating companies to sell power on a suitably structured two-part tariff mechanism.*
- *The two-part tariff mechanism declared will be used as a guideline for negotiating the tariff between the State and IPPs.*

- *Incentives rate of return of up to 0.7 percent on equity for every percent age point increase in PLF beyond 68.5 percent.*
- *Hydro tariff notification improved upon providing better cover for hydrological / geological risks and long gestation period.*
- *Competitive bidding made mandatory.*

Vom privaten Sektor sind derzeit nachfolgende Wasserkraftwerke in verschiedensten Stadien der Bearbeitung:

Tabelle 3-5: HEP des privaten Sektors welche gerade im Bau sind.[157]

Projekt	Leistung	Staat
Maheshwar HEP 158	400 MW	Maheshwar Pradesh
Baspa-II HEP	300 MW	Himachal Pradesh
Bhoothathank-ettu HEP	16 MW	Kerala
Malana HEP	86 MW	Himachal Pradesh

Tabelle 3-6: HEP mit „Techno-Economic-Clearance by CEA" zusätzlich zu den unter Tabelle 3-5 angeführten [159]

Projekt	Leistung	Staat
Visnuprayag HEP	400 MW	Uttar Pradesh
Srinagar HEP	330 MW	Uttar Pradesh

Auf weitere Ausführungen wird aus den in der Einleitung zitierten Gründen verzichtet (vgl. Einleitung zu Punkt 3.4 Geschichte, aktuelle Situation und Beispiele).

3.4.4.2 Südostasien

Thailand: Thailand ist einer der aufstrebenden Staaten Südostasiens, gerade im Ballungsraum Bangkok sind große Infrastrukturvorhaben erforderlich. Teile davon wurden und werden als PPP-Modell umgesetzt.

Die thailändische Wirtschaft wächst stark und damit auch der Strombedarf, welcher teilweise aus den unterentwickelten Nachbarstaaten (z.B. Laos) gedeckt wird. Die thailändische Stromgesellschaft EGAT war und ist Hauptinteressent des Wasserkraftausbaues in Laos (siehe Laos, nächster Unterpunkt).

---

[157] http://powermin.nic.in/nrg75.htm (Stand 25/04/00).

[158] http://www.maheshwar-hydel.com (Stand 25/04/00).

Andere Betreibermodelle in Thailand sind der Second Stage Expressway, die U-Bahn Bangkok, die Hochbahn in Bangkok usw.

Laos: Laos ist ein stark unterentwickeltes Land zwischen Thailand, Kambodscha, Vietnam, China und Myanmar.

Laos wird von Thailand speziell im Bereich der Wasserkraft „mitentwickelt“ um vorrangig den Energiebedarf der thailändischen Wirtschaft zu decken. Hauptabnehmer ist die thailändische Energiegesellschaft EGAT. Die großen Wasserkraftprojekte in Laos wurden und werden von EGAT forciert und versucht mittels BOT zu realisieren.

Tabelle 3-7: Wasserkraftprojekte in Laos[160]

Projekt	Leistung	Type/Konzessionszeit	Status
Houay Ho	150 MW	BOT	Fertig seit 1998
Theun-Hinboun	210 MW	BOT/30 Jahre	Fertig seit 4/98
Nam Theun 2	681 MW→ 900 MW	BOT	N/A
Nam Leuk	60 MW	k.A.	Geplante Fertigstellung Ende 1999
Xe Pian-Xe Namnoy	438 MW	BOT	N/A
Xe Kaman 1	468 MW	BOT	PPA in Verhandlung

Interessanterweise überschlägt sich gerade über die Entwicklungen in Laos die wasserkraft- und dammbaukritische Literatur, welcher an dieser Stelle auch nicht unerwähnt bleiben soll, z.B.:

- IRN-Power Struggle – The impacts of Hydro-development in Laos, IRN International Rivers Network, 1999
- IMHOF A.: The Asian Development Bank's Role in Dam-Building in the Mekong. INR, Working Paper 7, 1997
- SKLAR L., McCULLY P.: Damming the Rivers – The World Bank's Lending for Large Dams. INR, Working Paper 5, 1994

Thailand als zuverlässiger Abnehmermarkt für die Energie aus diesen umfangreichen Investitionen, welche z.T. das Doppelte des Bruttosozialproduktes von Laos ausmachen, wird darin mehrfach in Zweifel gezogen. Speziell hat die Asienkrise der 90er Jahre einen starken Einbruch in der Wachstumskurve mit sich gebracht. Zudem wird auch in Thailand zunehmend

[159] http://powermin.nic.in/nrg77.htm (Stand 25/04/00).

[160] Zahlen aus INR-POWER STRUGGLE a.a.O.

über die ökonomischen Vorteile von CCGT-Kraftwerken gegenüber Wasserkraftwerken diskutiert.

3.4.4.3 China, Hongkong

Hongkong: Der Cross Harbour Tunnel gilt seit seiner Eröffnung 1972, als das „Herzeige-BOT-Modell“ (vgl. WALKER C., SMITH A.J. a.a.O.).

Keine weiteren Beispiele angeführt (vgl. Einleitung zu Punkt 3.4 Geschichte, aktuelle Situation und Beispiele).

3.4.5 Australien

In Australien gibt es eine Vielzahl von Betreibermodellen, z.B. Sydney Harbour Tunnel, Schnellbahn Melbourne usw.

Das dabei erworbene Know-how ermöglicht australischen Firmen sich erfolgreich im Ausland bei Betreibermodell zu engagieren z.B. Transfield,[161] Flagstaff Consulting Group[162] usw.

3.4.6 Lateinamerika

Keine Beispiele angeführt (vgl. Einleitung zu Punkt 3.4 Geschichte, aktuelle Situation und Beispiele).

3.4.7 Afrika

Keine Beispiele angeführt (vgl. Einleitung zu Punkt 3.4 Geschichte, aktuelle Situation und Beispiele).

---

[161] http://www.transfield.com.au (Stand 12/12/99).

[162] http://www.flagstaff.com.au (Stand 12/12/99).

3.5 Größenordnung von Betreibermodellen

Beispielhaft sollen nachfolgend einige Betreibermodelle aufgelistet werden um die Größenordnung zu demonstrieren.

Tabelle 3-8: Größenordnung für Betreibermodelle[163] [164]

Projekt	Land	Sektor	Bau-zeit	Konzessions-zeit	Investitions-kosten
Channel Tunnel/ EUROTUNNEL	GB, F	Eisenbahn	1987-1993	55 Jahre[165] (1987-2042)	ca. 12 Mrd. U$
Tha Ngon Bridge – Grenzbrücke Thailand / Laos über den Mekong	Laos, Thailand	Verkehr	---	---	---
Sydney Harbour Tunnel	Australien	Straßen-tunnel	1986-1992	1992-2022	550 Mio. U$
Second Stage Expressway	Thailand	Hochstraße	1990-1995	1988-2018	880 Mio. U$
Kraftwerk Birecik[166]	Türkei	Wasser-Kraftwerk	1996-2001	15 Jahre (2001-2016)	2,262 Mio. DM
Second Stage Expressway[167]	Thailand	Hochstraße	1990-1995	30 Jahre (1988-2018)	880 Mio. U$
Hong Kong Harbour Tunnel[168]	HK	Straßen-tunnel	1969-1972	30 Jahre	---
M1/M15 Autobahn	Ungarn	Autobahn	1994-1997	1993-2028	388 Mio. U$

3.6 Akronyme für Betreibermodellformen

Die sich aus den Modellformen entwickelnden Akronyme sind vielfältigst, es scheint keine Grenzen zu geben. Nachfolgende Liste erhebt deshalb keinen Anspruch auf Vollständigkeit.

---

[163] Daten soweit nichts anderes angegeben aus REISMANN W. 1996a a.a.O., S. 51-52.

[164] weitere Beispiele für BOT-Modelle und „Case Studies“ in WALKER C., SMITH A.J. a.a.O., S. 27-30.

[165] aufgrund der Anlaufprobleme zwischenzeitlich auf 99 Jahre ausgedehnt, vgl. MORTON A. a.a.O.

[166] Zahlen aus Prospekt: Euphrates Barrage at Birecik. Prospekt des Civil Works JV - Ph. Holzmann, Gama, Strabag Österreich, 1996.

[167] Zahlen aus: GIRMSCHEID G., BENZ P. a.a.O., S. 1-3.

[168] Zahlen aus: WALKER C., SMITH A.J. a.a.O. S. 202-212.

Tabelle 3-9: Exemplarisch einige gängige Akronyme für Betreibermodelle.

BOT	Build-Operate-Transfer	**DBFO**	Design-Build-Finance-Operate
BOOT	Build-Own-Operate-Transfer	**DCMF**	Des.-Constr.-Manage-Finance
BLOT	Build-Lease-Own-Transfer	**LDO**	Lease-Develop-Operate
BOOST	Build-Own-Operate-Subsidize-Tranfer	**MOO**	Modernize-Own-Operate
BOR	Build-Own-Renewal of concession	**MOT**	Modernize-Operate-Transfer
BOO	Build-Own-Operate	**ROO**	Refurbish-Own-Operate
BROT	Build-Rent-Operate-Transfer	**ROT**	Refurbish-Operate-Transfer
BTO	Build-Tansfer-Operate		

3.7 BOT Klassifikation

Die Komplexität des Projektumfeldes kann auch als Klassifikationskriterium herangezogen werden. In untenstehender Abbildung ist dies am Beispiel eines Wasserkraftwerkes verdeutlicht. So kann ein Thermisches Kraftwerk als „Green Field“ Projekt heute als Standard aus der Schublade realisiert werden (Projekt-Komplexität → nieder) so „shiftet“ die Stromliberalisierung das Projekt in eine hohe Markt-Komplexität.

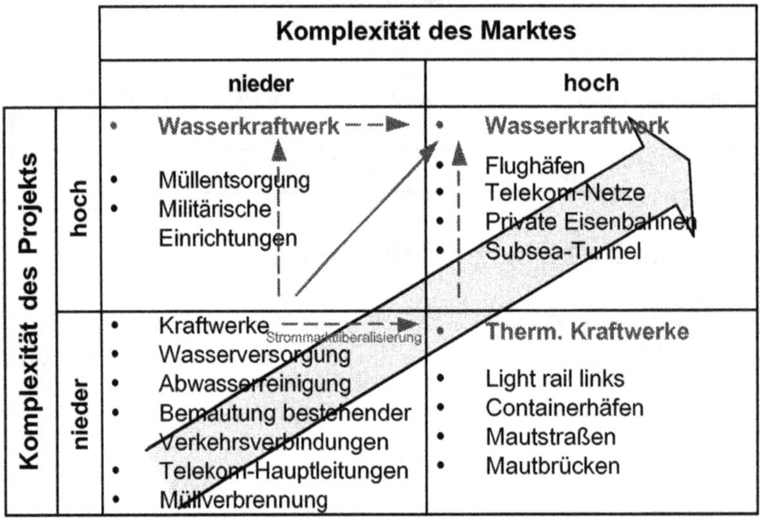

Komplexität des Projekts		Komplexität des Marktes: nieder	Komplexität des Marktes: hoch
	hoch	• Wasserkraftwerk • Müllentsorgung • Militärische Einrichtungen	• Wasserkraftwerk • Flughäfen • Telekom-Netze • Private Eisenbahnen • Subsea-Tunnel
	nieder	• Kraftwerke • Wasserversorgung • Abwasserreinigung • Bemautung bestehender Verkehrsverbindungen • Telekom-Hauptleitungen • Müllverbrennung	• Therm. Kraftwerke • Light rail links • Containerhäfen • Mautstraßen • Mautbrücken

Strommarktliberalisierung

Abbildung 3-5: Klassifikation von BOT-Projekten nach der Komplexität von Projekt- und Marktbedingungen.[169]

[169] Abbildung aus WALKER C., SMITH A.J. a.a.O., S. 238, verändert.

3.8 Wirtschaftliche Aspekte bei der Beurteilung von Betreibermodellen

Aus der Sicht des Konzessionsgebers und Konzessionsnehmers gibt es durchaus differenzierte Betrachtungen für den wirtschaftlichen Erfolg eines Projektes. So spielen für den Konzessionsgeber auch volkswirtschaftliche Effekte (welche meist monetär schwer quantifizierbar sind) eine bedeutende Rolle.

Für den Konzessionsnehmer geht es vor allem darum, daß sein Einsatz von Eigenkapital, Eigenleistung, Know-how und Risikoübernahme zur erwarteten Rendite führt.

3.8.1 Betriebswirtschaftliche Aspekte

Den erwarteten Aufwendungen werden die erwarteten Einnahmen aus direkten Benützungsentgeldern, eventuell Schattenmauten oder Anschubfinanzierungen der öffentlichen Hand gegenübergestellt.

Üblich sind sowohl Gewinnbegrenzung, als teilweise auch eine garantierte Eigenkapitalverzinsung für den privaten Investor.

Mittels Sensivitätsanalysen werden die möglichen Bandbreiten der verschiedensten Projektparameter bzw. deren Auswirkungen auf den Projekterfolg untersucht, als Hauptindikatoren dienen NPV (Net Present Value), IRR (Internal Rate of Return) und Cash-flow Analysen.

3.8.1.1 Entwicklungs- und Akquisitionskosten

Einen Nachteil von BOT-Modellen stellen die hohen Entwicklungs- und Akquisitionskosten, verbunden mit langen Akquisitionszeiten dar, welche von mehreren Konzessionswerbern investiert werden müssen.

> „... *For most BOT projects, however the costs incurred by the project sponsors in the conceptual design and preparation of the proposal are not usually reimbursale. The sum involved can be enormous and can seriosly deplete the sponsors' resources. This is especially so if the project is initiated by the sponsors themselves. Consultants and advisors frequently charge for their services unless they also have an equity interest in the project....*" [170]

Mittelfristig müssen die Kosten dieser mehrfach investierten intellektuelle Leistung auf die Projekte umgelegt werden. In Punkt 7.4.4.2 wird auf eine mögliche Verbesserung durch das vorgeschlagene Modellkonzept hingewiesen.

---

[170] TIONG R., YEO K.T., McCARTHY S.C.: Critical Success factors in winning BOT Contracts. a.a.O.

3.8.1.2 Baukosten

Die geschätzten Baukosten entscheiden bei den meisten Projekten in erster Linie ob diese unter den gegebenen (oder erwarteten) Randbedingungen realisiert werden sollen. Nachdem die Finanzierung zum größten Teil über Fremdkapital erfolgt, spielen bei langen Bauzeiten die Finanzierungskosten eine immer größere Rolle (vgl. nächster Punkt 3.8.1.3).

Die Baukosten von Wasserkraftwerken mit großem Hohlraumanteil unterliegen aufgrund des implizierten Risikos aus der Kenntnis oder Unkenntnis des Baugrundes großen prozentuellen Schwankungen. Augrund der hohen Investitionskosten entsprechen diese prozentuellen Schwankung großen monetären Beträgen.

3.8.1.3 Finanzierungskosten

Zu den wichtigsten Grundlagen einer Projektfinanzierung zählen zuverlässige Annahmen über die Kosten der erforderlichen Investitionen und das Datum der Inbetriebnahme. Meist kommen daher auch konventionelle und oft erprobte Baumethoden zum Einsatz. So sind Projekte mit kaum kalkulierbaren technischen – insbesondere geologischen – Risiken für Projektsfinanzierungen nur bedingt geeignet. Die Flexibilität der vorhandenen Finanzierungsinstrumente und die Bereitschaft von Bauunternehmen und Anlagenherstellern für Kosten- und Terminrisiken zu haften, haben enge Grenzen, die bestimmte Projekte von vorneherein ausschließen.[171]

Ziel ist es die Finanzierungskosten möglichst nieder zu halten, bzw. die Projektumsetzungszeit einzuhalten, damit keine weiteren Zwischenfinanzierungen außerhalb des eigentlichen Finanzierungsrahmen anfallen und den Projekterfolg gefährden.

Diese dabei oft angewandte Methode der zeitlich gestrafften Projektumsetzung wird heute als FAST-TRACK bezeichnet (vgl. bei GIRMSCHEID G. 1999b: *„Die Forderung, ein wirtschaftliches und gleichzeitig dauerhaftes Bauwerk im Rahmen eines Fast Track Project zu erstellen, wird vermehrt bei der Verwirklichung großer Infrastrukturprojekte gestellt. Da eine Vielzahl der heutigen Infrastrukturbauten als Konzessionsobjekte realisiert werden, liegt ein wesentlicher Grund für diese Forderung in dem Bestreben eine schnelle Amortisationszeit des investierten Kapitals zu erreichen.“*).

Gerade bei Wasserkraftwerken bietet sich die Möglichkeit schon bei erst teilweiser Projektfertigstellung mit einem Teilstau und den ersten kommissionierten Maschinen Strom zu produzieren und damit Erlöse zu erwirtschaften, wodurch die Finanzierungskosten verringert werden können. Praktiziert wurde diese Variante z.B. beim Kraftwerk Birecik, wobei mit

[171] im wesentlichen aus BILLAND F. a.a.O., S. 269.

geplanten Erlöse während des „Start Up" von 82 Mio. DM kalkuliert wurde. (entspricht 3,6% von 2,262 Mio. DM TIC), dementsprechend mußte die Bauausführung beschleunigt werden.[172]

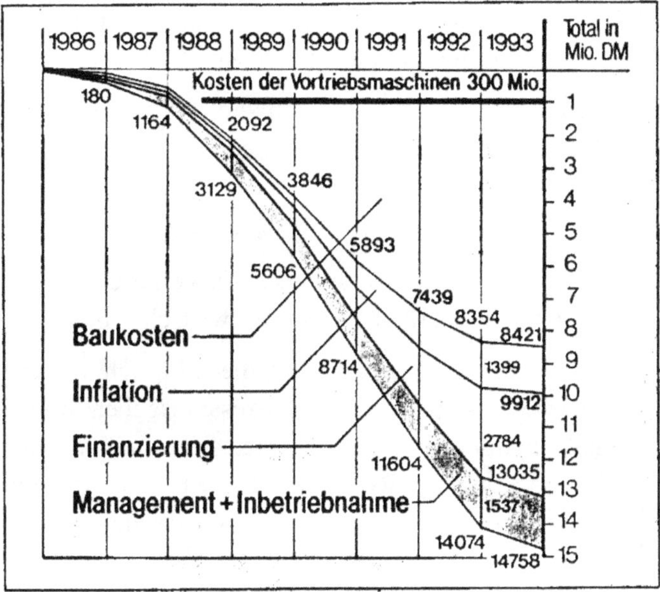

Abbildung 3-6: Anteil der Finanzierungskosten in Relation zu den eigentlichen Baukosten mit Zunahme der Bauzeit bei einem großen Infrastrukturprojekt; am Beispiel des EUROTUNNELS (Quelle: unbekannt).

Der Kern der Finanzierungsinstrumentarien für Betreibermodelle ist die Projektfinanzierung, also eine Finanzierung auf Projektrisiko. Keine weitergehende Sicherstellung wird dem Eigenkapital- oder Fremdkapitalgeber zugestanden, als eine Aufteilung der Risiken und ein erwarteter Projekt-Cash-flow aus den Erlösen. Allein die nachzuweisende Projektrentabilität entscheidet über die Kreditwürdigkeit der Konzessionsgesellschaft.[173] Daraus resultieren drei kennzeichnende Eigenschaften: [174] [175]

---

[172] vgl. Euphrates Barrage at Birecik a.a.O. und Vortrag JURECKA/GÖRRES im Zuge der Vorlesung Bauen im Ausland, Block 2, WS 94/95, Institut für Baubetrieb und Bauwirtschaft, TU Wien.

[173] vgl. REISMANN W. 1996b: Neue Organisationsformen bei Infrastrukturprojekten. a.a.O., S. 442.

[174] BEHNEN O. a.a.O., S. 3.

[175] ATKINSON D.: Raising money for tunnelling projects. T&T, S. 31, März 1999.

- **Cash-flow related Lending**
- **Risk-Sharing**
- **Off-Balance Sheet Finanzierung** (Non- oder Limited-Recourse Finance)

In der Projektfinanzierung wird der Konzessionsvertrag (mit seinen Rechten und Pflichten) das „eigentliche Beleihungsobjekt" für die Fremdkapitalgeber.

Entscheidend für die Finanzierungskosten ist auch die Art der Finanzierung, d.h. wie viel Prozent Eigenkapital zu Fremdkapital oder Mezzaninkapital.[176]

3.8.1.4 Konzessionsdauer

Die Tendenz geht dazu, daß sich die Konzessionsdauern verkürzen. Dies resultiert vor allem aus der dann leichteren Prognostizierbarkeit der betriebswirtschaftlichen Randbedingungen.

Umgekehrt bieten lange Konzessionsdauern eher die Möglichkeit einen Risikoausgleich innerhalb der Laufzeit herbei zuführen. Die Konzessionsgeber sind jedoch nicht daran interessiert, daß bei rentabeln Investitionen die Konzessionsnehmer jahrzehntelang kräftige Gewinne einstreifen, z.B. wurde beim EUROTUNNEL die Konzessionszeit erst nach Eintreten von finanziellen Schwierigkeiten von 55 Jahre auf 99 Jahre verlängert.

3.8.1.5 Risikoidentifikation und Risikomanagement[177]

Die Erfolgsbasis jedes BOT-Modells beruht unter anderem auf einer ausgewogenen Risikoteilung und einer auf die Marktverhältnisse abgestimmten Finanzierung.

An erster Stelle steht eine vollständige Identifikation der möglichen Risiken. Welche nach ihrer Eintretenswahrscheinlichkeit und dem möglichen monetären Ausmaß analysiert werden müssen (vgl. Einschub zum Thema „Was ist Risiko", S. 50).

Die identifizierten Risiken (Risikoarten siehe Punkt 2.7.4, vgl. auch UNIDO: a.a.O. S. 152-166) müssen im Vertragswerk den Projektbeteiligten zugeordnet werden. Am sinnvollsten jenen die von ihrer Aufgabe im Projekt dafür am prädestiniertesten sind. Jede unnatürliche Überbindung von Risiken ist entweder eine Übervorteilung eines Partners oder kostet zuviel.

Monetär sinnvoll versicherbare Risiken können auch durch Versicherungen übernommen werden. Für den privaten Partner nicht akzeptable Risiken können, falls das Projekt auf jeden

---

[176] Mezzaninkapital: Langfristige, meist festverzinsliche Kredite von institutionellen Anlegern, die nachrangig zu den normalen Bankkrediten gestellt sind. Haben dadurch höheres Risiko aber auch höhere Rendite → „quasi-equity", mehr dazu siehe UNIDO a.a.O., S. 184 und 293 bzw. bei REISMANN W. 1996b a.a.O., S. 442-443.

[177] Risiko bei BOT-Modellen siehe im Detail bei UNIDO a.a.O., S. 152-166; WALKER C., SMITH A.J. a.a.O., S. 143-171 bzw. Punkt 2.7.4 Chancen und Risiken von PPP-Modellen im Kapitel vorher.

Fall durchgeführt werden soll, nur vom öffentlichen Partner[178] übernommen werden (unter diese Prämisse fällt sinnvollerweise auch das Baugrundrisiko bzw. folgt dieser Prämisse das dafür im Kapitel 7 vorgeschlagene Modell).[179]

Risiken sind auch nicht während der gesamten Laufzeit des Projektes konstant (unterschiedliche Risikoperioden); so ist nach Fertigstellung das Ausführungsrisiko gleich Null, während das Kredit-Tilgungsrisiko bis zur Betriebsaufnahme andauernd steigt.

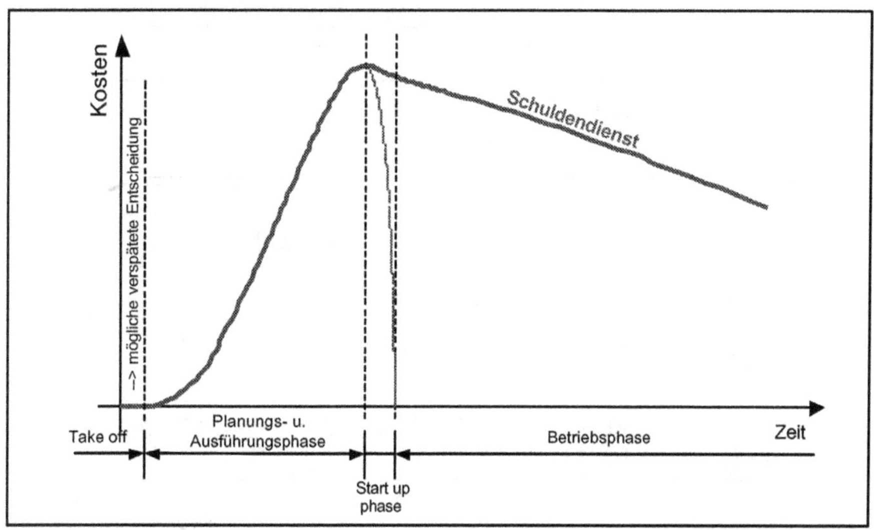

Abbildung 3-7: *Risiko-Perioden in der Projektfinanzierung am Beispiel des Schuldendienstes (Abbildung aus BRENNER R.P., LAUFER F., KRUMDIECK M.A.).*

3.8.1.6 Risikozuweisung

Wesentlich ist die Zuweisung der nicht akzeptablen Risiken zur öffentlichen Hand (Baugrundrisiko und Force Majeure usw.) → vgl. Randbedingungen für Modell in Kapitel 7. Die öffentliche Hand ist in der Regel[180] durch ein großes Projektportfolio besser in der Lage die Einzelprojektrisiken aus dem Baugrund bzw. ähnliche Risiken zu tragen.

---

[178] in Einzelfällen z.B. in Entwicklungsländern wie Laos ist auch der Staat nicht wirklich in der Lage die Risiken aus den in Diskussion stehenden großen Wasserkraftwerksprojekten zu tragen. Die Investitionskosten betragen z.T. mehr als das jährliche Staatsbudget. Gegenüber der Project Company tritt die World Bank als Garantiegeber auf, welche sich aber ihrerseits eine (theoretische?) Garantie des Staates dafür holen.

[179] teilweise aus REISMANN W. 1996b a.a.O., S. 443.

[180] Ausnahmen sind Entwicklungsländer wie z.B. Laos, welche durch Risikoübernahmen in der Größenordnung des Mehrfachen ihres jährliches Bruttosozialprodukt hier praktisch an Grenzen stoßen, vgl. auch Fußnote [178].

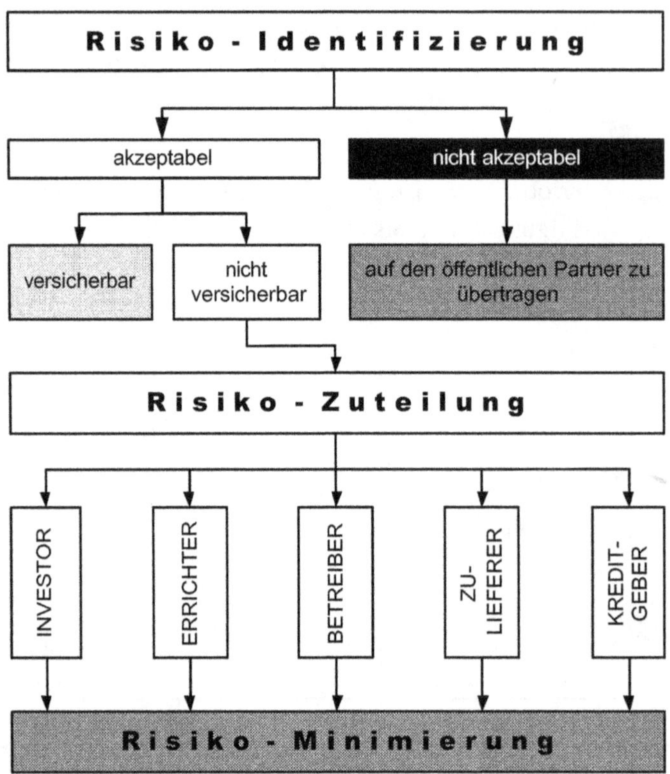

Abbildung 3-8: *Grundsätzlich erforderlich ist eine mehrstufige Risiko-Analyse und ein mehrstufiges Risiko-Management (RAMP)*[181] *um dadurch eine transparente und eindeutige Zuweisung der möglichen Risiken an die Projektbeteiligten zu ermöglichen → für die Project Company nicht akzeptable Risiken können sinnvollerweise nur von der öffentlichen Hand übernommen werden (Abbildung nach REISMANN W. 1996b, geändert).*[182]

In der Praxis versucht aber gerade die öffentliche Hand möglichst viele Projektrisiken an die private Project Company zu übertragen, dies macht solange es um den Bereich der akzeptablen Risiken geht nach dem BOT-Gedanken durchaus Sinn, bei darüber hinausgehenden Risiken sollte die Project Company sich diese nicht überwälzen lassen. Umgekehrt gibt es auch kritische Diskussionen darüber, daß die Privaten nur ein Rosinenpicken betreiben und die risikoarmen Projekte realisieren, während die risikoreichen und damit auch ökonomisch riskanteren Projekte bei der öffentlichen Hand verbleiben. Solche Projekte sind nur durch Beipackung entsprechender „Sweetener", d.h. überdurchschnittlicher Risikoübernahme der

[181] vgl. RAMP: Risk Analysis and Management for Projects, Hrsg. British Institution of Civil Engineers. Verlag Telford, London 1998.

[182] Abbildung nach REISMANN W. 1996b a.a.O., S. 444.

öffentlichen Hand bzw. internationaler Finanzierungseinrichtungen, für die Privaten interessant zu machen.

Die speziellen Probleme aus dem Baugrundrisiko werden in Kapitel 5, 6 und 7 behandelt. In der folgenden Abbildung sind die Klassifikation und die internen Beziehungen der Risiken an einem Wasserkraftprojekt exemplarisch dargestellt.

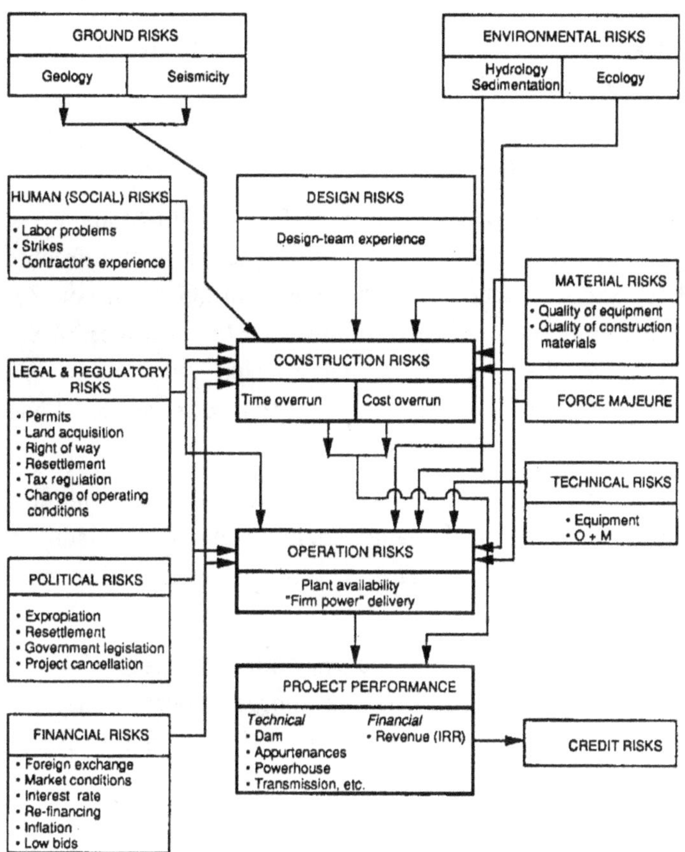

Abbildung 3-9: Klassifikation und interne Beziehungen der Risiken an einem Wasserkraftprojekt (exemplarisch dargestellt) (Abbildung aus BRENNER R.P., LAUFER F., KRUMDIECK M.A.)

3.8.1.7 Grundzüge einer Wirtschaftlichkeitsberechnung

Finanzmathematische Methoden zur Untersuchung von Betreibermodellen basieren in auf der Berechnung von IRR, NPV und Cash-flow Analysen.

Nachdem der Schwerpunkt der Arbeit einem alternativen Entwurf für die Risikotragung aus dem Baugrund gewidmet sein soll, wird hier auf die Behandlung der finanzmathematischen Verfahren verzichtet.

Von der bereits zitierten Literatur wird an dieser Stelle speziell auf die folgenden Publikationen verwiesen → vgl. UNIDO 1996, GIRMSCHEID G., BENZ P. 1998, WALKER C., SMITH A.J. 1995.

Eine Hydro-Tarif Kalkulation für die in den Kapiteln 4 und 7 besprochene indische Situation siehe exemplarisch bei SARAN K.[183]

3.8.2 Volkswirtschaftliche Aspekte

Der oftmals im Zusammenhang mit Public Private Partnership-Modellen postulierte Satz von der Infrastruktur zum Nulltarif („Free Lunch Theorie") kann nicht aufrechterhalten werden.[184] Volkswirtschaftliche Vorteile ergeben sich aber aus dem „Gewinn von Zeit", d.h. langlebige Infrastruktur kann durch die private Finanzierung früher (auch früher im Sinne von schnellerer und effizienterer Projektsabwicklung[185]) realisiert werden und steht der Wirtschaft als Vorteil im Wettbewerb zur Verfügung. Der Weg dazu wurde in den meisten Ländern erst durch die Budgetknappheit der öffentlichen Kassen geebnet.

In der BRD - wie in vielen anderen Staaten - zwingt die Staatsverschuldung zur Reduktion der Ausgaben, gleichzeitig verschärft die geplante Rückführung der Staatsquote von 51% auf 46% die Situation – Auswirkungen sind rückläufige Infrastrukturinvestitionen (GEILINGER R.E. 1995).

Infrastrukturinvestitionen sind jedoch sehr beschäftigungswirksam[186] und stellen gleichzeitig sicher, daß die Wirtschaft und Bevölkerung von morgen über die erforderliche Infrastruktur verfügen. Dies gilt umso mehr für die industriellen Schwellenländer mit starkem Wirtschaftswachstum (vgl. Punkt 2.5 und 2.6).

Für den Fall ausländischer Investoren ergibt sich volkswirtschaftlich vorerst ein Vorteil durch den Transfer von Eigenkapital in das Land, und während des Betriebes ein Nachteil durch den Rücktransfer des Eigenkapitals bzw. der erwirtschafteten Gewinne.

---

183 SARAN K.: Electricity pricing for hydro projects issues and options for private sector in developing countries. a.a.O., S.V-31ff.

184 Aus der privaten Projektfinanzierung ergeben sich vorerst sogar höhere Kosten. Die direkte Einhebung von Benützungsgebühren ist im Endeffekt ein Steuersubstitut, eine sympathische Variante bzw. die demokratischste Form d.h. nur der der die Leistung in Anspruch nimmt zahlt auch dafür.

185 Interesse der Projektgesellschaft zur Minimierung der Finanzierungskosten.

186 Sparen bei Infrastrukturinvestitionen bringt Beschäftigungsverluste im Bau- und Baunebengewerbe mit sich → mit allen Multiplikatoreffekten für die restliche Wirtschaft.

Volkswirtschaftliche Vorteile können sich aus der Optimierung des Projektes durch den Betreiber ergeben. Inwiefern dies bei BOT-Modellen mit kurzen Laufzeiten (< 20 Jahren) wirklich zutrifft sei dahingestellt.

Offensichtlicher sind der Effizienzgewinn durch die Bündelung von Planungs-, Finanzierungs-, Ausführungs- und Betriebsverantwortung in der Project Company, sowie durch vielfache Risikoübertragungen an den privaten Sektor.

4 Wasserkraft, Hohlraumbau, TBM und BOT

Der Ausgangspunkt für die folgenden Überlegungen war der Wasserkraftausbau in Indien. Grundsätzlich stellen sich die gleichen Anforderungen an den Bauvertrag auch bei anderen BOT-Modellen mit Hohlraumbauten, z.B. bemautete Scheiteltunnel oder Untertunnelung von Flüssen und Meeresbuchten bzw. noch allgemeiner bei allen „Pauschalpreisen" mit großem Baugrundrisiko.

Die Wasserkraft ist aber insofern ein herausragendes Beispiel, weil in den wachsenden Volkswirtschaften Süd- und Südostasiens eine ganz spezielle Situation vorliegt:

- **auf der Bedarfseite:**
  - stark steigender Energiebedarf
  - Bedarf an Spitzenstrom und Netzfrequenzregelung für den dauerhaften Betrieb elektronischer Anlagen (EDV usw.); vor allem als komplementäre Systeme zu den in großer Zahl auf der grünen Wiese entstehenden thermischen Grundlastkraftwerken.[187]
  - Allgemein Bedarf an Infrastruktur, welche sich als Begleiterscheinung von Wasserkraftwerksbauten ergibt.

- **auf der Angebotseite:**
  - großes nichtausgebautes Wasserkraftpotential
  - Notwendigkeit zur Forcierung der erneuerbaren Energien, gegenüber mit fossilen Energieträgern betriebenen Kraftwerken (Treibhauseffekt - Montrealer Abkommen)
  - großes billiges Arbeitskräftepotential für Bauarbeiten im mittelbaren Einzugsbereich
  - gegenüber den Industriestaaten weniger entwickeltes Natur- und Umweltschutzbedürfnis

[187] Sind als BOT aufgrund kurzer Bauzeit, niedrigen spezifischen Investitionskosten und kurzen Abschreibungszeiten, praktisch als Standard aus der Schublade leichter realisierbar - Nicht nur in Europa setzt der Technologiesprung bei modernen gasbefeuerten Kombi-Anlagen einen neuen Maßstab für die Wirtschaftlichkeit und die Risikobeurteilung anderer Optionen (siehe bei HÖNLINGER H. a.a.O., S. 6) - Der Wasserkraftanteil in Indien z.B. hat sich seit 1963 von 50% auf 24% (1999) reduziert. Gerade deshalb besteht ein großer Spitzenlast- und Netzfrequenzregelungsbedarf im instabilen Netz, welcher am sinnvollsten mit Wasserkraftwerken zu bewerkstelligen ist.

- **auf der Interessentenseite:**
    - interessierte Investoren
    - interessierte Bau- und Maschinenbauunternehmen
    - interessierte Know-how-Träger
    - interessierte Lokalpolitiker
    - wachsende lokale Energiegesellschaften

Dieses Verhältnis zwischen Bedarf und Angebot sollte eine Vielzahl von Projekten hervorbringen, aber gerade am Beispiel Indien zeigt sich, daß es im Verhältnis faktisch keine realisierten Wasserkraftanlagen auf BOT-Basis gibt.

Woran scheitert dieser „BOT-approach" am Wasserkraftwerkssektor in Indien?

Dazu wird vorerst in den folgenden Kapiteln etwas weiter zum Thema Wasserkraft, Druckstollenbau und Hohlraumbau ausgeholt.

4.1 Warum Hohlraumbau und Wasserkraft?

Wasserkraftwerke setzen nicht zwingend Hohlraumbauten voraus. Ein klassisches Flußkraftwerk mit Staubereich, Krafthaus, Wehranlage und Unterwassereintiefung (vgl. BOT-Kraftwerk Birecik Punkt 3.4.2) erfordert im Normalfall kaum Hohlraumbauten, nichts desto trotz gibt es auch dort baugrundbezogene Risiken, welche aber im Allgemeinen in keinem Verhältnis zu Hohlraumbauten stehen.

4.1.1 Vorteile und Probleme der Wasserkraft

Wasserkraft zählt zu den erneuerbaren Ressourcen, welche ohne Import und Verbrennung von fossilen Brennstoffen eine im Allgemeinen volkswirtschaftlich sinnvolle und umweltschonende Möglichkeit der Energieproduktion darstellt.[188]

In den Industriestaaten ist das Wasserkraftpotential im wesentlichen ausgebaut, der Anteil der elektrischen Energie aus Wasserkraft wird jedoch maßgeblich von der geographischen Situation bestimmt.

[188] Natürlich gibt es auch im Umweltbereich negative Beispiele für die Wasserkraft z.B. die Methanproduktion bei nicht fachgerechter Rodung der Aufstaubereiche, wodurch das Argument der Substitution von Treibhausgasen aus Verbrennungskraftwerken durch die Wasserkraft wieder egalisiert werden kann.

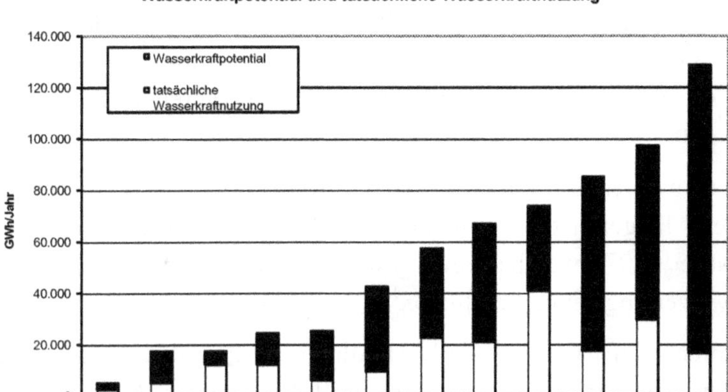

Abbildung 4-1: *Mittlere Jahreserzeugung bestehender Wasserkraftwerke gegenüber dem ausnutzbaren Potential an Wasserkraft – einschl. Kleinwasserkraft – in ausgewählten Mitgliedsstaaten der EU sowie Norwegen und der Schweiz – Graphik basierend auf Daten aus den Jahren 1991-1993 (aus STEINER H. 1995).*

Der Ausbaugrad erreicht z.B. in Europa ca. 70% - der weitere Ausbau wurde Ende der 80er und Anfang der 90er Jahre durch u.a. Umweltschutzbewegungen zum Erliegen gebracht.

Die Vorgabe zur Reduktion des CO_2-Ausstoßes nach dem Montrealer-Abkommen verschafft der „sauberen", ressourcenschonenden Wasserkraft jedoch wieder Rückenwind[189]. In Europa kann dies durch die gerade anlaufende Liberalisierung des Strommarktes jedoch nur begrenzt umgesetzt werden. Die wirtschaftlichen Verhältnisse sprechen gegen Jahrhundertinvestitionen, wie sie eben Wasserkraftwerke darstellen (Betriebszeiten von >100 Jahren sind realistisch). Wenn auch mittel- und langfristig jedes Wasserkraftwerk mit Gewinn arbeitet, erlauben in der derzeitigen Situation des sich öffnenden Strommarktes[190], betriebswirtschaftliche Überlegungen keine Beschneidung der Liquidität durch solche Großinvestitionen. Eine Situation, die sich jedoch in einigen Jahren beruhigen und damit auch Investitionen in Wasserkraftwerke wieder attraktiver werden lassen könnte.

Unabhängig davon gibt es derzeit (1998/99) in Europa einen Stromüberschuß, der zum einen aus der Liberalisierung (d.h. leichtere Handelbarkeit, bzw. unternehmensstrategische Entscheidungen bei der Akquisition von Marktanteilen → Überproduktion zu Unterpreisen)

---

[189] Von der EU wird derzeit nur der Bereich der „Small Hydropower" forciert, vgl. EU-THERMIE, RES. 4. Rahmenprogramm usw. - zu finden unter http://www.cordis.lu (Stand 20/05/1999), zurückzuführen ist dies vor allem, darauf, daß vor dem Beitritt Österreichs und Schwedens (bzw. des Nichtbeitritts von Norwegen und der Schweiz) der Großwasserkraftwerksbau keine entscheidende Rolle mehr gespielt hat.

[190] siehe HÖNLINGER H. a.a.O.

und der dichten Netzinfrastruktur resultiert. Die starke Vernetzung bedingt eine einfachere Gewährleistung der Versorgungssicherheit gegenüber Insellösungen, dadurch wurden bzw. werden in Europa derzeit ca. 20.000 MW Kraftwerksleistung zusätzlich verfügbar[191]. Zudem ist im Zuge der Liberalisierung die Benutzung fremder Netzinfrastruktur geregelt und somit erst grundsätzlich möglich geworden.

Auch aus China und Südostasien gibt es Berichte über einen zeitweiligen Stromüberhang aufgrund der Schere zwischen längerfristig geplanten Kraftwerksprojekten und der „plötzlichen" Asienkrise im Jahre 1997, welche einen zwischenzeitlich schon jahrelang anhaltenden Wachstumsstop bzw. -verlangsamung bedingte.[192]

Investition in Wasserkraft ist immer langfristig, d.h. die Umfeldbedingungen über die gesamte Betriebszeit sind schwieriger zu prognostizieren, als bei fossil betriebenen Kraftwerken, welche zudem schnell, mit geringeren Investitionskosten, praktisch standardisiert aus der Schublade, in unmittelbarer Nähe der Verbraucher auf die grüne Wiese gestellt werden können. Ein thermaler Überhang bereitet jedoch Probleme in der Stabilität der Netze; die Spitzenabdeckung kann nach wie vor am sinnvollsten mit Mittel- und Hochdruckwasserkraftwerken bzw. Pumpspeicherung sichergestellt werden.

Unschlagbar sind Wasserkraftwerke auch was den Nettowirkungsgrad betrifft, welcher bei Großanlagen bei über 90% liegt. Zudem ist der sogenannte „Erntefaktor" der Wasserkraft, also das Verhältnis von aufgewendeter Energie zu erzeugter Energie (energetische Amortisation), anderen Option deutlich überlegen.

Ein weiterer Bestimmungsfaktor für die Wasserkraft ist der Brennstoffpreis fossiler oder nuklearer Energieträger. Volkswirtschaftlich ist Wasserkraft weniger abhängig von schwankenden Brennstoffpreisen, welche als variable Kosten bei z.B. Gaskraftwerken bis zu 67% der Stromgestehungskosten ausmachen können.

Wasserkraftwerke dienen oft nicht nur der Energieerzeugung sondern auch dem Hochwasserrückhalt und Bewässerungszwecken – sogenannten „multi-purpose-projects" (MPP) – vielfach ist die Stromerzeugung nur der positive Nebeneffekt, als Beispiele seien hier nur das derzeit im Bau befindliche „Three Gorges Project" oder die „Euphrat Staustufen" erwähnt.

[191] Nach dem Fall des Eisernen Vorhanges, Zusammenschluß der sogenannten CENTREL-Staaten mit dem UCTE-Netz, bzw. Anbindung von England und Skandinavien über Unterseekabel an Festlandeuropa ergibt eine installierte Kraftwerksleistung von 800.000 MW, wobei der eng vernetzte UCTE-Verbund über eine Kapazität von 400.000 MW mit einer frei verfügbaren Leistung von 20.000 MW verfügt – nachzulesen im Detail bei HÖNLINGER a.a.O., S. 8.

[192] siehe z.B. wasserkraftkritischer Artikel zum Three Gorges Projekt von ADAMS P., RYDER G. http://www.irn.org/programs/threeg/991216.probe.html (Stand 10/01/00).

Zusammenfassung:
Wasserkraft ist eine erneuerbare, abgasfreie und umweltfreundliche Energiequelle.
Verbunden mit hohen Anfangsinvestitionen, produziert sie langfristig, d.h. 50-100 Jahre relativ inflationsfreie Energie bei sinkenden Stromgestehungskosten.
Die Spitzenstromaufbringung und der Netzregelungsbedarf für stabile Versorgung kann am effektivsten mit schnell an- und abzustellenden Wasserkraftwerken bewerkstelligt werden.

4.1.2 Probleme des Hohlraumbaues

Moderne Mittel- und Hochdruckwasserkraftanlagen zeichnen sich durch eine im wesentlichen untertägige Situierung der wasserführenden Anlagenteile und eventuell einer untertägigen Krafthauskaverne aus. Die Vorteile sollen hier nicht näher diskutiert werden, verwiesen sei auf die Speziallliteratur und Veröffentlichungen zum Konstruktiven Wasserbau bzw. Druckstollen- und Druckschachtbau von (i.a.O. ohne Anspruch auf Vollständigkeit) LAUFFER, SCHWARZ, SCHLEISS, SEEBER und VISCHER usw.

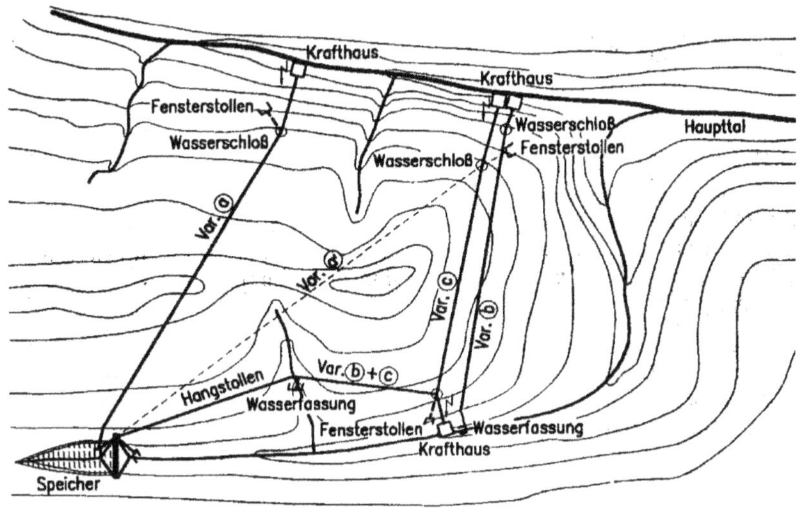

Abbildung 4-2: Mögliche Varianten für den Wasserkraftausbau von einem Nebental in das tiefere Haupttal - bei Ausbau in einer Stufe (Variante [a] und [c]) oder in 2 Stufen (Var. [b]); (Abbildung aus SEEBER G. 1999).

Die Herstellung untertägiger, langgestreckter Wasserstollen liegt in der Bauabwicklung fast immer am „Kritischen Weg“, d.h. die Gesamtfertigstellung bzw. Inbetriebnahme der Anlage wird durch den Baufortschritt dieser Anlagenteile bestimmt. Das Gebirgsverhalten über die gesamte Länge solcher Stollen läßt sich nur sehr weit gestreut prognostizieren. In der Natur der Sache liegt damit ein großes Risikopotential für die Ausführung und den Fertigstellungstermin.

Stollen sind von ihrer baubetrieblichen Abwicklung her sogenannte Linienbaustellen; als Angriffspunkt steht nur die Ortsbrust zur Verfügung. Die Vortriebsgeschwindigkeit an der Ortsbrust ist das Maß für das Fortschreiten des Projekts. Zur Minimierung der Bauzeit gibt es im wesentlichen nur zwei Möglichkeiten:

- mehrere Angriffspunkte
- Steigerung der Vortriebsgeschwindigkeit durch innovative Bauverfahren

Gegen die Lösung mit mehreren Angriffspunkten sprechen heute eine Anzahl von Gründen:

Stollentrasse rückt näher an die Oberfläche, d.h. Talflanke – dagegen sprechen bemessungstechnische und sicherheitstechnische Gründe (Ausnützung der Gebirgsmitwirkung, Ausnützung des Bergwasserdruckes und damit weniger Probleme mit austretendem Druckwasser, Verzicht auf Stahlpanzerungen bzw. sogar unausgekleidete Ausführung möglich).

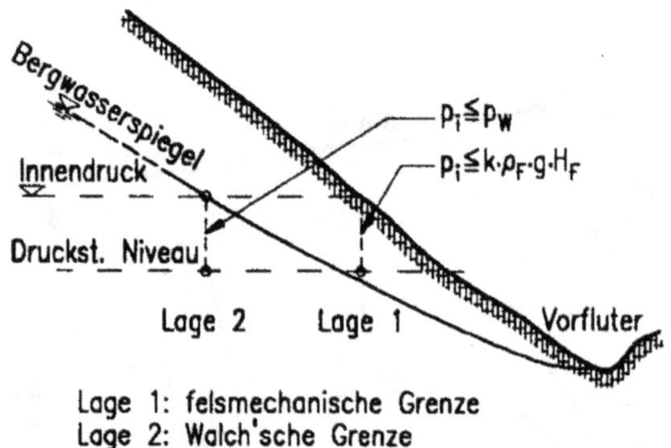

Abbildung 4-3: Lage des Druckstollens bei Grenzbedingungen – Lage 1: Primärspannung > Innendruck; Lage 2: Innendruck < Bergwasserdruck; (Abbildung aus SEEBER G. 1999).

sowie die im Allgemeinen längere Linienführung gegenüber einer direkten Lösung - „Short Cut“ (im Detail siehe bei SEEBER G. 1999).

Zur Steigerung der Vortriebsgeschwindigkeit gibt es in Stollen[193] bzw. Kleinquerschnitten nur die Möglichkeit eines annähernd kontinuierlich, mechanisch arbeitenden Systems. Die Entwicklung von Tunnelbohrmaschinen (TBM) setzte schon im 19. Jahrhundert ein, jedoch gelang erst in den Sechziger Jahren dieses Jahrhunderts der Durchbruch. Seither wurden durch innovative Entwicklungen die Einsatzbereiche dieser Maschinen stark erweitert (vgl. Spezialliteratur, z.B. GIRMSCHEID G. 2000, MAIDL B. 1994).

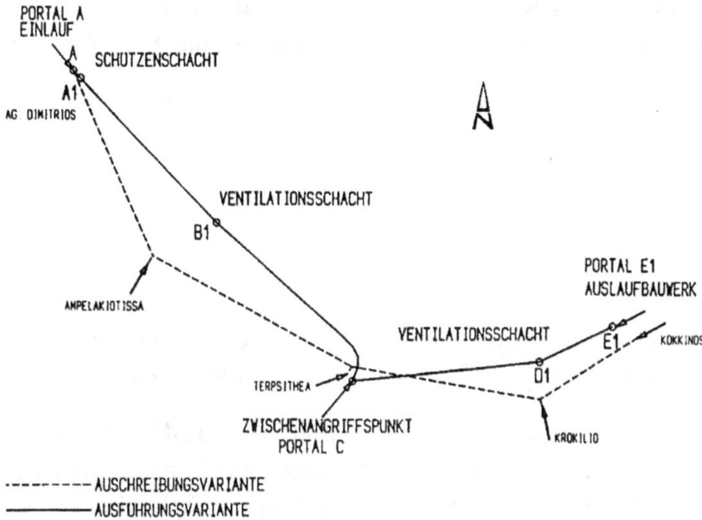

Abbildung 4-4: *Beispiel für eine Ausführungsvariante mit nur einem Zwischenangriff (3 TBMs, 1 x Portal A und 2 x Zwischenangriff C, nach Auftraggeber Forcierung 4. TBM von Portal E), beim Projekt EVINOS-MORNOS-TUNNEL (Stollen) für die Wasserversorgung von Athen, ausgeführt durch das JV SELI-JÄGER (Abbildung aus JÄGER M., RUDIGIER G. a.a.O. S. 500).*

4.1.3 Vortrieb von Stollen mittels TBM

Stollen sind Kleinquerschnitte (< ca. 20m²), welche sich aus felsmechanischer Sicht gut für mechanische Vortriebe im Vollschnittverfahren eignen.

Die geschichtliche Entwicklung der Vortriebsmaschinen kann in vielfach publizierter Spezialliteratur nachgelesen werden. Eine Empfehlung zur Auswahl und Bewertung von Vortriebsmaschinen wurde vom Deutschen Ausschuß für unterirdisches Bauen (DAUB) gemeinsam mit der Österreichischen Gesellschaft für Geomechanik (ÖGG) und der Schweizerischen Arbeitsgruppe Tunnelbau der Forschungsgesellschaft für das Verkehrswesen- und Straßenwesen-Fachgruppe für Untertagebau (FGU-SIA) 1997 herausgegeben.

Wichtig ist vor allem, daß im Vollschnittverfahren praktisch alle Querschnitte im Kreisprofil ausgebrochen werden.[194] Das Kreisprofil ist sowohl aus hydraulischer, felsmechanischer, wie auch auskleidungstechnischer Sicht optimal.

[193] Stollen sind nach Def. der ÖNorm B2203; Ausbruchsquerschnitt <20m², entspricht einem Durchmesser von ca. 5 m.

[194] Geringfügig vom Kreisprofil abweichende Querschnitten sind mit der „Continuous Mining Machine (CMM)" möglich, welche nach dem Hinterschneidprinzip arbeitet; ein anderes Patent ist der sogenannte „Full-Facer".

Die im Allgemeinen große Längserstreckung kann bei optimalen Verhältnissen und passendem Maschinen- und Auskleidungskonzept mit hohen Tagesleistungen bewältigt werden.

Gerade für BOT-Modelle spielt die Realisierungszeit bei der Projektsfinanzierung eine große Rolle, hier liegt grundsätzlich großes Einsatzpotential für mechanische Vortriebsverfahren (TBM, DS-TBM).

4.1.3.1 Maschinenkonzepte

Die heute gängigen Maschinenkonzepte sind in dem im Absatz vorher zitierten Artikel nachzulesen. Für weitere Arbeit sind die Maschinen, welche nicht dem Lockergestein, aber Fels unterschiedlichster Zerlegung zuzuordnen sind, besonders interessant.

Interessanterweise verzichtet diese Empfehlung darauf, die „TBM mit Schild (TBM-S)" weiter in „Einfach-Schild" und „teleskopierbares Doppelschild" zu unterteilen, dies ist eine Unzulänglichkeit, welche gerade den zukünftigen Einsatzmöglichkeiten der DS-TBM nicht Rechnung trägt.

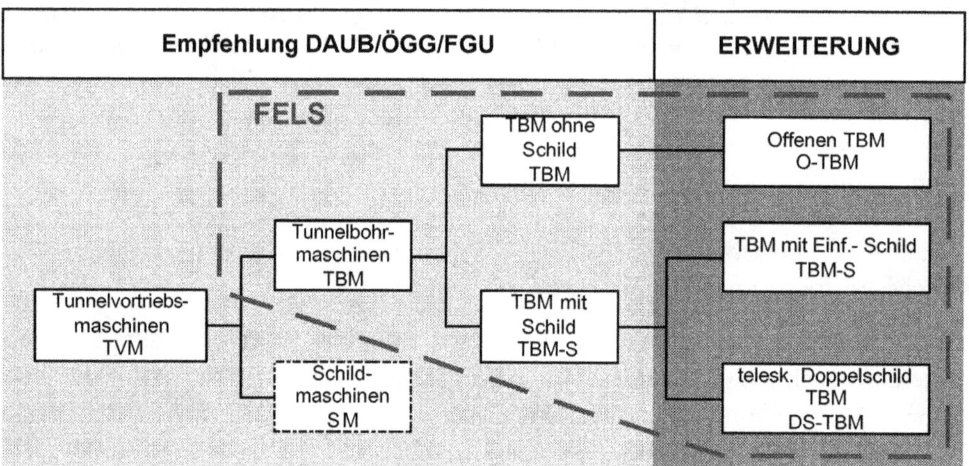

Abbildung 4-5: Gliederung der TVM im Vollschnittverfahren nach DAUB/ÖGG/FGU-Empfehlung, inkl. vorgeschlagener Erweiterung für TBMs.

Die Kombination von DS-TBM mit hexagonalen Tübbingen setzt seit einigen Jahren neue Maßstäbe:

- im möglichen Einsatzbereich
- Vortriebsleistung und Ausbau bzw. „Fertiger Tunnel pro Tag"
- Arbeitssicherheit

Einige Projekte sind in der Abbildung 4-6 angeführt.

4.1.3.2 Geologie

Die Geologie ist ein limitierender Faktor für den Einsatz von TBM. Die Entwicklungen der letzten Jahrzehnte haben jedoch gezeigt, daß Vollschnittmaschinen in immer extremere Bereiche vordringen.

Durch den stark automatisierten Einbau von Stützmitteln unmittelbar hinter dem Bohrkopf und die Verstellbarkeit des Bohrkopfdurchmessers bzw. des gesamten Bohrkopfes können immer schwierigere geologische Bereiche gefräst werden.

Ein gutes Beispiel dafür ist der Durchbruch der Teleskopierbaren-Doppelschild-TBM (DS-TBM) in Kombination mit hexagonalen Tübbingen als Sicherungs- und Endauskleidung.

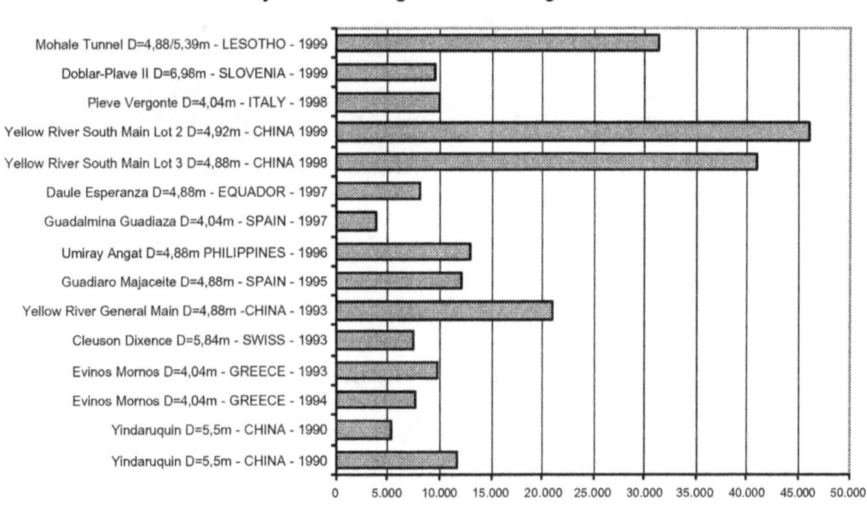

Abbildung 4-6: Liste der seit 1990 mit DS-TBM und Hexagonalem Tübbing fertiggestellten bzw. im Bau befindlichen Stollen (Daten aus VIGL A., GÜTTER W., JÄGER M. a.a.O. S. 478).[195]

Naturgemäß gibt es Gebiete auf der Erde, in denen sich die Geologie gut für mechanische Vortriebe eignet (z.B. Norwegen, Blue Mountains in Australien usw.) und eben problematischere Gebirgsverhältnisse.

---

[195] Mehr Information zu den Vortriebsleistungen am Yellow-River und dem philippinischen Projekt siehe in folgenden Veröffentlichungen: IMPREGILIO Report: High speed segments for Yellow River diversion. T&T, July 00, S. 27-29, 2000
McFEAT-SMITH I.: Breakthrough in the Philippines. Part 1, T&T, June 00, S. 26-29 und Part 2, T&T, July 00, 2000

Es bedarf jedenfalls einiger Untersuchungen und detaillierter Überlegungen, bevor ein bestimmtes Maschinen- und Ausbaukonzept angeboten wird.

Die Problematik der Gebirgsklassifikation allgemein wird im Anhang unter Punkt 5.3 diskutiert.

4.1.3.3 Vortriebsgeschwindigkeit

Die Vortriebsleistung, welche mittels konventionellem Sprengvortrieb erreicht werden kann, ist durch die Normalfolge der Tätigkeiten an der Ortsbrust limitiert; in Kleinquerschnitten ist dies noch viel kritischer. Bei der Offenen-TBM (O-TBM) ist die Vortriebsleistung in den guten Klassen durch die Penetration des Bohrkopfes bestimmt und in den schlechten Klassen durch den extrem ansteigenden Sicherungsaufwand unmittelbar hinter dem Bohrkopf.

Tabelle 4-1: Mittlere Vortriebsleistung [lfm/24h] bei einem Stollendurchmesser von rd. 4 m, Klassifizierung basierend auf Bieniawski.

RMR	Konv. Sprengvortrieb [lfm/24h]	O-TBM [lfm/24h]	DS-TBM [lfm/24h]
I	20	44	37
II	16	41	40
III	12	30	40
IV	8	18	32
V	4	6	26

Die DS-TBM ist dagegen in der Lage, alle Klassen mit einer sehr geringen Schwankungsbreite der Vortriebsleistung aufzufahren (eigenen Auswertungen in SPIEGL M. 1995).

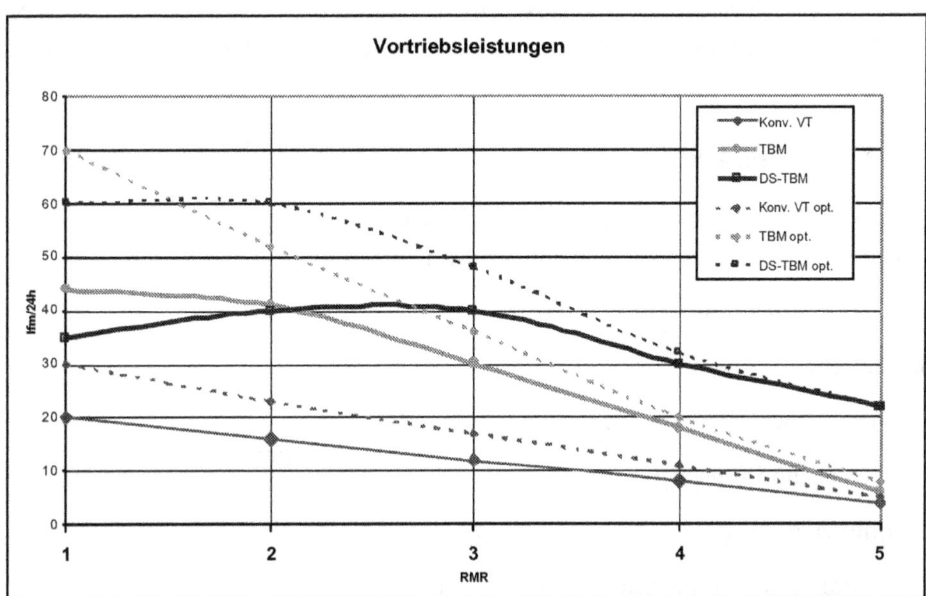

Abbildung 4-7: *Die graphische Darstellung der mittleren Vortriebsleistung [lfm/24h] bei einem Stollendurchmesser von ca. 4 m nach Tabelle 4-1 zeigt eindeutig die Überlegenheit der mechanischen Vortriebe in der Vortriebsleistung gegenüber dem konv. Sprengvortrieb. Erkennbar ist auch das ausgeprägte Plateau bzw. die relativ konstante Vortriebsleistung bei der DS-TBM. Daten von ausführenden Firmen und teilweise eigene Auswertungen (SPIEGL M. 1995).*

Voraussetzung ist jedoch ein auf den Querschnitt, die Geologie und die bautechnischen Erfordernisse abgestimmtes Maschinen- und Ausbaukonzept.

Die am kritischen Weg liegenden langen Stollen können durch die mit TBM erreichbaren Vortriebsleistungen wesentlich beschleunigt werden, ohne eine Vielzahl von Zwischenangriffen zu installieren.

DIETZ W. (1999) berichtet z.B. vom Lesotho Highlands Water Project, daß dort als Spitzenleistung im besten Monat von 4 TBMs 4.004 m aufgefahren wurden. Beim Evinos-Mornos Projekt wurden unter schwierigsten Bedingungen mit 2 O-TBMs und 2 DS-TBMs im besten Monat 2.684 m erreicht, wobei die besten Maschineneinzelleistungen auch bei über 1.000 m/Mo lagen. Aktuelle Berichte vom South Main Line Lot II+III beim Yellow River Projekt sprechen von Tagesbestleistungen von 99 m/Tag; max. 1.822 m/Monat und 4.9 km/Monat durch 4 DS-TBMs mit Hexagonalem Volltübbingausbau[196].

[196] T&T Report: TBM progress at the Great Wall. in T&T May 2000, S. 9.

Es bestätigt sich der Vorteil des Einsatzes von TBMs und die damit verbundene Möglichkeit, bei entsprechenden Verhältnissen die Leistungsreserven dieser Maschinen im vollen Umfang nutzen zu können.[197]

4.1.3.4 Zwischenangriffe

Durch den TBM-Einsatz kann die Anzahl der Zwischenangriffe reduziert werden, verbunden ist damit auch meist eine kürzere und direktere Linienführung (vgl. Abbildung 4-4).

Dadurch entfallen Kosten für:

- Baustellenaufschließung
- Zufahrtsstraßen
- Wasserver- und Entsorgung
- Energieversorgung
- und umfangreiche Baustelleneinrichtungen
    - Kippeinrichtung
    - Portalkrane, Hebeeinrichtungen
    - Werkstätten
    - Mischanlagen, eventuell Tübbingfabrik
    - Baulager

Ob die direkte Trasse eventuell auch felsmechanische Vorteile bringt, hängt vom Verwendungszweck und den prognostizierten Bedingungen ab.

Das Risiko bei langen, tief liegenden Vortrieben im Notfall einen zusätzlichen Zwischenangriff installieren zu müssen, ist sehr genau zu untersuchen. Alle möglichen Zusatzangriffe sind sehr schwierig bzw. im extremsten Fall nur mehr über einen Schacht zu bewerkstelligen.

4.1.3.5 Auskleidungskonzept

Das Auskleidungskonzept hängt im wesentlichen vom späteren Verwendungszweck des Stollens ab.[198]

---

[197] aus DIETZ W. a.a.O., S. 225.

[198] Siehe auch SCHNEIDER E.: Gedanken eines Praktikers zum Bau alpiner Basistunnel. a.a.O.

Grundsätzlich stellen sich folgende Fragen:

- Kurzfristige und dauerhafte Standsicherheit
- Dichtheitsanforderung des Gesamtsystems
- Hydraulische Anforderungen
- Selten optische Anforderungen
- Spezielle Anforderungen z.B. Verhinderung von Algenbesatz usw.

Mögliche Lösungen:

- Unausgekleidete Stollen (z.B. in Norwegen für Druckstollen und Druckschächte teilweise möglich)
- Stützmitteleinbau und eventuell Sicherungsspritzbeton als Endauskleidung
- Ortbetoninnenring
- Tübbingauskleidung
    - verschraubt/unverschraubt
    - mit Schlußstein/ohne Schlußstein (z.B. Hexagonaler Tübbing)
- mit Dichtungsfolien/Stahlpanzerungen
- Konsolidierungsinjektion
- Passive Vorspannung durch Injektion

Historisch interessant ist ein Baustellenbericht von TIPL P.J., SCHOEMAN K.D. (1977) über einen Alternativvorschlag des Contractors für den *Buckskin Mountains Tunnel* in Arizona.

Entgegen dem Amtsvorschlag wurde statt dem 8-teiligen ein 4-teiliger Tübbing vorgeschlagen (Innendurchmesser ca. 7m). Die Tübbinge wurden nicht verschraubt, dafür mit Kies hinterfüllt, um eine gleichmäßige Bettung zu erreichen. Die Bewehrung war nur für den Transport ausgelegt, die Tübbinge selbst sehr dünn um keine Momente anzuziehen.

Das Angebot erbrachte eine 25%ige Kostensenkung des TBM-Vortriebes mit Tübbingen gegenüber einem konventionellen Sprengvortrieb.

Dieser Baustellenreport zeigt schon vieles von dem auf, was heute den Erfolg von DS-TBMs mit Hexagonalen Tübbingen ausmacht.

Die relativ konstanten Vortriebsleistungen der DS-TBM in allen Gebirgsklassen und das die Maschine verlassende Endprodukt der „fertigen Röhre", sind gerade bei langen Einzelvortrieben und engem Bauzeitprogramm von großem Vorteil. In kleineren Querschnitten ist es nämlich sonst nicht möglich, TBM-Vortrieb, Schutterung und Ortbetoninnenring zeitgleich herzustellen.[199]

4.1.3.6 Qualifiziertes Personal

Höher technisierte Vortriebseinrichtungen benötigen qualifizierteres Personal. Es ist deshalb im Auslandsbau faktisch zwingend notwendig, alle Schlüsselstellen auf der Tunnelbohrmaschine und in den Werkstätten mit Expatriots zu besetzen.

Für die lokal vor Ort eingestellten Mannschaften empfiehlt es sich Trainingsprogramme abzuhalten, bzw. beim Rekrutieren schon mittels einfacher standardisierter Tests die Bewerber zu filtern.[200]

Auslandsbauverträge (z.B. als ARGE-Partner oder Subunternehmer) bei denen Arbeitskräfte vom lokalen Partner oder eventuell sogar Auftraggeber beigestellt werden, sind nach Möglichkeit zu meiden.

In solchen Arbeitsverhältnissen besteht wenig Möglichkeit die Leistungsbereitschaft zu fördern und die Leistungen bleiben damit oft weit hinter jenen in Europa zurück (vgl. DIETZ W. 1999).

4.2 Was spricht gegen Wasserkraftwerke und BOT?

Die Probleme bei der Realisierung von Wasserkraftwerken mit großem Hohlraumanteil mittels BOT liegen in:

- der langen Bauzeit
- den hohen Investitionskosten
- den daraus resultierenden hohen Finanzierungskosten und damit langen Amortisationszeit
- den unkalkulierbaren Risiken aus dem Baugrund, mit Folgen auf Kosten, Bauzeit und Finanzierung und damit Amortisationszeit
- den Risiken aus der Hydrologie
- der Unsicherheit über den Grad und den Zeitrahmen potentieller Strommarkt-liberalisierungen (→ lange Amortisationszeit)

---

[199] Es gibt auch Beispiele (z.B. derzeit am Lesotho Highlands Water Project), wo der Einbau von Tübbingen unter anderem schon aufgrund der Gebirgstemperatur erforderlich war, bzw. die Temperaturprobleme beim Ortbetoninnen-ring zu groß gewesen wären.

[200] Erfahrung beim Lesotho Highlands Water Project, vgl. DIETZ W. a.a.O., S. 224.

Die Erfahrung bei Wasserkraftwerksbauten, z.B. in Indien sind geprägt von großen Bauzeit- und Kostenüberschreitungen. Im Detail dazu siehe die Erfahrungen in Indien im nachfolgenden Punkt (bzw. Zahlen dazu siehe Tabelle 4-7).

Wasserkraftwerke ohne großen Hohlraumanteil sind schon mehrfach mittels BOT realisiert worden, z.B. Birecik (vgl. Punkt 3.4.2).

4.3 Wasserkraftausbau mittels BOT in Indien

Indien hat in seinen Fünfjahresplänen[201] festgeschrieben, die Wasserkraft verstärkt auszubauen. Die Planzahlen waren und sind in Relation zu den bisherigen Ergebnissen sehr hoch gesetzt. Aufgrund beschränkter öffentlicher Mittel, ist seit 1991 verstärkt daran gedacht, private Investoren (in- und ausländische) zu beteiligen. Die Ergebnisse sind jedoch im Bereich der Wasserkraft eher ernüchternd (Private Power Policy).

4.3.1 Wasserkraftpotential in Indien[202]

Zwischen 1953-59 wurde das mögliche Wasserkraftpotential Indiens mit ca. 42.100 MW bei einem „Load Factor“ von 60% [203] ermittelt. Neuere Studien gehen von 84.044 MW aus, was bei einem „Load Factor“ von 60% einer installierten Leistung von ca. 150.000 MW in 845 möglichen Kraftwerksstandorten entspräche (32% davon Speichertyp und 68% Laufkraftwerke)[204]. 56 mögliche Pumpspeicheranlagen mit einer installierten Leistung von 94.000 MW wurden zusätzlich identifiziert. Zudem könnten noch ca. 6.800 MW aus „Small Hydro Projects“ generiert werden. Die mögliche Jahresarbeit beläuft sich ohne Pumpspeicherung auf rd. 600.000 GWh.

Das erste Wasserkraftwerk wurde 1897 errichtet und die installierte Leistung stieg bis zur Unabhängigkeit 1947 auf 508 MW. Seither wurde die installierte Leistung auf 22.438 MW erhöht (Stand 31.3.1999). Der Anteil der Wasserkraft an der gesamten Stromaufbringung war 1963 mit 50,62% am höchsten. Seither war eine stete Abnahme auf heute 24,3% zu verzeichnen.

---

[201] IX. Plan 1997-2002 - http://www.nic.in/ninthplan, X. Plan 2002-2007, XI. 2007-2012 (Stand 08/02/00).

[202] In diesem Punkt vorkommende Zahlen sind entnommen aus SRIVASTAVA R.N., KHERA D.V., DUBEY S.D.: Hydro Power Development Scenario in India. a.a.O., bzw. NATIONAL POLICY ON HYDRO POWER DEVELOPMENT 1998 a.a.O. bzw. Homepage der NHPC http://nhpcindia.com (Stand 08/02/00).

[203] „Load Factor“ entspricht 60% der tatsächlich installierten Leistung.

[204] im Vergleich dazu kommt das im Himalaja gelegene unvergleichbar kleinere Nachbarland Nepal mit seinen großen Höhenunterschieden und Schneefällen auf ein ausbauwürdiges Wasserkraftpotential von ca. 43.000 MW, siehe bei SHARMA P.N., SHRESTHA G.L. a.a.O., S. IV-153.

Tabelle 4-2: Das mögliche Wasserkraftpotential der Hauptflußgebiete teilt sich folgendermaßen auf:

Einzugsgebiet	**Potentielle Leistung bei 60% „Load Factor“**	**davon ausgebaut [%]**
Indus	19.988 MW	k.A.
Ganges	10.715 MW	k.A.
Central Indian Rivers	2.740 MW	k.A.
West-Flowing Rivers	6.149 MW	57,2 %
East-Flowing Rivers	9.532 MW	k.A.
Brahmaputra	34.920 MW	1,3 %
Summe	**84.044 MW**	**15,54%**

Tabelle 4-3: Potential an Wasserkraft und derzeit Stand nach geographischen Regionen.

Region	**[MW] bei 60% „Load Factor“**				
	Potential identifiziert	**Potential installiert**		**Potential in Entwicklung**	
	[MW]	**[MW]**	**[%]**	**[MW]**	**[%]**
Norden	30.155	4.318	14,3	2.464	8,17
Westen	5.679	1.826	32,16	1.519	26,75
Süden	10.763	5.612	52,9	807	7,5
Osten	5.590	962	17,21	642	11,48
Nord-Osten	31.857	333	1,04	323	1,01
Summe	**84.044**	**13.057**	**15,54**	**5.755**	**6,85**

In Entwicklung bedeutet jegliche Form von Voruntersuchung, Vermessungsarbeiten bzw. eventuell schon Bau. Der Rest von 65.232 MW (77,61%) ist derzeit ohne jegliche Bearbeitung und liegt damit energiewirtschaftlich mittelfristig brach.

4.3.2 Gegenwärtige Situation

Gegenwärtig sind in Indien 15,54% der Wasserkraft ausgebaut, 6,85% in Bau oder Bearbeitung und 77,61% harren der Entwicklung (vgl. obige Tabelle 4-3).

In den letzten Jahrzehnten gab es ein massives Ungleichgewicht bei der Errichtung von Kraftwerken zu Gunsten thermaler Kraftwerke.

In Indien erachtet man einen Hydro/Thermal(Nuklear)-Mix von 40%/60% als ideal, das derzeit Verhältnis von 24%/76% wird auch für die akute Netzinstabilität verantwortlich gemacht. In den nächsten 12 Jahren ist als Abhilfe geplant, verstärkt die Wasserkraft auszubauen (Advance Action and High Priority for Hydro Projects)[205].

Tabelle 4-4: Installierte Kraftwerksleistung, Stand 31.3.99 nach Erzeugungsart.[206]

	Hydro	Thermal	Nuklear	Wind	Gesamt
[MW]	22.439	67.617	2.225	968	93.249
[%]	24,06 %	72,51 %	2,39 %	1,04 %	100 %

Um das derzeit Verhältnis von ca. 24% Wasserkraftanteil zu halten, müßten im IX. und X. Fünfjahresplan alleine 10.000 MW an zusätzlicher Wasserkraftwerksleistung an das Netz gehen.

Daß sich an diesem Hydro/Thermalverhältnis wahrscheinlich nichts zum Besseren wenden wird, kann z.B. aus Tabelle 4-5 ersehen werden, welche die „Private Sector Schemes" die eine Techno-Economic Clearance (TEC) von der Central Eletricity Authority (CEA) haben auflistet.

Tabelle 4-5: „Privat Sector Schemes" welche „Techno-Economic Clearance (TEC)" von der CEA haben.[207]

Projekt	Bundesstaat	Leistung (MW)	
Baspa Stage-II HEP	Himachal Pradesh	300	
Malana HEP	Himachal Pradesh	86	
Maheshwar HEP	Madhya Pradesh	400	
Visnuprayag HEP	Uttar Pradesh	400	
Srinagar HEP	Uttar Pradesh	330	
5 Wasserkraftwerke mit in Summe		1.516	5,2%
52 Thermische Kraftwerke mit in Summe		27.860	94,8 %
57 Kraftwerke Gesamtsumme		**29.376**	**100 %**

[205] siehe in COMMON MINIMUM ACTION PLAN FOR POWER, Punkt XI http://powermin.nic.in/nrg22.htm (Stand 08/02/00).

[206] Zahlen aus http://powermin.nic.in/nrg24.htm (Stand 08/02/00).

[207] Zahlen aus http://powermin.nic.in/nrg72.htm (Stand 08/02/00).

Vom Privaten Sektor (d.h. sowohl indische wie auch ausländische Projektbetreiber/Investoren) wurden bisher 24 Projekte mit in Summe 5.058,5 MW kommissioniert, davon entfallen auf die Wasserkraft 4 Projekte mit in Summe 47,25 MW (0,9%).[208]

Im Bau sind derzeit 17 Projekte mit in Summe 5.096 MW, davon entfallen auf die Wasserkraft 3 Projekte mit 716 MW (14%).

Eine Gesamtzusammenstellung über die verschiedensten Projektsstadien ist auf der Homepage des indischen Energieministeriums zu finden (Ministry of Power http://powermin.nic.in/nrg71.htm Stand 08/02/00).

Zur **Forcierung des Wasserkraftausbaues** wurde von der Indischen Regierung (GOI) im August 1998, eine neue **POLICY ON HYDRO POWER DEVELOPMENT** erlassen (siehe Punkt 4.3.3, bzw. im Volltext unter http://www.nhpcindia.com/policy.htm(Stand 08/02/00).

Ingesamt kann die Situation in wie folgt zusammengefaßt werden:[209]

> *„India's nine state electricity boards (SEB's), which run the power distribution infrastructure and most current generating capacity, are in poor financial health, which has limited their ability to fund investment in new infrastructure. One reason is the sale of power at subsidized rates, which do not cover costs (particularly in the agricultural sector). Another problem is the high level of transmission and distribution losses. Average utilization of generating capacity stands at only slightly more than 50%. With World Bank assistance, two states (Orissa and Haryana) have begun to implement reforms. Two other states (Andhra Pradesh and Rajasthan) are also participating in the World Bank reform program.*
>
> *While India currently does not have a unified national power grid, the country plans to link the SEB grids eventually, and has set up a state company, Powergrid, to oversee the unification. India also plans to establish national and state level regulatory bodies to set tariffs and promote competition."*

Soziale, politische, zwischenstaatliche Schwierigkeiten und natürlich auch opportunistische Gründe vieler Beteiligter behindern in Indien den Ausbau der Wasserkraft nachhaltig.[210] Engagierten Zahlenspielen stehen wenige real erfolgreich umgesetzte Projekte gegenüber.

---

[208] Zahlen aus http://powermin.nic.in/nrg76.htm (Stand 08/02/00).

[209] aus http://www.eia.doe.gov/emeu/cabs/india.html(Stand 04/05/00).

[210] siehe Artikel in ECONOMIC TIMES v. 25. Sept. 1998: Open the Sluice Gate.

4.3.2.1 Ministery of Power, State Electric Boards, Central Electricity Authority, National Hydroelectric Power Corporation Limited

In Indien gibt es verschiedenste staatliche Stellen, welche strategisch oder operativ mit der Energiebereitstellung allgemein bzw. dem Wasserkraftausbau beschäftigt sind, im wesentlichen sind dies nachfolgende Einrichtungen:[211]

- **GOI/MoP** Ministery of Power http://powermin.nic.in (Stand 08/02/00)
- **SEBs** State Electric Boards (9 verschiedene SEBs)
- **CEA** Central Electricity Authority http://powermin.nic.in/report/english/6.htm(Stand 08/02/00)
- **NHPC** National Hydroelectric Power Corporation Limited (A Central Public Sector Enterprise, Goverment of India) http://nhpcindia.com (Stand 08/02/00)
- **NTPC** National Thermal Power Corporation Limited (A Central Public Sector Enterprise, Goverment of India) http://www.ntpc.co.in (Stand 24/06/00)
- **NLC** National Lignite Corporation
- **DVC** Damodar Valley Corporation
- **NPC** Nuclear Power Corporation

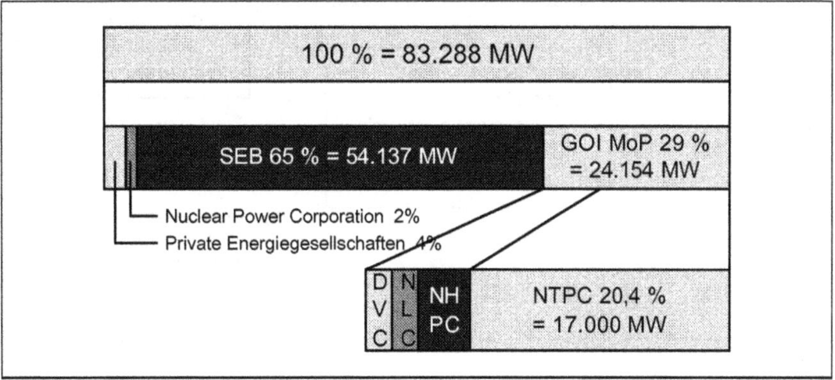

Abbildung 4-8: Zuordnung der Leistungsaufbringung zu den Gesellschaften in Indien (Basis 1995).

[211] Die Zahlen und Informationen dieses Kapitels stammen aus http://www.nic.in/indiainfra/chap2_1.htm (Stand 05/04/00).

Indien leidet insgesamt derzeit unter einer Stromknappheit, welche im Mittel bei ca. 11% und zur Spitzenabdeckung bei ca. 18% liegt.[212]

Die Bedarfs- und Tarifprüfung sowie Genehmigung von Kraftwerken liegt bei der CEA. Der Prozeß zur erfolgreichen Akquisition einer Kraftwerkslizenz läuft nach unten dargestelltem Verfahren ab.

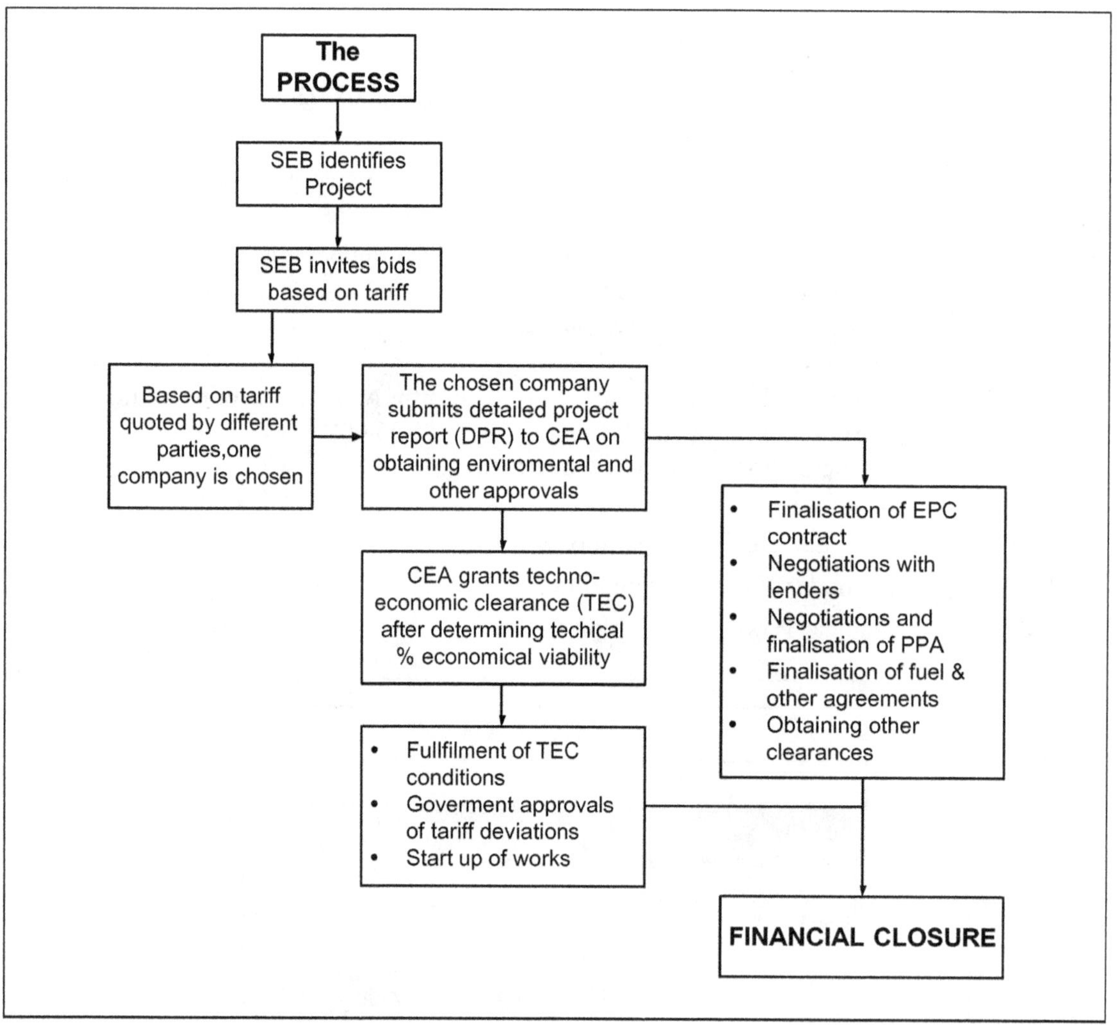
The PROCESS
SEB identifies Project
SEB invites bids based on tariff
Based on tariff quoted by different parties,one company is chosen
The chosen company submits detailed project report (DPR) to CEA on obtaining enviromental and other approvals
CEA grants techno-economic clearance (TEC) after determining techical % economical viability
• Fullfilment of TEC conditions
• Goverment approvals of tariff deviations
• Start up of works
• Finalisation of EPC contract
• Negotiations with lenders
• Negotiations and finalisation of PPA
• Finalisation of fuel & other agreements
• Obtaining other clearances
FINANCIAL CLOSURE

Abbildung 4-9: Prozeß zur Erlangung einer Kraftwerkskonzession bis zur Financial Closure.

[212] vgl. auch: „Power Projects on the Fast Track, Moving Very Slowly“http://www.ieo.org/xxx002.html (Stand 25/04/00).

NHPC – National Hydroelectric Power Corporation Limited: [213]

Die NHPC ist eine zentralstaatliche Gesellschaft, welche zu 100% im Eigentum des Staates Indien steht. Sie wurde 1975 gegründet, um sich vorwiegend um den forcierten Ausbau der brachliegenden Wasserkraftreserven zu kümmern.

Die installierte Leistung beträgt derzeit 2.193 MW (Stand 15.2.2000 mit Inbetriebnahme des 60 MW Kraftwerk-Rangit in Sikkim).

4.3.2.2 Stromverbrauch

Der pro Kopf Verbrauch stieg von 15,6 KWh (1950) auf 314 KWh (1999), der Gesamtstromverbrauch lag damit bei 377.000 GWh[214]. Indien wäre damit theoretisch derzeit in der Lage, seinen Stromverbrauch beinahe doppelt aus dem ausbauwürdigen Wasserkraftpotential zu decken (600.000 GWh).

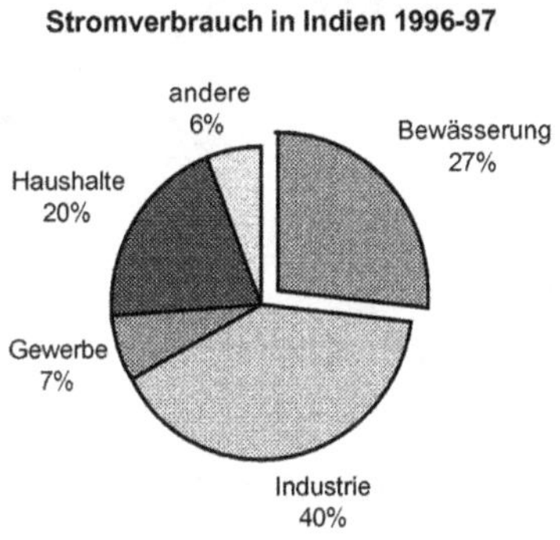

Abbildung 4-10: Aufteilung des Stromverbrauches nach verschiedenen Verbrauchergruppen – überproportionaler Anteil der landwirtschaftlichen Bewässerung, Daten aus den Jahren 1996, 1997. [215]

Die prognostizierte Steigerung von 7,5% jährlich über die nächsten Jahre ergäbe einen jährlichen Strombedarf von ca. 550.000 GWh im Jahr 2002.

Nach indischen Berechnungen bedarf es hiezu einer Verdoppelung der installierten Leistung auf 168.000 MW (derzeit 83.288 MW).[216]

---

[213] http://www.nhpcindia.com (Stand 08/02/00).

[214] Das UCTE-Netz von 16 europäischen Staaten mit 350 Mio. Einwohner hat derzeit einen Stromverbrauch von 1.750 TWh, gegenüber Indien mit 1 Mrd. Einw. und 377.000 GWh.

[215] Zahlen aus: http://www.nic.in/indiainfra/graph2.htm (Stand 05/04/00).

Die derzeit Tarifstruktur fördert die ländlichen Gebiete, d.h. die Bauern bekommen Strombeihilfen aus dem Staatsbudget, zudem ist Indien in seiner Gesamtheit noch immer ein landwirtschaftlich geprägtes Entwicklungsland. Diese Situation führt dazu, daß ein großer Teil des Stromverbrauches auf die landwirtschaftliche Bewässerung entfällt.

Der Anteil der Wasserkraft an der Primärenergieaufbringung ist derzeit gering. Interessant ist, daß in Indien ein großer Teil der Primärenergie aus Biomasse kommt und davon 75% in Form von Feuerholz für die Kochstellen in den ländlichen Gebieten.

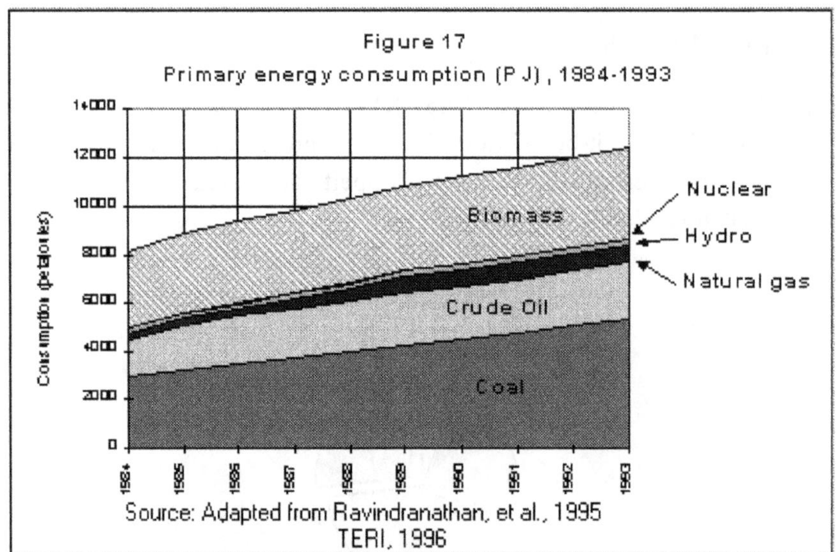

Abbildung 4-11: Primärenergieverbrauch in Indien; Anteil der Wasserkraft von 1984-1993.[217]

Derzeit besteht ein Versorgungsgrad von ca. 80-90% der Bevölkerung. Regelmäßige Stromausfälle sind jedoch an der Tagesordnung.[218]

4.3.2.3 Tarifstruktur

Endkunden: Die Erfordernisse eines modernen, kostengerechten Tarifsystems auf der Abnehmerseite sind akut. Einschneidende politische Änderungen muß es auch bei den Strombeihilfen für die Bauern geben, welche den Haushalt insgesamt destabilisieren.

[216] Unter der Annahme, daß die durchschnittlichen Kosten pro installiertem MW Leistung ca. 1 Mio. U$ betragen, entspricht dies einem Investitionsaufwand von ca. 84 Mrd. U$ - noch ohne Investitionen in das Leitungsnetz.

[217] Abbildung aus: http://www.teriin.org/reports/rep02/rep0207.htm (Stand 26/06/00).

[218] weitere Infos siehe US Energy Information Adm. http://www.eia.doe.gov/emeu/cabs/india.html (Stand 20/03/00).

Produzenten: Zur leichteren Abwicklung von Projekten wären auch standardisierte Power Purchase Agreements für Laufkraftwerke, Spitzenstromerzeugung und Pumpspeicherung notwendig, in denen die Vorteile der Wasserkraft in punkto Ausfallsicherheit, Spitzenabdeckung und Netzstabilität berücksichtigt werden (im Detail siehe *Tariff Notification for Generating Companies*[219] *bzw. in SARAN K.*[220]).

Entscheidende Punkte für einen zukunftsträchtigen Stromtarif aus Wasserkraft:

Im Gegensatz zu thermalen Kraftwerken sind die Stromgestehungskosten bei Wasserkraftwerken stark projektbezogen. Nachfolgende Punkte sollen daher in die Tarifberechnung einfließen:[221]

- Hydrographische Abhängigkeit vom schwankenden Wasserdargebot, spez. bei MPP mit großem Bewässerungswassermengen.
- Verwertung von „ZERO COST ENERGY" and „SECONDARY ENERGY"
- ZERO COST ENERGY – Die Energieerzeugung und –einspeisung aus der Abarbeitung von Hochwasserwellen, welche nicht gespeichert werden können, ist preislich zu regeln.
- SECONDARY ENERGY – Die Produktion und Erzeugung von Strom über dem Designlevel der Anlage (Naßjahre usw.), bei faktisch keinen variablen Zusatzkosten ist in die Preisregelung aufzunehmen.
- Spitzenabdeckung: Die Speicherung von Wasser ist die sinnvollste Möglichkeit für die Spitzenabdeckung und Netzregelung. Eine preislich differenzierte Betrachtung von Spitzenstrom und Grundlast ist erforderlich bzw. Aufgabe der Netzbetreiber.
- Der Anlagentyp und damit die Möglichkeiten von Speicherung, Anfahrzeiten, Leistungsspanne sind in die Preisbildung mit einzubeziehen
- Incentives für Anlagentyp und Betrieb zur Spitzenstromerzeugung – die derzeit Tarifmodelle haben ein Tarifmodell mit Eigenkapitalverzinsung, welches keine Rücksicht auf die Tages- und Jahreszeit der Stromproduktion nimmt.
- Kompatibilität der Produzententarife im Netz – modernes Netzmanagement

Vieles von dem oben Beschriebenen erscheint administrativ sehr kompliziert und ist daher in der Umsetzung sicher schwierig zu handhaben, bzw. extrem langfristig anzulegen.

---

[219] http://powermin.nic.in/nrg47.htm (Stand 29/06/00).

[220] SARAN K.: Electricity Pricing for Hydro Projects – Issues and options for Private Sector in Developing Countries. a.a.O.

[221] teilweise aus SARAN K. a.a.O., S. V-31/33.

Eine sinnvolle Alternativform wäre der „Two Part Tariff with Capacity and Energy Charges", welcher im wesentlichen der in Mitteleuropa üblichen Arbeits- und Leistungspreisstruktur entspricht.

Daneben gibt es noch viele Modelle für Sonderfälle wie Frequenzregelung usw., nachzulesen in der erwähnten Spezialliteratur.

4.3.3 Indische „Policy on Hydro Power Development"

Um die brach liegenden Wasserkraftreserven einem forcierten Ausbau zuzuführen, wurde von der indischen Regierung am 26. Aug. 1998 eine vom „Committee on Hydro Power" 1997 eingebrachte Vorlage unter dem Titel „NATIONAL POLICY ON HYDRO POWER DEVELOPMENT"[222] erlassen.

Im folgenden werden die Hauptziele und Maßnahmen auszugsweise wiedergegeben.

Die Hauptziele sind:

- **Erreichen der im IX. u X. Fünfjahresplan geplanten Leistungssteigerung aus Wasserkraft:**

  In der POLICY ON HYDRO-POWER DEVELOPMENT wurde das nochmalige Verfehlen der Planzahlen, wie im VIII. Plan als nicht „erlaubt" festgeschrieben.

Tabelle 4-6: Geplante zu installierende Kraftwerksleistung im IX. und X. Plan.

	Wasserkraft				andere Kraftwerkes-typen	Gesamt-Summe SOLL
	Central State	State	Private Sector	**Summe Wasserkraft**		
IX. Plan	3.455 MW	5.810 MW	550 MW	**9.815 MW**	30.430 MW	40.245 MW
[%]				**24,4 %**	76,6 %	100 %
X. Plan	990 MW	3.872 MW	1.050 MW	**5.912 MW**	ca.105.600 MW	ca.111.500 MW
[%]				**5,3 %**	94,7 %	100%
% inst. Leistung, nach Herkunft – Prog 2007[223]				**15,4 %**	84,6 %	100 %

[222] im Volltext zu finden unter http://www.nhpcindia.com/policy.htm (Stand 08/02/00).

[223] eigene Prognose aus dem erwähnten Zahlenmaterial.

Dieses Programm ist schon am Papier nicht in der Lage, den Wasserkraftanteil an der installierten Leistung zu heben, vor allem wenn man bedenkt, daß die Zahlen des Wasserkraftausbaues im VIII. Plan weit verfehlt wurden. Nach aktuellen Informationen sind auch einige der Wasserkraftwerke, welche im VIII. Plan nicht fertiggestellt werden konnten, im IX. Plan weitergeschrieben worden – das dürfte mit ein Grund sein, warum die Planzahlen im IX. Plan wesentlich höher sind als im X. Plan.[224]

- **Ausbau des großen Wasserkraftpotentials mit höherer Geschwindigkeit:**
    - Beschleunigung schon eingereichter Projekte (fertiger DPR), welche auf die Absegnung durch die CEA warten.
    - Energischer Start von Vermessungsarbeiten und Voruntersuchungen an derzeit noch nicht untersuchten Projektstandorten.
    - Die Regierung ist massiv daran interessiert, daß Projekte, welche derzeit Finanzierungsprobleme oder zwischenstaatliche Schwierigkeiten225 haben, unverzüglich in Angriff genommen werden.
- **Forcierung von Klein- und Kleinstkraftwerken:**
    - Klein- und Kleinstwasserkraftwerke können eine Lösung für entlegene Region sein, in denen eine Netzanbindung ökonomisch keinen Sinn macht, bzw. die Leitungsverluste zu groß wären.
    - Gedacht ist an eine Vereinfachung der Bauweise.
- **Stärkung der SEBs bei der Inangriffnahme neuer Wasserkraftwerke:**
    - Aufgrund des geringen Interesses, welches private Investoren am Wasserkraftwerksbau zeigen, und nachdem dieses Desinteresse noch einige Jahre anhalten kann, ist der öffentliche Sektor gefordert den Wasserkraftausbau nicht nur beizubehalten, sondern massiv zu forcieren.
    - Der Zentralstaat ist vor allem gefordert, große „Multi-Purpose-Projects“ (MPP), Spitzenstromkraftwerke und zwischenstaatliche Kraftwerke zu errichten.

---

[224] siehe Business Standard-Economy, 5. Sept. 1997, Artikel von PRADEEP P.: *Hydro Electric generation capacity addition in Ninth Plan to fall woefully short of target*: In diesem Artikel werden die Planzahlen, als reine Phantasie dargestellt, d.h. die ca. 5.000 MW aus dem Zentralstaatlichen Bereich, dürften sich real auf 530 MW reduzieren, und das auch nur unter der Voraussetzung, daß das Kraftwerk Dulhasti (390 MW) vor 2002 fertig wird, was derzeit alles andere als sicher ist – http://1997.business-standard.com/97sep06/economy1.htm (Stand 25/09/98).

[225] Schwierigkeiten bei Bundesstaaten überschreitende oder mehrere Bundesstaaten beeinflussende Anlagen z.B. Veränderung der Wasseraufteilung, Überleitung in andere Einzugsgebiete usw.

- **Steigerung privaten Investments in Wasserkraft:**

  Auch bei größter Anstrengung des öffentlichen Sektors ist es notwendig und gewünscht, den privaten Sektor in diese großen Investitionen mit einzubinden. Für diese IPPs und Joint Ventures sind die Umfeldbedingungen besser vorzubereiten.

Mit folgenden Maßnahmen sollen obige Ziele erreicht werden:

- **Zur Verfügungstellung von entsprechenden Budgetmitteln, zusätzliches Kapital durch die Power Finance Corporation (PFC):**
  - Die im Bau befindlichen Kraftwerke des IX. Plan sind aus dem Budget bedeckt.
  - Für die Zukunft wird ein Task Force installiert, die den Fortgang der Projekte zentral überwacht.
  - Der Fortschritt der wichtigsten Großprojekte wird auf Ministerebene (MoP) beobachtet und alle erforderlichen Maßnahmen veranlaßt, damit kein Zeitverzug gegenüber dem Plan entsteht (verfehlen des Zieles nicht „erlaubt“).

- **Kapitalbereitstellung für Wasserkraftentwicklung „National Power Development Fund“:**

  Dieser Fund wird mittels einer Energiesteuer auf Strom finanziert. Der rechtliche Rahmen dafür soll aufbereitet werden. Für die Abwicklung sind die SEBs zuständig. Das Geld soll bevorzugt in nachfolgende Aktivitäten fließen:

  - Vermessung und Voruntersuchungen: Aufgrund der Budgetknappheit wurden die Vermessungsarbeiten und Voruntersuchungen möglicher Projektsstandorte vor Jahren unterbrochen, diese Arbeiten sollen unverzüglich wieder aufgenommen werden.

    Dzt. besteht die Situation, daß nicht genug Projekte so weit voruntersucht sind, daß diese innerhalb von 2-3 Jahren gestartet werden könnten. Als langfristige Strategie soll der Vorlauf ungefähr 10 Jahre betragen. Von den Geldgebern wie World Bank und Asian Development Bank (ADB) wurde Interesse bekundet, diese Voruntersuchungen zu unterstützen. Die Untersuchungen haben auf dem neuesten technischen Stand zu erfolgen, dadurch ist auch das Interesse erfahrener internationaler Planungsbüros gegeben.
  - Aufschließungsarbeiten: Bei Projekten, die dem Privaten Sektor angeboten werden sollen, um die Resonanz zu erhöhen, Teile der Vorarbeiten vorab gemacht werden. Darunter fallen z.B. Verkehrs- und Energieerschließung usw.

Die Energiesteuer auf Strom kommt zu 2/3 den Bundesstaaten für den Wasserkraftausbau zugute und zu 1/3 für den Zentralstaatlichen Wasserkraftausbau und den Bau von Überlandleitungen sowie bundesstaatsübergreifende Großwasserkraftwerksprojekte.[226]

- **Einzugsgebietsweise Realisierung des Wasserkraftausbaues:**

  Um die Abstimmung und den Effekt zu maximieren, soll einzugsgebietsweise ausgebaut werde.

- **Einführung einer Tarifstruktur, welche die Produktion von Spitzenenergie aus Wasserkraft interessanter machen soll:**

  - Der derzeit Tarif bevorzugt die Errichtung von thermalen Kraftwerken. Der neue Tarif soll eine garantierte Eigenkapitalverzinsung gewährleisten und gleichzeitig die Schwierigkeiten bei der Ausführung berücksichtigen.
  - Zusätzlich gibt es prozentuelle Aufschläge auf die Eigenkapitalverzinsung, wenn die Anlagenverfügbarkeit ein Mindestmaß übersteigt (diese Regelung kommt der Wasserkraft entgegen).
  - Einführung eines Spitzenstrommodells (→ wichtig!)

- **Einheitliches Verfahrens zur Regelung der baugrundbezogenen Risiken:**

  Nachfolgende Passage ist wörtlich übernommen:

  „During the implementation of hydro power projects specially underground power stations, there is a likelyhood of coming across geological surprises which are not anticipated at the time of preparation of Detailed Project Report. This results in increase in capital cost. The developer would need to be compensated for this kind of eventualities.

  In the existing tariff notification for hydro projects, there is no provision for increase in project cost arising due to geological risks. A realistic estimate of completion cost has to take into account the geological and hydrological risks, cost escalation and natural occurrences of land slides, rock falls etc. In such cases, the developer will be allowed to submit his proposal for the enhanced cost to the Government. Expert Committee would be constituted at the State and Central level who would evaluate and recommend the cost increases for acceptance by the Government. The expert committee at the State Government level would recommend the cost increase proposal upto certain percentage and beyond that the cost increase would be recommended by the expert committee at the Central Government level."

[226] vgl. auch Kurzmeldung in T&T, Februar 1999, S. 14.

- **Ausnützung der Joint Venture Möglichkeiten für den Wasserkraftausbau.**
- **Vereinfachung der Prozedur beim Transfer von bundesstaatlichen, zu zentralstaatlichen Vorhaben und weiter auf den Privaten Sektor:**
  - Vielfach können interessante Projekte nicht angegangen werden, weil sie ein oder mehrere Bundesstaaten betreffen. Zur Überwindung dieser Hindernisse sind Regelungsmechanismen zu entwickeln.
  - Erforderlichenfalls sollen nur Laufkraftwerke ohne relevante Speicherung oder Überleitungen gebaut werden.
- **Erhöhung der Grenze für die Techno-Economic Clearance (TEC) durch die CEA:**

  Die Kostengrenze für die Vorlage eine Projekts für die TEC bei der CEA liegt bei Rs. 100 crore[227]. Aufgrund der hohen Investitionskosten von Wasserkraftwerken wird zur Verfahrensvereinfachung bei Projekten auf der MOU-Route die Grenze von Rs. 100 crore auf Rs. 250 crore festgelegt, bei Competitive Bidding Projekten bleibt das Limit auf Rs. 1.000 crore.
- **Übertragung der Verantwortung bei Wasserkraftwerken bis 25 MW vom Ministry of Power zum Ministry of Non-Conventional Energy Sources unter Bereitstellung eines geeigneten Förderungssystems.**

4.3.4 Konzessionsvergaben

Die Konzessionsvergabe für Wasserkraftwerke an private (in- und/oder ausländische) Investoren geht wenig erfolgreich voran. Die zwei möglichen Wege zur Konzession sind nachfolgend beschrieben.

4.3.4.1 Memorandum of Unterstanding (MOU) Route

Beim Memorandum of Unterstanding-Verfahren wird der Kreis der Interessenten vornherein beschränkt, bzw. auf einen Bewerber reduziert, mit dem im Detail verhandelt wird. Der Projektbetreiber ermittelt mit dem SEB die voraussichtlichen Projektskosten und arbeitet einen Tarif, basierend auf verschiedensten Annahmen und Vorgaben der Regierung, aus.

Die POLICY ON HYDRO-POWER DEVELOPMENT setzt weiterhin auf die MOU-Route, auch wenn diese bisher kaum Projektserfolge vorweisen kann.[228]

[227] Crore = 10 Mio. → 1U$ = 44,7 Rupien (INR, Stand 29/06/00) → Rs. 100 crore ≅ 22,4 Mio. U$.

[228] Artikel in ECONOMIC TIMES v. 25. Sept. 98: Rehab, an non-issue.

4.3.4.2 Competitive Bidding Route

Die Competitive Bidding Route ermittelt den Projektsbetreiber aus einem qualifizierten Bewerberkreis unter Wettbewerb, in dem der Projektswerber einen endgültigen Tarif (*Final Tariff*) anbietet und es wird keine Detaildiskussion über die Zusammensetzung und Abhängigkeit des Tarifes geführt.[229]

4.3.5 Bauindustrie und Projektmanagement

Von indischer Seite wird auch immer wieder das Fehlen einer kompetenten, leistungsfähigen Bauindustrie für den Bau von großen Wasserkraftwerken bemängelt.[230]

- Dearth of Good Contractors: Selbst die Policy on Hydro Power Development spricht davon, daß schlechte Verhältnisse auf dem Bauunternehmersektor vorherrschen, wie z.B.:
  - inadäquate Tunnelbautechnik
  - poor Contract Management:

Ein vernichtendes Urteil in einem sehr kritischen Artikel gibt GOVIL K.K.[231], (Direktor der Power Finance Corporation Ltd. – PFC, New Dehli) ab; gekürzte Auflistung:

- Gap in analysis of scientific facts
- Group pressures in decision making
- **Inadequate construction support industry**
- **Lack of specialisation in core disciplines**

---

[229] Die Weltbank hat für von ihr mitfinanzierte Infrastrukturvorhaben eine Guideline für den Beschaffungsvorgang (http://www.worldbank.org/html/opr/procure/othrmeth.html#p313 Stand 16/08/00) erlassen, welcher im Prinzip auch ein ICB forciert: *„Procurement under BOT and Similar Private Sector Arrangements:*
3.13 ... Where the Bank is participating in financing the cost of a project procured under a BOO/BOT/BOOT 41 or similar type of private sector arrangement, either of the following procurement procedures shall be used, as set forth in detail in the Staff Appraisal Report, the President's Report and the Loan Agreement:

(a) The entrepreneur under the BOO/BOT/BOOT 42 or similar type of contract shall be selected under ICB or LIB procedures acceptable to the Bank, which may include several stages in order to arrive at the optimal combination of evaluation criteria, such as the cost and magnitude of the financing offered, the performance specifications of the facilities offered, the cost charged to the user or purchaser, other income generated for the Borrower or purchaser by the facility, and the period of the facility's depreciation. The said entrepreneur selected in this manner shall then be free to procure the goods, works and services required for the facility from eligible sources, using its own procedures. In this case, the Staff Appraisal Report, the President's Report and the Loan Agreement shall specify the type of expenditures incurred by the said entrepreneur towards which Bank financing will apply.

Or, (b) If the said entrepreneur has not been selected in the manner set forth in subparagraph (a) above, the goods, works or services required for the facility and to be financed by the Bank shall be procured in accordance with ICB or LIB procedures.“

[230] siehe bei SRIVASTAVA R.N., KHERA D.V., DUBEY S.D. a.a.O., S. I-13.

[231] aus GOVIL K.K.: Speedy Hydro Power Development - Project Preparation & Financing: a.a.O., S. V-14.

- Conflict in policies and practices
- Lack of emphasis on organisation and methods
- Lack of competition
- **Inadequate preparations and planning to manage change and surprise**
- **Inadequate tunnel construction technology and machinery**

Bei 22 ausgewählten Wasserkraftwerken an denen die Power Finance Corporation (PFC) finanziell beteiligt war, zeigen die Erfahrungen, daß inadäquate Bauausführung und Zwänge aus der Finanzierung die Hauptursachen für Verzögerungen bzw. verspätete Projektsfertigstellung waren. In der nachfolgenden Liste sind die wesentlichen Gründe und die **Anzahl der betroffenen Projekte** angeführt.

Diese Liste vermittelt ein desaströses Bild von der Art, wie in Indien Wasserkraftwerke projektiert und gebaut werden.

Tabelle 4-7: *Indische Wasserkraftprojekte, welche von der Power Finance Corporation (PFC) mitfinanziert wurden und den dabei aufgetretenen Kosten- und Bauzeitüberschreitungen.*[232]

	Projekte	**[%]**
Time overrun of more than 4 years	14	64 %
Time overrun of more than 8 years	8	37 %
Cost overrun more than 100%	17	77 %
Cost overrun more than 200%	14	64 %
Delay due to constrain of funds	15	68 %
Delay due to loan convenants, contractual issues	9	41 %

Diese Liste vermittelt ein desaströses Bild von der Art, wie in Indien Wasserkraftwerke projektiert und gebaut werden.

GOVIL K.K. (1999) schlägt als Lösung folgendes vor:

„*Construction Planning of large HEP is the most important function to reduce project implementation risks an to establish investors and lenders confidence in the Project. The dependability of construction planning emerges from:*

- *Effective survey and investigations*
- *Developed Infrastructure for project construction*
- *Efficient packaging for construction, procurement and services*

[232] aus GOVIL K.K. a.a.O., S. V-14.

- *Accurate and depenable designs*
- *Realistic assessment of work quantities*
- *Dependable contractors with required construction machinery*
- *Well defined contracts for speedy settlement aof variations in work quantities during construction*
- *Effective contract supervision and work measurement*

An efficient construction planning reduces the spread of construction period and in capital intensive projects reduces the burden of Interest During Construction (IDC). Competitive procurement, efficient decision making to select contractors and mobilisation of site are parts of efficient planning".

Wenn all das oben verlangte derzeit nicht Standard ist, dann erklären sich die desaströsen Zahlen von alleine.

4.3.6 Engagement österreichischer Firmen in Indien

Schon in den 80er Jahren hat die österreichische Bauindustrie den Bedarf an Wasserkraft in Indien als zukünftig interessantes Geschäftsfeld ausgemacht. Trotzdem wurde bis heute kein einziges Projekt realisiert. Nachfolgend eine kurze Historie der Projekte, welche von österreichischen Firmen verfolgt wurden.

DULHASTI

Das Kraftwerk DULHASTI liegt am Fluß CHENAB im Staat Jammu und Kashmir. Das Gefälle ist im allgemeinen groß und eignet sich gut für ein Ausleitungskraftwerk. Das Einzugsgebiet bis zum Entnahmeprofil beträgt ca. 10.500 km².

Konzipiert wurde vom INDO-AUSTRIAN CONSORTIUM DULHASTI[233] ein 390 MW (3x130 MW, 1983) [234]bzw. 415 MW (1984) Kraftwerk.[235]

Das Projekt war als Turnkey/Lump-sum konzipiert, wobei eine max. Preisanpassung für geologisch bedingte Mehrkosten bis zu +10% der prognostizierten Baukosten (CEILING) vom Auftraggeber vorgegeben wurde. Ausgenommen davon war nur ein ca. 300 m langes Teilstück des Stollens in einer Störung des Kishtwar-Plateau (Fossivalley), welches geologisch als äußerst schwierig zu durchörtern eingestuft wurde sowie die Gründung der Gewichtsmauer. Im

[233] Universale-Porr-Jäger-Hofman&Maculan, Voest Alpine–Voith–Elin–Thapar Hydroconsult–Verbundplan-ILF.

[234] gedacht war auch daran in einer 2. Ausbaustufe ein 2. Parallelkraftwerk zu errichten.

[235] vgl. DULHASTI Project Report v. Juni 1983 bzw. Januar 1984 und DULHASTI Financial and Economical Evaluation v. Dez. 1983, alle drei vom DULHASTI CONSORTIUM.

Zuge der Ausführung des ca. 10 km langen Druckstollens hätte das erstemal in Indien eine TBM zum Einsatz kommen sollen.

Diese Bedingungen wurden schlußendlich vom österreichischen Konsortium akzeptiert. Die Beauftragung erfolgte im Oktober 1989 im wesentlichen zu den selben Konditionen aber an ein französisches Konsortium (FC)[236] [237]. Dieses startete mit der Bauausführung und etwas geändertem Projekt-Layout und setzte erstmals in Indien eine TBM ein. Die Ausführung des Projekts durch FC scheiterte schlußendlich an der Ausführung dieses TBM-Vortriebes – das französische Konsortium verließ die Baustelle. Von der NHPC wurde das Projekt daraufhin selbst weitergebaut bzw. der Stollen wird derzeit im Sprengvortrieb fertiggestellt.[238] Der voraussichtliche Fertigstellungstermin ist je nach Quelle zwischen 2001 und Dez. 2003!

UHL III

Das Projekt UHL III (Himachal Pradesh) wurde von der indischen Fa. BALLARPUR LTD., New Dehli verfolgt, dabei kam es wieder zu einem Kontakt mit österreichischen Interessenten.[239] Gemeinsam wurden Untersuchungen angestellt, um das Projekt auf Basis BOO zu implementieren.

Konzipiert wurde ein Schachtkraftwerk mit 100 MW (2x50 MW)[240] und 7,6 km Druckstollen, welcher wieder mit TBM und österreichischem Know-how aufgefahren werden sollte. Die

---

[236] FC – Cegelec-Neyrpic-Alsthom Jeumont-Dumez-Sogea-Borie Saae-Coyne et Bellier; interessant ist in diesem Zusammenhang, daß Coyne et Beliier sowohl Partner im Baukonsortium und Konsulenten des Auftraggebers war.

[237] Siehe auch BINQUET J., LARA A., TARDIEU B.: Bénéfices de la Gestion des Risques Philosophie et Examples Récents. a.a.O.

[238] Projektsdaten auf der Homepage der NHPC unter http://nhpcindia.com/index4.htm (Stand 29/06/00), der aktuelle Zeitplan mit Fertigstellung im Jahre 2001 wird von einigen indischen Autoren durchaus in Zweifel gezogen. Interessanterweise ist nachfolgender Text , welcher die Fertigstellung erst im Dez. 2003 ankündigt (Stand 04/06/00) von der Homepage zwischenzeitlich verschwunden: „*Construction activities at the 390 MW DulHasti Project in Jammu & Kashmir are now in full swing.The tunnel excavation from upstream and downstream ends is being carried out by drill blast method. All other civil works, electro- mechancial works and hydro-mechanical works are in advanced stage of completion. Estimated to cost Rs.3559.76 crores, the Project is scheduled for completion by December, 2003.*"
bzw. die Vorgängerversion lautet (Stand 01/04/00) noch so: „*Construction activities at the 390 MW Dul Hasti Project in Jammu & Kashmir are now in full swing. Work on all the major components of the project are going on. Estimated to cost Rs. 35596.7 million, Dul Hasti Project involves construction of 10.6 KM long headrace tunnel in a difficult geological terrain. NHPC has mobilized a Tunnel Boring Machine (TBM) for the first time in the country for boring this tunnel. The right hand blocks of the 56 metre high dam are already complete. Erection work of three machines of 130 MW each is in progress. The Project is scheduled for completion during the Ninth Plan period.*" → d.h. bis 2002, aber interessanterweise sind die Kosten noch gleich.

[239] ACUG-Austrian-Consultants-Uhl-Group und AUC-Austrian-Uhl-consortium bestehend aus Ilbau-Jäger-Voith AG-Elin Union.

[240] von indischer Seite wurde ursprünglich ein 81 MW Kraftwerk mit 3x27 MW geplant.

Planung mündete im Dez. 1993 in einem Project Report.[241] Die Verhandlungen zum Projekt UHL III haben keinen definitiven Erfolg gebracht und sich 1997 zerschlagen.

Laut einem Artikel von SHARMA J.C. (1999)[242] befindet sich das Projekt gerade nach folgender Konzeption im Bau – 2x50MW mit Surface Power House, wobei diese Information anderweitig nicht verifizieren werden konnte.

SEWA II

SEWA II ist geplant als ein 120 MW Kavernenkraftwerk (3 x 40 MW) mit ca. 10 km Druckstollen im Bundesstaat Jammu und Kashmir. Zwischen dem SEWA POWER Konsortium[243] und den Indern wurde am 12. März 1998 ein MOU unterzeichnet und daraufhin ein

- Project Presentation Report, März 1998
- Revised Project Draft (150 MW), Sept. 1998
- Bankable Project Report, April 1999

eingereicht. Seither ist offensichtlich wieder Ruhe in den Verhandlungen eingetreten.

Workshop Austrian Hydel Power Construction Methodology

Zur Unterstützung der österreichischen Aktivitäten und zur besseren Vermittlung des Know-how und der Erfolge der österreichischen Wasserkraftwerksplaner, -betreiber bzw. ausführenden Bauunternehmungen fand zwischen 25.-27. Mai 1998 in New Dehli der Workshop „**Austrian Hydel Power Construction Methodology**“ statt.[244]

Dieser Workshop erregte sogar in der indischen Presse einige Aufmerksamkeit[245], bzw. war der Energieminister persönlich anwesend.

Diskutiert wurde auch die Schwierigkeit, ein finanzielles Modell für die vielfältigen Probleme des Wasserkraftwerksbaues zu finden. Resultat ist, daß weiterhin die öffentliche Hand die Hauptrolle bei der Realisierung von Wasserkraftwerken spielen wird müssen. Die Hauptgründe, die private Investoren derzeit davon abhalten, sind:

---

[241] Hydroelectric Project UHL III Report , Austrian Consultants Uhl Group, Dez. 1993.

[242] SHARMA J.C.: Integrated Hydro-Power Development in Beas-Basin Himachal Pradesh (India). a.a.O., S.I-55.

[243] VIW-Grandi Lavori Fincosit Spa.-Jäger-SELI-Voith-Elin.

[244] PÜRER E.: The Development of Hydro Power in Austria. a.a.O. und VIGL A.: State of the art Tunnelling an Tunnel Design for Hydropower Projects and Watertransfer Tunnels. a.a.O.

[245] z.B. Artikel in the FINANCIAL EXPRESS v. 26. Mai 1998: New hydel policy to allow private participation; fresh initiatives for Power Projects http://www.expressindia.com/fe/daily/19980526/14655354.html (Stand 28/02/00).

- **Lange Amortisationszeit**
- **Geologische Risiken**
- **Schwierige Umsetzung**

4.3.7 Geologie und Hydrogeologie im Projektsgebiet

Geologie: Der Anstieg vom indischen Subkontinent in den Himalaja ist ein sehr junges Gebirge und noch immer stark gebirgsbildend beansprucht. Der Himalaja entstand bzw. entsteht durch die Kollision der indischen mit der tibetanischen Platte. Die jährliche Verschiebungsgeschwindigkeit beträgt ca. 41 mm/Jahr. Die Folge davon sind einige tektonische Linien und schwierige geologische Verhältnisse.

Somit ein Gebiet, welches aus tunnelbautechnischer Sicht als sehr anspruchsvoll gelten muß.

Hydrologie: Die jahreszeitlichen Abflußschwankungen sind im Süden Indiens durch den Monsun größer als im Norden, wo auf grund der Schneeschmelzwässer aus dem Himalaja eine ausgeglichenere Abflußganglinie vorherrscht.

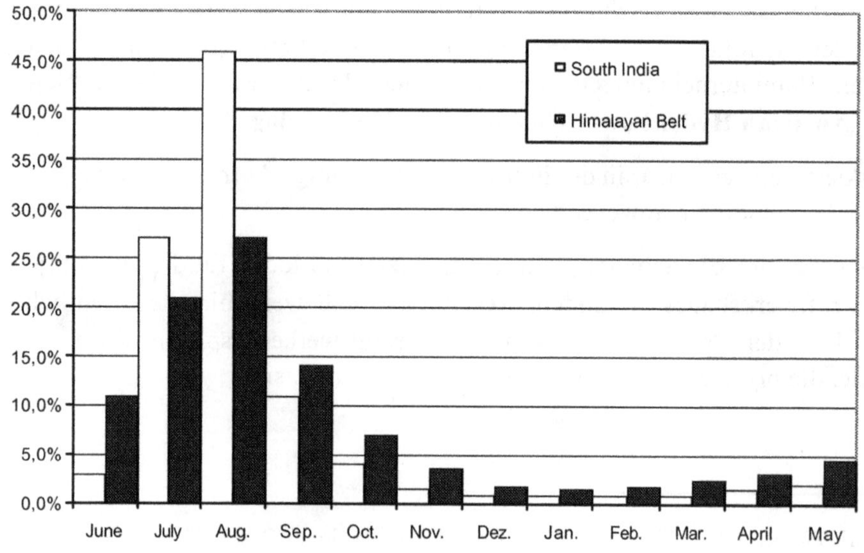

Abbildung 4-12: Verteilung der monatlichen Abflüße (1997-98).

4.3.8 Realisierungschancen

Aus indischer Sicht: Die Planzahlen der indischen Regierung über den zukünftigen Wasserkraftausbau sind sehr engagiert. Die Erfolge der Vergangenheit bzw. die aktuelle Situation lassen aber erkennen, daß diese Planzahlen bei weitem nicht erreicht werden können. Die Gründe dafür sind vielschichtig und teilweise sehr indienspezifisch.

Das Hereinholen von ausländischen Experten, Projektbetreiber, Ausrüstungslieferanten und Bauunternehmern wird zwar forciert. Die Rahmenbedingungen sind am Papier skizziert, die Umsetzung zeigt jedoch kaum Erfolge.

Aus österreichischer Sicht: Die Erfolge aus österreichischer Sicht können derzeit jedenfalls auch nicht als befriedigend bezeichnet werden.

Vorschläge:

- Ein für alle Seiten akzeptabler Modus zur Handhabung der Wasserkraftwerk- bzw. hohlraumbauspezifischen Risiken ist zu suchen.
- Installation eines Geological Risk Fund gespeist aus den Einnahmen der Stromsteuer. → Risikoüberwälzung über Projektportfolio des Konzessionsgebers (MoP, SEBs) möglich.
- Bewertung von Bauzeit und eventuell Verkürzung gegenüber Plan (Blick auf die üblichen Überschreitungen von 100-200% welche derzeit üblich sind (vgl.Tabelle 4-7)), in Hinblick auf die tatsächlichen Baukosten und daraus resultierenden Finanzierungskosten.
- Implementierung eines Spitzenstromtarifes ist zu forcieren; Standard-Power Purchase Agreements für Wasserkraft
- Musterprojekt als vertrauensbildende Maßnahme

5 Baugrundrisiken

Grundsätzlich stellt sich die Frage, was alles unter den Begriff Baugrundrisiken fällt. Für die weiteren Ausführungen fallen darunter alle geologischen und hydrogeologischen Eigenschaften des Bodens, welche mit seiner Bearbeitbarkeit und seinem boden- bzw. felsmechanischen Verhalten zu tun haben. Diese Eigenschaften können Auswirkungen auf die Vortriebsgeschwindigkeit, die erforderlichen Vortriebs- und Sicherungsmittel und die Aufwandswerte haben, oder im Extremfall die Umstellung des Vortriebsverfahrens erzwingen.

Die Folgen aus Baukosten- und Bauzeitüberschreitung bei BOT-Modellen sind verspätete Erlöse und höhere Finanzierungskosten, welche insgesamt die Rentabilität des Projektes in Frage stellen können.

Baugrundrisiken im Hohlraumbau können trotz eventuell umfangreichster Untersuchung nie ganz ausgeschlossen werden. Sie resultieren aus dem nie ganz bestimmbaren Verhalten des Bodens auf menschliche Eingriffe – im Hohlraumbau wird der Boden zum eigentlichen Baustoff (vgl. auch Grundsätze der NATM) – welcher aber in seinen Kennwerten aufgrund seiner speziellen Entstehungsgeschichte Schwankungen unterliegt.

Von den meisten Bauherrn (in diesem Fall allgemein Konzessionsgeber, Auftraggeber) wird grundsätzlich die Zuordnung des Baugrundrisikos in den eigenen Verantwortungsbereich[246] nicht prinzipiell ausgeschlossen. Die Vorstellungen können im Detail aber sehr weit auseinander gehen. Basierend auf dem Status[247] des Auftraggebers bzw. den zivilrechtlichen Gesetzen, welchen er unterworfen ist, gibt es schon in Mitteleuropa verschiedenste Einschränkungen bei der Überwälzung des Baugrundrisikos an den Auftragnehmer[248]. Im asiatischen Raum ist ganz offensichtlich der betreffende rechtliche Rahmen etwas weiter gefaßt, bzw. es gilt prinzipiell eher die Prämisse von „Free Enterprise". Viele Auftraggeber konfrontieren Auftragnehmer mit nicht kalkulierbaren Baugrundrisiken. Als Beispiel seien hier die Verhandlungen für das Wasserkraftwerk „Dulhasti" (Indien) erwähnt (vgl. Punkt 4.3.6). Das Projekt wurde von der „National Hydroelectric Power Corporation (NHPC)[249] betrieben.

---

[246] Einflußsphäre ist im Zusammenhang mit dem Baugrundrisiko eine nicht sehr zutreffende Bezeichnung.

[247] Öffentlicher Auftraggeber, Sektorenauftraggeber oder privater Auftraggeber.

[248] Öffentlicher Auftraggeber, z.B. Staat, Land oder Sektorenauftraggeber können in Deutschland und Österreich das Baugrundrisiko nicht an den Auftragnehmer weitergeben, private Auftraggeber unterliegen prinzipiell keinen derartigen Einschränkungen (Einschränkung sehr wohl durch z.B. Sittenwidrigkeit usw.).
In der BRD sind die Vorgaben des Bürgerlichen Gesetzbuches (BGB) derart, daß das Baugrundrisiko in keinem Fall an den Auftragnehmer überwälzt werden kann.

[249] Siehe auch http://www.nhpcindia.com (Stand 10/12/99).

Als Regelung für die Tragung eventueller Mehrkosten aus dem Baugrundrisiko wurde ein „Ceiling“ bei 110% der veranschlagten Baukosten vom Auftraggeber vorgeschrieben – 110% allerdings so zu verstehen, daß ab 110% alle weiteren Mehrkosten vom Auftragnehmer alleine zu tragen gewesen wären. Daß eine solche Regelung bei jeder an mitteleuropäische Verhältnisse gewöhnten Bauunternehmung auf wenig Verständnis stößt, ist so weit verständlich.

Eine sehr aussagekräftige Zusammenfassung über die Risiken des Baugrundes bei Wasserkraftwerken, speziell in Entwicklungsländern ist bei BRENNER R.P., LAUFER F., KRUMDIECK M.A.[250] zu finden:

„During the period of 1975-1984, the World bank conducted a survey of 64 bank-financed Hydroelectric Projects with the objectives to investigate the influence of geological problems on the cost estimate. It was found that geological difficulties had caused major cost overruns and completion delays for 23 projects. Civil works cost for those affected projects increased on average by over 65%. Geological problems affect the cost of civil works component of a project, because they will give rise to extra work, such as more excavation, additional steel lining in tunnels and additional concrete and shotcrete requirements, etc. It was also noted that all projects incorporating long tunnels, i.e. over 5 km, faced serious geological complications with civil cost overruns of over 60%. These geological Problems include landslides, undetected faults, weak rock conditions, soft and watering zones, and presence of clay formations. Other ground problems cited were leakage from reservoirs and poor dam site conditions (Dam foundation are often subject to large uncertainties in cost due to variations in the amount and type of excavations required.) All these projects were in developing countries and no information is available as to the quality and adequacy of the site investigation performed. According to the World Bank Paper, less than one percent of the total project cost was spent on feasibility, prefeasibility, reconnaissance and hydrological studies before the engineering design was undertaken. This is a remarkably low number compared to potential cost overruns.

The second example is taken from underground construction and tries to focus on the importance of site investigation. In 1984, the U.S. National Committee for Tunnelling Technology published a survey of 87 tunnelling and shaft projects which indicates that there is a direct relationship between the amount of site investigation undertaken and both the accuracy of cost estimates and the frequency of major claims. The median cost for site investigation was found to be 0,44% of the Engineer's estimates for the works (the ranke was from 0,01 to as much as 24,4%). It was recommended that for future tunnel works the expenditure for site investigation should be increased to an average of 3% of the estimated project cost. With this level, the deviation from the final contract figure would remain within about 10%.“

[250] BRENNER R.P., LAUFER F., KRUMDIECK M.A. Technical Risks affecting the Financing of Dam Projects: Identification and Evaluation. a.a.O., S. 133.

Obiger Auszug vermittelt sehr gut, daß die Risiken aus dem Baugrund die Rentabilität eines Einzelprojektes grundsätzlich gefährden können. Negativ beeinflußt werden können nicht nur die Baukosten und Bauzeit, sonder eventuell auch die Betriebskosten.[251]

Investoren fürchten daher die Baugrundrisiken bei Wasserkraftwerksbauten, zudem diese Projekte noch eine Vielzahl von anderen Risiken bergen (vgl. dazu die Probleme beim Wasserkraftausbau in Indien im Punkt 4.3).

5.1 Analyse des Baugrundrisikos

In der Risikoanalyse können die Baugrundrisiken in mehrere Gruppen und Untergruppen eingeteilt werden: [252]

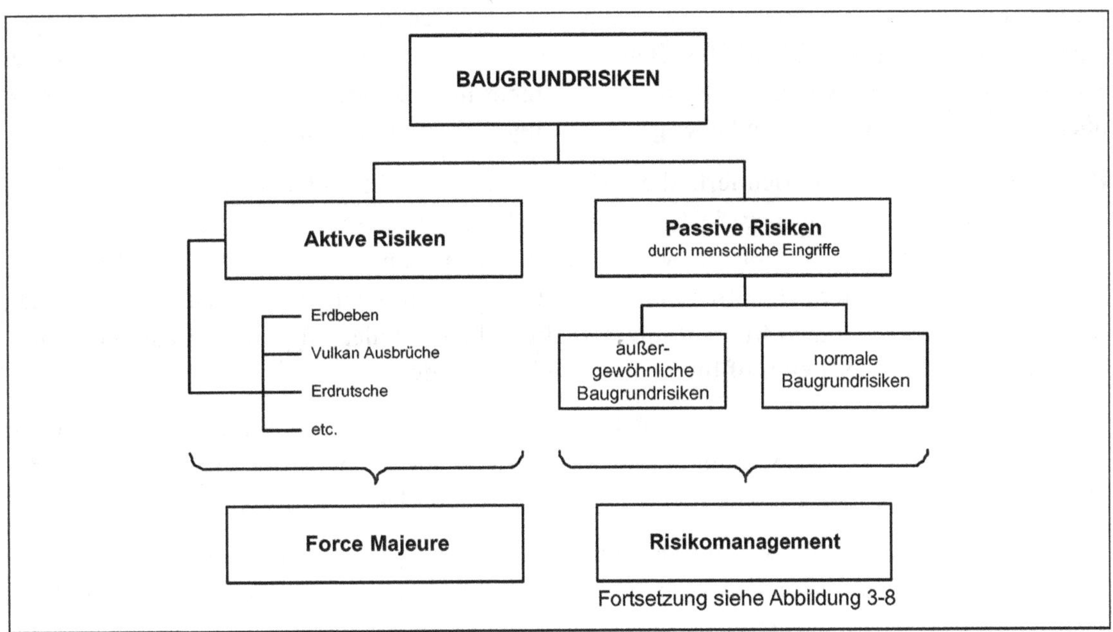

Abbildung 5-1: Grundsätzliche Systematik zur Einteilung der Baugrundrisiken.

Der Erkundungsaufwand muß sich an der Komplexität des Untergrundes und der Projektgröße orientieren. Die monetären Aufwendungen für die Erkundung sind in einer Risikoanalyse dem akzeptablen Risikolevel gegenüber zu stellen.

---

[251] z.B. Aufstaubeschränkungen bei Dammprojekten, Umläufigkeit von Dammbauwerken, Beschränkungen in der Absenkgeschwindigkeit usw.

[252] nach OXBURGH R. in BRENNER R.P., LAUFER F., KRUMDIECK M.A. a.a.O., S. 132.

Die Erkundung selbst erfolgt in einem mehrstufigen Verfahren, welches eine gezielte Untersuchung der kritischen Bereiche sicherstellen soll.

Im Wasserkraftwerksbau sind Baugrundrisiken nicht nur auf den Hohlraumbau bezogen zu verstehen, sondern auch auf die Gründung von Dämmen und Betonsperren bzw. die Umläufigkeit dieser Bauwerke, welche durch Untergrundinjektionen (Injektionsschirm) unterbunden werden muß, bzw. auch auf die materialtechnologische Eignung, der für die Dammschüttung bzw. Betonzuschlaggewinnung gedachten Abbaubereiche.

Die Baugrundrisiken können im 1. Schritt nach „außergewöhnlichen" und „normalen" Baugrundrisiken klassifiziert werden.

Unter „normalen" Baugrundrisiken versteht man die üblichen Schwankungen von Kennwerten, welche sich aus der begrenzten Bestimmbarkeit bzw. den lokal wechselnden Bedingungen ergeben können (z.B. ÖN B2203 Bandbreite der 2. Ordnungszahl für die Anzahl der Stützmittel). „Außergewöhnliche Risiken" sind nicht mehr kalkulierbar, d.h. ihr Auftreten ist unerwartet, das Schadensausmaß aber groß (z.B. unerwartete Karsthöhle).

BOT-Projekte sind profitorientiert, die Erlöse durch max. Stromtarife im Power Purchase Agreement (PPA) nach oben gedeckelt. Vielfach haben Investoren daher kein Interesse, die Mittel für eine mehrstufige geotechnische Untersuchungskampagne bereitzustellen. Dies gilt ja schon für normal finanzierte öffentliche Projekte, umso problematischer ist dies für einen Konzessionswerber in einem frühen Projektsstadium, bzw. ist dies oft praktisch kaum möglich, solange kein MOU oder Letter of Intent unterzeichnet wurde.

Falls unerkannte Risiken im Ausführungsfall schlagend werden, können diese jedoch zu nicht mehr handhabbaren Größenordnungen eskalieren. Auch besteht nur mehr die Möglichkeit der „REAKTION" anstelle des „AGIERENS" in einem frühen Planungsstadiums.[253]

Systematische Baugrunderkundung, Risiko-Identifikation und Risiko-Analyse haben ihren Preis, aber erst durch sie ist man in der Lage, auch unter schwierigen Bedingungen ein erfolgreiches Risiko-Management zu installieren.

Der Investor kennt dadurch eine realistische Bandbreite des Risikos und kann diese in die Rentabilitätsberechnungen und Finanzierungsüberlegungen einfließen lassen.

[253] z.B. Trassenverschwenkung schon im Planungsstadium.

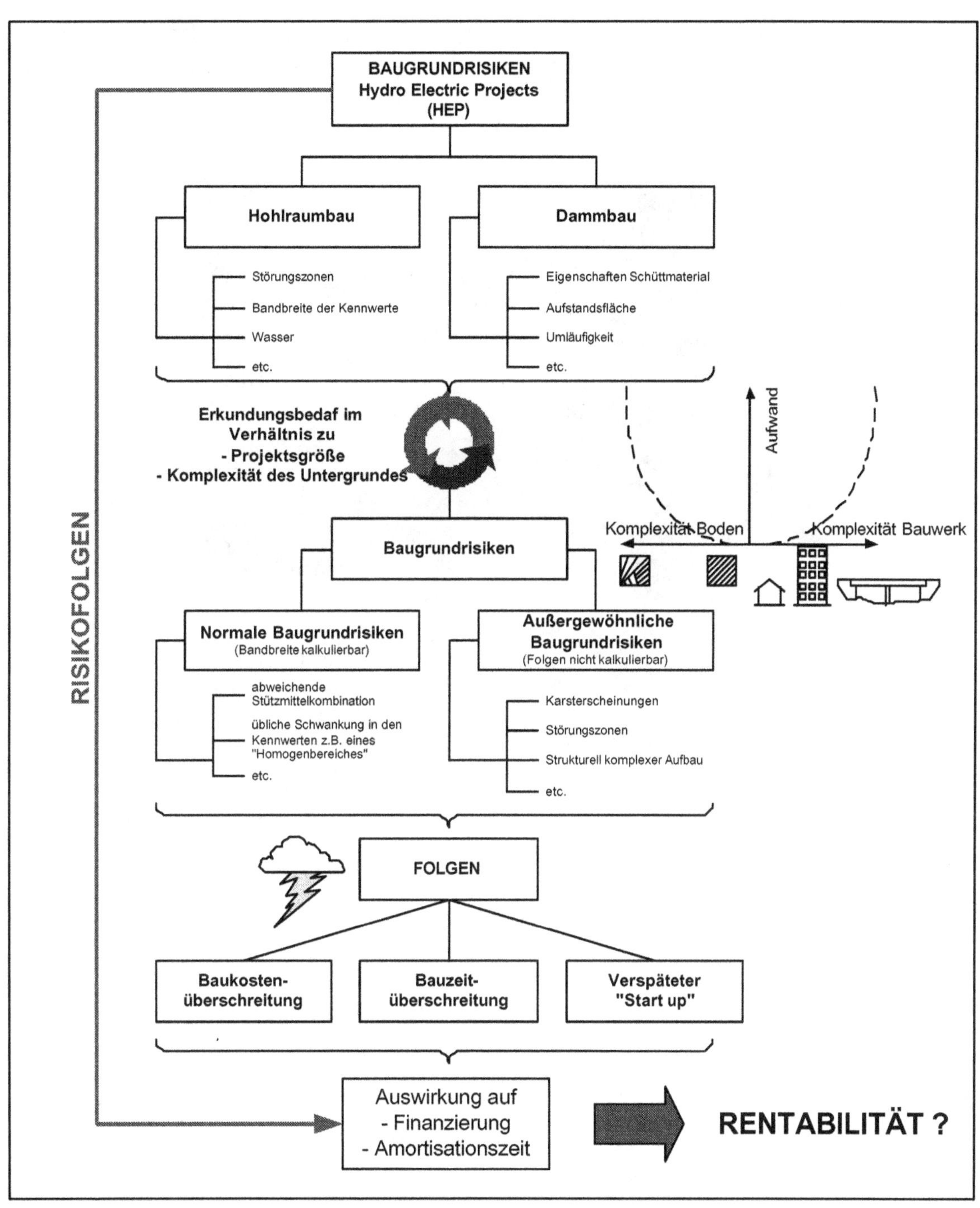

Abbildung 5-2: Baugrundrisiken bei Wasserkraftwerken und deren Folgen auf den Projektserfolg.

Elementar ist, daß die Risiken im Hohlraumbau gegenüber den Risiken anderer Bauvorhaben hoch sind. „..... *These have included concerns about safety, cost and programm overruns, leaving few potential clients willing to carry a share of the risk...* “.[254]

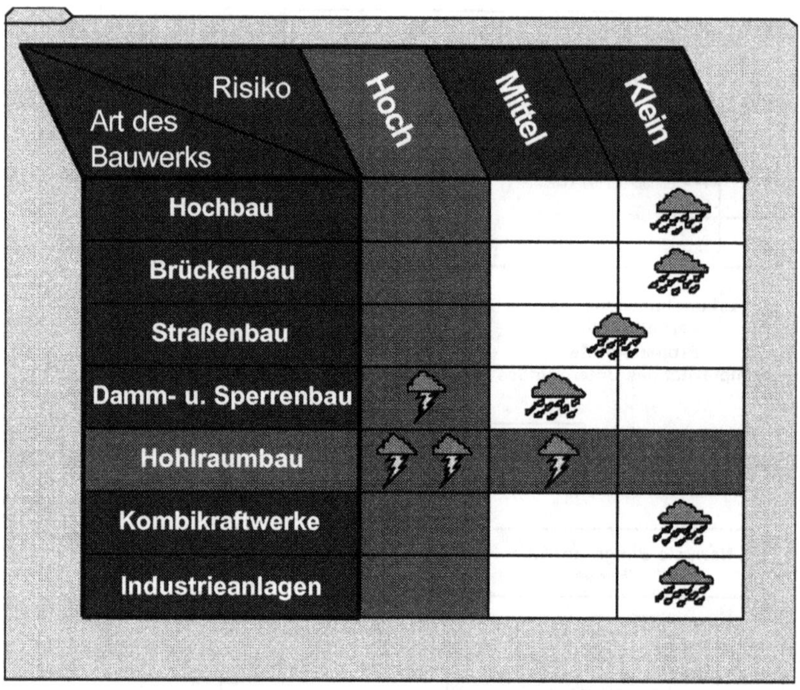

Risiko
Art des Bauwerks
Hoch
Mittel
Klein
Hochbau
Brückenbau
Straßenbau
Damm- u. Sperrenbau
Hohlraumbau
Kombikraftwerke
Industrieanlagen

Abbildung 5-3: *In der Natur der Sache liegt, daß das Baugrundrisiko im Hohlraumbau am größten ist (aus SPIEGL M. 1998).*

5.2 Einflußsphären des Baugrundrisikos

Das Baugrundrisiko läßt sich in zwei Einflußsphären unterteilen, die jedoch im Baubetrieb nicht strikt getrennt werden können:

- Erkundung, Beschreibung und Interpretation der Baugrundverhältnisse bzw. die „zur Verfügungstellung des Baustoffes Boden“ durch den Auftraggeber.
- Die sachkundige Behandlung des Baugrundes (Bauverfahren).

Nach Empfehlung der ITA[255] und gängiger Praxis in CH, BRD und Österreich liegt das Baugrundrisiko beim Auftraggeber. Im Untertagebau spielt auch die fachgerechte „Behandlung“

[254] RIGBY P.: Identifying and managing ground risks. a.a.O., S. 39.

[255] ITA-Recommendations on Contractual Sharing of Risks a.a.O. Nr. 8.

des Baugrundes eine nicht unwesentliche Rolle. Wenn man den Grundsätzen der NATM folgt und zum richtigen Zeitpunkt den erforderlichen Ausbauwiderstand herstellt[256], führt dies zu einem optimierten Verhältnis zwischen Stützmitteln, Gebirgsdeformation und dafür erforderlichen Mehrausbruch.

Eine Konsequenz dieser Betrachtungsweise ist der Übergang von einer reinen Gebirgsklassifizierung zu einer Vortriebsklassifizierung. Das Risiko des Bauverfahrens liegt in erster Linie im Einflußbereich des Auftragnehmers. Als Grenzfall ist die Verschlechterung der Vortriebsklasse durch eine ungeeignete Mannschaft vor Ort anzusehen. Dieser Vermischung geologischer (Auftraggeber) und baubetrieblicher (Auftragnehmer) Einflußfaktoren kann weniger durch vertragliche Regelungen begegnet werden, als durch eine fachkundige Bauaufsicht und Bauleitung.[257]

5.3 Klassifizierung im Hohlraumbau

Das Gebirge[258] ist das Medium in dem unterirdische Hohlräume erstellt werden, eine umfassende Erkundung und Beschreibung desselben sollte daher gerade im Falle von Betreibermodellen selbstverständlich sein – alleine schon um die eingehenden Varianten und Preise einer realistischen Wertung unterziehen zu können – erforderlich ist eine Klassifizierung des Gebirges bzw. eine einheitliche Verständigungsbasis (vgl. Geotechnische Bezugsbasis Punkt 7.4.1.2, ITA-Recommendations Nr. 8).

Gebirgs- bzw. Ausbruchsklassifizierung, das heißt die Unterteilung des Gebirges entlang einer aufzufahrenden Trasse nach bestimmten Kriterien (zu erwartende Eigenschaften, Verhalten während und nach dem Ausbruch), werden anhand der Ergebnisse der ingenieurgeologischen und felsmechanischen Untersuchungen erstellt. Sie dienen vor Baubeginn der Wahl des Bauverfahrens, der Festlegung der erforderlichen Sicherungsmaßnahmen und der Kalkulation. Während der Bauausführung erfolgt für die spätere Abrechnung und für die Überprüfung des Ausbruchsverfahrens und der Sicherungsmaßnahmen ein ständiges Vergleichen der angetroffenen mit den prognostizierten Gebirgsverhältnissen und – gegebenenfalls in

[256] FGStW74 1981: Neue österreichische Tunnelbaumethode – Definition und Grundsätze. a.a.O. / PACHER F.: Die neue österreichische Tunnelbauweise – Entwicklung, Prinzipien und Grundlagen. a.a.O. / RABCEWICZ L.: Verfahren zum Ausbau von unterirdischen Hohlräumen, insbesondere Tunneln. Patentschrift Nr. 165573, Österr. Patentamt, 1950 / VAVROVSKY G.-M.: Gebirgsdruckentwicklung, Hohlraumverformung und Ausbaudimensionierung. a.a.O., S.312-329 / SCHUBERT W. 1994: Gebirgsdruck und Tunnelbau – aus der Sicht von Rabcewicz 1944. a.a.O., S. 303-306 / KOVARI K.: Gibt es eine NÖT? Fehlkonzept der Neuen Österreichischen Tunnelbauweise. a.a.O., S. 16-25 / WOOD A.M.: To NATM or not to NATM. a.a.O.

[257] aus SCHNEIDER E., BARTSCH R.H., SPIEGL M. a.a.O., S. 121.

[258] Def. nach ÖN B2203 Untertagebauarbeiten, 1994: Teil der Erdkruste, zusammengesetzt aus Festgestein (Fels) oder Lockergestein (Boden), einschließlich der Anisotropien, Trennflächen und Hohlräume (Poren) mit Füllungen aus flüssigen oder gasförmigen Bestandteilen.

Absprache zwischen Bauherrn und Unternehmer – eine Änderung der Einstufung.[259] Die wirtschaftliche Bedeutung der Einstufung ist offensichtlich, wenn man an den progressiv steigenden Aufwand in den schlechten Klassen bzw. die stark abfallende Leistung denkt (vgl. dazu auch Abbildung 5-4).

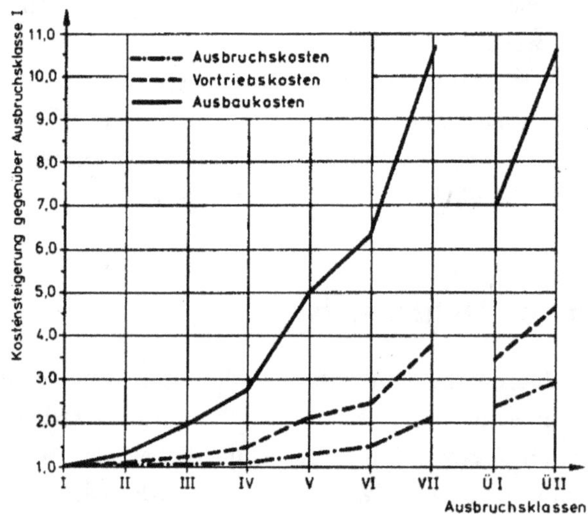

Abbildung 5-4 *Beispielhafte Kostenrelation zwischen Ausbruchsklasse und Ausbruchskosten, Vortriebskosten sowie Ausbaukosten bei zyklischem Vortrieb (Abbildung aus JOHN M., PÖTTLER R.).*

Es gibt es zwei verschiedene Wege der Klassifizierung:

- Projekts**unabhängige** Klassifizierungen folgen einem vorgegebenen Schema der Bewertung, indem verschiedene Einflußgrößen mit Zahlenwerten belegt werden → RMR nach Bieniawski oder Q-System.
- Projekts**abhängige**/Projekts**bezogene** Klassifizierungen haben den Vorteil, daß individuell auf die Erfordernisse des Projektes eingegangen werden kann. Die Erarbeitung des Systems muß jedesmal neu gemacht werden und bringt damit auch Verständigungsprobleme mit den anderen Projektbeteiligten mit sich (fehlende Vergleichbarkeit mit bestehenden Erfahrungen, z.B. beim anbietenden Bauunternehmen). Projektabhängige Klassifizierungen sind für extrem schlechte Bedingungen, Lockergesteinsvortriebe bzw. für Qualitative Systeme sinnvoll (siehe Tabelle 5-1).

---

[259] MAIDL B.: Handbuch des Tunnel- und Stollenbaus, Band II: Grundlagen und Zusatzleistungen für Planung und Ausführung. a.a.O., S. 43.

Die heute üblichen Klassifizierungssysteme können zudem von ihrer Aussage her in Qualitative und Quantitative Systeme unterschieden werden:

Tabelle 5-1: Unterscheidung nach Qualitativen und Quantitativen Klassifizierungssystemen.[260]

Qualitative Systeme oder beschreibende Systeme		**Quantitative Systeme**	
Terzaghi	(1946)		
Lauffer	(1958)		
		Deere	(1964)
		Franklin	(1970)
		Wickham, Tiedermann, Skinner (RST-System)	(1972)
		Bieniawski (RMR-System)	(1974)
		Barton, Lien, Lunde (Q-System)	(1974)
Rabcewicz, Pacher (NATM, NÖT)	(1974)		

Zu den Vor- und Nachteilen der Qualitativen und Quantitativen Systeme siehe die Beiträge von BIENIAWSKI Z.T. 1997[261] (vgl. Originalzitat auf Seite 153 und SCHUBERT W., RIEDMÜLLER G. 1999[262]).

Die Gebirgsklassifizierung[263] entwickelte sich geschichtlich aus einer mehr geologisch beschreibenden Klassifizierung des Gebirges zu einer Ausbruchsklassifizierung, die das Verhalten des Gebirges entsprechend dem angewandten Bauverfahren berücksichtigt (CH, Österreich). Schon früh wurde der Einfluß des Bauverfahrens (soll heißen Größe der offenen Querschnitte und Ausbaumethode) auf die Entwicklung des Gebirgsdruckes erkannt, z.B. von Rziha (1874):

---

[260] Tabelle aus DOBLER ST.: Gebirgsklassifizierung im Tunnelbau – Entwicklung – Stand der Technik – Aussichten. a.a.O., geändert.

[261] BIENIAWSKI Z.T.: Quo Vadis Rock Mass Classification. a.a.O., S. 177-178.

[262] SCHUBERT W., RIEDMÜLLER G.: Critical Comments on Quantitative Rock Mass Classification. a.a.O., S. 164-167.

[263] Zusammenstellung von publizierten Gebirgsklassifikationen siehe bei BIENIAWSKI Z.T. 1989, a.a.O., S. 30-31.

Die Kunst des Ingenieurs ist,
großen Gebirgsdruck fernzuhalten,
daß heißt nicht entstehen zu lassen,
eine weit größere Kunst als jene,
einmal vorhandenen Gebirgsdruck zu bewältigen.
Und möchten wir das Erste mit geistiger,
das Letztere mit roher materieller Arbeit
zu vergleichen wagen. (Franz Rziha 1874)

TERZAGHI (1946)[264] und STINI (1950) schlugen als erste eine Beurteilung nach dem Gebirgsverhalten vor.[265]

Eine der bekanntesten Klassifizierungen[266], jene nach LAUFFER H. sen. (1958, 1960) legte Gebirgsklassen nach der freien Standzeit in Abhängigkeit der wirksamen Stützweite fest.

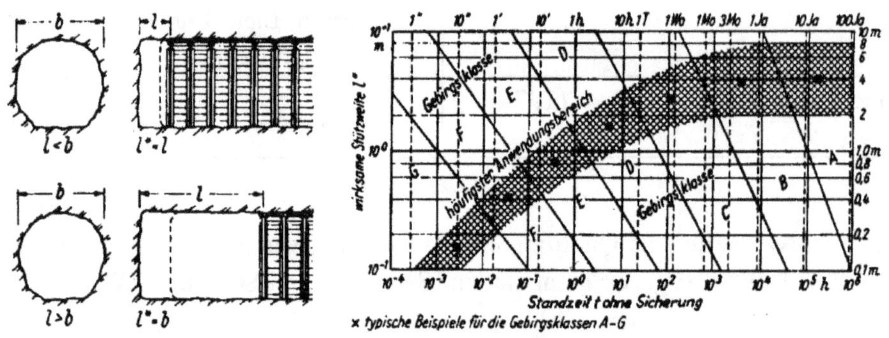

Abbildung 5-5: Definition der wirksamen Stützweite l und Klassifizierungsdiagramm nach LAUFFER H.*[267]

Mit Faktoren für die Art des Ausbruchs, des Verbaus, der Hohlraumform und Schichtung des Gebirges.[268] Damit wurden erstmals in einer Klassifizierung die unterschiedlichen

[264] Zusammenfassung auch bei BIENIAWSKI Z.T. 1989 a.a.O., S. 32-36.

[265] Siehe auch Artikel von DALLER J., RIEDMÜLLER G., SCHUBERT W.: Zur Problematik der Gebirgsklassifizierung im Tunnelbau. a.a.O., S. 443-447.

[266] HOEK und BROWN sprechen davon, daß die Klassifizierungen nach STINI (1950) und später LAUFFER (1958) in der internationalen Fachwelt lange Zeit wenig Beachtung gefunden haben, weil Sie nur in deutscher Sprache publiziert wurden, siehe bei HOEK E., BROWN E.T. a.a.O., S. 18.

[267] aus LAUFFER H.: Gebirgsklassifizierung für den Stollenbau. Geologie und Bauwesen 24, S. 46-51, 1958.

Bauverfahren berücksichtigt bzw. die Auswirkungen der unterschiedlichen Bauverfahren und Ausbaumittel auf das Gebirgsverhalten miteinbezogen.

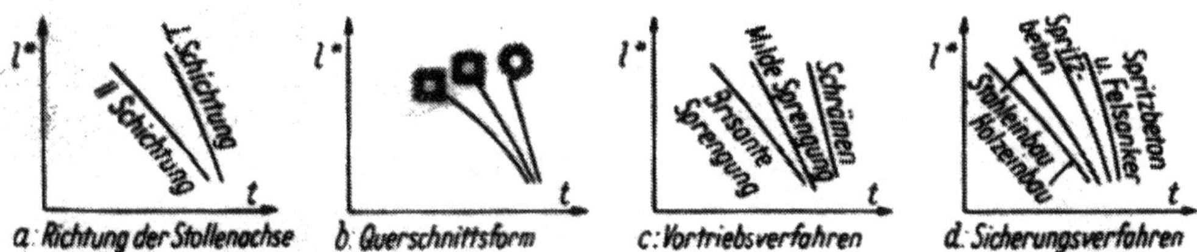

Abbildung 5-6: Einfluß des Vortriebs- und Sicherungsverfahrens auf die Standzeit nach LAUFFER H.[269]

Tabelle 5-2: Gebirgsklassen nach LAUFFER H.[270]

Gebirgsklasse	Standfestigkeit	Einbautyp
A	Standfest	Ohne Einbau
B	Nachbrüchig	Kopfschutz
C	Sehr nachbrüchig	Firstverzug
D	Gebräch	Leichte Zimmerung
E	Sehr gebräch	Mittelschwere Zimmerung
F	Druckhaft	Getriebezimmerung ohne Brustverzug
G	Sehr druckhaft	Getriebezimmerung mit Brustverzug

Durch die wachsenden theoretischen Erkenntnisse in der Felsmechanik wurden vermehrt quantitative Parameter in die Klassifizierung einbezogen.

SEEBER G. (1973) erweiterte die Klassifizierung nach LAUFFER um die felsmechanische Grenze zwischen gebrächem und druckhaftem Gebirge, basierend auf der Überlegung, daß die Tangentialspannung am Hohlraumrand (σ_t) die Einachsige Gebirgsdruckfestigkeit (σ_{gd}) überschreitet bzw. der Mohr'sche Spannungskreis im Fall $\sigma_r = 0$ und $\sigma_t = 2 \cdot \gamma \cdot H$ die Hüllkurve tangiert.

[268] LAUFFER H. sen. entwickelte seine Klassifikation für die Ausschreibung des 12,3 km langen Druckstollens (5,5 m – 7,0 m Ausbruchsdurchmesser) des Inn-Kraftwerkes Prutz-Imst; welcher unter schwierigsten Bedingungen 1953-1956 ausgebrochen wurde (SEEBER G. 1999).

[269] aus LAUFFER H. 1958 a.a.O.

[270] aus LAUFFER H. 1958 a.a.O.

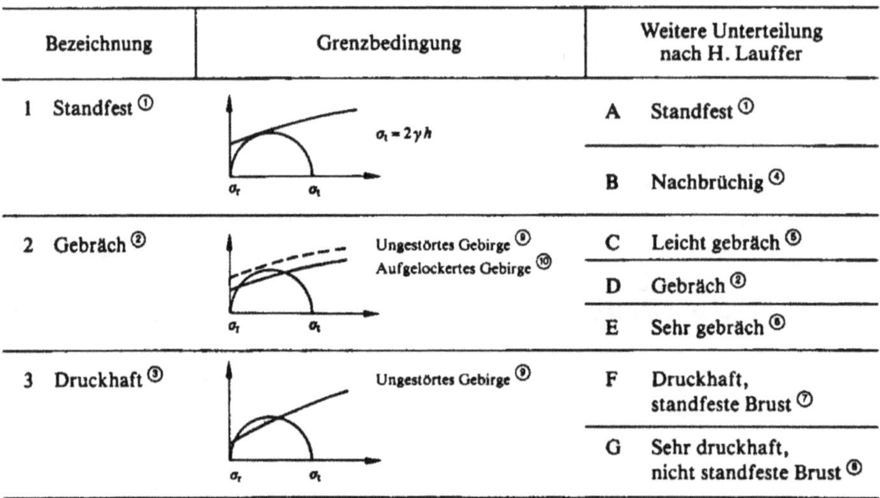

Bezeichnung	Grenzbedingung	Weitere Unterteilung nach H. Lauffer
1 Standfest ①	$\sigma_t = 2\gamma h$; σ_r σ_t	A Standfest ①
		B Nachbrüchig ④
2 Gebräch ②	Ungestörtes Gebirge ⑨ Aufgelockertes Gebirge ⑩; σ_r σ_t	C Leicht gebräch ⑤
		D Gebräch ②
		E Sehr gebräch ⑥
3 Druckhaft ③	Ungestörtes Gebirge ⑨; σ_r σ_t	F Druckhaft, standfeste Brust ⑦
		G Sehr druckhaft, nicht standfeste Brust ⑧

① bis ⑩ : Klassen nach H. Lauffer.

Abbildung 5-7: Einteilung der Gebirgsklassen nach SEEBER G.[271]

Dem Bestreben nach einer exakten numerischen Beschreibung des Gebirges kommen das RMR[272]-Verfahren von BIENIAWSKI Z.T. und das Q-System[273] von BARTON N., LIEN R. und LUNDE J. näher. Beide bedienen sich des RQD-Wertes[274] nach DEERE (1964), welcher das Verhältnis aus L_{10}/L in Prozenten angibt, wobei L_{10} die in der Bohrprobenlänge L enthaltenen Bohrstücke über 10 cm Länge bezeichnet.[275]

RMR-Verfahren: Das RMR-Verfahren wurde 1974 von BIENIAWSKI[276] [277] vorgestellt und erfaßt das Gebirge mit 6 zahlenmäßig bestimmbaren Parametern[278].

---

[271] SEEBER G.: Problematik der Gebirgsklassifizierung in druckhaftem Gebirge. XXII. Geomechanikkolloquium Salzburg, 1973.

[272] RMR = Rock Mass Rating, nach BIENIAWSKI Z.T.

[273] Q-System = Support Design Method based on Q-value.

[274] RQD = Rock Quality Designation.

[275] Dem Bohrverfahren und dem Kerndurchmesser kommt beim RQD-Wert ganz entscheidende Bedeutung zu. Siehe HOEK E., BROWN E.T a.a.O.: S. 18: HOEK und BROWN gehen von mindestens 50 mm Kerndurchmesser bei einem Doppelkernrohr aus, damit der RQD-Wert aussagekräftig wird.
Siehe auch JOHN M. 1994 a.a.O., S. 410: Vergleich der RQD-Werte für zwei verschiedene Bohrverfahren (Doppelkernrohr versus Seilkernrohr).

[276] BIENIAWSKI Z.T. 1974 a.a.O., S. 27–32.

[277] BIENIAWSKI Z.T., ALBER M.: Effektive Gebirgsklassifizierung durch systematisches Entwurfsverfahren. a.a.O., S. 437-442.

[278] BIENIAWSKI Z.T. 1989 a.a.O., S. 55.

- **Einaxiale Druckfestigkeit**
- **RQD-Index**
- **Kluftabstand**
- **Kluftrichtung**
- **Zustand der Klüfte**
- **Grundwasserverhältnisse**

Den quantitativ bestimmten Parametern sind Bewertungszahlen zugeordnet. Aus der Verknüpfung der 6 Bewertungszahlen ergibt sich eine der 5 vorgeschlagenen Gebirgsklassen (RMR I bis V).

Tabelle 5-3: RMR nach Bieniawski

Class No. RMR	I	II	III	IV	V
Description	Very good rock	Good rock	Fair rock	Poor rock	Very poor rock
Rating[279] (1974)	100 ← 90	90 ← 70	70 ← 50	50 ← 25	< 25
Rating[280] (1989)	100 ← 81	80 ← 61	60 ← 41	40 ← 21	< 20

Im englischen Wort „Rock" steckt eher die Definition, daß es sich um Fels und nicht um Lockergestein handelt. Insofern ist auch die Bezeichnung „Rock Mass Classification" besser gewählt, als die aus dem Deutschen stammende Bezeichnung „Gebirgsklassifikation"[281].

Zwischen dem RMR and Q-System besteht eine Korrelation nach folgendem Zusammenhang:

$$RMR = 9 \cdot \ln Q + 44$$

Die Versuche zur Definition einer allumfassenden Gebirgsklassifizierung waren allerdings zum Scheitern verurteilt. Zu viele unterschiedlichste Randbedingungen aus dem Bauverfahren, dem Projekt und schlußendlich der Geologie müßten dabei unter einen Hut gebracht werden.[282] Sinn

[279] Zuordnung zw. RMR und Bewertungszahl nach BIENIAWSKI Z.T. 1974 a.a.O.; entnommen MAIDL B. 1988.

[280] Zuordnung zw. RMR und Bewertungszahl nach BIENIAWSKI Z.T. 1989 a.a.O., S. 55.

[281] Gebirge definiert nach ÖN B2203 Untertagebauarbeiten, 1994: Teil der Erdkruste, zusammengesetzt aus Festgestein (Fels) oder Lockergestein (Boden), einschließlich der Anisotropien, Trennflächen und Hohlräume (Poren) mit Füllungen aus flüssigen oder gasförmigen Bestandteilen.

[282] siehe auch bei BIENIAWSKI Z.T.: Proper Use and Limitations of Rock Mass Classification in Tunneling with special reference to the R.M.R. System and the Evinos Tunnel. Gutachten für E.T.J.V. SELI-Jäger, unveröffentlicht, Pennsylvania 1995.

der Gebirgsklassifizierung im Hohlraumbau ist nicht die Forcierung eines „Kochrezeptdenkens“ → gut wiedergegeben im folgenden Satz:

> *Rock mass classifications are not to be taken as a substitute for engineering design. They should be applied intelligently and used in conjunction with observational methods and analytical studies to formulare an overall rationale for design and construction compatible with the project objectives and the site geology. They should not be used as a "cook book".*[283]

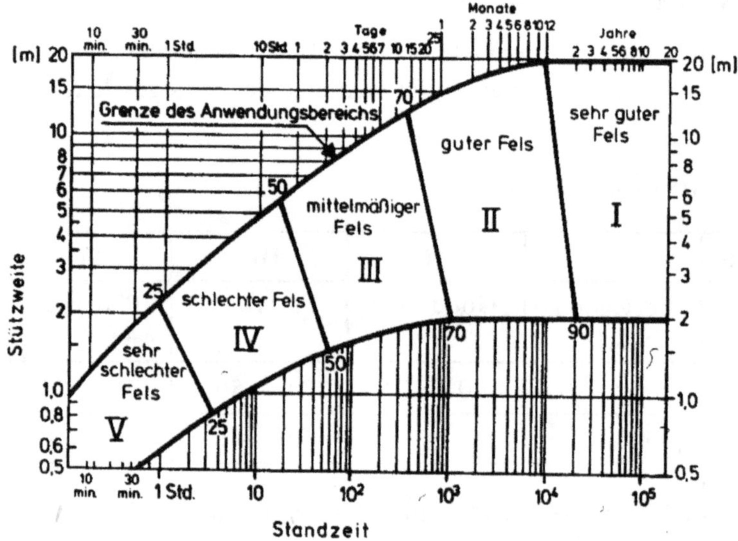

Abbildung 5-8: Gebirgsklassen (RMR) nach BIENIAWSKI Z.T. im „LAUFFER-Diagramm“.[284]

„Kochrezeptdenken“[285] widerspricht sogar fundamental dem Grundkonzept der NATM[286].

In Ermangelung einer allumfassenden Gebirgsklassifizierung werden immer wieder projektsbezogene Klassifizierungen angewandt, der Vielzahl wegen wird hier auf eine Diskussion verzichtet.

---

[283] American Society for Testing and Materials: Rock Mass Classification Systems for Engineering Purpose. STP 984, S. 26, ASTM 1988.

[284] Abbildung aus MAIDL B. 1988 a.a.O., S. 50.

[285] vgl. Sicherheitsphilosophie bei SEEBER G. 1999 a.a.O., S. 126 oder TUNNELBAU 1980, Punkt 3.3.2.1 Grundsätzliche Bemerkungen zum Sicherheitsnachweis: „.....*der Sicherheitsbegriff des Hoch- und Ingenieurbaus, der Sicherheitskoeffizienten auf Last und Werkstoff bezieht, ist nicht auf Felshohlraumbauten übertragbar.*“, S. 182, Verlag Glückauf, Essen 1979.

[286] im Text wird immer die englischsprachige Bezeichnung für die NÖT verwendet.

Es zeigt sich jedenfalls, daß es auf dem Gebiet der Gebirgsklassifikation viele interessante Ansätze gibt. Im nahen und fernen Ausland dominiert das RMR-System. Dieses ist bei den in den Alpen oder im Himalaja vorherrschenden Verhältnissen nur bedingt tauglich, weil es bei schlechten Gebirgsverhältnissen[287] bald an seine Grenzen stößt.[288]

Wichtig wäre jedoch eine vereinheitlichte Basis auf fundamentalerem Niveau, um international eine einfachere Handhabung zu ermöglichen und damit in der Angebotsbearbeitung bestehende Erfahrungen (aus anderen Projekten) direkter umsetzen zu können (vgl. Anregung von BIENIAWSKI Z.T. in: Quo Vadis Rock Mass Classification[289] *„.....Die ausschließliche Verwendung von Gebirgsklassifikationssystemen beschränkt sich auf sehr frühe Projektsphasen und ist nicht zur Bestimmung des Tunnelausbaues geeignet. Dies ist meine Überzeugung und bedeutet nicht eine Herabsetzung der Bedeutung der Gebirgsklassifikation. Gebirgsklassifikationssysteme eignen sich hervorragend, um während der generellen Planung die Gebirgsverhältnisse zu quantifizieren, Gebirgseigenschaften abzuschätzen und eine Basis für die beim Tunnelbau erwarteten geotechnischen Verhältnisse zu erhalten“*).

Als zielführend erweist sich im ersten Schritt die Unterteilung des längsgestreckten Hohlraums in sogenannte „Homogenbereiche“ – darunter versteht man Bereiche gleicher Geologie und ähnlicher Überlagerungshöhe → und damit bedingt ähnlichem felsmechanischem Verhalten.

Homogenbereiche

Über felsmechanische Überlegungen kann eine Zuordnung zu möglichen Gebirgsklassen erfolgen (vgl. Abbildung 5-9), als Eingangsparameter dazu dienen:

- **Einachsige Gebirgsdruckfestigkeit**
- **Überlagerungshöhe**
- **Seitendruckbeiwert**

Exemplarisch sei hier als Beispiel ein Auszug aus dem Geotechnical-Data-Report der VIW für das Evinos-Tunnel JV (GR) dargestellt[290]. Ähnliche Überlegungen wurden z.B. auch von JOHN K.W. und BAUDENDISTEL M. (1981) angestellt.

[287] BIENIAWSKI Z.T. 1995 a.a.O.

[288] SCHNEIDER E., BARTSCH R.H., SPIEGL M.: Vertragsgestaltung im Tunnelbau. a.a.O., S. 124.

[289] BIENIAWSKI Z.T.: Quo Vadis Rock Mass Classification. a.a.O., S. 177-178.

[290] VIW 1992: Geotechnical-Data-Report - für das Evinos-Tunnel JV (GR).

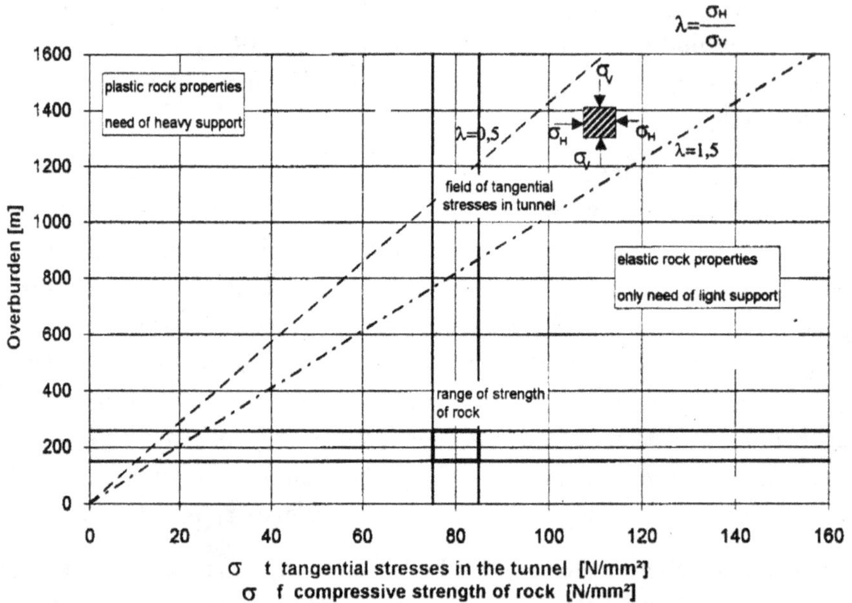

Abbildung 5-9: Unterteilung der Stollentrasse in Homogenbereiche, basierend auf geologischen Daten und den Tangentialspannungen am Hohlraumrand (VIW 1992).

Jede weitere Interpretation ist mit großen Unsicherheiten behaftet, verwiesen sei in diesem Zusammenhang an den Übergang von der Geotechnik zu den Regelstützmaßnahmen. Interessant ist in diesem Zusammenhang auch die Aussage von Schubert P.[291] (vgl. Abbildung 7-15) über die Wahrscheinlichkeit des Auftretens einer angenommenen Parameter-Kombination im Zuge einer Standsicherheitsanalyse (< 50%).

[291] SCHUBERT P.: Die Ungewißheit bei der Standsicherheitsanalyse von Felsbauwerken. Felsbau 10, Nr. 4, S. 191-195, 1992.

ÖNORM B2203

Aufbauend auf den Ideen der NATM und dem Einfluß der Hohlraumgröße und des Bauverfahrens wurde eine Vortriebsklassifizierung entwickelt, die sich unterscheidet nach (Stand ÖN B2203, Ausgabe1994):[292]

- **dem Bauverfahren**
- Zyklischer Vortrieb (Sprengvortrieb, Baggervortrieb), unterteilt in Kalotte, Strosse und Sohle
- Kontinuierlicher Vortrieb (VSM d.h. O-TBM, S-TBM)
- **der Abschlagstiefe** (= Öffnungstiefe bei zykl. VT) **bzw. der Vortriebsgeschwindigkeit** (bei kontinuierlichem VT)
- **der Anzahl der einzubauenden Stützmittel im Verhältnis zum Öffnungsquerschnitt und deren relativer Aufwand zueinander (Bewertungsfaktoren) → Stützmittelzahl**

führen im Endergebnis zu einer Vortriebsklassenmatrix.

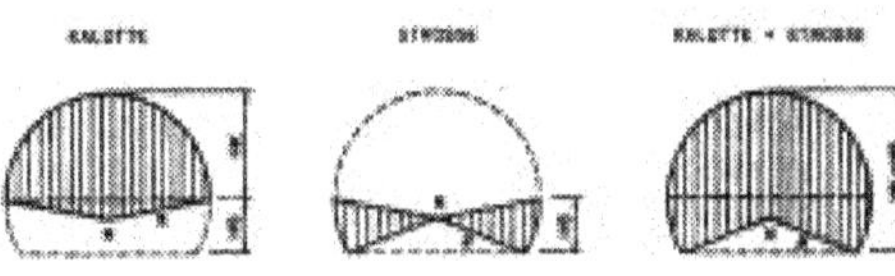

Bild 3 Bewertung der Stützmittel und Bewertungsflächen.

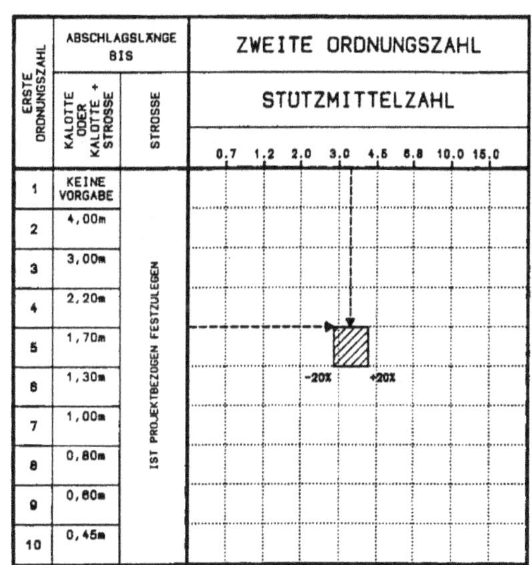

Bild 4 Vortriebsklassenmatrix.

Abbildung 5-10: Bild 3: Bewertungsflächen und Bewertungsfaktoren der Stützmittel bei zyklischem Vortrieb nach ÖN B2203; Bild 4: Beispiel für Vortriebsklassenmatrix (Abbildung aus AYADIN N. 1994.)

---

[292] AYAYDIN N.: Entwicklung und neuester Stand der Gebirgsklassifizierung in Österreich. a.a.O., S. 413-417.

SIA 198, 199:

Die schweizerische Untertagebaunorm unterscheidet zwei Gebirgsarten (Fels- und Lockergestein):[293]

- **Vortrieb im Fels:**
  - Sprengvortrieb
  - Vortrieb mit Teilschnittmaschinen
  - Vortrieb mit Vollschnittmaschinen

Wobei bei den zwei Ersteren weiter nach Ausbruchsart (Teilausbrüche) und nach Ausbruchsklasse (= Abschlagstiefe) und bei der TSM zusätzlich nach Schrämklassen unterschieden wird.

Ausbrucharten (siehe Ziffer 5 22 1)	Ausbruchklassen (siehe Ziffer 5 23 12)				
	I	II	III	IV	V
A Vollausbruch	A I	A II	A III	A IV	A V
B Kalottenausbruch	B I	B II	B III	B IV	B V
C Kalottenausbruch unterteilt			C III	C IV	C V
D Paramentstollen			D III	D IV	D V

Tabelle 6 Matrix der Ausbrucharten und Ausbruchklassen

Abbildung 5-11: Klassifizierung für Sprengvortrieb nach SIA 198.

Bei der VSM wird nach Ausbruchsart (Vollausbruch oder Aufweitung) und nach Ausbruchsklasse (= Ort des Stützmitteleinbaues) und nach Bohrklassen unterschieden.[294]

- **Vortrieb im Lockergestein:**
- **Vortrieb ohne mitlaufende Stützung**
- **Vortrieb mit mitlaufender Stützung (Messer-, Schildvortrieb)**

---

[293] SIA 198: Untertagebau / SIA 199: Erfassung des Gebirges im Untertagebau / SIA 119: Allgemeine Bedingungen für Bauarbeiten.

[294] siehe auch ANDRASKAY E.: Überlegungen zur Definition der Ausbruchsklassen in der SIA-Norm 198 Untertagebau, Ausgabe 1993. a.a.O.

DIN 18 312

Die sich heute im deutschsprachigen Raum durchsetzenden Klassifizierungssysteme stützen sich auf die Beurteilung des Baustoffes Gebirge und dessen Verhalten bei der Auffahrung des Tunnels, auf die systematische Einstufung der leistungsbestimmenden Arbeiten beim Vortrieb, d.h. auf das Ausbrechen und Sichern/Ausbauen des Gebirges.

In Österreich und in der Schweiz (siehe oben) wird nach den vortriebsbestimmenden Ausbruchs- und Sicherungsarbeiten, wie Ausbruchsart, Abschlagstiefe, Art und Umfang und Einbauort der Sicherung, in Abhängigkeit von dem zu erwartenden Gebirgsverhalten bei der Tunnelherstellung klassifiziert. Die Klassifizierungssysteme in den beiden genannten Ländern, vor allem in Österreich, sind durch die zahlenmäßige Abstufung der Abschlagstiefe und der Sicherung unmittelbar projektbezogen anwendbar.

In Deutschland kommt eine generelle Einteilung in Vortriebsklassen zur Anwendung, die sich ebenfalls auf die vortriebsbestimmenden Arbeiten stützt. Die detaillierte, quantifizierende Klassifizierung bleibt jedoch der projektbezogenen Vortriebsklassifizierung vorbehalten.[295] Die DIN 18 312 selbst beschreibt Ausbruchsklassen nur verbal.

Tabelle 5-4: Ausbruchsklassen nach VOB/C DIN 18 312.

2.3 Ausbruchklassen

2.3.1 Allgemeine Ausbruchklassen

Ausbruchklasse 1
Ausbruch, der keine Sicherung erfordert.

Ausbruchklasse 2
Ausbruch, der eine Sicherung erfordert, die in Abstimmung mit dem Bauverfahren so eingebaut werden kann, daß Lösen und Laden nicht behindert werden.

Ausbruchklasse 3
Ausbruch, der eine in geringem Abstand zur Ortsbrust (bei Vertikalschächten: Schachtsohle bzw. -firste) folgende Sicherung erfordert, für deren Einbau Lösen und Laden unterbrochen werden müssen.

Ausbruchklasse 4
Ausbruch, der eine unmittelbar folgende Sicherung erfordert.

Ausbruchklasse 4 A
Ausbruch nach Ausbruchklasse 4, der jedoch eine Unterteilung des Ausbruchquerschnitts ausschließlich aus Gründen der Standsicherheit erfordert.

Ausbruchklasse 5
Ausbruch, der eine unmittelbar folgende Sicherung und zusätzlich eine Sicherung der Ortsbrust erfordert.

Ausbruchklasse 5 A
Ausbruch nach Ausbruchklasse 5, der jedoch eine Unterteilung des Ausbruchquerschnitts ausschließlich aus Gründen der Standsicherheit erfordert.

Ausbruchklasse 6
Ausbruch, der eine voreilende Sicherung erfordert.

Ausbruchklasse 6 A
Ausbruch nach Ausbruchklasse 6, der jedoch eine Unterteilung des Ausbruchquerschnitts ausschließlich aus Gründen der Standsicherheit erfordert.

Ausbruchklasse 7
Ausbruch, der eine voreilende Sicherung und zusätzlich eine Sicherung der Ortsbrust erfordert.

Ausbruchklasse 7 A
Ausbruch nach Ausbruchklasse 7, der jedoch eine Unterteilung des Ausbruchquerschnitts ausschließlich aus Gründen der Standsicherheit erfordert.

2.3.2 Ausbruchklassen für den Vortrieb mit Vollschnittbohrmaschinen (V)

Ausbruchklasse V 1
Ausbruch, der keine Sicherung erfordert.

Ausbruchklasse V 2
Ausbruch, der eine Sicherung erfordert, deren Einbau das vollmechanische Lösen nicht behindert.

Ausbruchklasse V 3
Ausbruch, der eine Sicherung bereits im Maschinenbereich erfordert, deren Einbau das vollmechanische Lösen behindert.

Ausbruchklasse V 4
Ausbruch, der eine Sicherung bereits unmittelbar hinter dem Bohrkopf erfordert, für deren Einbau das vollmechanische Lösen unterbrochen werden muß.

Ausbruchklasse V 5
Ausbruch, der Maßnahmen besonderer Art zur Verspannung der Maschine, zur Beseitigung von Nachfall im Maschinenbereich oder zur Verfestigung von Boden oder Fels erfordert, für deren Durchführung das vollmechanische Lösen unterbrochen werden muß.

Ausbruchklasse V 6
Ausbruch vor dem Bohrkopf durch nichtvollmechanisches Lösen, für das die Maschine zum Durchfahren örtlich begrenzter Zonen stillgelegt werden muß.

---

[295] aus: BAUDENDISTEL M.: Zur Vortriebsklassifizierung in Deutschland. a.a.O., S. 418ff.

Sonstiges

In letzter Zeit wurde viel Forschungsarbeit in die Adaption, der im Zuge von konventionellen Vortrieben (D&B) entwickelten qualitativen Klassifizierungssysteme, für den TBM-Vortrieb investiert, z.B.:

Bieniawski RMR: $RMR_{TBM} = 0{,}8 \times RMR_{D\&B} + 20$

Barton Q-System: $Q_{TBM} \rightarrow$ aus Q-System Werten

6 Der Bauvertrag bei Betreibermodellen

Es ist unbestritten, daß klare Regelungen und insbesondere eine ausgewogene Risikoverteilung zwischen Bauherrn und Unternehmer eine Grundbedingung jeder erfolgreichen Bauabwicklung darstellen.[296] Dies gilt umso mehr für die komplexen Beziehungen und Verträge in Betreibermodellen, wie in den Kapiteln vorher aufgezeigt.

Es gibt vielfältigste Gründe für die Unterscheidung von Bauverträgen z.B. ist die **Art des Bauwerks** wesentlich; die daraus resultierenden Erfordernisse führen sinnvollerweise zu verschiedenen Vertragsformen.

Aber nicht nur aus diesem Grund unterscheiden sich Bauverträge für Hochbauten von jenen für Tiefbauten, auch **länderspezifisch** gibt es z.B. Unterschiede aus dem Grad der Planungstiefe und der damit verbundenen Möglichkeit der exakten Beschreibung der auszuführenden Bauaufgabe. Zur Differenzierung führen kann auch die Rechtsordnung, auf der die Verträge beruhen.[297]

Vor allem auf den internationalen Baumärkten sind in den letzten Jahren verschiedene neue innovative Wettbewerbs- und Vertragsformen entwickelt worden, die im Gegensatz zu den traditionellen auf die Bedürfnisse und Verhältnisse der modernen Bauwirtschaft ausgerichtet und damit auf die darin enthaltenen heute aktuellen Randbedingungen der Projektrealisierung abgestimmt sind.[298] Untersuchungen[299] zeigen deutlich, daß die klassische Form der Bauabwicklung in der Planung und Ausführung strikt getrennt sind, nicht mehr den aktuellen Management- und Fertigungsmethoden und damit der Realität der heutigen Bauwirtschaft entspricht.[300] [301]

In den folgenden Punkten werden kurz gängige Bauvertragsformen diskutiert und anschließend die Vor- und Nachteile speziell aus der Sicht des Hohlraumbaues angesprochen.

---

[296] KOVARI K.: Präsident der FGU im Vorwort zur Tagung Vertragswesen im Untertagebau; der FGU und VST am 2. Feb. 95 in Bern, S. 5, SIA, Bern 1995.

[297] vgl. DEMBLIN A.: Rechtsfragen des Bauexports. PORR-Nachrichten, Nr. 98,1986.

[298] vgl. auch GIRMSCHEID G. 1999c: Projektabwicklungsformen als Schlüssel zu Innovation, Risikomamagement sowie Kostenoptimierung, a.a.O.

[299] GRALLA M. erwähnt dabei Latham-Report, Banwell-Report, Atkins-Report und Egan-Report.

[300] aus: GRALLA M. a.a.O., S. 67.

[301] Hingewiesen sei hier auch auf die Arbeit von GRALLA M.: Neue Wettbewerbs- und Vertragsformen für die deutsche Bauwirtschaft – Produktivitätssteigerung und partnerschaftliche Zusammenarbeit durch den Einsatz innovativer Wettbewerbs- und Vertragsformen. a.a.O.

6.1 Welche Bauvertragsformen stehen in Verwendung?

Aus der Abwicklung von Bauprojekten haben sich die verschiedensten Formen von Bauverträgen herausentwickelt. Neben den unten zitierten Vertragsformen gibt es noch eine Vielzahl von anderen praktizierten bauvertraglichen Regelwerken bzw. Vertragsformen, welche alle zu diskutieren den Rahmen dieser Arbeit sprengen würde. Im Einzelfall werden jedoch dort, wo es erforderlich erscheint, Bezüge dazu hergestellt.

Die Vertragstypen sind nicht immer exakt gegeneinander abzugrenzen und haben fließende Übergänge.[302]

Gerade die früher klassische Trennung zwischen Planer und Ausführendem basierend auf einem Dreiecksverhältnis der Baubeteiligten „Bauherr – Planer – Unternehmer" verliert immer mehr an Bedeutung (vgl. Design & Build, GMP, Construction Management usw.).

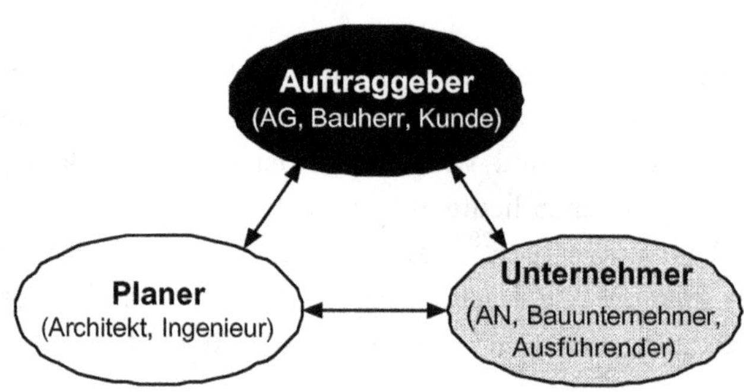

Abbildung 6-1: Beziehungsdreieck beim klassischen Bauvertrag.

Die Fragestellung könnte auch lauten: *„Welche Verträge werden wo angewandt?"*. Es zeigt sich nämlich bei der Anwendung neuer Vertragsformen ein ziemlicher Vorsprung des Anglo-Amerikanischen Raumes.[303] Vielfach kann auch nicht von anderen Vertragsformen, sondern muß von neuen Managementansätzen gesprochen werden.

---

[302] siehe auch bei CADEZ I.: Richtigen Bauvertragstyp wählen – Risikowertanalyse als Entscheidungshilfe zur Wahl des optimalen Vertragstyps. a.a.O., S. 13-15.

[303] Die Sicherstellung eines funktionierenden Wettbewerbs in der Baubranche ist bestimmt durch Regularien zur Handhabung der Marktmacht der öffentlichen Hand. Diese Regularien lähmen jedoch das öffentliche Beschaffungswesen in der freien Wahl der Vertrags- bzw. Abwicklungsform (z.B. aus dem EU-Recht motivierte Bundes- und Landesvergabegesetzgebung, Sektorenrichtlinie usw.).

Einschub: Vertragsbegriffe

Lump-sum (fixed price contract): Verträge mit einer pauschalierten Bausumme, wobei es auch hier Unterscheidungen, je nach Detaillierungsgrad gibt (vgl. VOB, ÖN):

- Lump-sum with bill of quantities → Detailpauschalvertrag
- Lump-sum with schedule of works → Globalpauschalvertrag

Turnkey: Schlüsselfertig

Cost plus fee (cost reimbursale): Selbstkostenerstattungsvertrag (Open Books sinnvoll bzw. erforderlich).

Open Books: Offenlegung aller für die Preisbildung relevanten Unterlagen durch den Unternehmer.

Österreich, Deutschland und Schweiz

In Österreich, Deutschland und der Schweiz sind dies:

- der **Einheitspreisvertrag** und
- der **Pauschalpreisvertrag** (Detail-, Global- oder Komplexer Global-Pauschalpreis)

welche in den ÖN-[304], VOB-[305] und SIA-[306] [307]Vertragsnormen, basierend auf dem Werksvertragsrecht der Bürgerlichen Gesetzgebung[308], ihren Niederschlag gefunden haben.

Die vier Haupttypen in Anlehnung an KAPELLMANN K.D., SCHIFFERS K.-H. (1996, 1997) nach der VOB (im Prinzip auch nach ÖN und SIA) sind:

- Einheitspreisvertrag mit Auftraggeber Entwurfs- und Ausführungsplanung
- Schlüsselfertigbau-Pauschalvertrag Auftraggeber Ausführungsplanung
- Schlüsselfertigbau-Pauschalvertrag mit Auftragnehmer Ausführungsplanung[309]
- Totalunternehmervertrag mit Auftragnehmer Entwurfs- und Ausführungsplanung

---

[304] siehe auch http://www.oenorm.at (Stand 30/11/99).

[305] siehe auch http://www.vob-online.de (Stand 30/11/99).

[306] siehe auch http://www.sia.ch (Stand 30/11/99).

[307] GAUCH P.: Der Werkvertrag. a.a.O.

[308] Österreich: ABGB §§1165-1174; BRD: BGB §§631-651, CH: Obligationsrecht §§ 363-379.

[309] Beispiel: Funktionale Leistungsbeschreibung NBS Köln-Rhein/Main.

Daraus ergeben sich auch die Spezifizierungen nach Generalunternehmer (GU)/Generalübernehmer (GÜ), Totalunternehmer (TU)/Totalübernehmer (TÜ) usw.

Seit der Etablierung von Standardleistungsverzeichnissen ist der Umfang der Leistungsverzeichnisse ernorm angewachsen, und häufig wäre der Ausdruck „Preisliste für Untertagebauten“ richtiger als Leistungsverzeichnis für ein bestimmtes Projekt.[310]

Vom DAUB wurden für den Untertagebau noch zusätzliche Empfehlungen zur Risikoverteilung in VOB-Tunnelbauverträgen veröffentlicht[311], weil die in der BRD übliche Umlage der Baustellengemeinkosten sich im Tunnelbau als sehr untauglich erwiesen hat.

In Österreich und der Schweiz sind die Werksvertragsnormen schon grundsätzlich besser auf die Bedürfnisse des Hohlraumbaues abgestimmt.

International

FIDIC – Standard Forms of Contract

International haben sich die „Standard Forms of Contract“ der FIDIC[312] [313] etabliert, eingebürgert hat sich eine Farbcodebezeichnung für die verschiedenen Vertragstypen (Standard-Forms).

- **Red Book:** Conditions of Contract for Works of Civil Engineering Construction (1984)
- **Yellow Book:** Conditions of contract for Electrical and Mechanical Works including Erection on Site (1987)
- **Orange Book:** Conditions of Contract for Design-Build and Turnkey (1995)

Die Entwicklungen der letzten Jahre veranlaßten die FIDIC ihre Standardverträge an die neuen Gegebenheiten anzupassen; so kam es während dem Verfassen dieser Arbeit zu einer Neuauflage bzw. eigentlich Neukonzeption der „FIDIC-Standard-Forms of Contract“ (Ausgabe 1999, 1st Edition):

[310] aus RITZ W.: Wie ist ein korrektes Angebot zu formulieren? a.a.O., S. 39.

[311] DAUB: Empfehlungen zur Risikoverteilung in Tunnelbauverträgen. a.a.O., S. 50-56.

[312] FIDIC: französisches Akronym für Federation Internationale des Ingenieurs-Conseils (dt. Internationale Vereinigung beratender Ingenieure).

[313] siehe auch http://www.fidic.org (Stand 30/11/99).

- Conditions of Contract for Construction „The Construction Contract“ (1999)314
- **Conditions of Contract for Plant and Design-Build „The Plant Contract“ (1999b)**
- **Conditions of Contract for EPC Turnkey Projects „The EPC Contract“ oder auch „Silver Book“ (1999a)**
- Short Form of Contract „The Short Form“ (1999)

Der **EPC** Contract (**E**ngineering, **P**rocure, **C**onstruct) wurde speziell auf die boomenden BOT-Modelle und sonstige Turnkey-Projekte zugeschnitten, mit Ausnahme von Arbeiten, die einen wesentlichen Anteil an Hohlraumbauten erfordern, vgl. dazu im Detail Punkt 6.2.3.5 FIDIC-Vertrag bzw. Modellkonzept Punkt 7.2.1.

Reagiert hat man offensichtlich damit auch auf die zunehmende Popularität des NEC, welcher im nachfolgenden Absatz beschrieben wird.

NEC New Engineering Contract

In England wurde 1985 vom „Legal Affairs Committee“ der ICE[315] (Institute of Civil Engineers) der Bedarf an einer grundsätzlichen Überarbeitung der bisherigen Bauvertragsregelungen (ICE Conditions of Contract[316]) erkannt. Diese Reformbemühungen mündeten im März 1993 in der Publikation der ersten Ausgabe des sogenannten NEC (New Engineering Contract), zwischenzeitlich auch ECC (Engineering and Construction Contract) genannt.

Seither findet der NEC sowohl bei öffentlichen wie auch privaten Projekten rege Anwendung (bis dato ca. 6.000 Projekte). Mit ein Grund dafür dürfte die strikte Konzeption nach folgenden Hauptkriterien sein (ohne Übersetzung)[317]:

- ***STIMULATES GOOD MANAGEMENT:*** *Its use stimulates good management of the relationship between the two parties to the contract and, hence, of the work included in the contract.*
- ***FLEXIBILITY:*** *It can be used in a wide variety of commercial situations, for a wide variety of work and in any location.*

---

[314] Planung durch den Auftraggeber und Ausführung durch den Auftragnehmer, entspricht im wesentlichen dem Einheitspreisvertrag oder Pauschalpreisvertrag nach ÖN, SIA und VOB.

[315] siehe auch http://www.ice.org.uk (Stand 30/11/99).

[316] englisches Vertragswerk für „Civil Works“, entwickelt seit 1945, derzeit 6. Auflage. In England gibt es ca. 30 verschiedene Standardforms von Verträgen, z.B. JCT, GC/Works usw., wobei sich 3 Gruppen unterscheiden lassen: Hochbauverträge, Ingenieurbauverträge und die für internationale Projekte vorgesehenen Muster der FIDIC.

[317] entnommen der NEC-Homepage: http://www.t-telford.com/nec/publications/index.asp (Stand 30/11/99).

- ***CLARITY AND SIMPLICITY:*** *It is a clear and simple document – using language and a structure which are straightforward and easily understood.*

Von den Protagonisten wird der NEC mit den folgenden Worten bedacht: *„The New Engineering Contract (NEC) is a modern day family of standard contracts that truly embraces the concept of partnership and encourages employers, designers, contractors and project managers to work together to achieve the client's objectives.*

Currently used on over 6000 projects world-wide – from small projects to the large internationally known projects such as the Channel Tunnel Rail Link, the NEC has established itself as the number one form of contract that helps to avoid disputes, delays and ultimately extra costs."[318]

Der NEC besteht aus einem Vertragsgrundgerüst und zahlreichen Optionen, dadurch ergeben sich nachfolgende Gestaltungsmöglichkeiten:

- Einheitspreisvertrag
- Pauschalpreisvertrag
- Selbstkostenerstattungsvertrag
- Managementvertrag
- Ziel- oder GMP-Vertrag (Guaranteed-Maximum-Price)

Ähnlich der FIDIC gibt es beim NEC auch mehrere „Bücher" und dazu noch zusätzliche Flußdiagramme (zwischenzeitlich alles in der 2. Auflage):

- **Engineering and Construction Contract 2nd Edition:**
  - Option A (Priced Contract with Activity Schedule) → Verpreiste Leistungsbeschreibung mit Bauprogramm
  - Option B (Priced Contract with Bill of Quantities) → Leistungsverzeichnis mit Einheitspreisen
  - Option C (Target Contract with Activity Schedule) → Richtpreisvertrag m. Bauprogramm
  - Option D (Target Contract with Bill of Quantities) → Richtpreisvertrag mit Leistungsverzeichnis
  - Option E (Cost Reimbursable Contract) → Selbstkostenerstattungsvertrag
  - Option F (Management Contract) → Management-Vertrag

[318] entnommen der NEC-Homepage: http://www.t-telford.com/nec/publications/index.asp (Stand 30/11/99).

- Engineering and Construction Subcontract: 2nd Edition
- Engineering and Construction Guidance Notes: 2nd Edition
- Engineering and Construction Contract Flow Charts: 2nd Edition
- Professional Services Contract: 2nd Edition
- Professional Services Contract Guidance Notes and Flow Charts: 2nd Edition
- The Adjudicator's Contract: 2nd Edition
- The Adjudicator's Contract Guidance Notes and Flow Charts: 2nd Edition
- Engineering and Construction Short Contract
- Engineering and Construction Short Contract Guidance Notes and Flow Charts

Target Modelle / GMP

Target Modelle stellen das Projektziel in den Vordergrund und versuchen eine möglichst frühe Einbindung aller Baubeteiligten (Stichwort „Constructing a team") sicherzustellen. Die Vertragsgestaltung soll ein Anreizsystem für besondere Leistungen bieten; kommt aus dem Anglo-Amerikanischen Raum (nach GRALLA M. leitet sich der Begriff Target Costing aus dem japanischen „Genka Kikaku" ab; einer in den 70er Jahren in Japan entwickelte Managementmethode).

Die Literatur unterscheidet drei mögliche Ziele und damit Modelle:

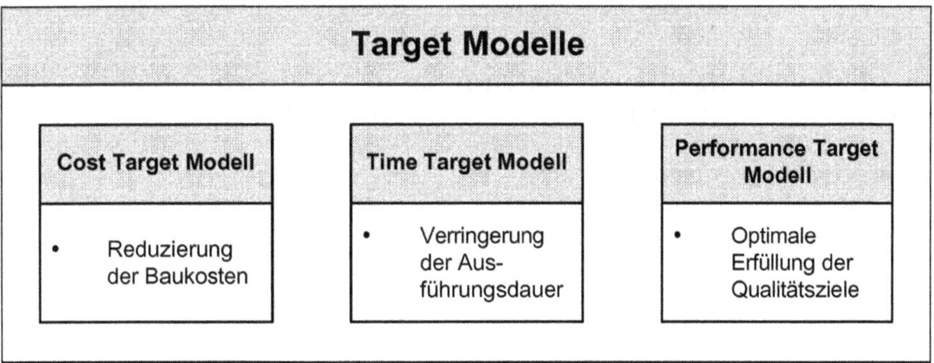

Abbildung 6-2: Target Modellformen (Abbildung aus GRALLA M.).

Der Grundgedanke der Target Contracts setzt nicht auf Bestrafung sondern auf positive Anreizmechanismen (*positive insentives*), durch Zusatzvergütung bei Unterschreitung der Bauzeit oder Baukosten (*targets*).

Das bekannteste Modell ist der „Guaranteed-Maximum-Price"-Vertrag (GMP), welcher dem Cost Target Modell entspricht. Der GMP ist vom geschuldeten Leistungsumfang her ein

Pauschalvertrag mit bei Vertragsabschluß festgelegtem Preis, der jedoch ein Maximum-Preis und nach „unten“ veränderbar ist,[319] ausgenommen eindeutige zusätzliche Leistungen.

Ein Beispiel für die Anwendung von GMP ist heutzutage die Errichtung von Chip-Fabriken als Fast-Track Projekte, wobei nach geringer Planungstiefe (conceptual design) schon ein Vertrag mit Fix-(Maximum-)Preis abgeschlossen wird.

Sonstige Bauvertragsformen und Managementansätze

- *Norwegian Tunnelling Contract System (NTCS)*
- *ITA – Recommendations on Contractual Sharing of Risks*

  Die ITA[320] hat 1988 eigene „Recommendations on Contractual Sharing of Risks“[321] für Hohlraumbauten herausgegeben (vgl. dazu Ausführungen im Punkt 6.2.3.7). welche im wesentlichen mit den grundsätzlichen Prämissen der ÖN, SIA und VOB zur Vertragsgestaltung ident sind.
- *International Contracts for the Construction of Industrial Works (UNCITRAL)*

  Für die Bauwirtschaft von geringer Bedeutung, im Detail siehe http://www.uncitral.org/en-index.htm (Stand 02/02/00).
- *Alliance Agreement / Alliance Concept (Managementansatz)*

  Die Form des „Alliance-Agreements“ kommt aus der Ölindustrie und wurde im Zuge des „Sydney Northside Storage Tunnel Projects“ erstmals für ein großes Infrastrukturprojekt im Tunnelbau verwendet.[322]

  Idee ist die Schaffung einer einzigen für alle Vorgänge (Planung, Verwaltung, Bauausführung, Kommissionier usw.) verantwortlichen Einheit.
- *Partnering (Managementansatz)*

[319] aus CADEZ I.: Ein Mix aus Chancen und Risiken – Bauverträge mit Garantierter Maximum-Preis-Vergütung. Bauwirtschaft, Heft 1, S. 20ff, 2000.

[320] ITA - INTERNATIONAL TUNNELLING ASSOCIATION http://www.ita-aites.org (Stand 20/03/00).

[321] ITA-Recommendations: Recommendations on Contractual Sharing of Risks. Jounal Tunnelling and Underground Space Technology, Pergamon Press, Vol. 3, No. 2, 1988.

[322] WALLIS SH.: Northside „Alliance“ for Sydney's cleaner harbour. T&T, S. 17-19, März 1999.

6.2 Analyse gängiger Bauvertragsformen

Die bisherigen in Bauverträgen üblichen aufwendigen und umständlichen Formulierungen wollten Streit dadurch vermeiden, daß Klauseln die Ergebnisse von Disputen vorwegnehmen. Effektiver ist es jedoch den Vertrag so zu konstruieren, daß er zu gutem Projektmanagement führt. Nur so kann den Ursachen des Streits begegnet werden[323]:

„.... *bad management is to be penalised, not insured again.*'[324] Die Tendenz geht überhaupt weg von starren Vertragsschematas hin zu modernen Managementansätzen wie z.B. Partnering.

Im Wesen von Bauverträgen (im spez. bei Einheitspreisverträgen) liegt eine gewisse Unschärfe, sowohl die Mengen und Preise, als auch die Termine betreffend. Die heile Umschiffung all dieser Klippen zeichnen den guten Bauvertrag bzw. das gute Bauvertragsmanagement aus.

Eine klassische Art der Ausschreibung soll es dem Anbieter ermöglichen, die verlangte Leistung eindeutig zu kalkulieren, die Risiken klar zu erkennen und in ihren Auswirkungen abgrenzen zu können. Bei Angeboten für Betreibermodelle ist der Bieter viel mehr auf sich gestellt, d.h. er muß die Mengen und Zeiten selbst ermitteln, die Risiken selbst erkennen usw.

Aufgabe des Bauvertrags im Betreibermodell

- Vielfach Versuch zur Abwälzung von Teilrisiken von der Betreibergesellschaft zu Bauunternehmen und Lieferfirmen.
- Unternehmerische Innovation und Leistungsfähigkeit zu stimulieren – vgl. BARTSCH R.H. (1999c), setzt voraus, daß man im Wettbewerb die Bauunternehmer in einem möglichst frühen Stadium einbindet – deshalb bei BOT sinnvollerweise schon als Mitglieder des Konzessionswerber-Konsortiums, jedoch spätestens in der Betreibergesellschaft (soll heißen, daß es gerade bei Wasserkraftwerken Sinn macht, wenn der Bauunternehmer Teil der Projektgesellschaft ist, bzw. die treibende Kraft).
- Formelle Niederschrift des Vertrages, zu dem die Bauunternehmung (falls Teil der Project Company) in die Ausführung der Bauarbeiten eintritt.

In den folgenden Abschnitten sollen kurz die Stärken und eventuelle Schwächen ausgesuchter Vertragsformen bzw. Managementansätzen diskutiert werden, um das entwickelte Bauvertragskonzept in Kapitel 7 argumentativ zu untermauern.

---

[323] aus SCHMIDT-GAYK A. a.a.O., S. 33, 1999.

6.2.1 Untersuchungskriterien

Vorausgestellt werden soll nochmals der gedachte Anwendungsbereich für das in Kapitel 7 beschriebene Bauvertragskonzept.

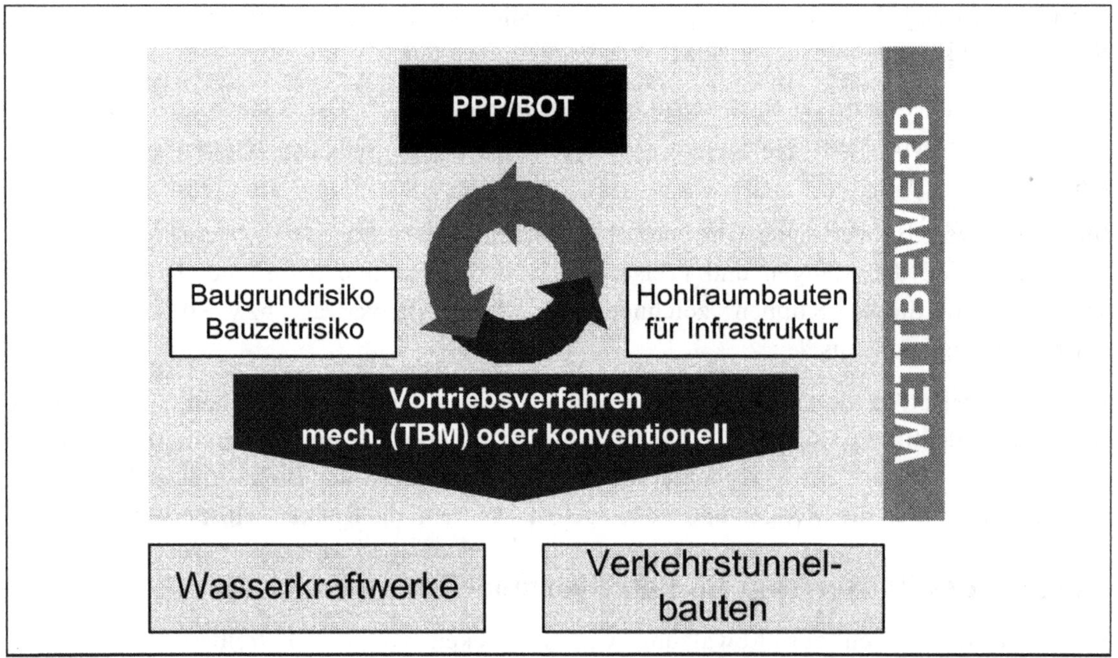

Abbildung 6-3: Fokus der Untersuchung auf die Handhabung der aus dem Untergrund resultierenden Risiken; mit besonderem Augenmerk auf die Art des Vortriebsverfahren bei langgestreckten Hohlraumbauten.

Wesentlicher Punkt der Untersuchung ist **„die Handhabung des Baugrundrisikos“.** Das Bauen – speziell Untertage – entzieht sich in vielen Bereichen einer exakten Definition, vor allem aufgrund der nie vollkommen prognostizierbaren Untergrundverhältnisse.

Neben der Problematik von Bauzeit und Kostenüberschreitung bei Hohlraumbauten (zeitkritische Hohlraumbauten → z.B. unterirdische, langgestreckte Triebwasserwege von Wasserkraftanlagen), ergeben sich bei BOT-Modellen noch höhere Finanzierungskosten, bei eventuell verkürzter Nettokonzessionszeit, wodurch die Rentabilität in Frage gestellt wird.

[324] aus SCHMIDT-GAYK A.: a.a.O, nach ROOKE, SEYMOUR: The NEC and the culture of industrial Engineering and Architectural Management, Heft 4, S. 297, 1995.

Als Untersuchungskriterien wird Augenmerk gelegt auf:[325]

→ **(01) Regelung zu den zeitgebundenen Baustellengemeinkosten**

→ **(02) Garantierte Leistungen und Bauzeit**

→ **(03) Mengenänderungen**

→ **(04) Risikotragung, speziell Risiko aus dem Baugrund, Klassifizierung**

→ **(05) Leistungsänderungen, zusätzliche Leistung**

→ **(06) Claims**

Die einem Einheitspreisvertrag z.B. auf Basis der ÖN B2061[326] zugrunde liegende Struktur der Preiskomponenten soll einen transparenten Preis liefern, d.h. in der vertieften Angebotsprüfung könnte eine fundierte Beurteilung der einzelnen Preiskomponenten erfolgen, ebenso kann eine Fortschreibung auf Basis der Urkalkulation für Nachträge bzw. deren Prüfung erfolgen. Somit ist prinzipiell eine sehr flexible Handhabung des Vertrages auf der Baustelle möglich.

Wichtig ist diese Flexibilität insofern, als es in der Detailplanung sehr oft zu Änderungen gegenüber der Ausschreibungsplanung kommt oder äußere Umstände diese erzwingen (Baugrund).

Die Änderung kann folgende Randbedingungen betreffen:[327]

- **Mengen**
- **Bauzeit und Termine**
- **Bauverfahren**

→ **(01):** Um eine den anfallenden Kosten angepaßte Vergütung zu erreichen, ist es bei Hohlraumbauten empfehlenswert, die zeitgebundenen Kosten nach Zeiteinheiten zu verrechnen, welche sinnvollerweise mit einer garantierten Vortriebsleistung verknüpft sind, damit auch ein entsprechender Leistungsanreiz besteht.

Ebenso kann bei Stillständen aufgrund von Störungen usw. die Vergütung flexibel angepaßt werden.

[325] Dieses Untersuchungsschema wird nicht starr über alle Vertragsformen durchgezogen, weil es gerade z.B. bei GMP oder Open Books eher um Managementansätze und weniger um detaillierte Vertragsformulierungen geht.

[326] ÖN B2061: Preisermittlung für Bauleistungen, Verfahrensnorm, Österreichisches Normungsinstitut, Wien 1987 und überarbeitete Neuauflage 1999.

[327] siehe auch Artikel in ÖSTERREICHISCHE BAUWIRTSCHAFT: Preisbildung am Baumarkt – Hohe Risiken lassen eine Kalkulationsgenauigkeit von nur 80% zu – im Massengüterbereich liegt die Toleranz im Promillebereich. Jg. 47, S. 6-7, 1998.

Deshalb wird in der Schweiz und in Österreich das Leistungsverzeichnis so konzipiert, daß für die zBGK eigene Positionen vorgesehen werden (auch für Stillstände u.ä.). Nach VOB werden im Regelfall die Baustellengemeinkosten auf die Leistungspositionen umgelegt – eine Empfehlung des DAUB rät jedoch, im Hohlraumbau davon abzugehen.[328]

→ **(02):** Eine getrennte Behandlung der zBGK funktioniert nur dann sinnvoll, wenn damit auch Leistungsgarantien verbunden sind. Erwähnt sei hier nur das Modell der ÖN B2203, welches von Verrechnungseinheiten für die anrechenbare Bauzeit ausgeht, falls die Leistung erreicht bzw. über- oder unterschritten wird.

→ **(03):** Unter Mengenänderung können sowohl Mehrung wie auch Minderung verstanden werden. In den meisten Bauverträgen ist diese in gewissen Grenzen ohne Einfluß auf den Einheitspreis einer Position. Die Kostenwirksamkeit resultiert aus:

- Sprungfixe Kosten (z.B. zusätzliche Mischanlage)
- Einkaufskonditionen (z.B. Mengenstaffel usw.)
- Problematisch bei Umlage der Gemeinkosten vgl. VOB, DAUB Empfehlung zur Risikoverteilung für Tunnelbauverträge.

→ **(04):** Jeder der unter Punkt 6.1 genannten Bauverträge hat einen anderen Level der Risikotragung für Auftraggeber und Auftragnehmer. Das betrifft die Bereiche Baugrund, Grundwasser, Bauzeit ebenso wie Mengenänderung oder Leistungsentfall.

Daneben spielt die Risikotragung bei Betreibermodellen in noch ganz anderen Bereichen eine Rolle, welche hier aber nicht behandelt wird.

Klassifizierung des Gebirges: Eine umfassender Diskussion über die Problematik der Baugrundklassifizierung ist unter Punkt 5.3 Klassifizierung im Hohlraumbau zu finden bzw. die Definition der Geotechnischen Bezugsbasis (GBB) für das in Kapitel 7 beschriebene alternative Modellkonzept unter Punkt 7.4.1.2.

→ **(05):** Zusätzliche Leistungen sind am einfachsten zu regeln, insofern vorher die geschuldete Leistung genau definiert wurde.

→ **(06):** Die Art und Gestaltung des Vertrages bestimmt auch was „geclaimt" werden kann. Die Regelungen zu Leistungs- und Mengenänderung, Behinderung und Force Majeure sind z.B. in SIA, ÖN, VOB grundsätzlich ähnlich geregelt.

---

[328] Siehe auch SCHNEIDER E. BLAIKNER D.: Behandlung der zeitgebundenen Kosten in Tunnelverträgen. a.a.O. S. 769-775 / GREINER O., DÖPPER H.: Bauvertrag und Risikoverteilung bei Untertagebauten am Beispiel der Triebwasserführung eines Kraftwerkes. a.a.O. S. 783-786.

6.2.2 Untersuchte Vertragsmuster

Tabelle 6-1: Untersuchte Vertragsmuster bzw. Managementansätze.

Vertragsmuster	Herkunftsland	BOT explizit	Hohlraumbau explizit	EHP[329]	PA[330]
ÖNORM	Österreich	Nein	Ja	Ja	Ja
StilfOs	Österreich	Nein	Bedingt	JA	Bedingt
VOB	Deutschland	Nein	Bedingt	Ja	Ja
DAUB	Deutschland	Nein	Ja	Ja	Nein
NBS-Köln-Rhein/Main	Deutschland	Nein	Ja	Ja/Nein	Ja/Nein
SIA	Schweiz	Nein	Ja	Ja	Ja
FIDIC/EPC Contract	International	Ja (EPC)	bei EPC → Nein	--	--
FIDIC/Plant and Design-Build	International	Nein	Nein	--	--
NEC	GB	Nein	Nein	möglich	Möglich
ITA	International	Nein	Ja	Ja	Ja
NTCS	Norwegen	Nein	Ja	Ja	k.A.
GMP/Target contracts (Managementansatz)	Japan/Anglo-Amerik. Raum	Nein	Nein	---	---
Partnering (Managementansatz)	Anglo-Amerik. Raum	---	---	---	---
Alliance Agreement (Managementansatz)	Australien	---	---	---	---

6.2.3 Auswertung

Selbst der im Land A eingeführte und bewährte Vertragstyp XY muß im Land B noch lange keine Akzeptanz finden. Grundsätzliche Mentalitätsunterschiede wie z.B. Beharren auf Bekanntem usw. sind hier nicht alleinige Ursache, primär sind es wettbewerbsmäßige Vorteile und das „Lobbying“ der dahinter stehenden Interessensgruppen.[331]

[329] Einheitspreisvertrag möglich bzw. empfohlen?

[330] Pauschalpreisvereinbarungen möglich bzw. empfohlen?

[331] Nachdem im U-Bahn Department der argentinischen Hauptstadt Buenos Aires Überlegungen angestellt wurden, zukünftig auf Österreichischen Normen basierende Bauverträge einzusetzen, kam großer Widerspruch von den vor Ort

Unabhängig von solchen Interessenskonflikten sollen die unterschiedlichen Regelungen zu den unter Punkt 6.2.1 diskutierten Untersuchungskriterien herausarbeiten werden.

In erster Linie handelt es sich dabei um die Bauvertragsnormen Österreichs, der Schweiz und Deutschlands. In diesen Ländern wurden in den letzten Jahrzehnten eine Vielzahl von Hohlraumbauten erfolgreich abgewickelt, zudem gingen in dieser Zeit entscheidende Impulse für den modernen Tunnelbau (Bauverfahren, Felsmechanik) von diesem Raum aus. Speziell auf diese Arbeit bezogen sind es gerade die großen Spitzenstromkraftwerke in den Alpen[332], welche durch eine Vielzahl von Beileitungs-, Druckstollen und Druckschächten ein großes Betätigungsfeld für innovative Ingenieure boten und teilweise immer noch – wenn auch begrenzt – bieten[333].

Die Auswertung folgt nicht starr dem Schema aus Punkt 6.2.1, speziell ist dies bei Vertragsformen, die mehr Managementansätze repräsentieren nicht sinnvoll.

6.2.3.1 ÖN-Vertrag

Die Kalkulation von Preisen für Bauleistungen ist in Österreich in der ÖN B2061 „Preisermittlung für Bauleistungen“[334] geregelt. Als Werkvertragsnormen für die Gestaltung von Bauverträgen dienen die ÖN B2110 „Allgemeine Vertragsbestimmungen für Bauleistungen“ [335] und die ÖN B2203 „Untertagebauarbeiten“[336]. Die Konzeption dieses Normwerks basiert auf dem ABGB, 2. Werkvertrag, §§1165-1174. In der Vertragshierarchie [337] bauen die Werkvertragsnormen der ÖNORM auf dem ABGB auf und dienen einer einfacheren Interpretation für die Bereiche z.B. des Bauwesens oder der Haustechnik, der sehr kurz gefaßten und im Allgemeinen nur für Juristen interpretierbaren Paragraphen zum Werkvertragsrecht.

Die ÖN B2203 „Untertagebauarbeiten“ wurde speziell für den Untertagebau konzipiert und trägt den Erfordernissen an den Hohlraumbau speziell aus Sicht der NATM- und TBM-

schon tätigen deutschen Baukonzernen – nach einer kurzen gedanklichen Hinwendung zur DIN kam Widerspruch von den dort tätigen französische Baukonzernen.

[332] z.B. Österreich: VIW Vorarlberger Illwerke, TIWAG Tiroler Wasserkraftwerke AG, TKW Tauernkraftwerke usw.; Schweiz: Oberhasli AG, EOS Energie de l'Ouest-Suisse SA usw.

[333] z.B. Neuer Kraftabstieg Cleuson-Dixence (CH) der EOS (Energie de l'Ouest-Suisse SA) u. GD (Grand Dixence SA).

[334] ÖN B2061: akt. Fassung 01/09/99, vorherige Ausgabe 01/06/87.

[335] ÖN B2110: akt. Fassung 01/11/99, vorherige Ausgabe 01/10/95.

[336] ÖN B2203: akt. Fassung 01/10/94, vorherige Ausgabe 07/83.

[337] nach Meinung z.B. von LÄNGLE P. gibt es jedoch zwischen Norm und ABGB Widersprüche in der Interpretation. Er impliziert mangelnde juristische Sachkenntnis in der Normerstellung, vgl. LÄNGLE P.: Das Entgelt beim Bauvertrag. a.a.O.

Vortriebe Rechnung. Keine Regelungen sind derzeit dort für Schild- bzw. Doppelschildvortriebe niedergeschrieben, werden derzeit aber gerade erarbeitet.

Obige Normen zum österreichischen Werkvertragsrecht kennen den Einheits- und Pauschalpreisvertrag, wobei in der österreichischen Praxis der Einheitspreisvertrag Standard ist.[338] Speziell für den Bereich des Untertagebaues, in welchem das Auftragsvolumen zur Gänze von der Öffentlichen Hand oder diesem Sektor zuordenbaren Auftraggebern kommt.

Die Übernahme des Baugrundrisikos durch den öffentlichen Auftraggeber ist in Österreich unstrittig[339], ebenso die Folgen daraus, z.B. verlängerte Bauzeit und die damit erhöhten zeitgebundenen Baustellengemeinkosten (zBGK).

Die Grundkonzeption besteht darin, daß zeitabhängige Kosten in getrennten Positionen erfaßt und somit eine einfache Anpassung an eventuell geänderte Verhältnisse erfolgen kann. Damit die Leistung des Auftragnehmers objektiv in diese Anpassung eingehen kann, ist es erforderlich, daß in der Angebotsphase vom Auftragnehmer garantierte Mindestvortriebsleistungen angegeben werden, welche als Basis für die erforderliche Anpassung herangezogen werden.[340]

Vorgesehen sind getrennte Positionen für das Einrichten und Räumen der Baustelleneinrichtung, die Instandhaltung und Vorhaltung der Baustelleneinrichtung. Dieselben bzw. noch detailliertere Unterteilungen können für Spezialgeräte (z.B. TBM) vorgesehen werden. Die Abgeltung der zeitabhängigen Leistungsverzeichnis-Positionen ist über Verrechungseinheiten (VE) mit einer Leistungsgarantie verbunden.

Der Ausbruch und der erforderliche Sicherungsaufwand werden in einer Vortriebsklassenmatrix dargestellt.

---

[338] auch in Österreich gibt es Tendenzen zu anderen Vertragsformen, vgl. auch Vortrag und Artikel von OBERNDORFER W.: Paradigmenwechsel im Bauvertrag – neue Anforderungen an die B 2110. Vortrag, anläßlich der 750. Festsitzung des Fachnormenauschußes 015 am 01.03.00 und in OBERNDOFER W.: Paradigmenwechsel im Bauvertrag. Connex, S. 6, April 2000.

[339] ABGB §1168a: „*Geht das Werk vor seiner Übernahme durch bloßen Zufall zugrunde, so kann der Unternehmer kein Entgelt verlangen. Der Verlust des Stoffes trifft denjenigen Teil, der ihn beigestellt hat. Mißlingt aber das Werk infolge **offenbarer Untauglichkeit des vom Besteller gegebenen Stoffes** oder offenbar unrichtige Anweisungen des Bestellers, so ist der Unternehmer für den Schaden verantwortlich, wenn er den Besteller nicht gewarnt hat*"

[340] vgl. auch SCHNEIDER E., BLAIKNER D.: Behandlung der zeitgebundenen Kosten in Tunnelverträgen. Tunnel for People, ITA-Kongreß Wien 97, Balkema, S. 769 - 775, Rotterdam, 1997.

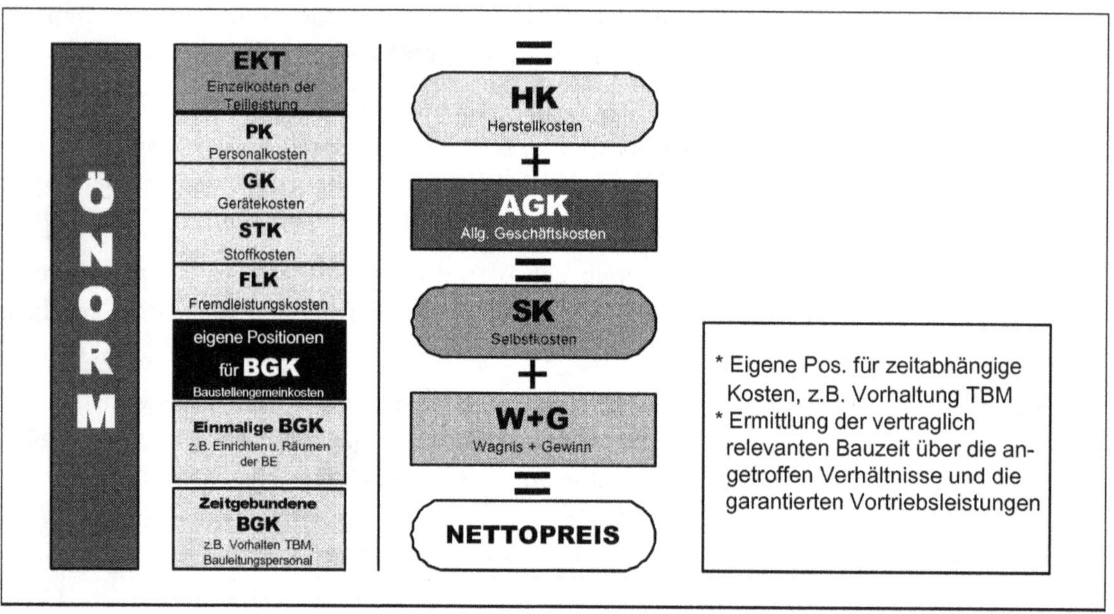

Abbildung 6-4: Aufbau der Preisgliederung nach ÖN B2061 allgemein bzw. ÖN B2203 für Untertagebauten.

Unabhängig davon gelten die Mengenänderungsschranken der 10%/20% Klausel.

Das Klassifizierungssystem der ÖN B2203 siehe im Detail unter Punkt 5.3.

Die ÖN B2203 (1995) in Kombination mit ÖN B2061 und B2110 hat sich in Österreich im Großen und Ganzen bewährt. Nichts desto trotz gibt es jedoch auch Verfechter eines Lohnstundenmodells anstelle der Vortriebsklassenmatrix (mit einer auf der Stützmittelzahl basierenden 2. Ordnungszahl).[341]

6.2.3.2 StilfOs

„StilfOs"[342] ist ein neuartiges System für Kalkulation, Vertragsgestaltung und Abrechnung von stark mengenvariablen, unvollkommen beschriebenen Bauleistungen. Entwickelt wurde es von

[341] zum Lohnstundenmodell siehe z.B. PURRER W.: Comparison of Man-Hours for Excavation and Support – The alternative substituting the support factor for ground classification of Austrian Standard ÖN B 2203. a.a.O., S. 181-185.

[342] STADLER G., REINISCH A.: StilfOs – Kalkulatorische Verknüpfung von Zeit- und Leistungsbezogenen Vergütungselementen für Bauleistungen. a.a.O., S. 8-12.

Univ.Prof. STADLER G. (TU Graz), geprägt von seinen Erfahrungen aus dem Spezialtiefbau, vor allem im Bereich der Sondermaßnahmen (Injektionen).[343]

Als Bauvertrag für ein gesamtes Großprojekt ist StilfOs nur bedingt geeignet. Für die Anwendung ist ein hoher Bauaufsichtsaufwand mit fachkundigstem Personal vor Ort erforderlich, was die Anwendung bei Betreibermodellen erschwert. Der grundsätzlichen Überlegung, daß durch *„Ansprache von gemeinsamen Interessen"* der Projekterfolg sichergestellt werden soll, kann im Sinne der Sicherstellung einer „win-win"-Situation beigepflichtet werden.

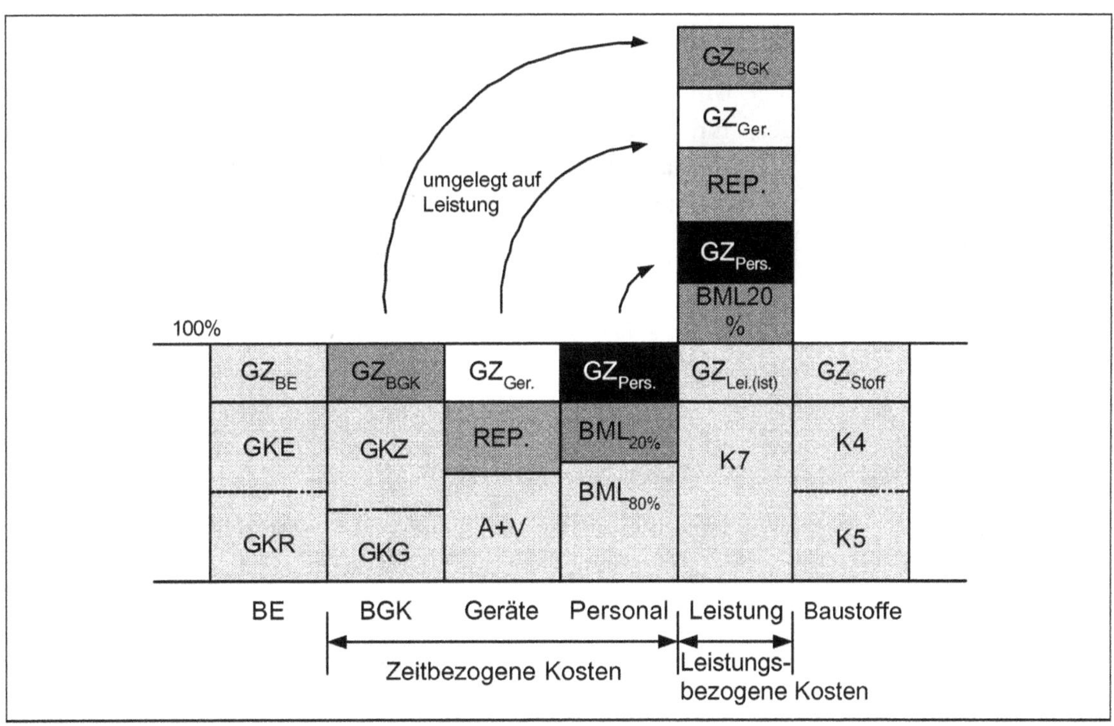

Abbildung 6-5: Umlagerung der Zeitbezogenen Kosten – Konzept „StilfOs" (Abbildung aus STADLER G., REINISCH A. 1998).

Das Vergütungsmodell hat den Vorteil, daß ohne weiteres Zutun für den Nachfrager (→ Auftraggeber) die produzierte Verrechnungseinheit an Bauleistung mit steigender

343 im Detail siehe in STADLER G., REINISCH A. a.a.O.

Produktivität billiger wird und für den Anbieter (→ Auftragnehmer) in vergleichbarem Maße der Ertrag steigt.[344]

Ein gutes Anreizsystems zur Leistungserbringung, welches für eine überschaubare Tätigkeit problemlos anwendbar ist. Inwiefern die Anwendbarkeit bei Großprojekten mit der Gesamtheit ihrer Tätigkeiten noch gegeben ist, kann hierorts nicht beurteilt werden.

Nicht gegeben ist eine Vergütung des Gesamtzuschlages (bzw. von Teilen des Gesamtzuschlages (GZ) bei Stillständen aus der Sphäre des Auftraggebers, weil es nur bei Leistungserbringung zur Vergütung derselben kommt.

6.2.3.3 VOB-Vertrag

Die VOB ist die baupraktische Umsetzung des Werkvertragsrechtes aus dem BGB, welches keine speziellen Regelungen für Bauwerksverträge enthält. Die VOB muß aber der Inhaltskontrolle aus dem Werkvertragsrecht des BGB (§§631ff) standhalten.[345] Zweck der VOB ist es, einen der Eigenart des Bauvertrages angepaßten gerechten Ausgleich zwischen den Belangen des Bauherrn und des Bauunternehmers zu schaffen.[346] [347]

6.2.3.3.1 VOB

Für den Tunnelbau sind weiters interessant:

- **VOB/C DIN 18 299** Allgemeine Regelung für Bauarbeiten jeder Art[348]
- **VOB/C DIN 18 312** Untertagebauarbeiten[349]

→ **(01):** In der VOB gibt es keinen dezidierten Hinweis zur Gestaltung des Leistungsverzeichnisses in Hinblick auf die Behandlung der Baustellengemeinkosten. In Deutschland ist

---

[344] aus STADLER G., REINISCH A. a.a.O., S. 10.

[345] VOB Teil A: Allgemeine Bestimmungen für die Vergabe von Bauleistungen. DIN 1960, Ausgabe 1992, Deutsches Institut für Normung e.V., Verlag Beuth, Berlin 1996
VOB Teil B: Allgemeine Vertragsbestimmungen für die Ausführung von Bauleistungen. DIN 1961, Deutsches Institut für Normung e.V., Verlag Beuth, 1996.

[346] BGH, Urteil zur VOB v. 30.10.1958.

[347] DAUB-Empfehlung zur Risikoverteilung in Tunnelbauverträgen: *„.. es ist anerkannt, daß die VOB/B eine im ganzen ausgewogene Regelung enthält, die den Interessen von Auftragnehmer und Auftraggeber gleichermaßen Rechnung trägt“*, a.a.O., S. 50.

[348] VOB/C 18 299: Allgemeine Regelung für Bauarbeiten jeder Art. Deutsches Institut für Normung e.V., Verlag Beuth, Berlin, 1992.

[349] VOB/C 18 312: Untertagebauarbeiten. Deutsches Institut für Normung e.V., Verlag Beuth, Berlin, 1992.

die Zuschlagskalkulation[350] zur Umlage der Gemeinkosten auf die Einzelkosten der Teilleistungen üblich.[351]

→ **(02):** Eine der ÖN gleiche Vorgabematrix für garantierte Leistungen ist in der VOB nicht explizit erwähnt.

→ **(03):** Die Mengenänderungsklausel der VOB stellt auf die Einzelposition ab und greift ab einer Änderung von 10%. Im Unterschied zur Regelung der ÖN B2110 greift diese Klausel sehr schnell, was bei Umlage der Baustellengemeinkosten auch Sinn macht.

→ **(04):** Das Baugrundrisiko liegt nach deutschem Recht grundsätzlich beim Auftraggeber. Die Vortriebsklassen werden nach DIN 18 312 ausgeschrieben. Das Klassifizierungssystem der VOB 18 312 siehe im Detail unter Punkt 5.3.

→ **(05):** Vergütungsanpassung bei Abweichung von der geschuldeten Leistung.

→ **(06):** Zu erbringende Leistungen außerhalb des geschuldeten Leistungsumfanges können grundsätzlich „geclaimt" werden.

6.2.3.3.2 DAUB

→ **(01):** Der DAUB hat den Handlungsbedarf für den Untertagebau erkannt und deshalb eine Empfehlung erlassen – **Empfehlungen zur Risikoverteilung in Tunnelbauverträgen**[352]- welche als wesentlichste Änderung das Abrücken von der Umlage der Baustellengemeinkosten und somit die Einführung von eigenen Positionen für eBGK und zBGK sowie garantierten Vortriebsleistungen zur Ermittlung der vertraglichen Bauzeit vorschlägt.

→ **(02):** tatsächliche Vortriebsklassenverteilung mit zugehörigen Leistungswerten führen zur vergüteten Bauzeit.

→ **(03) (04) (05) (06):** wieVOB, siehe unter obigem Punkt 6.2.3.3.1

---

[350] vgl. HEIERMANN W., RIEDL R., RUSAM M.: Handkommentar zur VOB Teil A und B. Bauverlag, Wiesbaden und Berlin, 7. Aufl., 1994.

[351] aus SCHNEIDER E., BARTSCH R.H., SPIEGL M. a.a.O., S. 121.

[352] DAUB 1998:: Empfehlungen zur Risikoverteilung in Tunnelbauverträgen. Deutscher Ausschuß für Unterirdisches Bauen, Tunnel Nr. 3, 1998.

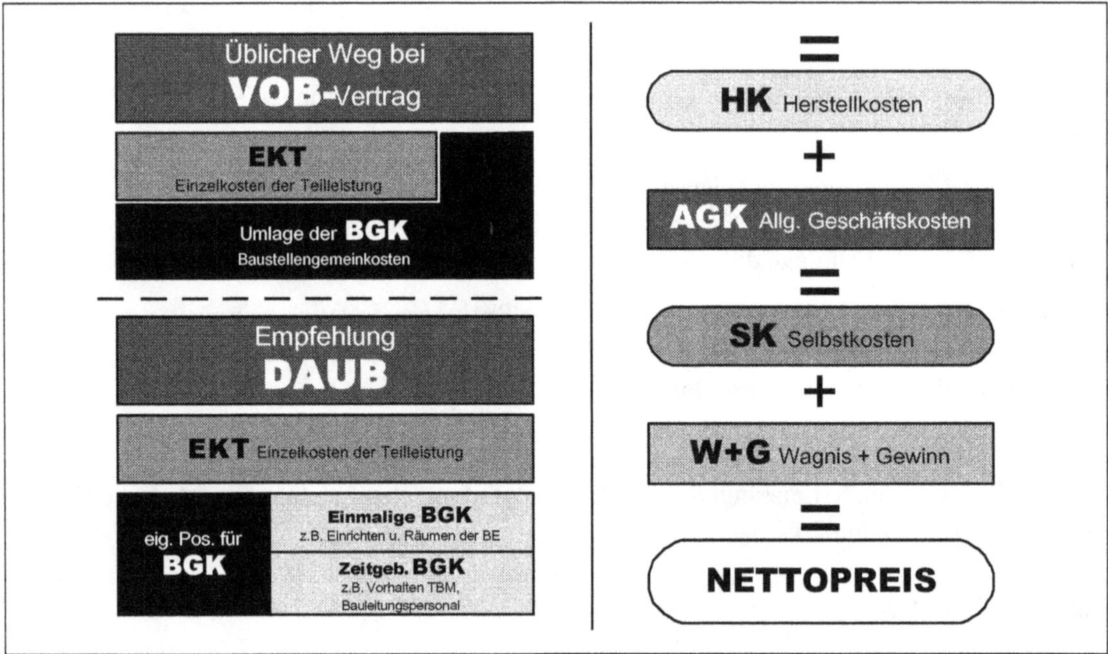

Abbildung 6-6: Aufbau der Preisgliederung nach VOB bzw. DAUB-Empfehlung.

6.2.3.3.3 Funktionale Leistungsbeschreibung bei der DB-NBS Köln-Rhein/Main

Die drei Mittellose (Baulose A, B und C) der Neubau-Hochgeschwindigkeitsstrecke Köln-Rhein/Main wurden europaweit funktional Ausgeschrieben und anschließend im Verhandlungsverfahren vergeben.

Diese Art der Ausschreibung hat viel Aufsehen und bei manchen auch Unmut erzeugt, wie eine Vielzahl von Veröffentlichungen und Vorträgen in den letzten Jahren zeigen.[353]

Aus bautechnischer bzw. tunnelbautechnischer Sicht wurden den Bietern folgende Informationen bereitgestellt (auszugsweise):

- Detaillierte Bodenaufschlüsse
- eine Auftraggeber-Prognose der Ausbruchsklassen für die Tunnel in bergmännischer Bauweise, mit den dafür zu wählenden Mindeststützmitteln, entsprechend VOB/C, DIN 18 312.

---

[353] DAUB 1997: Funktionale Leistungsbeschreibung für Verkehrstunnelbauwerke – Möglichkeiten und Grenzen für die Vergabe und Abrechnung. a.a.O., S. 62-65.

Dabei war es den Bietern freigestellt, eine eigene Ausbruchsklassenverteilung zu wählen und zu begründen. Für jede Ausbruchsklasse war ein Einheitspreis anzugeben[354]. Ebenso war eine Zusatzvergütung für etwaige Mehrwassermengen und nicht vom Auftragnehmer zu vertretende Betriebsstillstände anzubieten. Die endgültige Vergütung für jeden einzelnen Tunnel ergibt sich letztlich aus einer Mehr- und Minderkostenrechnung durch Vergleich der vertraglichen Prognose mit den tatsächlich beim Vortrieb angetroffenen Verhältnissen sowie den zwischen Auftraggeber und Auftragnehmer vereinbarten Ausbruchsklassen.

Im Sinne einer gerechten und kalkulierbaren Risikoverteilung zwischen Auftraggeber und Auftragnehmer übernimmt der Auftraggeber die Gewähr für die richtige Beschreibung der Boden- und Gebirgseigenschaften, während der Auftragnehmer das Planungs- und Verfahrensrisiko trägt.[355] [356]

Ziel: Die Intention war im Prinzip eine schlüsselfertige Strecke von A nach B zu einem fixen Preis (ausgenommen Bodenrisiko, gem. VOB) und fixem Termin → Forcierung von Innovation und Know-how der Bieter, indem die Ausführungsplanung den Bietern übertragen wurde (basierend auf den Ergebnissen der Planfeststellungsverfahren) → angestrebt wurde dadurch primär eine möglichst hohe Kostensicherheit.

Wesentlich ist, daß der Auftragnehmer bei einer angenommen besseren Ausbruchsklassenverteilung (AKL-V), als jene des Auftraggebers, das Risiko bis zu jener übernehmen muß.

Wenn das Innovationspotential und das Know-how der Bieter bei dieser Art von Wettbewerb hätten stimuliert werden sollen, dann sollte es folgerichtig auch weniger Einschränkungen in der Ausführungsplanung für den Auftragnehmer geben.

In der Diskussion werden häufig die nachfolgenden zwei Abbildungen mit den möglichen Fallkombinationen zur Verdeutlichung angeführt; besonderes Augenmerk gilt hier dem Fall 2 in der Abbildung 6-7.

---

[354] nicht für jede mögliche Ausbruchsklasse, sondern für die ausgeschriebenen und die eigenen AKL plus ev. noch weitere aus einer AKL-Preisliste.

[355] aus ESCHENBURG K.D., STERNATH R. a.a.O., S. 41.

[356] ein anderes Modell für eine Gesamtgewerkevergabe mit Pauschalvertrag kommt von PELLAR A., WATZLAR W.: Neues Vertragsmodell für konventionelle Tunnelvortriebe. a.a.O., S. 374-381.

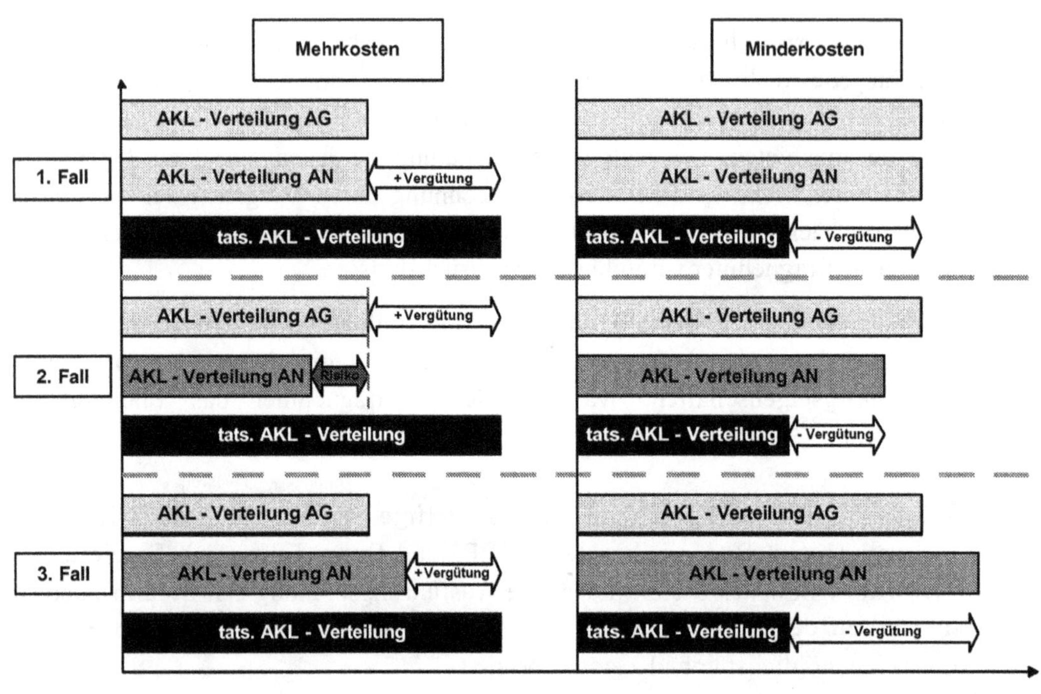

Abbildung 6-7: *Die drei möglichen Fälle für die Kalkulation bzw. Vergütung der Mehr- oder Minderkosten bei den funktional ausgeschriebenen Tunnelbauwerken der NBS-Köln-Rhein/Main der DB-Projekt AG in Abhängigkeit der vom Auftragnehmer angenommenen Ausbruchsklassenverteilung (aus BARTSCH R.H. 1999a, verändert).*

Grundsätzlich stellen sich einige Fragen:

(a) Wer ist eigentlich Bestbieter bzw. nach welchen Kriterien wurde dieser ermittelt? – oder anders gefragt – wie hätte sich ein Bieter im Wettbewerb verhalten sollen, damit er Bestbieter wird?

(b) Wie soll das Know-how und das Innovationspotential der Bieter in das Projekt einfließen, wenn die Planfeststellung schon erfolgte, bzw. die Ausführungsplanung (spez. Tunnelstatik) eine mehrstufige Prüfungs- und Genehmigungshierarchie durchlaufen muß, in welcher dem Unternehmer die Bodenkennwerte für seine Nachweisführung vorgegeben werden (Innovation, Know-how?!?) → mit Innovation der Unternehmer konnte ja nicht nur gemeint sein, ob ein Liebherr- oder Caterpillar-Radlader zum Schutter verwendet wird.

zu b) Die Problematik einer sinnvollen Einbringung von Know-how und Innovationspotential der Unternehmer bei dieser Abwicklungsform für Tunnelbauten, wurde ausführlich von BARTSCH R.H.[357] behandelt und muß demnach im wesentlichen verneint werden.

Zu a) Das günstigste „Pauschalangebot"[358] für einen Tunnel läßt sich bei diesem Verfahren unterschiedlich interpretieren.

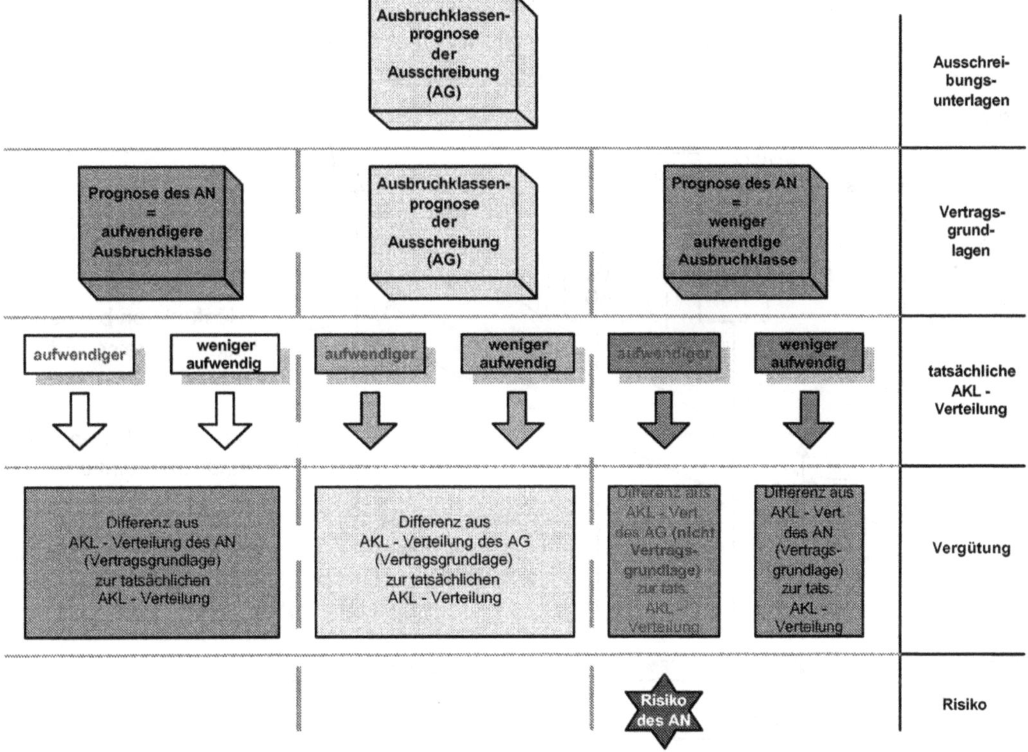

Abbildung 6-8: AKL-Verteilung und Vertragsgrundlage bzw. daraus resultierende Vergütungsansprüche bzw. Risikoübernahmen (aus BARTSCH R.H. 1999a, verändert).

---

[357] BARTSCH R.H.: Funktionale Leistungsbeschreibung mit Konstruktionswettbewerb. Ein neuer Weg für den Tunnelbau. Dissertation am Institut für Baubetrieb, Bauwirtschaft und Baumanagement, Universität Innsbruck, 1999a
BARTSCH R.H.: Funktionalausschreibung im Tunnelbau. Zu Vorteilen der Funktionalausschreibung (Teil 1). Bauwirtschaft 9, Bauverlag 1999b
BARTSCH R.H.: Funktionalausschreibung mit Konstruktionswettbewerb – Ein neues Modell für den Tunnelbau. Taschenbuch für den Tunnelbau 2000, Verlag Glückauf Essen, 1999c.

[358] Pauschalangebot ist in diesem Fall nicht der richtige Ausdruck → die Mehrkosten aus Bodenverhältnissen, welche schlechter als die Prognose des Auftraggebers waren, wurden vom Auftraggeber übernommen, ebenso wurden die Minderkosten für bessere Verhältnisse vom Auftraggeber in Abzug gebracht.

Die im Fall 2 aufgezeigte Risikoübernahme des Auftragnehmers bei Annahme einer günstigeren AKL-Verteilung trifft theoretisch nur bedingt zu. Zur Demonstration wird der nachfolgende spekulative Ansatz eines möglichen Bieters unterstellt:

Theoretisch könnte ein Unternehmer im Wettbewerb ja eine bessere AKL-V annehmen[359]*, dafür aber (geringfügig) höhere lfm-Preise kalkulieren und dabei den gleichen Gesamtpreis wie für die seriös kalkulierte Auftraggeber-Prognose ermitteln oder eben konstruieren. Die geringfügig höheren lfm-Preise können ja durch die höheren Risikozuschläge für die etwas optimistischere AKL.-V durchaus gerechtfertigt sein.*

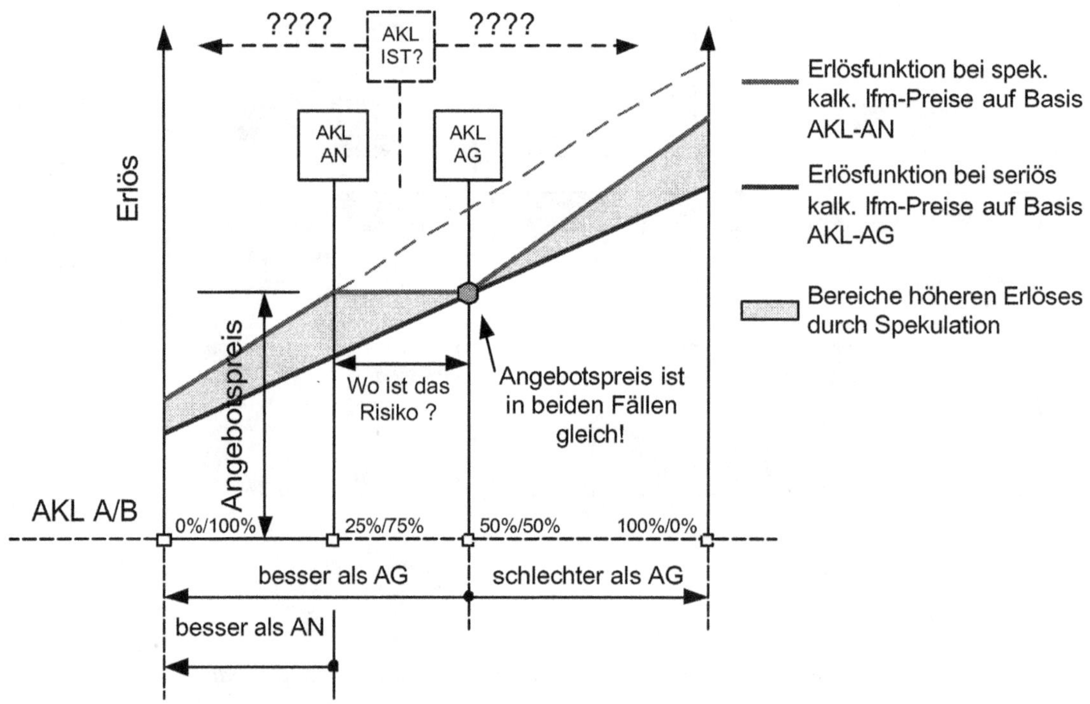

Abbildung 6-9: Simplifiziertes Beispiel für 2 AKL und Erlösfunktion entsprechend dem Verhältnis zw. AKL. A und B. Deutlich erkennbar ist die vorteilhaftere Erlösfunktion für alle Fälle außerhalb der Auftraggeber-Prognose.

Von Seiten der Projektbetreiber wird dieser spekulative Ansatz mit dem Hinweis auf den Wettbewerb und dadurch bedingte Unmöglichkeit, daß ein Bieter höhere (wenn auch nur geringfügig) lfm-Preise dem Auftraggeber „unterjubelt“ verneint. Zudem würden durch

[359] ob begründet (→ andere Erwartungshaltung an den Baugrund → Know-how?!) oder nicht (→ spekulativ), sei vorläufig dahingestellt.

Variationsrechnungen die Auswirkungen von Änderungen der AKL-V simuliert – und schlußendlich würde der Auftrag nur an einen Bieter gehen, von dessen AKL-V man sich Vorteile für den Auftraggeber verspricht.

Frage: Die „unbekannte" Bandbreite der Variationsrechnung stellt doch eine „geheime" Bewertungs- bzw. Gewichtungsgröße im Vergabeverfahren dar!?

Frage: Wenn den Auftrag nur ein Bieter bekommt, von dessen VKL-V und lfm-Preisen der Auftraggeber sich nach einer nur ihm bekannten Bewertungsbandbreite Vorteile verspricht – nach welchem Vergabekriterium soll sich ein Bieter orientieren? Zudem schon die Angebotsbearbeitung im Zuge dieser Art der funktionalen Ausschreibung nicht unerhebliche Kosten mit sich bringt.

→ **Auftragschance versus Aufwand für die Angebotsbearbeitung**

Diese Ausführungen sind insofern von Bedeutung, als sie für die Verhinderung von Auftragnehmer-Spekulationen im unter Punkt 7.4 skizzierten Vertragsmodell einen Ideenbeitrag liefern können.

Zusammenfassung: Von einer tatsächlichen Einbringung von Know-how durch die Bieter kann bei diesem Verfahren nicht gesprochen werden. Ziel war im Endeffekt den Wettbewerb insofern zu stimulieren, daß die Bieter eine möglichst große Risikoübernahme aus dem Baugrund auf sich nehmen, um damit für den Auftraggeber eine möglichst große Kostensicherheit zu erreichen.[360]

Risikoübernahmen (besser AKL-V) ohne entsprechende Risikozuschläge, d.h. höhere lfm-Preise können unternehmerisch keinen Sinn machen. Der Auftragsdruck der Bauwirtschaft wurde dadurch geschickt ausgenützt.

6.2.3.4 SIA-Vertrag

→ **(01):** Die SIA Normen 118, 198[361] sehen folgendes vor: [362]

- In die Baustelleneinrichtung sind die Vorhaltekosten der Geräte einzurechnen. Dafür ist nach NPK (Normenpositionenkatalog Bau) eine sehr detaillierte Positionierung

---

[360] inkl. Überwälzung des Planungs- und Genehmigungsrisikos für die Ausführungsplanung.

[361] SIA 118: Allgemeine Bedingungen für Bauarbeiten. Schweizer Ingenieur- und Architekten-Verein, Zürich, 1991
SIA 198: Untertagebau. Schweizer Ingenieur- und Architekten-Verein, Zürich, 1993.

[362] aus SCHNEIDER E., BARTSCH R.H., SPIEGL M. a.a.O., S. 121.

vorgesehen. Die übrigen zeitgebundenen Kosten (=Bauführungskosten) sind auf die Einheitspreise umzulegen.

- Bei Bestellungsänderungen (Mengenänderung) bleiben die Einheitspreise unverändert, da im Leistungsverzeichnis eigene Positionen für die Baustelleneinrichtung vorgesehen sind und der Mehraufwand bei der Bauführung durch die Umlage abgegolten wird.
- Schwellenwert von 2 Monaten für Vergütung der zusätzlichen Vorhaltezeit gegenüber der prognostizierten Vorhaltezeit.
- Bezahlung von 80% der Baustelleneinrichtung und Gerätevorhaltekosten bei vollständiger Betriebsbereitschaft, 100 % nach erfolgter Räumung.
- Variable Abrechnungsbauzeit entsprechend den angetroffenen Verhältnissen.

→ **(02):** Leistungsgarantien sind anzugeben; Schwellenwert von 2 Monaten für die Vergütung zusätzlicher Vorhaltezeit

→ **(03):** 20% Klausel, individuell kann auch eine andere Grenze festgelegt werden, je nachdem ob für die Baustelleneinrichtung besondere Positionen vorgesehen sind. (SIA 118, Art. 86).

→ **(04):** Nach OR Art. 365 stellt der Auftraggeber den Boden einem Werkstoff gleich zur Verfügung und trägt daher auch die Verantwortung.[363] Ausbruchsklassenverteilung wird nach SIA 198 erstellt. Das Klassifizierungssystem der SIA 198 siehe im Detail unter Punkt 5.3.

→ **(05) (06):** Abweichungen von der geschuldeten Leistung werden vergütet.

6.2.3.5 FIDIC-Vertrag

BOT, Turnkey o.ä. Projekte zeichnen sich dadurch aus, daß sie zu einem fixen Preis und fixen Fertigstellungstermin errichtet werden sollen; damit verbunden ist meist eine größere Risikoübernahme durch den Contractor. Im internationalen Projektgeschäft wurden die Standard-Forms der FIDIC als Basis herangezogen und entsprechend dem konkreten Projekt angepaßt. Die Ausgewogenheit der FIDIC Vertragsregelung (Red and Yellow Books) in Bezug auf die Risikoteilung war dadurch nicht immer mehr gewährleistet. Diese faire Risikoteilung (Red and Yellow Books) hatte für alle Beteiligten Vorteile – der Auftraggeber bekam einen niedrigeren Angebotspreis und weitere Kosten entstanden nur bei außergewöhnlichen Ereignissen. Dieses Prinzip wird in den neuen Ausgaben des **Conditions of Contract for „Construction“** bzw. **„Plant and Design-Build“** Books fortgesetzt. Für den Bereich der BOT-, Turnkey- u.ä. Projekte wurde der **EPC Turnkey Contract** veröffentlicht.

---

[363] MÄRKI E. et.al.: Vertragsplanung AlpTransit Gotthard – Ein Ergebnis von Risikoanalyse und Projektplanung. Felsbau Nr. 5, S. 382-390, 1998.

6.2.3.5.1 EPC Contract

Dieser Vertragstyp geht von einem zwei Vertragsparteienverhältnis aus, wobei ein Vertragspartner (Contractor) das Projekt plant, umsetzt, baut und dies zu einem Fixpreis und schlüsselfertiger Erstellung. Die dadurch bedingte umfassendere Risikotragung durch den Auftragnehmer schlägt sich in einem im Allgemeinen höheren Angebotspreis nieder.

Genauer Titel: Conditions of contract for EPC Turnkey Projects, gliedern sich in 3 Teile:

- General Conditions
- Guidance for the Preparation of Particular Conditions
- Forms of Letters of Tender, Contract Agreement and Disput Adjudication Agreement

Aufgrund seiner grundsätzlichen Konzeption, bzw. der im Vorwort gemachten Einschränkung, daß er für Hohlraumbauten nicht geeignet ist (siehe weiter unten), gibt es dementsprechend keine Standard-Klauseln für die Anpassung an den angetroffenen Baugrund.

Die Standard-Klauseln des EPC Contract nehmen in den Cl.4.11 und 4.12 Bezug auf die Höhe des ausreichenden Angebotspreises und eventuell unvorhersehbaren Schwierigkeiten insofern, als damit betont wird, daß der Contractor sich über seinen Preis im klaren sein muß:

Cl.4.11 Sufficiency of the Contract Price

The contractor shall be deemed to have satisfied himself as to the correctness and sufficiency of the Contract Price.

Unless otherwise stated in the Contract, the Contract price covers all the Contractor's obligations under the Contract (including those under Provisional Sums, if any) and all things necessary for the proper design, execution and completion of the Works and the remedying of any defects.

Cl.4.12 Unforseeable Difficulties

Except as otherwise stated in the Contract:

(a) the Contractor shall be deemed to have obtained all necessary information as to risks, contingencies and other circumstances which may influence or affect the works;

(b) by signing the Contract, the Contractor accepts total responsibility for having foreseen all difficulties and costs of successfully completing the works; and

(c) the Contract Price shall not be adjusted to take account of any unforeseen difficulties or cost.

Oben angeführte Klauseln schließen somit eine anpaßbare Regelung zum Thema Baugrundrisiko aus. Dies ergibt sich schon aus dem Vorwort zum EPC Contract:[364]

„These Conditions of Contract for EPC/Turnkey Projects are not suitable for use in the following circumstances:

- *If there is insufficient time or information for tenderers to scrutinise and check the Employer's Requirement or for them to carry out their designs, risk assessment studies and estimating (taking particular account of Sub-Clauses 4.12 and 5.1).*
- ***If construction will involve substantial work underground or work in other areas which tenderers cannot inspect.***
- *If the Employer intends to supervise closely or control the Contractor's work, or to review most of the construction drawings.*
- *If the amount of each interim payment is to be determined by an official or other intermediary.*

*FIDIC recommends that the Conditions of Contract for **Plant and Design-Build** be used in the above circumstances for works designed by (or on behalf of) the Contractor.*

In **Sub-Clause 4.12 Unforeseeable Difficulties** wird explizit auf das Baugrundrisiko eingegangen und auf die Standard-Forms „Plant and Design-Build" verwiesen.

Sub-Clause 4.12 Unforseeable Difficulties

*If the works **include tunnelling or other sub-surface construction**, it is usually preferable for the risk of unforeseen ground conditions to be allocated to the Employer. Responsible contractors will be reluctant to take the risk of unknown ground conditions which are difficult or impossible to estimate in advance. The conditions of Contract for Plant and Design-Build should be used in these circumstances for works designed by (or on behalf of) the Contractor.*

Der EPC Contract sieht aber Klauseln für die Anpassungen des Preises in Folge von Gesetzesänderungen (Cl.13.7 Adjustment for changes in Legislation) und Preisgleitung (Cl.13.8 Adjustment for Changes in Costs) vor.

Cl.15 Termination by the Employer: EXIT-Regelungen für „Employer" wegen Nichterfüllung des Vertragsinhaltes, Bankrott des Contractors, Bezahlung von Schmiergeldern usw.

---

[364] FIDIC: Conditions of Contract for EPC Turnkey Projects, First Edition, Lausanne 1999a.

Sub-Cl.14.1 The Contract Price: Um Änderungen gegenüber dem Vertrag auch monetär bewerten zu können, ist es von Vorteil trotz Fixpreisangebot die Preiszusammensetzung, d.h. Mengengerüst, Einheitspreise und kalkulierte Zuschläge auszuweisen.[365]

Cl.16 Suspension and Termination by Contractor: EXIT-Regelungen für „Contractor" bei Nichteinhaltung des Zahlungsplans (nach entsprechender Frist) oder Nichtnachkommen der Verpflichtungen, anhaltende Unterbrechung durch den Employer (z.B. vereinbarter Vorleistungen) usw.

Cl.17: Risk and Responsibility: Unter den Risiken des Employers (Cl.17.3) sind nochmals explizit die Risiken aus Force Majeure (Cl.19) aufgelistet.

Cl.19 Force Majeure: Der EPC Contract definiert Force Majeure als außergewöhnliches Ereignis oder Umstand:

(a) which is beyond Party's control,

(b) which such Party could not reasonable have provided against before entering into the contract

(c) which, having arisen, such Party could not reasonable have avoided or overcome, and

(d) which is not substantially attributable to the other party

beispeilhaft fallen darunter: Kriege, Geiselnahmen, Rebellion, Terrorismus, Unruhen, Streiks, Sprengmittel, Bodenkontamination in chemischer und physikalischer Art usw.

Cl.20 Claims, Disputes and Arbitration: Der Contractor ist berechtigt, Claims basierend auf dem Vertragsinhalt des EPC Contract vorzubringen (Cl.20.1).

Streitigkeiten werden mittels „Dispute Adjudication Board" geregelt (DAB; bestehend aus 1 oder 3 Mitgliedern), Einberufung eines Dispute Adjudication Board spätestens 28 Tage nachdem eine Partei dies beantragt. Bei Unzufriedenheit oder fehlender Entscheidung des Dispute Adjudication Board kann ein Schiedsgericht unter den Regeln der International Chamber of Commerce (ICC)[366] angerufen werden (oder auch Schiedsgerichtsregeln der UNCITRAL[367]).

In vielen Fällen kann ein fundiertes Angebot nur erstellt werden, wenn von den Anbietern selbst Untersuchungen (z.B. bei Wasserkraftwerken in den Bereichen Geologie,

---

[365] Hingewiesen sei in diesem Zusammenhang auf die Problematik mit zu detailliert hinterlegten Pauschalpreisen. In Österreich wird ein Pauschalpreis basierend auf detaillierten Mengen und Einheitspreisen als „unechter Pauschalvertrag" interpretiert und dementsprechend abänderbar ist damit auch der Pauschalpreis; siehe z.B. bei KROPIK A., KRAMMER P.: Mehrkostenforderung beim Bauvertrag. a.a.O., S. 18-23.

[366] International Chamber of Commerce http://www.iccwbo.org (Stand 04/04/2000).

[367] Schiedsgerichtsregeln der UNCITRAL http://www.uncitral.org/en-index.htm (Stand 04/04/2000).

Hydrogeologie, Hydrologie, Access to site usw.) gemacht werden. Diese Arbeiten sind entsprechend dem erforderlichen Umfang mit Kosten verbunden, gerade hier zeigt sich wieder ein großer Nachteil für die Wasserkraft, wenn nicht schon vom Konzessionsgeber ausreichende Untersuchungen angestellt worden sind. Falls diese Arbeiten von den Konzessionswerbern gemacht werden, kann theoretisch auch eine Kostenerstattung erfolgen[368]. Theoretisch deshalb, weil diese Möglichkeit eher für den Fall praktikabel erscheint, daß bereits ein konkreter Bewerber sich mit dem Design beschäftigt. Der EPC Contract äußert sich dazu folgendermaßen: *„Understandably, tenderers are often reluctant, in the face of intense competition, to incur great expense in the preparation of tender designs. When preparing the instructions to Tenderers, thought should be given as to the extent of detail which tenderers can realistically be expected to prepare and include in their Tenders. The extent of detail required should be described in the Instructions to Tenderers. Note that there can be no description in the documents which will constitute the contract, which only comes into full force and effect when the agreement is signed. Consideration may be given to offering some remuneration to tenderers if, in order to provide a responsive Tender, they have to undertake studies or carry out design work of a conceptual nature.“*.

Zusammenfassung EPC Contract

Der Vertragstyp geht von einem zwei Vertragsparteienverhältnis aus, wobei vom Contractor das Projekt geplant und realisiert wird, zu einem Fixpreis und nach einem fixen Terminplan. Dies bedingt eine weitergehende Risikoübernahme durch den Contractor, umgekehrt für den Employer eine erhöhte Kostensicherheit.

Die Natur des Baugrundes bzw. der daraus resultierenden Risiken (primär im Hohlraumbau) steht im Widerspruch zu obigen Zielen, daher wird auch schon in der Einleitung für solche Projekte vom EPC Contract abgeraten und auf den Plant and Design-Build Contract verwiesen.

Nicht unerwähnt bleiben soll, daß von der EIC[369] durchaus massive Kritik am EPC Contract kommt.[370]

6.2.3.5.2 Conditions of Contract for Plant and Design-Build

Nachdem die FIDIC den EPC Contract für BOT- bzw. Turnkey-Projekte mit relevantem Baugrundrisiko für nicht geeignet hält und daher auf die Standard-Forms der „Conditions of Contract for Plant and Design-Build“ verweist, sollen im nachfolgenden die wesentlichen

[368] vgl. FIDIC, EPC Turnkey Projects: Guidance for the Preparation of Particular Conditions. S. 4.

[369] EIC: European International Contractors http://www.eicontractors.de (Stand 25/04/00).

[370] siehe "EIC Contractor's Guide" to the FIDIC Conditions of Contracts for EPC Turnkey Projects ("Silver Book") unter http://www.eicontractors.de/comments.htm (Stand 25/04/00).

Unterschiede und Mechanismen in Bezug auf das Baugrundrisiko aufgezeigt werden (der Text unterscheidet sich nur in ca. 10% vom EPC Contract).

Dieser Vertragstyp geht von einem zwei Vertragsparteienverhältnis aus, mit Einschaltung eines vom Employer beauftragten „Engineers", welcher in keinem Vertragsverhältnis zum Contractor steht. Das Detail-Design wird aber vom Contractor erbracht.

Conditions of Contract for Plant and Design-Build, gliedert sich in die drei gleichen Teile:

- General Conditions
- Guidance for the Preparation of Particular Conditions
- Forms of Letters of Tender, Contract Agreement and Disput Adjudication Agreement

Auf Abweichungen zwischen der Planung und der Ausführung wird z.B. in **Cl.4.7 Setting Out** hingewiesen, Lösung durch Fristverlängerung und/oder Mehrkosten.

Cl.4.10 Site Data: Dem Contractor sind alle verfügbaren Daten über die Untergrundverhältnisse zur Verfügung zu stellen.

Cl.4.12 Unforeseeable Physical Conditions: Darunter fallen z.B. das Baugrundrisiko und hydrologische Risiken nicht aber das Wetterrisiko. Lösung durch Fristerstreckung und/oder Mehrkosten.

Sub-Clause 4.12: Hier wird die Möglichkeit einer prozentuellen Teilung des Baugrundrisikos vorgeschlagen.

Cl.8.4 Extension of Time: Fristverlängerung bei unverschuldetem Verzug, Zuordnung in die Sphäre des Employers (Baugrund).

Cl. 13.1 Right to Vary: Employer hat das Recht Teile des Projekts umzuplanen, gegen Kostenerstattung.

CL.13.2 Value Engineering: Alternativvarianten auf Kosten des Contractors.

Cl. 13.6 Daywork: Regelungen zu erforderlichen Regiearbeiten (für kleineren Umfang).

Cl.13.8 Adjustments of Changes in Cost: Regelung für die Preisgleitung.

Sub-Cl.14.1 The Contract Price: Um Änderungen gegenüber dem Vertrag auch monetär bewerten zu können, ist es von Vorteil trotz Fixpreisangebot die Preiszusammensetzung, d.h. Mengengerüst, Einheitspreise und kalkulierte Zuschläge auszuweisen (gleich wie EPC Contract). Gemeinsames Aufmaß der ausgeführten Arbeiten durch Engineer und Contractor.

Sub-Cl.14.5 Currencies of Payment/Financing Arrangement: Kommerzbanken bevorzugen Verträge, welche mehr Kostensicherheit gewährleisten und daher die Rechte des Contractor sehr einschränken, in diesem Fall wird der EPC Contract bevorzugt.

Cl.16.1 Contractor's Entitlement to Suspend Work: Möglichkeit des Vertragsausstieges für den Contractor bei nicht Einhaltung des Zahlungsplans oder nicht Erfüllung von Vorleistungen bzw. Vertragsbedingungen durch den Employer usw.

Cl.17.3 Employer's Risk bzw. 17.4 Consequences of Employer's Risk: Für die aus Force Majeure resultierenden Risiken stehen dem Contractor Bauzeitverlängerung und/oder Mehrkosten zu.

Clause 19 Force Majeure: Def. Siehe oben, gleich wie EPC Contract.

Clause 20 Claims, Disputes and Arbitration: Im wesentlichen gleiche Regelungen wie EPC Contract.

Sub-Cl.20.2 Appointment of the Dispute Adjudication Board: Als Vertreter des Employer ist der Engineer als Erster mit der Behandlung von Nachträgen konfrontiert (Pre-Arbitral-Decision). Diese traditionelle Rollenverteilung setzt aber voraus, daß der Engineer als unabhängiger, kompetenter Consulter agiert[371] und die entsprechende Erfahrung und Ressourcen für eine umfassende Behandlung solcher Aufgaben hat. Erst wenn es dabei zu keiner Lösung kommt, startet das gleiche Prozedere von Dispute Adjudication Board und Schiedsgericht wie im Fall des EPC Contract.

Die Kostenerstattung für zusätzlich erforderliche Untersuchungen bei der Erstellung von Angeboten gleicht der Regelung wie im EPC Contract (siehe oben).

Zusammenfassung FIDIC

Am praktikabelsten ist es daher, wenn der EPC Contract durch ein Sub-Modul für Hohlraumbauten erweitert wird (siehe Punkt 7.2.1) und für die sonstigen Arbeiten und Lieferantenverträge der zwischenzeitlich gut eingeführte EPC Contract Anwendung findet.

6.2.3.6 NEC/ECC

Der NEC/ECC bietet die ganze Bandbreite von Einheitspreis, Pauschalpreis, cost plus fee, Managementvertrag, GMP usw. Wesentlich ist, daß mit konsequenter Umsetzung von neuen Managementansätzen versucht wird, die Bauabwicklung wieder mehr zu einem Miteinander, als zu einem Gegeneinander zu machen.[372]

---

[371] nach Cl. 3 ist der Engineer Auftragnehmer des Employer's und somit diesem verpflichtet. Die Gratwanderung zwischen unparteiischem Schlichter und Vertragspartner des Employers - diese traditionelle Rollenverteilung der Planer wird auch in Österreich immer mehr von einem einseitig agierenden Vertreter des Bauherrn abgelöst, welche in einzelnen Fällen auch schon mit Prämien für die Einhaltung von Angebotsummen motiviert werden.

[372] Siehe auch ROOKE J., SEYMOUR D.: The NEC and the culture of the industry: some early findings regarding possible sources of resistance to change. a.a.O., S. 287-305.

Der wichtigste Ansatz ist sicher das Einschalten von unabhängigen Projektbegleitern[373] (obligatorische Schiedsgutachterabrede), welche möglichst sofort alle anstehenden Probleme einer Lösung zuführen. Dadurch können Termine eingehalten werden und es gibt auch keine sich jahrelang hinziehenden Schlußrechnungsprobleme.

Mit der Schiedsgutachterabrede des NEC/ECC wurden bisher vorwiegend gute Erfahrungen gemacht. Von verschiedenen Autoren werden in Erfahrungsberichten auch Zahlen genannt, so hat z.B. der britische Flughafenbetreiber BAA und der südafrikanische Energieerzeuger ESKOM[374] komplett auf NEC umgestellt[375]. Bei ca. 1.500 NEC Verträgen der ESKOM bis 1997 wurden die Termine überwiegend eingehalten, die Schlußrechnungen waren ca. 2 Monate nach Baufertigstellung beglichen und nur in 2 Fällen mußte der Schiedsgutachter wirklich eingeschaltet werden. BINGHAM[376] kommt zu der Schlußfolgerung, daß die bloße Anwesenheit eines Schiedsgutachters, der zu einer schnellen Streitentscheidung kommen würde, die Parteien kompromißbereiter mache.[377]

Die wenige Kritik am NEC/ECC kommt vorwiegend aus juristischen Kreisen und äußert sich in der Ablehnung der vereinfachten Formulierungen des Mustervertrages.[378] Eine Kritik mit der es sich als Bauingenieur gut leben läßt, haben doch offensichtlich die Anregungen des „Legal Affairs Committee“ der ICE seit 1985 zu einer grundsätzlichen Neuorientierung des Bauvertragswesens in England geführt, welche auf Baustellen das Bauen wieder vor die Juristerei stellt.

Nach Meinung vieler Autoren ist der NEC/ECC ein fairer Vertrag, der Risiken jenem zuweist, der sie am besten tragen kann.[379] Die Erfahrungsberichte österreichischer Tunnelbauer mit dem NEC/ECC in UK sind auch als durchaus positiv zu bezeichnen.

Ein Untersuchung nach den unter Punkt 6.2.1 vorgeschlagenen Kriterien kann aufgrund der Vielzahl möglicher Vertragsformen (EHP, PA, GMP usw.) nicht gemacht werden.

---

[373] Unabhängiger Projektbegleiter deshalb, weil die Rolle des Architekten oder Ingenieurs als Auftragnehmer des Bauherrn, nicht der Rolle als unparteiischer in Nachtragsfragen gerecht wird. vgl. auch LANGE K.: Wird sich das neue Vertragswerk behaupten? a.a.O., S. 67 siehe auch Fußnote [371].

[374] ESKOM, Südafrikanische Energiegesellschaft.

[375] BAIRD A.: Pioneering the NEC system of documents. a.a.O., S. 249-269.

[376] aus SCHMIDT-GAYK A.: Erfahrungen mit dem New Engineering Contract. Bauwirtschaft 5, S. 34, 1999, nach BINGHAM: Building. April 98, S. 38, 1998.

[377] nach SCHMIDT-GAYK A.: Erfahrungen mit dem New Engineering Contract. Bauwirtschaft 5, S. 34, 1999.

[378] aus SCHMIDT-GAYK A. a.a.O., S. 34.

[379] SCHMIDT-GAYK A.: Erfahrungen mit dem New Engineering Contract – Bauvertragsmuster zum effektiven Projektmanagement. a.a.O., S. 33-34.

6.2.3.7 ITA – Recommendations on Contractual Sharing of Risks

Ähnliche Empfehlungen wie in den Regelwerken der deutschsprachigen Alpenländer; bestehen aus 23. Punkten.

→ **(04):** Klauseln (Nr. 1, 2 und 3) für geänderte Baugrundverhältnisse sollen vorgesehen werden, damit Unternehmer nicht hohe Risikozuschläge einkalkulieren müssen. Die spekulative Komponente aus dem Baugrund wird dadurch auch reduziert.

Die Verantwortung für die Baugrundverhältnisse trägt der Auftraggeber (Nr. 8). Es muß jedoch Einverständnis über die Begriffe und Definitionen für die Baugrundkennwerte bestehen (Nr. 8) (→ vgl. auch Diskussion über GBB – Geotechnische Bezugsgröße in Punkt 7.4.1.2).

Ausbruchssicherung nach Ergebnissen der Ausschreibung; selbst bei Ausbruchssicherung nach Auftragnehmer-Vorschlag soll es zu einer fairen Teilung der Risiken aus dem Untergrund kommen (Nr. 7). Dementsprechende Gestaltung der Ausschreibungsunterlagen mit einer sinnvollen Streubreite für die Baugrundverhältnisse (Massenlisten→ **(03)**).

Streitvermeidungsstrategien sind sinnvoll, Vorortentscheidungen sind zu forcieren gegenüber Entscheidungen am grünen Tisch. Einvernehmlich festgelegte Schlichter sollen unmittelbar handeln (ohne Zeitverlust).

Die ITA sieht Sondervorschläge als erwünscht an. (Nr. 9). Die Vergabe an den Billigstbieter ist allgemein üblich, aber bei unterirdischen Bauvorhaben eine zweifelhafte Praxis.

Die Installationskosten sollten unmittelbar bezahlt werden. Baustellengemeinkosten und vor allem zBGK sollten von den Leistungspositionen getrennt werden. Dadurch ist auch eine bessere Anpassung an geänderte Verhältnisse möglich (Nr. 10).

Ein Klassifizierungssystem ist vorzusehen, die Leistungsbewertung darauf abzustimmen. Zeitabhängige Kosten sollen klar unterschieden werden. Die Abrechungsgrenzen für Überprofil sind fest zu machen (Nr. 11).

Der Auftraggeber hat den Baugrund entsprechend den Erfordernissen umfassend zu untersuchen und darauf bauend ein Bauverfahren vorzuschlagen. Alternative Lösungen sollen in Zusammenhang mit dem Hauptangebot ermöglicht werden und die entsprechenden Bewertungskapazitäten und Bewertungszeiten eingeplant werden (Nr. 17, 18/2.2.2).

Zusammenfassung ITA: Die 23 Empfehlungen der ITA stellen das Gerüst für einen optimalen Tunnelbauvertrag dar. Es ist zu hoffen, daß diese in der Umsetzung mehr Bedeutung gewinnen. Das im Kapitel 7 vorgeschlagene Modellkonzept lehnt sich an diese Empfehlungen auch im Fall von BOT-Modellen an. Speziell was die Möglichkeiten zum Risikoausgleich bei öffentlichen Auftraggeber betrifft.

6.2.3.8 Norwegian Tunnelling Contract System (NTCS)

Ein für das deutsche und österreichische Bauvertragswesen interessanter Vortrag über die Tunnelbauverträge in Norwegen wurde von KVELDSVIK V.[380] beim Geomechanikkolloquium 1998 in Salzburg gehalten.

NTCS ist ein aufmaßorientiertes und sich auf Einheitspreise stützendes Vertragssystem. Das Baugrundrisiko wird zum überwiegenden Teil vom Auftraggeber getragen. Die Bauzeit errechnet sich aus den eingesetzten Stützmitteln („equivalent time"). Eine Einheitspreisanpassung z.B. bei den Stützmitteln ist erst ab 100% Überschreitung vorgesehen und mit +/- 20% Preisänderung limitiert; kann von beiden Seiten urgiert werden. Eine sinnvolle Regelung, weil sie eine kostengerechte Kalkulation der Stützmittel forciert (vgl. z.B. Problem der Stützmittelspekulation in Österreich).

6.2.3.9 Managementmethoden für Bauverträge

6.2.3.9.1 GMP/Target Contracts (Managementmethode)

Können GMP/Target Contracts für Hohlraumbauten in Frage kommen? Grundsätzlich ja, nur erfordert dies im Endeffekt eine Vertragsumsetzung, die nichts anderes ist wie z.B. ein österreichischer Einheitspreisvertrag mit garantierten Leistungen, plus zusätzlichen Insentives bei Überschreiten der Leistung.[381] Das Problem dabei ist vielmehr, daß bei seriöser Kalkulation und Risikobetrachtung der Preis zu hoch wird, bzw. es zu massiver Risikospekulation der unter Wettbewerbsdruck stehenden Unternehmer kommt.

Ein Time-Target Modell kann nur insofern funktionieren, daß eben gewisse Vortriebsleistungen nicht zu überschreiten sind, d.h. wenn die Geologie schlechter ist, kann die Bauzeit nur dementsprechend angepaßt werden. Aber das positive Anreizsystem forciert sicher die Leistungsbereitschaft des Unternehmers.[382]

GMP ist kein typischer Mustervertrag, sondern ist schon eher ein Managementansatz für besseres Projektmanagement.

[380] KVELDSVIK V., AAS G.: The Norwegian Tunnelling Contract System. Felsbau 5, S. 391-394, 1998.

[381] siehe z.B. bei CADEZ I.: Ein Mix aus Chancen und Risken. a.a.O., S. 20ff / GÖLLES H.: Der GMP-Vertrag eine neue Bauvertragsvariante? a.a.O., S. 37.

[382] Bei EHP-Verträgen nach ÖN, VOB sind die Unternehmer oft nicht daran interessiert eine Behinderung mit allen Mitteln abzuwehren, weil vielfach erst dadurch zusätzliche (Behinderungs-)Kosten angemeldet werden können, die den Preis aufbessern.

6.2.3.9.2 Partnering (Managementmethode)

Partnering ist ein Managementansatz – ausgehend von GMP, Cost plus fee und funktional beschriebener Leistung einigt man sich auf die Projektsziele.

Das Ziel ist die Effizienz durch gemeinsam festgelegte Projektsziele zu verbessern. Partnering kann gut mit dem Schlagwort „constructing a team“ umschrieben werden. Kernaussage ist, daß die Polarisierung der Baubeteiligten kontraproduktiv ist, es gilt eine „win-win“-Situation herbeizuführen.

Dies gelingt am effektivsten durch möglichst frühe Involvierung der Beteiligten (gesamtheitliche Optimierung) und ein Anreizsystem für die Übererfüllung der Projektsziele.

Die allgemeine Meinung ist diesem Ansatz derzeit positiv gesinnt[383], wenn auch einige kritische Stimmen laut werden.[384]

6.2.3.9.3 Alliance Agreement / Alliance Concept (Managementmethode)

Die Form des „Alliance-Agreements“ kommt aus der Ölindustrie und wurde im Zuge des „Sydney Northside Storage Tunnel Projects“[385] erstmals für ein großes Infrastrukturprojekt im Tunnelbau verwendet.[386]

Idee ist die Schaffung einer einzigen für alle Vorgänge (Planung, Verwaltung, Bauausführung, Kommissionier usw.) verantwortlichen Einheit.

Das Alliance Agreement ist eine spezielle Ausprägung eines „Management Contracting“ mit einem „cost plus percentage contract“. Alle durch die „Alliance“ getätigten Investitionen in Geräte u.ä. gehen in das Eigentum der „Sydney Water“ über, welche Mitglied und Auftraggeber der Alliance ist.

Folgende Punkte wurden von den „Alliance“-Mitgliedern vereinbart:[387]

- a single administrative unit
- Open Book accounting

---

[383] z.B. STEFFES-MIES M., MÜSCH T.: Nicht Abwehr ... sondern Partnerschaft. a.a.O., S. 30-33 / BIGGARD A.: The win-win solution. a.a.O., S. 47-48.

[384] z.B. in T&T Debate 2000: This house believes that partnering has not achieved the promised benefits to date. a.a.O., S. 43-44.

[385] Bestehend aus: Client Sydney water, System designer Montgomery Watson, Tunnel designer Connell Wagner, Contractor Transfield.

[386] WALLIS SH.: Northside „Alliance“ for Sydney's cleaner harbour. T&T, S. 17-19, März 1999 /WALLIS SH.: Sydney's Northside Storage Tunnel alliance holding up under pressure. T&T, S. 37-40, May 2000.

[387] WALLIS SH. 2000 a.a.O., S. 39.

- an equitable system of reward and penalty for exceptional of poor performance
- a „no blame – no dispute“ culture

Das Risiko/Belohnungs-Modell entspricht im Prinzip einem Target Modell (vgl. Abbildung in WALLIS SH. 1999 a.a.O. S. 19).

6.2.4 Zusammenfassende Diskussion

Es gibt drei wesentliche Ansätze, die bei Tunnelbauverträgen verfolgt werden sollten:

- Trennung von zeitabhängigen Kosten und Leistungspositionen, Vergütung der zeitabhängigen Kosten basierend auf garantierten Leistungen
- Baugrundrisiko liegt beim Auftraggeber
- Managementansätze die gemeinsame Projektsziele verfolgen und ein Anreizsystem für die Leistungserbringung schaffen.

Diese Ansätze werden von den derzeit in Verwendung stehenden Tunnelbauverträgen nur teilweise erfüllt.

Die Muster der ITA, ÖN, SIA und die Empfehlung des DAUB gehen von einer getrennten Erfassung der zBGK, mit auf garantierten Leistungen basierend VE, entsprechend den angetroffenen Baugrundverhältnissen aus.

Die Tragung des Baugrundrisikos durch den Auftraggeber mag in der CH, BRD und in Österreich durch den Gesetzgeber vorgegeben sein. Unabhängig davon ist die Risikostreu über das Projektportfolio einer öffentlichen Körperschaft in der Regel besser zu bewerkstelligen, als über ein Einzelprojekt bzw. das Projektportfolio eines Unternehmens.[388]

Die Anwendung der unter GMP/Targeting/Partnering laufenden neuen Managementansätze hinkt in der CH, BRD und Österreich hinter dem Anglo-Amerikanischen Raum hinterher.

Diese Grundsätze sollten auch bei Abwicklung von Hohlraumbauten mittels BOT gelten. Wer im BOT-Modell Auftraggeber ist und wer Auftragnehmer, darüber kann durchaus diskutiert werden. Am sinnvollsten ist es jedoch, wenn die öffentliche Hand gegenüber der Project Company diese oben beschriebene Verantwortung wahrnimmt. Die Project Company ist als „Einzelunternehmen“ nicht sinnvoll in der Lage diese Risiken zu tragen; der Risikotragung

---

[388] vgl. auch die Argumentation von PURRER W.: *„...des wirtschaftlich stärkeren Vertragspartners..“* bei PURRER W.: Ausgewogene Verteilung des Baugrundrisikos im Hohlraumbau – Der österreichische Weg. a.a.O., S. 398; dem steht aber im Hohlraumbau die fachgerechte „Behandlung“ des Baugrundes durch den Unternehmer, speziell bei Anwendung der NATM gegenüber, vgl. SCHNEIDER E., BARTSCH R.H., SPIEGL M. a.a.O., S. 121-122.

sind auch durch die Art der Eigenkapitaleinbringung („Off-Balance Sheet Finanzierung“) Grenzen gesetzt.

6.3 Der Bauvertrag im Betreibermodell

Der Bauvertrag innerhalb der komplexen Vertragsstruktur eines Betreibermodells regelt das Verhältnis des Baukonsortiums zur „Project Company“, welcher das Baukonsortium oder Teile davon, angehören können oder nicht.

6.3.1 Status der Bauunternehmung in und zur „Project Company - PC“

Im Wasserkraftwerksbau kann der Anteil der Baukosten bis zu 80% der Errichtungskosten ausmachen. Daher ist es sinnvoll, wenn das Baukonsortium von Anfang an in der „Project Company“ vertreten ist.

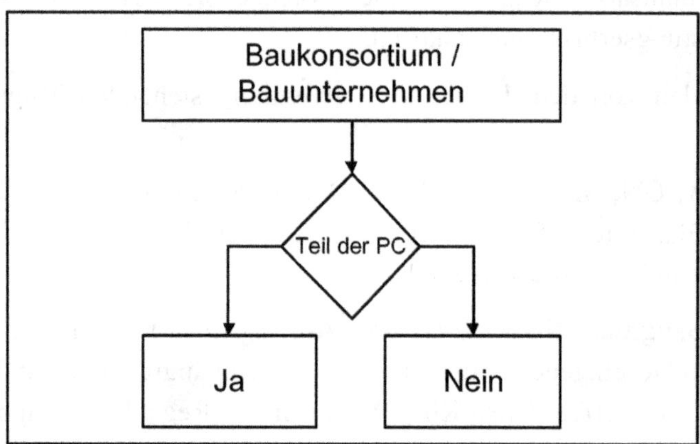

Abbildung 6-10: *Eine grundsätzliche Frage ist die Stellung des Baukonsortiums zur bzw. innerhalb der „Project Company“ (= Konzessionsnehmer).*

Wasserkraftwerke sind für Bauunternehmen prädestinierte Geschäftsfelder; als Systemführer – idealerweise in einer eigenen Projektträgergesellschaft – bestehen große Chancen am weltweiten Markt. Deshalb gilt es gerade in diesem Segment zu verhindern, daß die Bauunternehmen nur als Subunternehmen außerhalb der Project Company involviert sind. Vor allem ist in solchen Fällen der Druck groß, daß sämtliche Risiken aus dem Bau (inkl. Baugrund) an die Bauunternehmung weitergereicht werden: „... *Construction risks are well known and include the possibility that the project will not be build on time within budget and to the required performance standards. Generally, these risks are born wholly by the construction part of the consortium. The funding institutions will usually control tightly the passing of that risk to the other consortium members.* "[389]

Die Bauunternehmen können also zwei verschiedene Rollen übernehmen:

- Projektträger, Teil der Project Company
- Auftragnehmer ohne Beteiligung an der Project Company

Es muß jedoch festgestellt werden, daß in der Vergangenheit das Projektträgergeschäft von internationalen Bauunternehmen oft nicht ausreichend professionell betrieben und vorrangig als Möglichkeit dazu gesehen wurde, mit möglichst geringem Eigenkapitaleinsatz lukrative und große Bauaufträge zu generieren. Dies führte nicht selten zu Projekten, die dann in der Betriebsphase erhebliche wirtschaftliche Schwierigkeiten bekamen. Für die Bauunternehmung war dies unter Umständen wenig problematisch, weil ihr Gewinn aus dem Bauauftrag den Umfang der Eigenkapitalbeteiligung deutlich überschritten hatte. Leidtragenden waren die übrigen Sponsoren und in letzter Konsequenz schließlich der Fremdkapitalgeber, die deshalb der beschriebenen Doppelrolle der Bauunternehmungen skeptisch gegenüberstehen.[390]

Zwischen diesen beiden oben beschriebenen Extremfällen kann eine seriöse Positionierung der Bauunternehmen im Wasserkraftsektor stattfinden, und damit für alle Beteiligten die Voraussetzungen für eine „win-win"-Situation realisiert werden.

6.3.2 Der Bauvertrag als Teil des Errichtungsvertrags

Wer ist der eigentliche Nutznießer eines Wasserkraftwerkes, welches nach 15 Jahren Konzessionszeit – von ca. 100 Jahren Lebensdauer – an den Konzessionsgeber transferiert wird (BOT) – im Gegensatz zu einem Projekt, welches ohne Transfer über die Lebensdauer betrieben wird (BOO)?

Aus diesen Überlegungen sollte die Konzessionszeit einen nicht unwesentlichen Einfluß auf die Vertragsgestaltung und Risikotragung haben. Daher ist es sinnvoll, wenn darüber diskutiert wird, wer der „effektive Eigentümer" über die Lebensdauer ist.

Das ist sicher nicht die Bauunternehmung und bei BOT nur eingeschränkt die Project Company. Eine Risikozuteilung entgegen dieser Prämisse kann auf Dauer nicht zu einer „win-win"-Situation führen → Tragung außergewöhnlicher Risiken durch die öffentliche Hand.

---

389 ATKINSON D.: Raising money for tunnelling projects. T&T, S. 312, März 1999.

390 aus BEHNEN O.: Betreibermodelle bei Wasserkraftwerken: Chancen für Bauunternehmungen. a.a.O. und GIRMSCHEID G., BEHNEN O. 2000b: Das Systemanbieterkonzept – Ausweg aus dem Preiswettbewerb. a.a.O.

7 Ein alternatives Konzept für Risikoverteilung und Vergütungsregelung bei Betreibermodellen mit hohem Baugrundrisiko unter International Competitive Bidding (ICB)

Dieses alternative Konzept ist abgestimmt auf den Wasserkraftwerksbau, vor allem für Ausleitungskraftwerke mit hohem Stollenanteil. Die Beweggründe dafür wurden in den Kapiteln vorher schon beschrieben.

Grundsätzlich sind die Überlegungen aber für jedes Bauwerk mit potentiell großem Baugrundrisiko anwendbar, z.B. Verkehrstunnelbauten für Scheiteltunnel oder unterirdische Gewässerquerungen, welche in Ansätzen mit Pauschalpreisen abgewickelt werden sollen.

Für die Realisierung von mit Risiken behafteten Projekten ist ein qualifiziertes „Risiko-Management" unabdingbar (vgl. Punkt 2.7.4 und 3.6.1.5). Aber schon im Vorfeld kann im Zuge einer Risikoanalyse die Entscheidung fallen, vom dem einen oder anderen Projekt Abstand zu nehmen. Jeder gewissenhafte Unternehmer oder Manager geht nur Risiken ein, die tragbar sind – oder zumindest nach eingehender Analyse sich so darstellen. Diesen Risiken müssen aber auch im wesentlichen monetäre Chancen (höhere Renditen) gegenüberstehen – wo diese nicht absehbar sind oder prinzipiell fehlen, wird keine Projektrealisierung erfolgen.

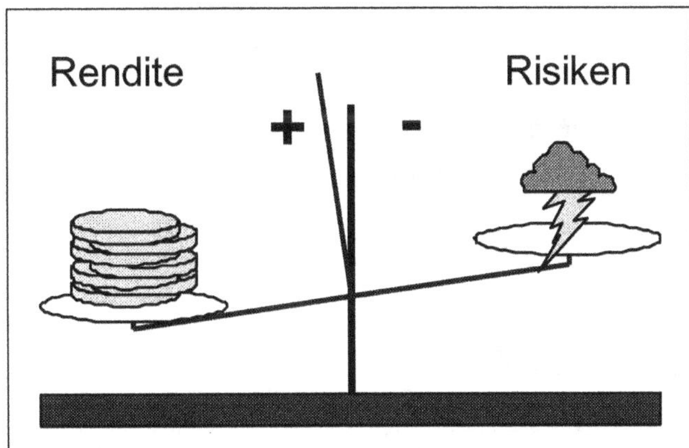

Abbildung 7-1: *Nur wo die Abwägung zwischen erwarteter Rendite und potentiellen Risiken auf Seite der Rendite liegt, wird es zu einem unternehmerischen Engagement kommen.*[391]

---

[391] Für ein Einzelprojekt muß das nicht in jedem Fall gelten, vor allem in der Anlaufphase beim Eintritt in einen neuen Markt können unternehmensstrategische Gründe höhere Risiken vertretbar erscheinen lassen – gerechtfertigt durch eine positive Erwartungshaltung in zukünftige Projekte.

Im Punkt 4.3 wurde auf die Problematik des Baugrundrisikos beim Wasserkraftausbau mittels Betreibermodellen in Indien verwiesen.

Diese Erfahrungsberichte waren der Anstoß, mich mit diesem Problembereich zu beschäftigen.[392] Aus den oben zitierten bzw. darauf verwiesenen Erfahrungen wurde die Idee umrissen und die Zielvorstellungen definiert.

7.1 Idee und Zielsetzung

IDEE:

- **Konzeption eines Modells zur Risikoverteilung und Vergütungsregelung** (welches in diesen Überlegungen immer als Teil des Konzessionsvertrages/Implementation Contract gesehen werden soll)**, entsprechend den Einflußsphären zwischen Konzessionsgeber und Konzessionsnehmer bei einem dem Wettbewerb unterliegenden Konzessionsvergabeverfahren für Wasserkraftwerke mit einem großen Anteil an Hohlraumbauten**[393]
- **Forcierung von Innovation im Sinne moderner Bauverfahren**
- **(z.B. Vortriebsmethode TBM, Art der Vortriebssicherung bzw. Auskleidung → mit dem Ziel der Bauzeitverkürzung → geringere Finanzierungskosten)**
- **Einhaltung der Bauzeit und Baukosten und damit der Finanzierungskosten**
- **Basierend** auf den **bauvertraglichen Usancen in** Österreich bei der erfolgreichen Realisierung einer Vielzahl von **Hohlraumbauten im** Wasserkraftausbau der letzten Jahrzehnte[394]

[392] Erwähnt werden soll aber auch, daß es in Ausführung stehende BOT-Projekte am Wasserkraftwerkssektor gibt, die das Risiko des Baugrundes voll überwälzen. Die grundsätzliche Problematik bleibt jedoch bestehen, kein privater Investor trägt solche Risiken ohne möglichen Schadensausgleich, d.h. in der einen oder anderen Form gibt es bei jedem dieser Modelle finanzielle „Notprogramme", welche den Betreiber möglichst frei von Verlusten halten. Dies ist auch einer der häufigsten Kritikpunkte am BOT-Ansatz, nämlich, daß die Privaten nur ein Rosinenpicken betreiben, indem sie die ökonomisch interessanten Projekte vorrangig realisieren und für die riskanten Projekte hohe staatliche Garantien über die mitfinanzierenden Entwicklungseinrichtungen wie der World Bank oder IFC verlangen.

[393] dies trifft vor allem auf Mittel- und Hochdruckanlagen in Form von Ausleitungskraftwerken zu, welche einen hohen Anteil an längsgestreckten Hohlräumen (Stollen) aufweisen.

[394] Vorschlag im Zuge des Workshop: AUSTRIAN HYDEL POWER CONSTRUCTION METHODOLOGY. 25. – 27. Mai 1998, New Dehli.

Die oben genannten Gründe führten im wesentlichen zu nachfolgenden **Zielsetzungen**:

ZIELSETZUNGEN:

- **Konzessionsvergabe unter internationalem Wettbewerb (ICB)**
- **Erhöhung der Realisierungschancen, sowohl für Konzessionsgeber, wie Konzessionswerber**
- **Wettbewerb unter den Aspekten:** Kosten – Einbringung von Know-how – Finanzierung – Innovation – Risikobereitschaft **(→ K E F I R)**
- **Flexibles und fortschreibbares Bauvertragskonzept für Hohlraumbauten**
- **Risikobegrenzung für den Konzessionsnehmer** (Ceiling, Deckelung für Konzessionsnehmer) **durch Einziehen einer Grenze durch den Konzessionsgeber**
- **Risikoausgleich primär über Projekt-Portfolio des Konzessionsgebers** (Ausbauprogramm mit mehreren Kraftwerken)
- **Risikoteilung primär entsprechend der jeweiligen Einflußsphäre** (Einschätzung des Baugrundes → Risiko des Konzessionsnehmer, Baugrund über der Risikogrenze → Risiko des Konzessionsgeber)

Wie unschwer zu erkennen ist, zielen diese Festlegungen auf den Fall des Wasserkraftausbaues in Indien. Die dort von den österreichischen Firmen gemachten Erfahrungen, bzw. die allgemeine Situation des Wasserkraftausbaues in Indien mittels BOT rechtfertigen die Beschäftigung mit dieser Problematik mehr als (siehe Punkt 4.3).

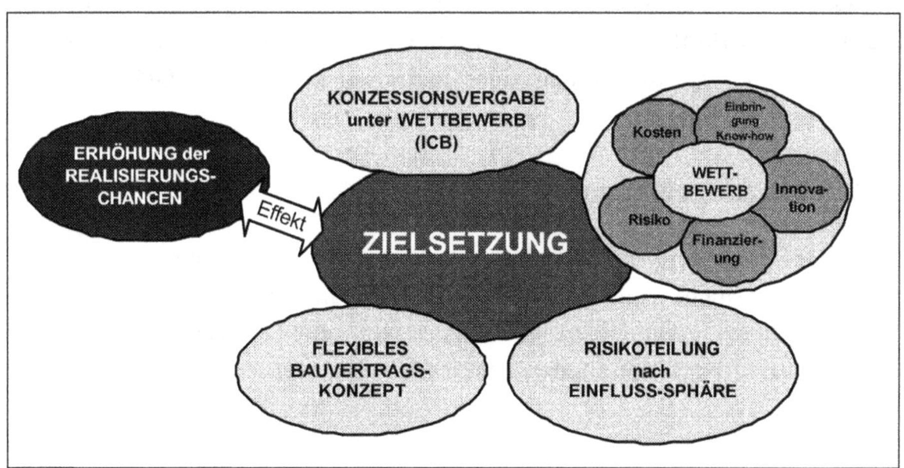

Abbildung 7-2: Zielsetzungen und Randbedingungen für die Konzeption des Risikomodells.

Die im Zuge des Austrian Hydel Power Construction Methodology Workshops in Dehli geplante Konzeption eines Musterbauvertrages nach österreichischem Werkvertragswesen kam nicht zustande, weil die als Praxisbezug und Sponsoren geplanten Projekte UHL III und SEWA II während der Bearbeitung dieses Themas im Prinzip von den österreichischen Initiatoren aufgegeben wurden (bei SEWA II sind noch Bemühungen im Zuge eines MOU-Verfahrens im Gange).

Im Nov. 1999 fand in Singapore eine internationale Konferenz zum Thema „Contract Management in Construction Industry" statt; (veranstaltet vom indischen „Central Board of Irrigation and Power"). Die Themenschwerpunkte waren:[395]

1. *To review the contractual clauses developed by various leading agencies like World Bank, FIDIC, ITA, ICE etc.*
2. *To develop the uniform structures of contract document for universal adoption to the extent possible.*
3. *To develop better management of contract practices.*
4. *To develop better owner/agency and contractor relationship by reducing conflicts/arbitration.*
5. *To facilitate specialists to discuss their experiences, to draw up new strategies on management of contract clauses.*
6. *To update and enhance the knowledge of the participants through exchange of information.*

Daraus ist auch der Bedarf an Grundsatzdiskussion über das Vertragswesen und die Abwicklung im Wasserkraftwerksbau zu erkennen. Ein sehr kritisches Statement zu den spärlichen Erfolgen des Wasserkraftausbaues in Indien kommt von GOVIL K.K.[396] (siehe auszugsweise unter Punkt 4.3.5).

7.2 Randbedingungen für das Modell

Der Idealfall eines allgemein gültigen Modells kann zwar angestrebt werden, führt jedoch gerade im Bauwesen nicht zum Ziel. Die unterschiedlichsten Arten von Objekten (z.B. Hochbau, Brückenbau, Tunnelbau usw.) sowie die Vielzahl von praktizierten Abwicklungsformen (z.B. Generalunternehmer, Einzelgewerkeunternehmer usw.) und die

[395] siehe unter http://www.cbip.org/cmci (Stand 10/12/99).

[396] GOVIL K.K.: Speedy Hydro Power Development-Project Preparation & Financing: a.a.O.

daraus resultierende Vielzahl der Vertragsformen mit ihren geographischen Schwerpunkten (z.B. Einheitspreisvertrag, Lump-sum usw.) verlangen nach maßgeschneiderten Lösungen.

7.2.1 Modulare Integration

Das skizzierte Modell ist kein vollständiges Vertragsregelwerk, sondern ein Baustein für Hohlraumbauten (oder andere Sub-surface works) der modular mit anderen kombiniert werden kann und soll; bevorzugt mit dem FIDIC/EPC Contract.

Der FIDIC/EPC Contract (Silver Book) ist heute für BOT-Modelle das wichtigste internationale Vertragswerk, schließt aber theoretisch Bauwerke mit einem wesentlichen Anteil an Hohlraumbauten aus.

In der Praxis ist daher immer eine Adaption erforderlich, wenn man nicht auf die „Plant and Design-Build“ Forms wechselt, welche aber den Erfordernissen von BOT-Projekten nur bedingt Rechnung tragen.

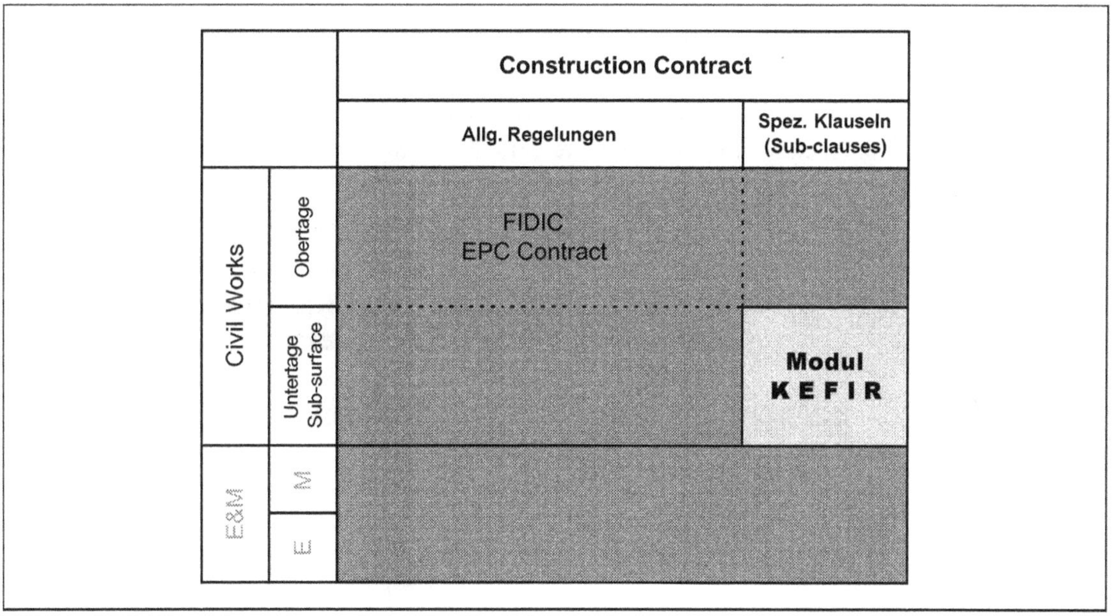

Abbildung 7-3: Modulare Integration des K E F I R – Modells in z.B. den FIDIC/EPC Contract.

7.2.2 Internationaler Wettbewerb (ICB)

Als oberste Prämisse der nachfolgenden Überlegungen gilt die Sicherstellung eines internationalen Wettbewerbs (International Competitive Bidding - ICB) durch den Konzessionsgeber (KG) zwischen mehreren Konzessionswerbern in den Bereichen:

- **K** osten
- **E** inbringung von Know-how
- **F** inanzierung
- **I** nnovation
- **R** isikobereitschaft

Anwendbar sind die nachfolgenden Überlegungen ebenso für Modelle im Zuge von Verhandlungsverfahren oder auf dem Wege von MOU (Memorandum of Understanding) – Projekten, dabei tritt aber der „kompetative" Aspekt über „K E F I R" in den Hintergrund; in den Vordergrund rücken dabei eher die Aspekte „Finanzierung" und „Know-how".

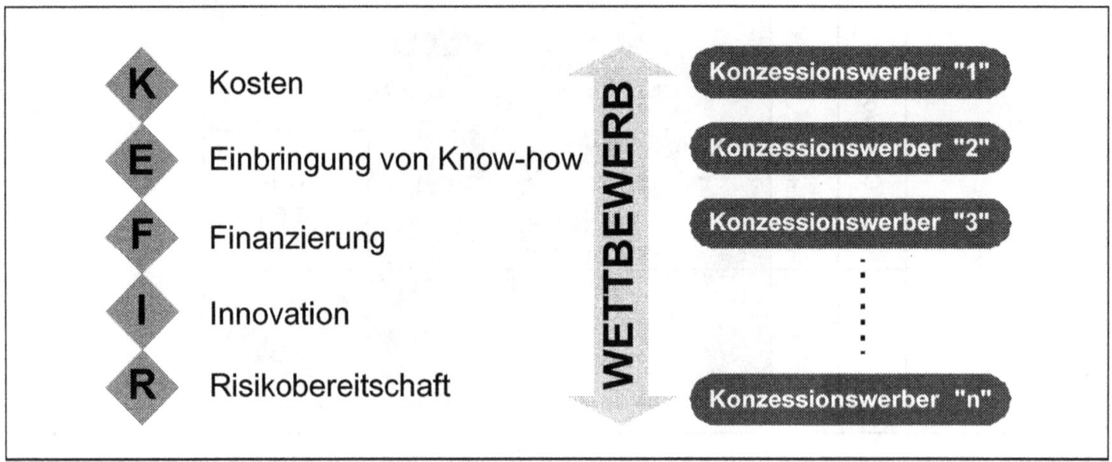

Abbildung 7-4: Die dem Wettbewerb der Konzessionswerber (KW) unterliegenden Bereiche des Konzepts K E F I R, bezogen auf die „Sub-surface works".

Die indischen Vorstellungen zur Form des Wettbewerbs sind in den Punkten. 4.3.4.1 und 4.3.4.2 beschrieben. Die aus der derzeit Praxis der Tarifgestaltung resultierenden Probleme schlagen sich auch auf den Wettbewerb nieder.

7.2.3 Risikoausgleich über Projekt-Portfolio

Nachfolgende werden kurz einige Überlegungen, Fragen, Beobachtungen und Entwicklungen – soweit es diese Arbeit betrifft – angesprochen.

Im Projektgeschäft wird versucht, mittels eines abgestimmten Projekt-Portfolio einen Risikoausgleich herbeizuführen.

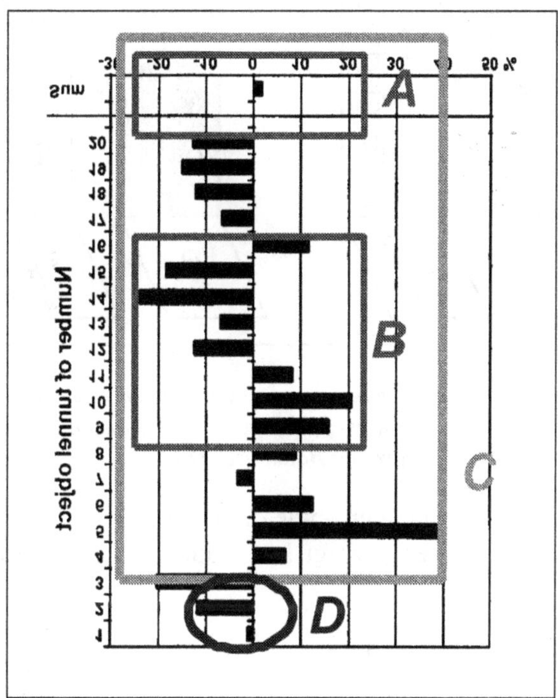

Abbildung 7-5: *„Auftraggeber-Portfolio" der Tunnelbauten im Zuge der Neubaustrecke Hannover-Würzburg der Deutschen Bahn AG. Prozentuelle Abweichungen zwischen Angebotssumme und Abrechnungssumme bei 20 Tunnelbauten (Abbildung aus JOHN M. 1997).*[397]

Oben abgebildete Zusammenstellung eignet sich sehr gut, um den Risikoausgleich über das Projekt-Portfolio zu diskutieren.

Das **Beispiel-Portfolio [A]** hat nur Abweichungen nach unten, d.h. die Abrechnungssumme lag immer unter der Angebotssumme, in diesem Fall ist nur interessant, daß es nur in eine Richtung geht – im Umkehrschluß hätten auch alle Tunnel ebenso gut mehr kosten können.

397 JOHN M.: Sharing of risk under changed ground conditions in design/build contracts. a.a.O., S. 766.

Das größere **Beispiel-Portfolio [B]** zeigt einen ausgeglichenen IST-Zustand. Aus dem **Gesamtprojekt-Portfolio [C]** resultiert eine Erhöhung der Abrechnungssumme gegenüber der Angebotssumme von im Mittel nur ca. 2% (bei 20 Tunnel).

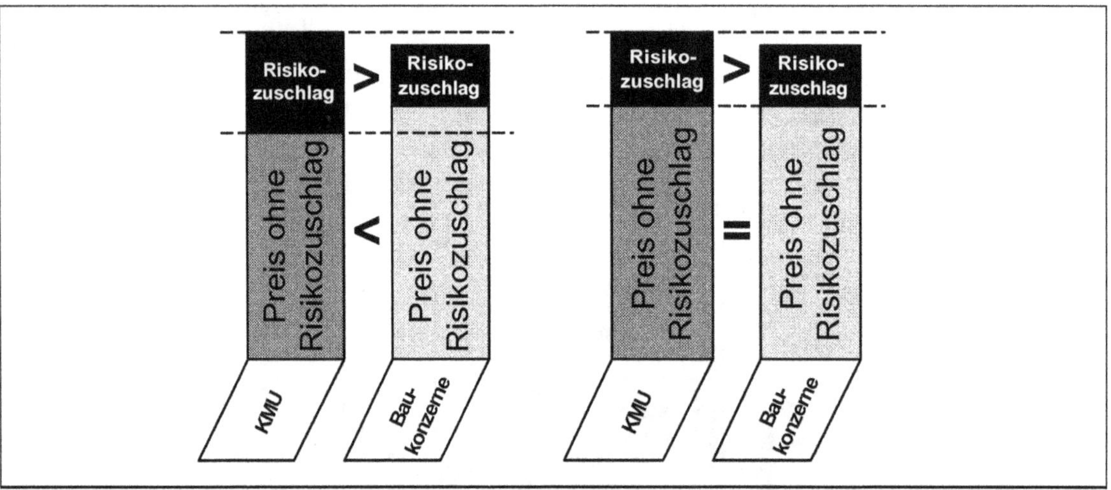

Abbildung 7-6: Höhere Risikozuschläge aufgrund zu geringer Streuung im Projekt-Portfolio führt trotz niedriger Errichtungs- und Finanzierungskosten zu einem Wettbewerbsnachteil der KMU gegenüber großen Baukonzernen.

Die Risiken im Projektgeschäft sind aber – wie die Entwicklung um eine deutsche Bauaktiengesellschaft in den letzten Monaten gezeigt hat – auch für einen großen Baukonzern nicht immer handhabbar.

Für den Konzessionsgeber ist die Risikoabwälzung über das Projekt-Portfolio des Konzessionswerbers aber auch mittelfristig kein guter Weg – die Gründe dafür sollen kurz angeführt werden:

Die Teilnahme am Wettbewerb ist nur wenigen großen Konzernen möglich	→	eingeschränkter Wettbewerb führt in der Regel mittelfristig zu höherem Preisniveau
Das Projekt-Portfolio des Konzessionswerbers ist sehr weit gestreut, sowohl nach Einzelprojektgröße und –risiko	→	Konzessionsgeber hat viele ähnliche Projekte mit ähnlichem Potential und Risiko (= z.B. Kraftwerkskette)
Risikozuschläge fallen für ein Einzelprojekt höher aus	→	im Allgemeinen kein Einzelprojekt → Kraftwerkskette

Innovation wird behindert, weil neue Verfahren zusätzliche Risiken bergen	→	Chancen und Risiken können/sollen entsprechend der „win-win"-Strategie fair zwischen Konzessionsgeber und Konzessionsnehmer geteilt werden
Risikofreudige (spekulativ agierende) Unternehmer erhalten eher den Zuschlag	→	Gefahr des einseitigen Projektausstiegs steigt → Projektfertigstellungsrisiko
In der Angebotsphase übernommene Risiken werden oftmals durch zu wenig transparente Vertragsgestaltung im Ernstfall bestritten	→	Konzessionsgeber trägt dadurch tatsächlich höhere Risiken, ist aber nicht an möglichen Chancen beteiligt

Der Konzessionsgeber fährt mittel- und langfristig besser, wenn er zumindest die grundsätzliche Bereitschaft zur teilweisen Übernahme der aus dem Baugrund resultierenden Risiken hat. Voraussetzung dafür ist ein Errichtungsvertrag, der trotzdem die Grundsätze des BOT-Ansatzes für das Projekt aufrechterhält, aber die Risiken des Untergrundes nach individuellen Kriterien behandelt.

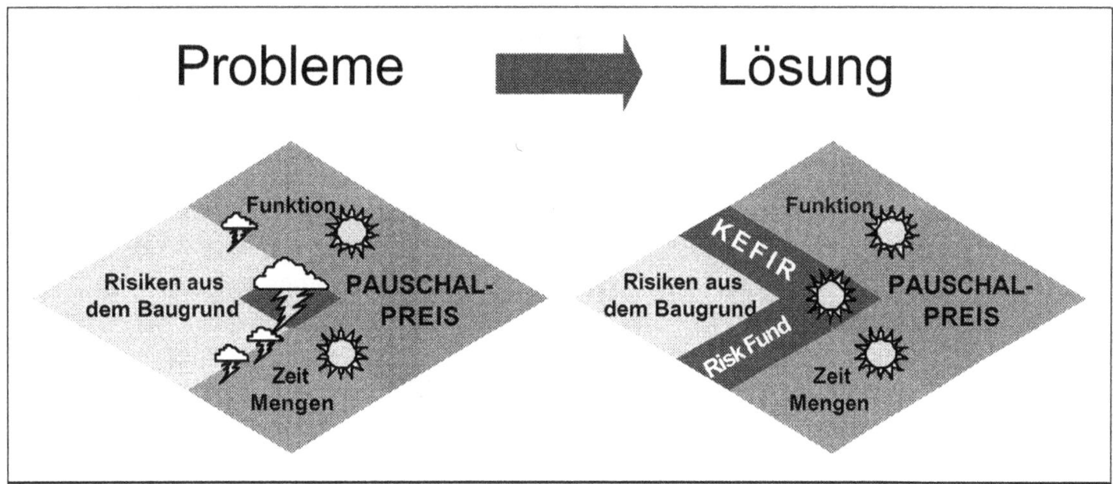

Abbildung 7-7: Pauschalpreis und alle Risiken aus dem Baugrund sind von ihrer Natur her unverträglich, deshalb besteht die Notwendigkeit nach einer eigenen vertraglichen Regelung mit „anpaßbarer Pauschale" an den Schnittstellen – nach dem Modell K E F I R.

Lösung „Risk Funds“ → Projekt-Portfolio Konzessionsgeber

Die Hauptrisiken bei Wasserkraftwerken sind das Baugrundrisiko (Geological Risk) und das Hydrologische Risiko (Hydrological Risk), welche nur sinnvoll über das Projekt-Portfolio des Konzessionsgebers abgefangen werden können. Dazu müssen einzelprojektübergreifende „Risk Funds“ geschaffen werden.

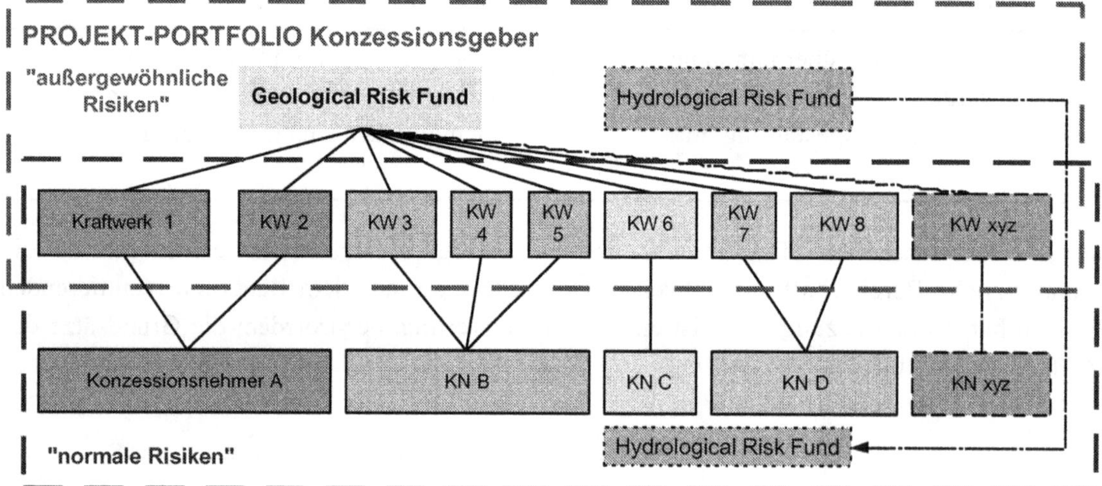

Abbildung 7-8: *Übernahme von „außergewöhnlichen Risiken“ durch projektübergreifende „Risk Funds“ des Konzessionsgebers. Konzessionsnehmer übernehmen nur mehr „normale Risiken“ → größerer Interessentenkreis, Projektfertigstellungsrisiko sinkt, Realisierungschancen steigen.*

„Risk Funds“ sind die sinnvollste Lösung, um das Projektrisiko möglichst zu streuen. Wenn die Projektrisiken vom Einzelprojekt getragen werden müssen, führt dies zu:

- eingeschränktem Interessentenkreis
- jeweils höheren projektspezifischen Risikozuschlägen
- reduzierte Realisierungschance
- bei schlagendem Risiko → höheres Projektfertigstellungsrisiko

In der Praxis bewähren sich diese Lösungen, verwiesen sei hier nur auf das Kraftwerk Birecik (vgl. Punkt 3.4.2).[398]

[398] Beim Kraftwerk Birecik wurde unterhalb der Gründungssohle eine ca. 2 cm starke horizontale Tonlage im massiven Kalkstein angetroffen (NADERER R., EDLMAIR G., ZENZ G. 1997). Der erforderliche Mehraushub von ca. 50.000 m³ bzw. der dafür erforderliche Füllbeton wurde vom Geological Risk Fund übernommen – die Konzessionsgesellschaft bzw. in Folge das Civil Works JV wurden davon freigestellt.

Im Zuge des Workshops „AUSTRIAN HYDEL POWER CONSTRUCTION METHODOLOGY" (25.–27. Mai 1998, New Dehli) wurde auch auf die Bedeutung solcher Risk Funds für die Umsetzung von Wasserkraftwerksprojekten mit BOT in Indien hingewiesen.[399]

Die aktuelle indische POLICY ON HYDRO-POWER DEVELOPMENT (1998) schlägt dazu derzeit folgende Regelung vor:

> *„3.11 Estimates on Completion Cost (Geological Risks) ....In such cases, the developer will be allowed to submit his proposal for the enhanced cost to the Government. Expert Committee would be constituted at the State and Central level who would evaluate and recommend the cost increases for acceptance by the Government. The expert committee at the State Government level would recommend the cost increase proposal upto certain percentage and beyond that the cost increase would be recommended by the expert committee at the Central Government level."*

Eine noch sehr „schwammige Konzeption", die ein klares Bekenntnis zu einem „Geological Risk Fund" vermissen läßt.

7.2.4 Innovationsförderung

Für die Vielzahl von Projekten, welche in Indien während der nächsten Fünfjahrespläne errichtet werden sollen, ist es unbedingt erforderlich, die indische Bauwirtschaft mit zeitgemäßen Produktionsmethoden vertraut zu machen (siehe Punkt 4.3.5 bzw. GOVIL K.K.).

Daneben müßte die Innovationskraft und Bereitschaft für den Einsatz neuester Technologien auf allen Baubereichen, aber speziell im Bereich der mechanischen Vortriebsmaschinen und des mechanischen Stützmitteleinbaues unterstützt werden.

Nur durch die selbstverständliche Anwendung und Praxis dieser Verfahren lassen sich mittelfristig die anstehenden Aufgaben unter größtmöglicher Einhaltung des Zeit- und Kostenrahmens realisieren.

Ziel: Technologietransfer → damit mittelfristig die Leistungsfähigkeit der indischen Bauwirtschaft erhöht wird.

Die Notwendigkeit des Einsatzes von mechanischen Vortriebssystemen resultiert nicht aus den indischen Lohnkosten, sondern primär aus den dadurch erzielbaren höheren Vortriebsleistungen, welche die Bauzeit und damit die Finanzierungskosten wesentlich reduzieren können (vgl. Pkt 4.1.3.3 Vortriebsgeschwindigkeit und Abbildung 3-6).

---

[399] AHPCM 1998: Austrian Hydel Power Construction Methodology-Recommendations (unveröffentlicht), 1998.

Einschub: Gesellschaftssystem

Nicht unerwähnt bleiben soll, daß auch ein grundsätzlicher gesellschaftlicher Wandel erforderlich wäre, um wirklich effiziente Strukturen aufzubauen. Entscheidungsschwache und ineffiziente Hierarchien, Korruption und Mißwirtschaft sind vielleicht noch mehr an der aktuellen Situation verantwortlich, als alle technischen und legislativen Probleme (vgl. Punkt 4.3 Wasserkraftausbau mittels BOT in Indien). → Dieser Problemkreis ist und kann nicht Teil dieser Bearbeitung sein – nichts desto trotz muß auch dieser Aspekt in Betracht gezogen werden → **Teil des länderspezifischen Risikos.**

7.3 Grundsätzlicher Ablauf

Nachfolgend wird kurz skizziert, welcher Verfahrensablauf für den Schwerpunkt der Betrachtungen – Wasserkraftwerke mit großem Hohlraumanteil – als optimal erachtet werden kann.

Die modulare Konzeption ermöglicht die Anwendung des FIDIC/EPC Contracts für einen Großteil der Arbeiten. Für die untergrundbezogenen Tätigkeiten müssen aber anpaßbare Regelungen installiert werden.

Von dem in einem Artikel[400] vorgeschlagenen Einheitspreisvertrag auch für BOT-Modelle, wird in dieser Strenge beim vorgeschlagenen alternativen Modellkonzept abgegangen, trotzdem wird eine transparente und adaptierbare Preisgliederung benötigt (vgl. Punkt 7.4.2.2 Preiskomponentenschema (PKS)).

Diese müssen nicht den gesamten Umfang der „unterirdischen" Arbeiten betreffen, z.B. kann die Ortbetoninnenschale durchaus weiterhin als fixes Pauschal im EPC Contract enthalten sein[401], umgekehrt kann aber die Gründungssohle einer Sperre durchaus dem Sub-Modul zugeordnet werden.

[400] SCHNEIDER E., BARTSCH R.H., SPIEGL M. a.a.O.

[401] eventuell Sonderregelung für Mehrbetonverbrauch aus Überprofil (→ Teil des Baugrundrisikos und des Bauverfahrens) erforderlich.

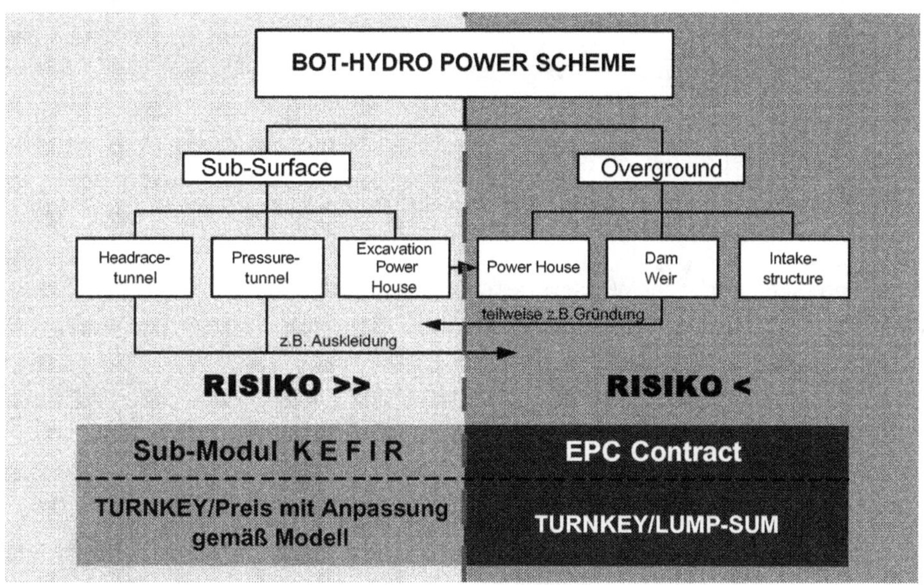

Abbildung 7-9: *Aufteilung der Anlagenteile zur Errichtung einer Wasserkraftanlage mit EPC Contract und Sub-Modul (K E F I R) zur Vertragsanpassung für die Risiken aus dem Baugrund.*

7.3.1 Voruntersuchungen des Konzessionsgeber – vor der Präqualifikation

Für den Fall des Wasserkraftwerksbaues kann im allgemeinen davon ausgegangen werden, daß mehr oder weniger intensive Voruntersuchungen über die geplante Anlage angestellt wurden (Achtung: eventuell Jahrzehnte alt und/oder von der Konzeption überholt). Um dem alternativen Konzept zum Durchbruch zu verhelfen, müssen daher diese Voruntersuchungen zur Sicherstellung eines tatsächlichen Bieterwettbewerbs in diesem Projektsstadium ausgeweitet werden.

Die Linienführung untertägiger Stollen bzw. Kavernenstandorte ist meist nur anhand geologischer Kartenstudien und Geländebegehungen (noch ohne Tiefenaufschlüsse) erstellt. Konzessionswerber sind aber nicht bereit größere Summen in Voruntersuchungen – bzw. oft gar nicht in der Lage (rechtliche Zugangsmöglichkeit zu Grundstücken usw., bzw. macht es wenig Sinn wenn *n* Konzessionswerber Bodenaufschlüsse vornehmen) – zu investieren. Wasserkraftwerke bedingen nun mal eine umfangreiche Untersuchung der Randbedingungen, z.B.:

- Hydrographische Jahresreihen[402]
- Geländeaufnahmen und Vermessungsnetze
- Geologische Situation
- Möglichkeit eventueller Zwischenangriffe
- Infrastrukturelle Erschließung der Baustellenbereiche (Tragfähigkeit von Brücken usw.)

Gerade hier unterscheidet sich Wasserkraft von den Mitbewerbern am Energiesektor (Gas- oder Kohlekraftwerke) nachteilig. Die Wasserkraft muß deshalb ihre Stärken wie

- Schnelle Anfahr- und Abstellzeiten
- Spitzenlastabdeckung und Energiespeicherung (Stauraum)
- Netzfrequenzregelung, eventuell kombiniert mit Pumpbetrieb (Energiespeicherung und bessere Auslastung der thermalen Grundlastkraftwerke)

ins Spiel bringen – denn in diesen Bereichen sind qualitative und quantitative Positionierungen möglich. Zudem sind gerade bei den Aufgabenstellungen des Wasserkraftwerksbaues, Optimierungsstrategien über die Lebensdauer einer Anlage von rd. 100 Jahren sehr interessant – es besteht jedoch die Gefahr, daß diese langfristigen Optimierungsstrategien durch den BOT-Ansatz, bzw. die kurzen Konzessionszeiten vernachlässigt werden.

Heute geht man von Konzessionszeiten zw. 10 – 30 Jahren aus, wodurch eher die Risikobegrenzung für den Konzessionsnehmer wichtig wird und keine langfristigen wirtschaftlichen Optimierungen (interessant für Konzessionsgeber, nach dem Transfer – vgl. auch Artikel von GIRMSCHEID G., BEHNEN O. 2000b: Das Systemanbieterkonzept – Ausweg aus dem Preiswettbewerb).

Um dem vorzubeugen steht es für den Konzessionsgeber langfristig dafür, in die Vorarbeiten für Wasserkraft, welche mittels BOT realisiert werden soll, mehr Geld zu investieren.

Konzessionsnehmer:

- Der Konzessionsnehmer wird nach einem risikominimierten Projekt streben, welches sich in der kurzen Konzessionszeit „rechnet" → langfristige Projekt-Optimierung nicht unbedingt gegeben.
- Projekt-Optimierung einfacher, wenn möglichst viele Informationen schon vorhanden sind.

---

[402] Hydrographische Daten sind kurzfristig nur sehr schwer zu überprüfen → stellen somit eine große Unsicherheit bei der Ermittlung des Jahresarbeitsvermögens dar (→ Hydrological Risk).

Konzessionsgeber:

- Risikominimierung durch Beseitigung von Unsicherheiten, Bodenaufschlüsse bis auf Trassenniveau → Bohrkampagne erforderlich.
- Wettbewerb auf gleicher, besserer Informationsbasis für die Konzessionswerber.
- Erwartungshaltung der Konzessionswerber an den Baugrund objektivierbarer.
- Projektrisiko verifizierbarer

7.3.2 Vorarbeiten durch den Konzessionsgeber – vor der Präqualifikation

In Fortsetzung obigen Gedankens kann es im Bereich der Wasserkraft mehr Sinn machen Vorarbeiten zu finanzieren, anstelle von Anschubinvestitionen oder längeren Konzessionszeiten u.ä.

Darunter fallen z.B. baustellentaugliche Zufahrtsstraßen, definitive Grundeinlöse bzw. geklärte Umsiedelung eventuell betroffener Menschen. Diese Vorarbeiten befreien ein Projekt von einer Vielzahl von unkalkulierbaren Risiken schon vor Projektbeginn – speziell in Entwicklungsländern spielen diese Rechtsfragen eine nicht unwesentliche Rolle bei der erfolgreichen Projektumsetzung.

Ziel: Steigerung der Projektattraktivität durch Verringerung der länderspezifischen Risiken, speziell am Sektor Grundeinlöse und Erschließung der „sites". Für den Konzessionswerber ist damit Konzentration auf seine Kernkompetenz im Wettbewerb möglich.

In Indien ist in der aktuellen POLICY ON HYDRO-POWER DEVELOPMENT daran gedacht, einen POWER DEVELOPMENT FUND einzurichten, der diese Arbeiten vorfinanziert (*„The above approach is possible and successful if a dedicated fund ist available for this purpose."* [403]), ebenso besteht auf Seiten der World Bank Bereitschaft, diese Arbeiten zu unterstützen.

7.3.3 Präqualifikation mit Verifikation der Projektidee

Als Teil der Präqualifikation[404] muß von den Interessenten (zukünftige Konzessionswerber) auch die grundsätzliche Projektidee und das „Conceptual Design" verifiziert werden –

[403] vgl. POLICY ON HYDRO POWER DEVELOPMENT. a.a.O.

[404] Primär dient die Präqualifikation aber der Sicherstellung der technischen und wirtschaftlichen Leistungsfähigkeit, vgl. auch FIDIC-Standard prequalification form for contractors. a.a.O. und ITA- Recommendations on Contractual Sharing of Risks: Empfehlung 4 - Prequalification of contractors. a.a.O.

anderenfalls die Nichtdurchführbarkeit oder eventuelle Änderungsvorschläge deponiert werden müssen.

Auch soll in diesem Zusammenhang die Möglichkeit bestehen, weitere eventuell fehlende Untersuchungen einzufordern bzw. für einen eigenen Alternativvorschlag anzukündigen.

Ziel: Verifikation der Projektidee, bzw. die Sicherstellung der Vergleichbarkeit der späteren Angebote.

7.3.4 Shortlist

Nach erfolgter Präqualifikation kann der Bereich der Konzessionswerber eingeschränkt werden, bzw. können entsprechend den eingegangen Projektvorschlägen eventuell Einschränkung der Trassenwahl oder des Bauverfahrens vorgegeben werden.

Wesentlich ist die Vorgabe der Bewertungskriterien für das Angebot (vgl. Punkt 7.4.3), basierend auf den Erfahrungen der qualifizierten Unternehmer im Verhältnis zum Konzessionsgeber. D.h. die Gewichtung der Preise basierend auf der Erwartungshaltung des Konzessionsgebers und der Konzessionswerber in der Bewertung kann danach gesteuert werden.

Ziel: Eindeutig nachvollziehbare Bewertungskriterien im internationalen Wettbewerb – eventuell orientiert an den Erfahrungen der Konzessionswerber (bekannt nach Request for Qualification (RFQ)).

7.3.5 Vorgaben des Konzessionsgebers

Ein Wasserkraftwerk ist im Allgemeinen nie ein singuläres Projekt, es ist mittelfristig immer als Teil einer Kraftwerkskette zu sehen, d.h. es gibt ein Ausbauprogramm basierend auf Feasibilitystudies, welche Ober- und Unterwasserspiegel bzw. die Länge der Stauwurzel und eventuelle Unterwassereintiefungen vorgeben, daher macht es wenig Sinn, wenn für Wasserkraftwerksprojekte vollkommene Freiheit in der Trassenwahl und Situierung gelten soll.[405]

---

[405] vgl. z.B. FIDIC: EPC Turnkey Projects, Sub-Clause 5.1 General Design Obligations: *„If the Employer's Requirement include an outline design, in order (for example) to establish the feasibility of the project, tenderers should be advised of the extent to which the outline design is a suggestion or a requirement. If this Sub-Clause is considered inappropriate, the provisions in FIDIC's Conditions of Contract for Plant and Design-Build may be prefered".*

Der Konzessionsgeber sollte daher eine konkretisierte Projektvorstellung haben (→ Vorprojekt), welche im 1. Schritt in Vorgaben für den Wettbewerb münden und im 2. Schritt als Referenz für die Begutachtung und Bewertung der eingegangen Angebotsvarianten dient.

Konkretisierte Projektvorstellung umfaßt:

- Technischer Lösungsvorschlag (veröffentlicht)
- Prognose und bautechnische Interpretation der Baugrundverhältnisse (veröffentlicht)
- Rahmenterminplan (veröffentlicht)
- Kostenschätzung für die verschiedensten Anlagenteile (unveröffentlicht)
- Risikoabschätzung für die Grenz-Bonität des Angebots (GBA) (veröffentlicht)

Die Vorgaben des Konzessionsgeber sollen in die nachfolgenden Hauptkategorien eingeteilt werden:

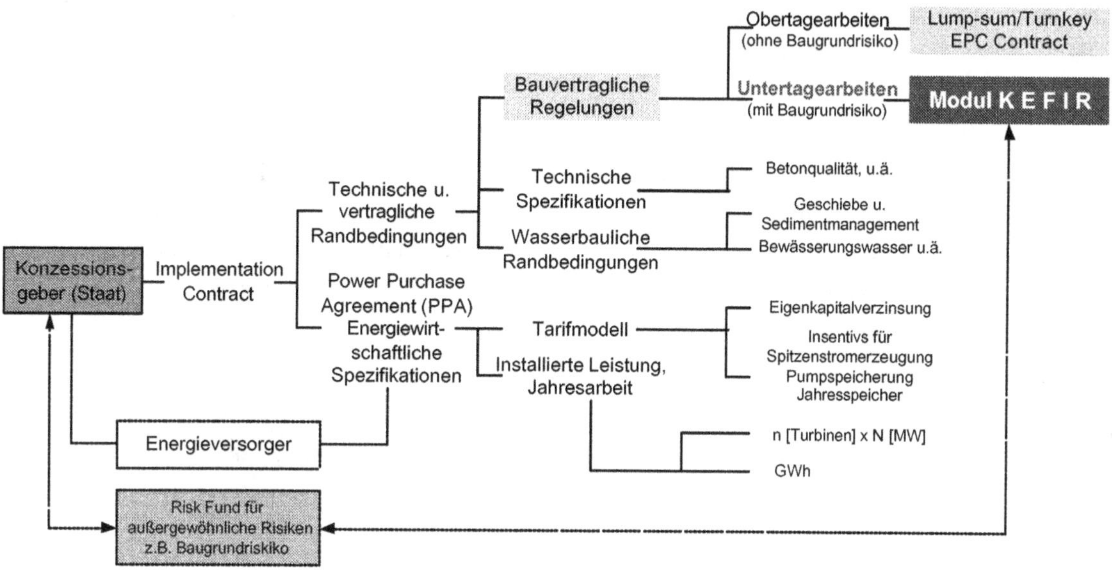

Abbildung 7-10: Vorgaben des Konzessionsgeber zur Durchsetzung einer transparenten Vergütungsregelung und fairen Risikoteilung im Bereich des Baugrundrisikos.

Wesentlich ist, daß die Vorgaben für die Gestaltung des Vertrages und die darin vorgeschlagene Risikoteilung und Vergütungsregelungen durch Formulare und Organigramme klar strukturiert wird (siehe Punkt 7.7 Standard-Forms für K E F I R).

Daneben gibt es noch eine Vielzahl von Reglementierungen, welche von Projekt zu Projekt und Land verschieden sind, diese können sich beziehen auf (exemplarisch):

- eventuell nationale Beteiligungsbeschränkungen, d.h. ausländische Partner in der Konzessionsgesellschaft dürfen einen gewissen Beteiligungsprozentsatz nicht überschreiten.
- Mindestprozentanteil für Eigenkapitaleinbringung
- Aufteilungsschlüssel für die Finanzierungsquellen
- maximale/minimale Eigenkapitalverzinsung

Wesentlich ist die Vergleichbarkeit der Angebote (nicht die Gleichheit), allein schon im Interesse des Konzessionsgebers: *„The required conformity of the bids may have a negative impact on the creativity of the private bidders, which is generally supposed to be one of the advantages of the BOT concept. A prospective bidder may have the knowledge to offer a solution to the implementation of a BOT project that is different from the solution described in the bidding documents. Of special importance to the government is that the bidder may be able to come up with changes in the construction method, in the project spezifications or in the O&M methods that could save time and/or reduce costs to the benefits of the consumers."* (aus UNIDO 1996 a.a.O. S. 120 bzw. siehe ITA-Recommendations Nr. 9).

Implementation Contract

Für die Situation in Indien wäre es sinnvoll, wenn alle nachfolgenden die außergewöhnlichen Risiken betreffenden Regelungen, schon originär im Implementation Contract geregelt sind. Die derzeitige Praxis, daß die Project Company diese Risiken übernimmt und dem Civil Works-Contractor überwälzt, wird hier als nicht zielführend beiseite gelassen.

Diese Art der Durchreichung ist hier schon deshalb sinnvoll, weil gerade bei Wasserkraftwerken mit großem Hohlraumanteil der Civil Works-Anteil an den Baukosten zw. 60-80% ausmachen kann und es daher sinnvoll ist, wenn die Baugruppe auch in diesem Maßstab an der Konzessionsgesellschaft (Project Company) beteiligt ist (vgl. Punkt 6.3.1 Status der Bauunternehmung in und zur „Project Company - PC").

(A) Energiewirtschaftliche Spezifikationen und Power Purchase Agreement (PPA)

Aus der Analyse der derzeit Situation in Indien geht eindeutig hervor, daß auch die Art der Tarifgestaltung sich negativ auf die Realisierungschancen der Wasserkraft auswirkt (vgl. Punkt 4.3.2.3), zudem fehlt ein bundesstaatenübergreifender, leistungsfähiger Netzverbund.

Ziel: Tarifgestaltung für Hydro Power muß neu konzipiert werden → Netzverbund muß besser (zentral) organisiert werden.

Der Konzessionsgeber soll Vorstellungen über **energiewirtschaftliche Vorgaben** haben, wie:

- Stromabnahmeverträge (Power Purchase Agreement - PPA)
- Investorenfreundliche Regelung für „SEKUNDÄR-ENERGIE“ und „ZERO COST ENERGY“
- Ausbauleistung N_e [kW]= η x H [m] x Q [m³/sec]
- Jahresarbeitsvermögen J [GWh]
- Engpaßleistung [MW, kW]
- außer es handelt sich um einen deregulierten Markt (→ Indien derzeit nicht der Fall)
- eventuell auch auf Basis von Kostenerstattung, Energieabnahme „Take or Pay“
- Betriebscharakteristik – jährliche Betriebsstunden, Verfügbarkeit (Plant Load Factor - PLF), Anfahrzeiten, Netzregelungsspanne durch z.B. Pumpspeicherung.

(B) Technische und vertragliche Randbedingungen

Im Sinne des Modells muß der Konzessionsgeber auch konkrete Vorstellungen über die technischen und vertraglichen Randbedingungen haben. Neben den hier hauptsächlich zu behandelnden bauvertraglichen Regelungen geht es dabei auch um:

(B.1) Wasserbauliche Randbedingungen

- Ober- und Unterwasserspiegel
- Situierung der Wehre bzw. Sperren
- Situierung des Krafthauses mit Unterwasser-Rückgabe
- Fallhöhe und Ausbauwassermenge (N_e [kW]= η x H [m] x Q [m³/sec])
- Größe des Stauraums, eventuell jahreszeitlicher Hochwasserrückhalt[406] und/oder Wasserabgabe für Bewässerungszwecke.
- Wasserwirtschaftliche Vorgaben wie z.B. Restwassermenge, Dotierung für Bewässerungen, Geschiebe- und Sedimentmanagement.

---

[406] Große Wasserkraftwerke werden vielfach als Vielzweck-Anlagen (Multi Purpose Project = MPP) konzipiert, z.B. Three Gorges Project usw. – Dabei kann es zu jahreszeitlich bedingten Einschränkungen der Stauraumbewirtschaftung kommen, d.h. daß z.B. in hochwassergefährdeten Zeiten der Stauspiegel zur Schaffung eines größeren Retentionsraumes abgesenkt werden muß → bei Flußkraftwerken können dabei gleich einmal 25% der Fallhöhe über einen längeren Zeitraum verloren gehen.

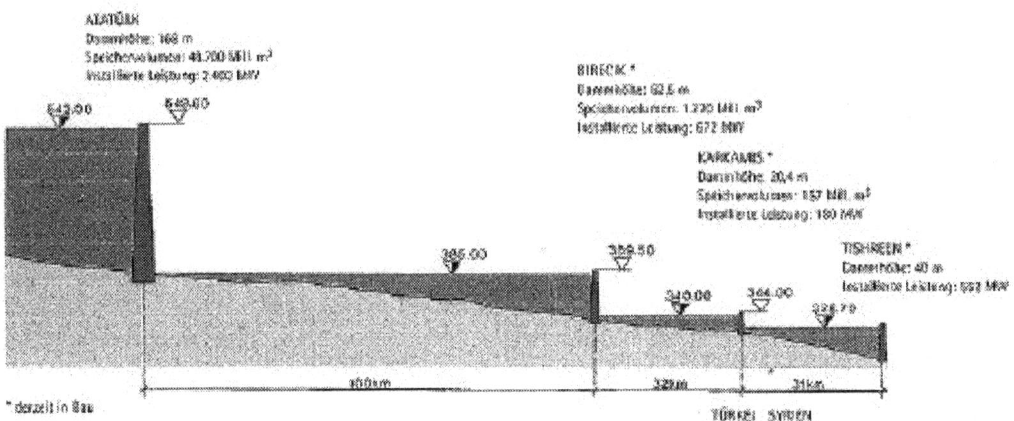

Abbildung 7-11: *Teil der Kraftwerkstreppe am Firat*[407] *(Atatürk, Birecik, Karkamis – alle Türkei, Tishreen (Syrien)). Birecik wurde als BOT-Modell errichtet (siehe Kurzbeschreibung unter. Punkt 3.4.2) und ist derzeit das weltweit leistungsfähigste Wasserkraftwerk, welches mittels BOT errichtet wurde (672 MW).*

(B.2) Bautechnische Erfordernisse

Der Konzessionsgeber soll Vorstellungen über die **bautechnischen Erfordernisse** haben[408]:

- die geologische Situation entlang der Stollentrasse und mögliche bautechnische Maßnahmen (z.B. Bauverfahren) müssen von Seiten des Konzessionsgeber bzw. seiner eingesetzten Planer voruntersucht werden.
- erforderlich Bauzeit
- erforderlich Sondermaßnahmen (SM)
- mögliche Trassenverläufe zwischen Einlauf und Unterwasserrückgabe
- im wesentlichen ober- oder unterirdische Führung des Triebwasserweges
- ober- oder unterirdische Situierung der Anlagenteile (Kavernenkrafthaus usw.)
- Schnittstellendefinition

---

[407] Bezeichnung für den türkischen Teil des Euphrat.

[408] Jeder Konzessionsgeber wird durch Consulter vertreten; schon in seinem eigenen Interesse einer möglichst professionellen Abwicklung. Dieser Beraterstab sollte sowohl vertragsrechtliche, als auch technische Aspekte bewerten können (vgl. auch FIDIC/EPC Turnkey Projects, Guidance, S. 3). Die Summe dieser Informationen ergibt für den Konzessionsgeber eine technisch, wirtschaftlich und rechtlich fundierte Erwartungshaltung, welche als Vergleichsbasis zur Verifikation der Erwartungshaltungen der einzelnen Konzessionswerber dient und so eine objektivere Analyse der Angebote ermöglicht.

Erst dadurch ist die Vergleichbarkeit der Angebote möglich bzw. eine fundierte Bewertung der von den Konzessionswerbern vorgelegten Lösungen und den damit verbundenen Kosten und Bauzeiten möglich → und dies vor allem in einer akzeptablen Bearbeitungszeit (vgl. UNIDO a.a.O. S. 120, ITA-Recommendations Nr. 9 bzw. Auszüge daraus unter Punkt 7.3.5).

Einschub: Gelten diese Randbedingungen in ähnlicher Form auch für andere Hohlraumbauten?

Prinzipiell kann auch für einen Tunnel im Zuge eines Verkehrsweges, welcher als BOT-Modell errichtet werden soll, von sehr eng gesteckten Randbedingungen ausgegangen werden.

Eingeschränkte Trassenwahl, eventuell schon vorgegebener Nivellette und damit Portalbereiche durch vorlaufende Trassenverordnungen und UVP-Verfahren, Querschnittgestaltung vorgegeben durch Lichtraumprofile usw.

Auf den Energiesektor bezogen sind Wasserkraftwerke sicher die den meisten Randbedingungen unterworfenen Projekte. Während z.B. ein Gaskraftwerk auf der grünen Wiese (Green Field Project) eigentlich nur die Stromabnahmeverträge (Power Purchase Agreement - PPA) und die erforderlichen Brennstofflieferverträge für einen aufgrund der geringeren Amortisationszeit eher prognostizierbaren Zeitraum fixieren muß, ist die Amortisationszeit von Wasserkraftwerken zusätzlich vielen volatilen Effekten unterworfen.

Prognose der Baugrundverhältnisse

Neben der funktionalen Beschreibung des Projektes gibt es eine auf die „Geologische Bezugsbasis (GBB)“ (vgl. Punkt 7.4.1.2) abgestimmte Prognose der Baugrundverhältnisse.

Erforderlich ist diese Konzessionsgeber-Vorgabe, um in der Angebotsbewertung eine Ermittlung des Bestbieters machen zu können. Theoretisch könnte als Bestbieter auch jener gelten, welcher den niedrigsten Pauschalpreis anbietet. Nur ist damit der Spekulation[409] Tür und Tor geöffnet bzw. steigt das Projektfertigstellungsrisiko exorbitant, wenn im Ernstfall vom Konzessionsnehmer die Risikotragung bis zur Grenz-Bonität des Angebots (GBA) nicht durchgestanden wird.

Ziel: Verhinderung der Spekulation über den niedrigsten Preis und fehlendem Risikozuschlag für die Differenz bis zur Grenz-Bonität des Angebots (GBA).

[409] Im Sinne zu optimistische Baugrundprognosen um an den Auftrag zu kommen, selbst das wäre theoretisch für den Konzessionsgeber theoretisch bedeutungslos, weil der Konzessionsnehmer bis zur Grenz-Bonität des Angebots (GBA) für sein Angebot geradestehen muß → real steigt dadurch das Projektfertigstellungsrisiko exorbitant an → daher gilt es diesen spekulativen Ansatz zu unterbinden.

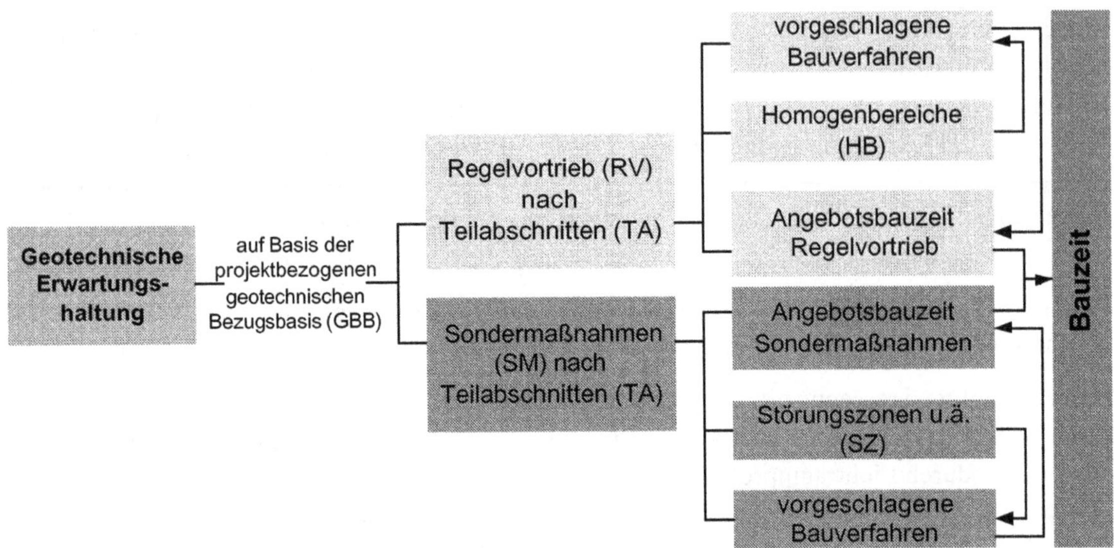

Abbildung 7-12: Prognose der Baugrundverhältnisse (= Geotechnische Erwartungshaltung) auf Basis der „Geotechnischen Bezugsbasis (GBB)" für den Regelvortrieb (RV) und eventuelle Sondermaßnahmen (SM); inkl. darauf aufbauender Bauzeit.

Wie später unter Punkt 7.4.3 ausgeführt, wird der Bestbieter aus einer individuellen projektbezogen vorgegebenen Gewichtung der Erwartungshaltungen von Konzessionsgeber und Konzessionsnehmer ermittelt → d.h. daß die Reihung der Angebote durch die „Mischrechnung" mit der Erwartungshaltung des Konzessionsgebers einen Umsturz erfahren kann.

Erforderlich ist dafür auch eine eindeutige Schnittstellendefinition bzw. eine sinnvolle Sektorierung der erforderlich Leistungen.

(B.3) Bauvertragliche Regelungen

Das vorgeschlagenen alternative Konzept ist nur ein Sub-Teil (modularer Aufbau) eines Gesamtvertrages, welcher im wesentlichen der Intention des FIDIC/EPC Contracts folgen soll, aber entsprechend den außergewöhnlichen Risiken aus dem Hohlraumbau dort einem anderen Risikoteilungsansatz folgt → im Detail siehe nächster Punkt.

Um die Überschriftentiefe zu verringern und dem schnellen Leser die Orientierung zu erleichtern bzw. das Studium der wesentlichen Teile zu vereinfachen wird in einem eigenen Punkt 7.4 mit dem Modellkonzept fortgesetzt.

7.4 Modellkonzept

Die Idee beruht auf der Notwendigkeit des „vertraglichen Handling" der eventuell unterschiedlichen Erwartungshaltungen der beiden Vertragsparteien in das Projekt (Konzessionsgeber ←→ Konzessionsnehmer). Diese differenzierte Erwartungshaltung kann viele Bereiche des Projektes betreffen → monetär und hier nur behandelt, ist die Einschätzung des Baugrundes das größte Risiko.

Bei einem konventionellen Einheitspreisvertrag in Mitteleuropa wird vom Auftraggeber eine Vortriebsklassenverteilung angenommen (Vordersatz und Positionsmenge) und die Preisbildung des Auftragnehmers basierend auf eben dieser Verteilung. Jede Abweichung ändert unmittelbar die Vergütung (Abrechnungsmenge x EP), zudem gibt es beim Überschreiten einer bestimmten Bandbreite Anpassungsmechanismen für den/die Einheitspreis/e.

Weicht die ausgeführte Leistung von der Ausgeschriebenen grundsätzlich ab, besteht die Möglichkeit der Neupreisbildung aufgrund geänderter Leistung.

Pauschalverträge übertragen je nach Konzeption einen Teil des Risikos, z.B. das Mengenrisiko an den Unternehmer.

Grundsätzlich ist die Errichtung von Hohlraumbauten mit Pauschalverträgen vorstellbar. Die Praxis im Hohlraumbau zeigt jedoch, daß die Risiken bei größeren Projekten nicht mehr kalkulierbar sind, bzw. die erforderlichen Risikozuschläge die Projekte für beide Seiten unwirtschaftlich werden lassen (vgl. Punkt 4.3.5 bzw. Tabelle 4-7) → die Folgen sind, daß diese Projekte nicht den Schritt in die Realisierung machen (Bandbreite der „Cost-overruns" vgl. Erfahrung der *World Bank* und des *U.S. National Committee for Tunnelling Technology* in Kapitel 5).

In Fortsetzung zu den Ausführungen unter Punkt 7.3 „Grundsätzlicher Ablauf"; werden anschließend die erforderlichen Begriffe und Definitionen besprochen.

Um die in den Absätzen vorher beschriebenen Effekte zu erzielen wird vom Verfasser nachfolgende Modellvorstellung vorgeschlagen, welche:

- die differenzierten Erwartungshaltungen von Konzessionsgeber und Konzessionsnehmer berücksichtigen.
- im Wettbewerb eine monetäre definierte, gleich hohe Risikobegrenzung für alle Konzessionswerber vorgibt (Grenz-Bonität des Angebots - GBA).
- die darüber hinaus gehenden Baugrundrisiken in den Verantwortungsbereich des Konzessionsgebers transferiert.

Dazu sind erforderlich:

- Begriffsdefinition
- Vorgaben des Konzessionsgebers (vgl. teilweise schon im Punkt 7.3.5)
- Zusammensetzung des Angebots
- Funktionale und technische Projektausfertigung (DPR)
- Preiskomponentenschema (PKS)
- Störfallkatalog
- Bewertungsmodell für Definition des Bestbieters
- Begleitmaßnahmen während der Bauausführung

7.4.1 Begriffsdefinitionen

Für die im Modell benötigten Variablen wurde versucht, selbsterklärende Begriffe zu verwenden. Um die Lesbarkeit zu unterstützen sind die Abkürzungen mehrheitlich dreistellig ausgeführt. Aus dem Index kann im Bedarfsfall die aktuelle Zuordnung zu Konzessionsgeber, Konzessionswerber oder Konzessionsnehmer ersehen werden.

Tabelle 7-1: Variabeln- und Begriffsdefinition für das Modell K E F I R.

ABK	**A**nrechenbare **B**au**k**osten	
AMK	**A**bgeminderte **M**ehr**k**ostenerstattung	
APG	**A**ngebots**p**reis bis zur **G**renz-Bonität	
DPG	**D**ifferenz zwischen **P**E und **G**BA	
EFB	**E**rlös**f**ehl**b**etrag	
GAP	**G**ewichteter **A**ngebots**p**reis	siehe Punkte 7.4.3.3 und 7.4.3.4
GBA	**G**renz-**B**onität des **A**ngebots	siehe Punkt ?
GBB	**G**eotechnische **B**ezugs**b**asis	siehe Punkt 7.4.1.2
GE	**G**renz**e**rwartungshaltung des Konzessionswerbers, entspricht intern festgesetzter Grenz-Bonität entsprechend seiner Erwartungshaltung	
GF	**G**ewichtungs**f**aktoren	
HB	**H**omogen**b**ereich	
KOE	**K**osten-**O**bergrenze-**E**rwartungshaltung	siehe Abbildung 7-23
NV	**N**ullpunkt-**V**erschiebung	siehe Punkt 7.4.2.2.5
PE	**P**auschalpreis-**E**rwartungshaltung	siehe Abbildung 7-23
PKS	**P**reis**k**omponenten**s**chema	siehe Punkt 7.4.2.2
RAP	**R**eihungs-**A**ngebots-**P**reis	siehe Punkt 7.4.3.4
RÜ	**R**isiko**ü**bernahme	
RV	**R**egel**v**ortrieb	
SM	**S**onder**m**aßnahmen	siehe Punkt 7.4.1.4
STF	**St**ör**f**älle	siehe Punkt 7.4.2.2.6
TA	**T**eil**a**bschnitt	
VPE	**V**ergleichs-**P**auschalpreis-**E**rwartungshaltung	siehe Punkte 7.4.3.3 und 7.4.3.4
VPS	**V**ergütungs**p**rozent**s**atz	siehe Punkt 7.4.1.7

Einschub: Konzessionswerber → Konzessionsnehmer

Entsprechend dem Projektstadium sind zwei zu differenzierende Begriffe für den Konzessionsnehmer in Verwendung. In der Phase des Wettbewerbs wird der Begriff Konzessionswerber (KW) in Ein- bzw. Mehrzahl verwendet. Nach der Vergabe an einen Konzessionswerber wird dieser zum Konzessionsnehmer (KN).

Einschub: Indexerklärung

Die oben angeführten Definitionen können sowohl in Zusammenhang mit dem Konzessionsgeber (KG), den Konzessionswerber(n) (KW, KWn) und dem Konzessionsnehmer (KN) benützt werden. Die jeweilige Zuordnung/Verwendung wird durch den Index angezeigt.

→ z.B. PE_{KN} oder PE_{KG}

Einschub: Darstellungsform

Auf den nächsten Seiten wird vielfach untenstehende Darstellungsform benützt, um den Modellgedanken zu erklären. Die Graphiken sind entsprechend der hier gezeigten Achsenbeschriftung zu interpretieren bzw. ist die Erlösfunktion gedanklich zu hinterlegen. In der Farbdefinition entspricht die Annahmen des Konzessionsgebers der Farbe „Grün“ und jene der Konzessionswerber der Farbe „Blau“ bzw. „Orange“ der Risikoübernhame des Konzessionsgebers über der Grenz-Bonität:

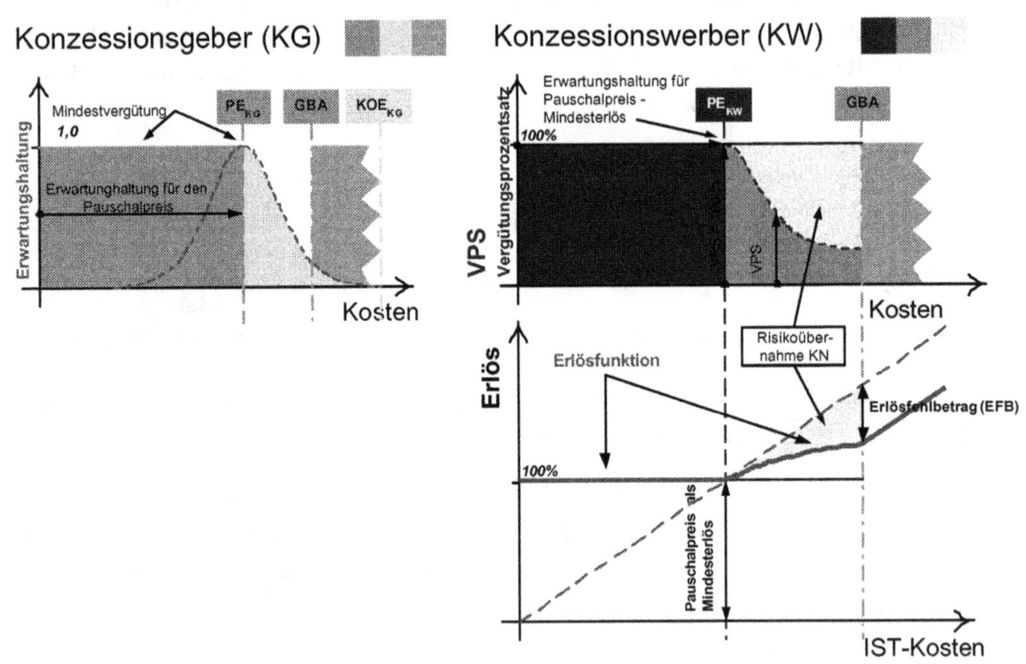

Abbildung 7-13: Achsenbeschriftung und Verlauf der Erlösfunktion entsprechend der Modellvorstellung.

Einschub: Definition der Bewertungsflächen aus dem Angebot

Die Vergütung entspricht der jeweiligen (blauen) Fläche und errechnet sich daher aus dem

Vergütung = Kostenbasisintervall (Abszisse) x VPS (Vergütungsprozentsatz→ Ordinate)

Die Bezeichnung der einzelnen Flächen kann aus untenstehender Abbildung ersehen werden.

a ↔	PE_{KW}	„Pauschalpreis-Erwartungshaltung des Konzessionsnehmers" als Mindestvergütung des Modells
b ↔	IST – a – d	abgeminderter Mehrkostenvergütung AMK
c ↔	IST	tatsächliches IST nach angetroffenen Verhältnissen
d ↔	d = c – a – b	Erlösfehlbetrag (EFB) aus abgeminderter Mehrkostenvergütung AMK
e ↔	$RÜ_{KG}$	Mehrkosten Risikoübernahme durch Konzessionsgeber
a+b ↔	ABK	Anrechenbare Baukosten

100%
Vergütung
PE KW
IST
GBA
GE
a
b
d
e
C (IST)
100%
150%
200%
Risiko Konzessionsnehmer (RÜ KN)
Risiko Konzessionsgeber (RÜ KG)
a Fixer "Pauschalpreis" --> Vergütung 100% von PE KW
b Für den Überschreitungsbetrag der Angebotssumme (>PE KW) gibt es nur mehr den lt. Angebot abgeminderten Teil = Abgeminderte Mehrkostenerstattung (AMK) bzw. entsprechend dem Vergütungsprozentsatz (VPS)
c IST-Situation
d Aufwendungen ohne direkten Ersatz, schlagendes Risiko --> Erlösfehlbetrag (EFB)
e Nach Überschreiten der Grenz-Bonität des Angebots (GBA) werden wieder 100% der aus dem Angebot fortgeschriebenen Kosten erstattet --> RÜ KG

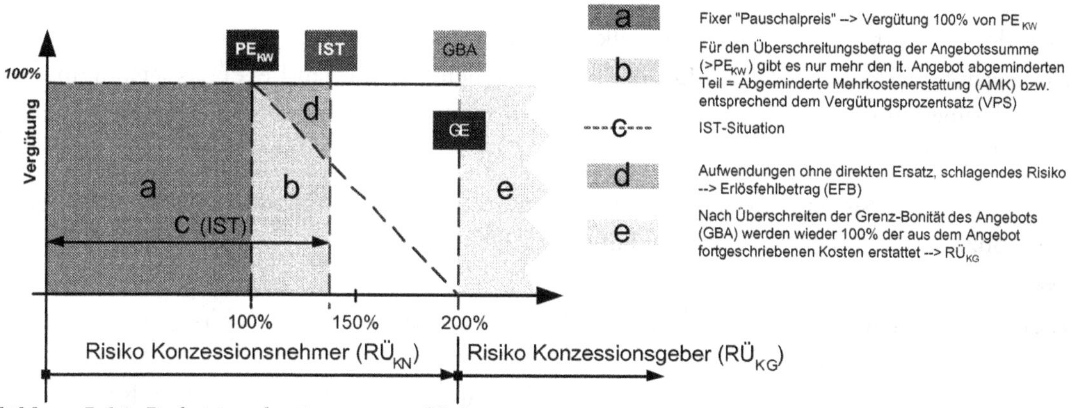

Abbildung 7-14: Definition der Bewertungsflächen.

7.4.1.1 Erwartungshaltung

Das Ziel ist **Know-how** und **Innovationspotential** der ausführenden Unternehmer in die Projekte einzubinden (vgl. Diskussion zur NBS-Köln-Rhein/Main, Punkt 6.2.3.3.3) bzw. ist dies eine der wesentlichen Chancen von BOT-Modellen (und PPP-Modellen allgemein, vgl. Ausführungen in Kapitel 2 und 3).

Im Hohlraumbau basiert diese Einbindung im wesentlichen auf den zwei Säulen:

- **Einschätzung des Baugrundes** (Erwartungshaltung auf Basis der Geotechnischen Bezugsbasis)
  - Geologie
  - Felsmechanisches Verhalten
  - Bearbeitbarkeit
- **Wahl der Bauverfahren** (z.B. TBM-Vortrieb anstelle eines Sprengvortriebs, NATM anstelle Cut&Cover für eine U-Bahnstation usw.)

Nachdem in letzter Konsequenz jeder Wettbewerb auf einen Preiswettbewerb hinausläuft, wäre der einfachste Ansatz die kostenmäßig dominanten Aufwendungen für die Hohlraumbauten nieder, d.h. die Baugrundverhältnisse zu optimistisch anzusetzen. Diese Spekulation steigert aber das Projektfertigstellungsrisiko.[410]

Sobald die Einschätzung des Baugrundes dem Wettbewerb unterzogen wird, besteht dabei die Gefahr der bewußten Spekulation oder unbewußten Fehleinschätzung durch die Konzessionswerber im Preiswettbewerb.

Erforderlich ist daher ein Regelkreis, der sowohl die Erwartungshaltung des Konzessionswerbers berücksichtigt, dafür bis zu einem definierten Level das Risiko überwälzt, aber darüber hinaus den Konzessionsnehmer von den außergewöhnlichen Baugrundrisiken freistellt.

Die wesentliche Steuergröße ist dabei die Grenz-Bonität des Angebots (GBA), bis zu welcher der Konzessionswerber für sein Angebot gerade stehen muß.

Ziel: Die eventuell verschiedene Erwartungshaltung von Konzessionsgeber und Konzessionsnehmer muß so in die Bewertung einfließen, daß das Know-how des Unternehmers im Wettbewerb zum Tragen kommt, aber Spekulation hintangehalten wird.

Die Erwartungshaltungen von Konzessionsgeber und den Konzessionswerbern über die Chancen und Risiken können aus vielfältigsten Gründen unterschiedlich sein.

---

[410] Primär entstehen daraus Abwicklungsschwierigkeiten und Meinungsverschiedenheiten, weil der Konzessionsnehmer versuchen wird, aus dem für ihn ungünstigen Vertrag herauszukommen bzw. zusätzliche Vergütungsregelungen zu erreichen. Die Finanzierung wird mit größter Wahrscheinlichkeit nur auf das vorher festgelegte Level fixiert, sodaß auch daraus Probleme entstehen werden.

Am deutlichsten und vor allem am weitreichendsten trifft dies wieder auf die Einschätzung und das damit verbundene Risiko des Baugrundes zu.

Einen ausgesprochen interessanten Beitrag dazu lieferte SCHUBERT P. (1992).[411] Er kommt in seinem exemplarischen Beispiel zum Schluß, daß selbst bei fundierter Analyse des anstehenden Untergrundes die Prognose und die darauf basierenden Rechenmodelle im besten Fall eine Wahrscheinlichkeit von ca. 50% haben.

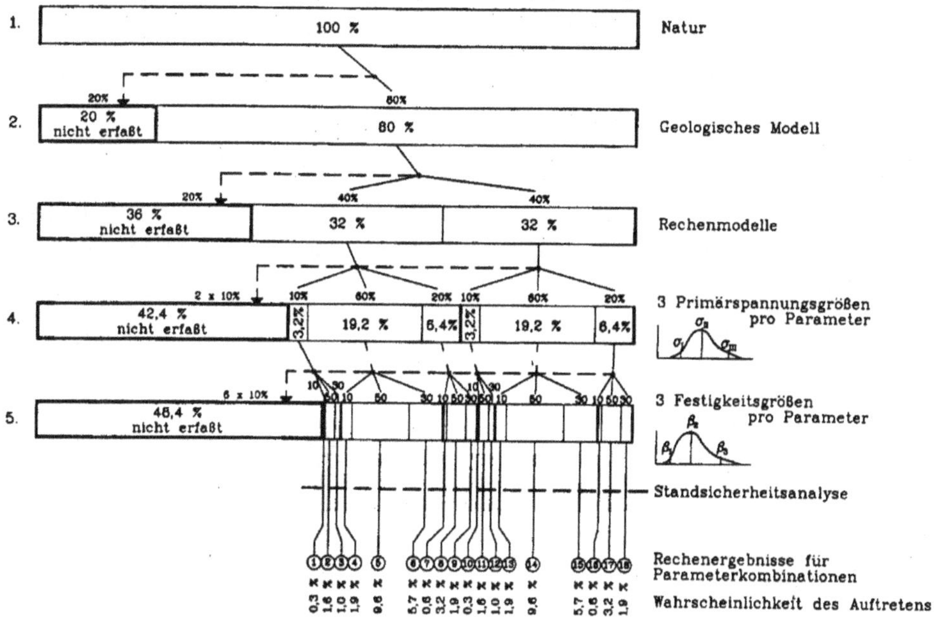

Abbildung 7-15: Wahrscheinlichkeit des Auftretens der angenommenen Parameter-Kombination im Zuge einer Standsicherheitsanalyse nach SCHUBERT P. (Abbildung aus SCHUBERT P. 1992).

Dadurch relativiert sich die Wertigkeit von Rechenverfahren im Felshohlraumbau zugunsten der mehr auf Messung und Beobachtung basierenden Verfahren (ursprünglich einer der wesentlichen Punkte der NATM, welcher heute durch die Diskussion über mögliche ungünstige Wertekombinationen in den Hintergrund gedrängt wird[412] (siehe auch Kapitel 5 Baugrundrisiko).

[411] vgl. bei SCHUBERT P.: Die Ungewißheit bei der Standsicherheitsanalyse von Felsbauwerken. Felsbau 10, Nr. 4, S. 191-195, 1992.

[412] vgl. Diskussion über anzunehmende Bodenkennwerte zwischen den von den Auftragnehmern beschäftigten Tunnelplanern und den Sachverständigen der DB-Projekt GmbH und dem Eisenbahnbundesamt (EBA) im Zuge der Ausführung der NBS-Köln-Rhein/Main, welche mittels funktionaler Leistungsbeschreibung erstmalig für ein Bauwerk dieser Art und Größe in der BRD abgewickelt wurde.

Selbst wenn man unterstellt, daß alle Beteiligten fachlich gleich qualifiziert sind, allen dieselben Unterlagen zur Verfügung standen, kann die Einschätzung optimistischer oder eben pessimistischer, besser oder schlechter ausfallen (richtig oder falsch wäre in diesem Fall fehl am Platz – vgl. Absatz vorher).

Praktisch ist obige Annahme die Unterlagen betreffend vorauszusetzen, die Erfahrung und das Know-how sowie vor allem unternehmerische Entscheidungen[413] beeinflussen den Preis und damit die Wettbewerbssituation entscheidend – spekulative Einflüsse tragen das ihre noch zusätzlich bei.

Der unterstellte Wettbewerb erfaßt auch die Wahl des Bauverfahrens und damit die Einschätzung der Bearbeitbarkeit des Bodens.

Wenn das Angebot nur aus einem einzigen Endpreis bestehen würde, könnte keine seriöse Bewertung der Angebote erfolgen. Als erste Voraussetzung muß die eventuell auch spekulativ zu optimistisch gesetzte Erwartung in den Baugrund nach Möglichkeit verhindert bzw. relativiert werden.[414]

Einschub: Unterpreise und Spekulation

Im Wettbewerb wird es immer wieder Marktteilnehmer geben, die mit Unterpreisen agieren, diese können

- spekulativ
- Kalkulationsirrtümer oder
- unternehmenspolitisch motiviert

sein.

Die Regeln des Marktes zwingen mittelfristig jedoch Unternehmen, die nicht kostendeckend arbeiten, zum Ausscheiden, d.h. in der Regel kann von einer gesunden, von unternehmerischer Weitsicht getragenen Wettbewerbssituation ausgegangen werden.

Ziel muß sein, die Angebote durch ein Paket von Maßnahmen in einer möglichst engen Bandbreite zu halten.

---

[413] Auftragslage, Risikoeinschätzung, vergleichbare ausgeführte Projekte, vorhandenes passendes Gerät (z.B. TBM mit passendem oder einfach adaptierbarem Durchmesser).

[414] vgl. Modell bei der NBS-Köln-Rhein/Main, welches dem Bieter der eine bessere als vom Auftraggeber prognostizierte Vortriebsklassenverteilung seinem Angebot zugrunde legte, auch das Risiko aus dieser Differenz im Ernstfall tragen muß → daß diese Risikotragung theoretisch funktioniert, wird praktisch durch ein für mich nicht nachvollziehbares Vergabeverfahren sichergestellt (vgl. Punkt 6.2.3.3.3).

Dazu dienen im Einzelnen:

- Konkrete Projektvorstellungen des Konzessionsgebers (KG) und Preisgabe seiner Erwartungshaltung betreffend Geologie, Bearbeitbarkeit und Bauzeit.
- Vorgabe einer „Grenz-Bonität des Angebots (GBA)" durch den Konzessionsgeber (vgl. Punkt 7.4.1.6) → Grenze ab welcher wieder der Konzessionsgeber alleine das Risiko trägt, mit einem Preisabschlagsverfahren für den Bereich zwischen dem „Pauschalpreis"[415] des Konzessionswerbers und der Grenz-Bonität des Angebots (GBA) (→ Risikoübernahme des Konzessionswerbers für eine eventuell zu optimistisch angenommene Erwartungshaltung gegenüber jener des Konzessionsgeber). Diese Erwartungshaltung wird damit dem Wettbewerb unterstellt und muß bei Nichterfüllung auch vom Konzessionsnehmer getragen werden.
- Bewertung der Chancen und Risiken bzw. deren monetäre Effekte durch den Konzessionswerber, spez. in Hinblick auf Bauzeit und Konzessionszeit → Effekt wie Absatz vorher.
- Bewertung der Angebote in Gegenüberstellung der Erwartungshaltung von Konzessionsgeber und den Konzessionswerbern unter Verwendung einer nach der Präqualifikation vorgegebenen Gewichtung und Reihung der Preiskomponenten.
- Die Regeln des freien Marktes (Erlös > Kosten). Konzessionsnehmer muß Risiken, welche von ihm übernommen wurden, tragen.

Obige Maßnahmen haben einen „gravitativen Effekt"[416] auf die Preisbildung. Bieter, die in ihrer Prognose der Untergrundverhältnisse von der Erwartungshaltung des Konzessionsgebers abweichen und dafür auch noch niedrigere Preise ansetzen, welche bei der Ausführung eventuell doch nicht zum

Tragen kommen, werden durch die Miteinbeziehung der Erwartungshaltung des Konzessionsgebers in die Bewertung in Schranken gehalten.

Im Endeffekt drückt sich die Erwartungshaltung von Konzessionsgeber und Konzessionswerbern in differenzierten Sektorierungen der Stollenlängsachse in Regelvortrieb und Sondermaßnahmen bzw. für den Regelvortrieb im Detail in Sektorierungen auf Basis der Geotechnischen Bezugsbasis (GBB) aus (siehe nächster Punkt 7.4.1.2).

---

[415] Der Pauschalpreis gilt solange dieser nicht überschritten wird, danach wird nur jener Teil der Mehrkosten ersetzt, welcher dem Verlauf des Angebots bis zur Grenz-Bonität des Angebots (GBA) entspricht, darüber hinaus werden wieder die vollen Mehrkosten vom Konzessionsgeber - bevorzugt durch Fortschreibung des Vertrages - ersetzt.

[416] unter „gravitativ" soll hier nicht bildlich nach unten, sondern in Richtung eines Zentrums – sprich eines plausiblen Preises bedeuten.

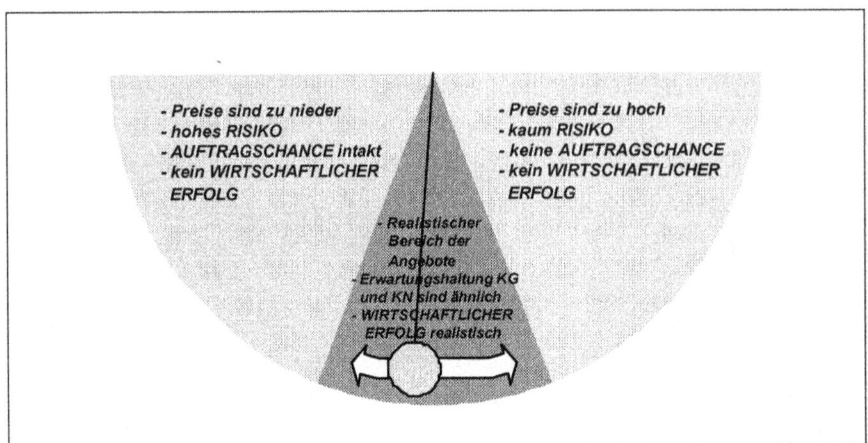

Abbildung 7-16: Die Bandbreite des wirtschaftlichen Erfolges wird durch die treffendere Einschätzung der Untergrundverhältnisse, die richtige Wahl des Bauverfahrens und einem wettbewerbsfähigen Preis inklusive darauf abgestimmten Risikozuschlag bestimmt.

Aus dieser Bewertung resultieren monetär die zwei Angebotskennzahlen:

- **PE_{KW}** Pauschalpreis-Erwartungshaltung des Konzessionswerbers/der Konzessionswerber
- **APG_{KW}** Angebotspreis bis zur Grenz-Bonität

Wobei der Angebotspreis bis zur Grenz-Bonität (APG) als solche noch keine sinnvolle Aussage zuläßt, sondern erst der gewichtete Verlauf der Erwartungshaltung zwischen dem Pauschalpreis (PE_{KW}) und der Grenz-Bonität ein aussagekräftiges Ergebnis liefert.

7.4.1.2 Geotechnische Bezugsbasis (GBB)

Nachdem für die Erwartungshaltung an den Baugrund auch eine einheitliche „Abrechnungsbasis" oder besser gesagt „baugrundbezogene Verständigungsbasis" gefunden werden muß, empfiehlt es sich, eine möglichst bauverfahrensunabhängige Klassifizierungsgröße heranzuziehen.

Das international sehr verbreitete RMR-System nach BIENIAWSKI ist aufgrund seiner weiten Verbreitung und Akzeptanz zu bevorzugen[417]. Die Vor- und Nachteile der gängigen Klassifizierungsverfahren werden in Punkt 5.3 Klassifizierung im Hohlraumbau besprochen.

Grundsätzlich könnte als „Geotechnische Bezugsbasis (GBB)" jedes bekannte Klassifizierungsverfahren angewandt werden.

---

[417] siehe auch SCHNEIDER E., BARTSCH R.H., SPIEGL M. a.a.O., S. 124.

Die Frage stellt sich nur, ob im Fall eines Betreibermodells mit Einschätzung des Bodens und seiner Bearbeitbarkeit durch den Konzessionsnehmer[418] eine zu detaillierte Klassifizierung Sinn macht?

Vor allem implizierte eine zu detaillierte Klassifizierung auch schon das Bauverfahren, welches in diesem Projektstadium noch den Konzessionswerbern überlassen werden soll.

Daher empfiehlt sich für BOT-Modelle eine Kombination aus Homogenbereichen (HB) und einer Verfeinerung durch eine RMR-Klassifizierung.

Nachfolgend zwei Beispiele, wobei das Beispiel [B] eine weitere Verfeinerung durch eine zweite Ordnungszahl, basierend auf einer Stützmittelmenge, erfährt (vgl. ÖN B2203 bzw. Punkt 5.3, Abbildung 5-10).[419]

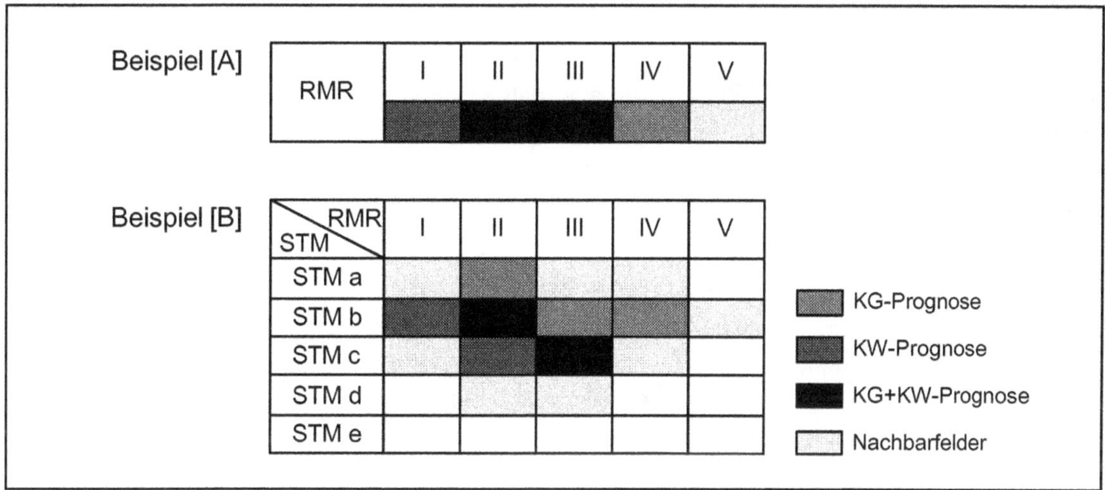

Abbildung 7-17: Beispiel für die Detaillierung der Geotechnischen Bezugsbasis (GBB) – Beispiel auf Basis des RMR-Systems. Um eine leichte Anpassung des Vertrages zu ermöglichen, müssen auch alle benachbarten Felder als Minimum ausgepreist werden bzw. mit den garantierten Leistungen versehen werden.

---

[418] Einschätzung erfolgt ebenso durch den Konzessionsgeber, als Referenz für die Ausschreibung und die Bewertung der eingehenden Angebote bzw. zur sinnvollen Vorgabe der Grenz-Bonität des Angebots (GBA).

[419] ÖN B2203: Untertagebauarbeiten-Werkvertragsnorm. a.a.O.

Einschub:

Für ein Betreibermodell in der Türkei steht gerade eine Risikotragung für Hohlraumbauten zur Diskussion, welche von einer vordefinierten Obergrenze von Stützmitteln über die Stollenlänge ausgeht.

Grundsätzlich stellt sich bei jeder Klassifizierung das Problem, daß der Auftragnehmer in Grenzfällen die schlechtere Klasse sieht und der Auftraggeber selbstredend die bessere Klasse.

Jedenfalls geht der Vorschlag davon aus, daß aus österreichischen, schweizerischen und deutschen Bauverträgen bekannte Mengenänderungsklauseln für diese Art der Projektabwicklung wenn überhaupt, dann sehr weit gefaßt werden sollen – ähnlich wie in Norwegen.[420]

Die Modellvorstellung geht weiters davon aus, daß keine konkreten Mengen (Stk. Anker, m³ Spritzbeton, ...) mit dem Angebotspreis verbunden sind und daher auch keine detaillierte Mengenänderungsklausel erforderlich ist. Die Vergütungsanpassung erfolgt dadurch, daß entsprechend dem angebotenen Verlauf der Vergütungsfunktion (welche ja auf der Erwartungshaltung des Konzessionsnehmer beruht) eventuelle Mehrkosten (abgemindert) in die Anrechenbaren Baukosten aufgenommen werden.

→ ohne direkten Ursachenbezug, d.h. kein Zusammenhang mit einem bestimmten Einzelereignis.

7.4.1.3 Regelvortrieb

Der Regelvortrieb (RV) wird basierend auf der vorgegebenen Geotechnische Bezugsbasis (GBB) in einer Preis/Leistungs-Matrix angeboten. Um der Problematik nicht ausgefüllter Felder bei Abweichung der Ausführung von der Prognose zu entgehen, sind zumindest alle Felder nach Konzessionsgeber- und Konzessionswerber-Erwartungshaltung bzw. deren Nachbarfelder auszufüllen (vgl. Abbildung 7-17).

Als Verbesserung kann dadurch (in einer „Mischrechnung" der Erwartungshaltungen von Konzessionsgeber und Konzessionswerbern) ein gewichtetes Mittel der Felder mit den Nachbarfeldern angewandt werden (empfohlene optionale Vorgangsweise bei sehr detaillierter

[420] VOB 10%-Klausel, ÖN 10/20% Klausel, SIA 20%-Klausel - in Norwegen geht man von einer 100% Klausel aus, vgl. KVELDSVIK V., AAS G. a.a.O., S. 391-394.

Geotechnischer Bezugsbasis), unabhängig davon geht der Modellvorschlag von einer weniger detaillierten Geotechnischer Bezugsbasis aus, vgl. vorherigen Punkt 7.4.1.2).

7.4.1.4 Sondermaßnahmen

Sondermaßnahmen sind vom Regelvortrieb abweichende Ereignisse, welche von Konzessionsgeber oder Konzessionswerber prognostiziert wurden. Im Unterschied dazu sind Störfälle nicht prognostizierte Ereignisse aus dem Baugrund für die nur bedingt vertragliche Regelungen vorliegen (führt zu Fall → Sondermaßnahmen aus Störfall (SM_{STF}) → vergleiche auch Punkt 7.4.2.2.6 Störfallanalyse / Störfallkatalog).

Bei den Sondermaßnahmen müssen 3 Kategorien unterschieden werden:

- **Sondermaßnahmen vom Konzessionsgeber prognostiziert (SM_{KG}):**

  Vom Konzessionsgeber prognostizierte Sondermaßnahmen müssen alle vom Konzessionswerberangebot abgedeckt werden, gleich mit welchem Bauverfahren der Konzessionswerber die Arbeiten ausführen möchte.

- **Sondermaßnahmen vom Konzessionswerber vorgeschlagen (SM_{KW}):**

  Bauverfahrensspezifische Sondermaßnahmen - z.B. Umrüstung in der Startröhre von Konventionellem Vortrieb auf TBM bzw. eventuell geplanter Rückzug der TBM durch den Stollen - resultieren aus dem Vorschlag des Konzessionswerbers müssen im Angebot enthalten sein.

- **ausgeführte Sondermaßnahmen abweichend von Konzessionsgeber- und Konzessionswerber-Prognose (SM_{STF}):**

  Ausführungsänderungen sind vorab mit dem Konzessionsgeber abzustimmen; die notwendigen Claims sind vor der Ausführung der Arbeiten zu klären. Grundsätzlich soll aber in erster Linie versucht werden, den Vertrag auf die geänderten Verhältnisse fortzuschreiben (→ detaillierter Vergütungsvorschlag vgl. Punkt 7.6).

Aus diesem Grunde sind die eventuellen Sondermaßnahmen, speziell die vom Konzessionsgeber-Entwurf abweichenden genau zu spezifizieren und zu bewerten. Aufbauend auf dem Preiskomponentenschema (PKS) nach Einzelkosten der Teilleistungen (EKT), Einmaligen Baustellengemeinkosten (eBGK), Zeitgebundenen Baustellengemeinkosten (zBGK), Allgemeinen Geschäftskosten (AGK), eventuell Stillstandskosten und der Erwartungshaltung nach lfm, Stationierung, Anzahl und Umfang (wie in ÖN-, SIA-Normen und ITA Empfehlungen).

7.4.1.5 Geologische Interpretation bzw. Geotechnische Erwartungshaltung

Vorgeschlagener Ablauf für die Bildung der Erwartungshaltung von Konzessionsgeber und Konzessionswerbern in den Untergrund. Postuliert werden ja wesentlich umfangreichere Vorarbeiten des Konzessionsgebers, um die Projektrealisierungschancen zu steigern (indische Erfahrungen, vgl. Policy on Hydro Power Development, Punkt 4.3.3), daneben ist der Modellgedanke nur umsetzbar, wenn der Konzessionsgeber eine sehr detaillierte Vorstellung über die Geotechnische

Erwartungshaltung hat, damit er nachfolgendes sinnvoll vorgeben kann:

- **Geotechnische Bezugsbasis – GBB**
- **Grenz-Bonität des Angebots - GBA**
- **Erwartungshaltung für die Gewichtungsfunktion**

7.4.1.6 Grenz-Bonität des Angebots (GBA)

Es ist sinnvoll und **notwendig** für alle Bieter eine definierte monetäre Größe einzuführen, die als Referenz zur Bewertung und späteren Risikobegrenzung fungiert.

Als Arbeitstitel heißt diese Größe **„Grenz-Bonität des Angebots (GBA)“** [421] – Diese wird vom Konzessionsgeber im Zuge des Request for Proposal (RFP) vorgegeben.

Alle darüber hinaus gehenden Mehrkosten aus dem Baugrund werden als „außergewöhnlich“ definiert und zusätzlich bezahlt bzw. für die Ermittlung der relevanten Herstellkosten des BOT-Modells herangezogen.

Der Ansatz geht davon aus, daß das Projekt zu einem „Pauschalpreis“ errichtet wird, der Pauschalpreis aber entsprechend den außergewöhnlichen Risiken aus dem Baugrund, bei Überschreiten mit dem laut Angebot abgeminderten Vergütungsprozentsatz fortgeschrieben

[421] Der Anstoß für diese Namensgebung kam durch das Studium einer Veröffentlichung von VAVROVSKY G.M. (1996) mit dem Titel: *Modell zur Aufteilung des Baugrundrisikos bei zyklischen Tunnelvortrieben im Rahmen eines Konzessionsvertrages.* → Offensichtlich gedacht für die Realisierung des Semmering–Basistunnel als Konzessionsmodell. Der Modellvorschlag von VAVROVSKY G.M. geht von einem für alle Bieter gleich hohen Risikozuschlagsprozentsatz [A] - getragen vom Konzessionsgeber – auf die Erwartungshaltung des Konzessionswerbers aus [G]; ([A]+[G] = **Geologische Bonität des Angebots**) sowie einem frei zu wählenden Risikozuschlag des Konzessionswerbers [B], dies führt im Wettbewerb zu nicht mehr vergleichbaren Angeboten. Zudem geht oben zitiertes Modell von einer 50% Risikoübernahme des Konzessionsnehmers bis zu 150% des prognostizierten Ausmaßes bei Sonder– und Einzelereignissen aus – gerade bei bauzeit- und kostenkritischen Sondermaßnahmen, ist dieser Vorschlag zwar leistungsfördernd, aber für den Auftragnehmer (bzw. Konzessionsnehmer) nicht mehr kalkulierbar (vgl. auszugsweise Abbildung im Anhang 10.7).

wird[422], aber nach Überschreiten der Grenz-Bonität des Angebots (GBA) wieder voll vergütet wird. Im Umkehrschluß kann der Konzessionsnehmer die „Benefits" aus einer Verbesserung gegenüber seiner eigenen Erwartungshaltung ohne Abschlag erlösen (Anreizsystem).

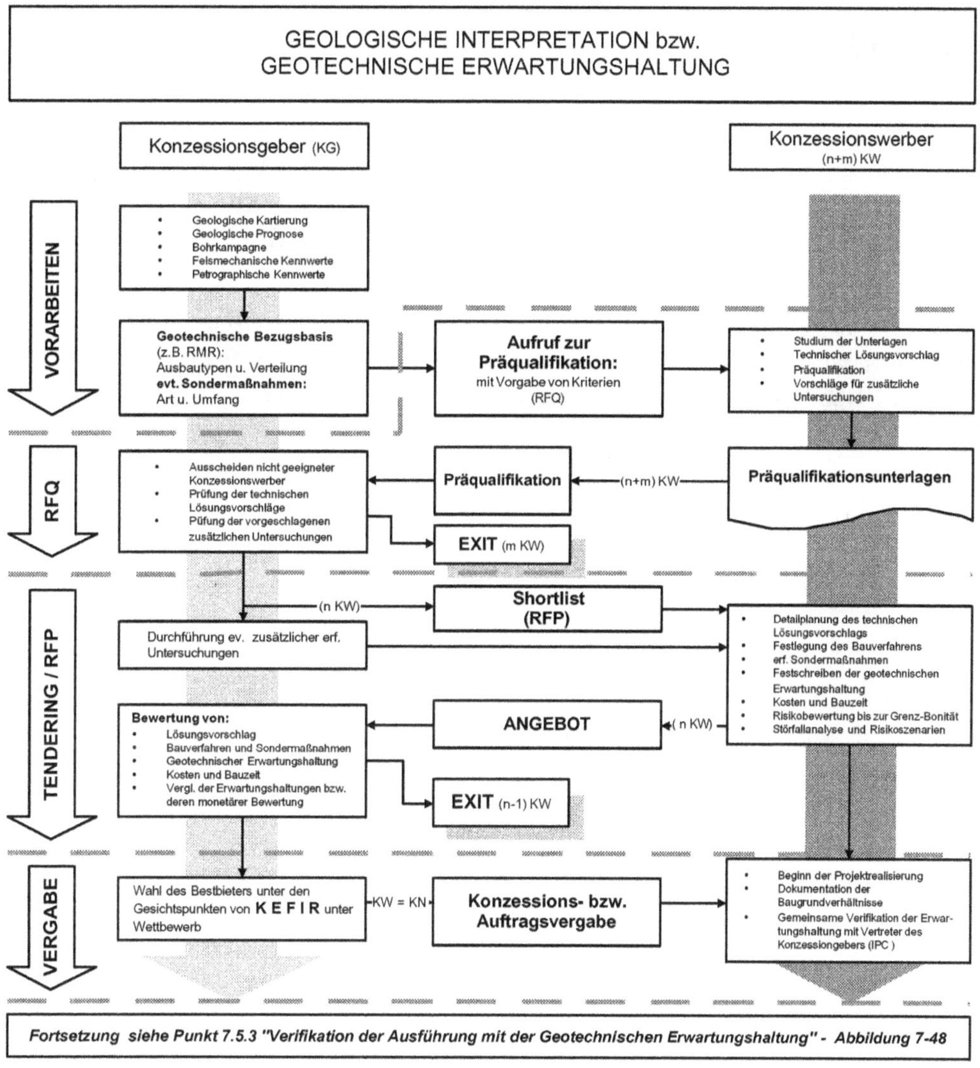

Abbildung 7-18: Verfahrenslauf zur Bildung der Erwartungshaltung in den Baugrund durch Konzessionsgeber und die Konzessionswerber.

[422] Fortschreibung dort, wo dies sinnvoll möglich ist, setzt aber voraus, daß die Preisbildung auf dem Preiskomponentenschema aufbaut. Anderenfalls durchläuft der eingebrachte Claim die unter Punkt 7.5 und 7.6 vorgegebenen Prozeduren.

Effekt: Wettbewerb über die Einschätzung der Baugrundverhältnisse PE_{KW} mit einem dem Wettbewerb unterstellten Risikozuschlag bis zu einer für alle Konzessionswerber fixen Deckelung durch die Grenz-Bonität des Angebots (GBA) → Angebotspreis bis zur Grenz-Bonität des Angebots (APG_{KW}).

Die Konzessionswerbern sind forciert realistische Preise anzubieten, da die Durststrecke bis zum Erreichen des Schwellenwertes betriebswirtschaftlich für sie problematisch werden kann. Trotzdem zwingt allein der **Wettbewerb die Angebote an die untere Grenze**, sodaß auch die eventuellen „Benefits" aus einer Verbesserung bei einzelnen Projekten sich im Mittel in Grenzen halten.

Der Konzessionsgeber ermittelt im Zuge einer Risikoanalyse eine Bandbreite der möglichen Baukosten. Kostenschätzungen sind abhängig vom Planungsstand eines Projektes, unabhängig davon muß die Bandbreite des geologischen Risikos addiert werden.

Einschub: Planungsstand

Der Kenntnisstand des Projekts und der Detaillierungsgrad der Planung ist für das Maß der Kostensicherheit bestimmend. Wie weit der Detaillierungsgrad an einer Wasserkraftwerksanlage, welche mittels BOT errichtet wird, gehen soll, ist von vielen Faktoren abhängig.

Im Fall Indien → kann nur zu einer umfassenden Projektkenntnis für den Konzessionsgeber geraten werden

→ **Modellvoraussetzung = „Konkretisierte Projektsvorstellung"**.

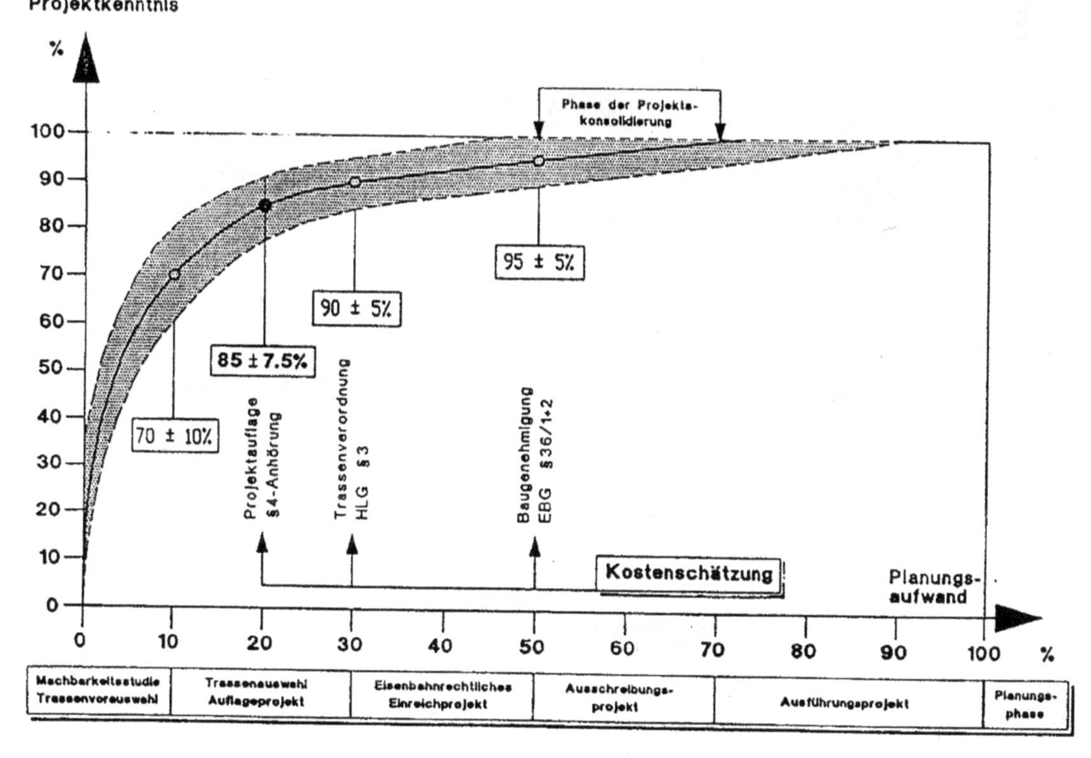

Abbildung 7-19: *Bandbreite der Kostengröße in Abhängigkeit von der Planungstiefe (aus STEMPKOWSKI R. 1996*[423]*, Q: (vermutlich) VAVROVSKY G.M. 1992*[424]*)*

---

423 STEMPKOWSKI R.: Kosten und Leistungsanalyse im maschinellen Tunnelbau. Dissertation am Institut für Baubetrieb und Bauwirtschaft, TU Wien, S. 217, 1996.

424 VAVROVSKY G.M.: Grundsätzliche Überlegungen zu Kostenschätzungen der HL-AG, unveröffentlicht, Wien 1992.

Einschub: Geologisches Risiko

Die Kostenunsicherheit des Planungsstandes umfaßt noch nicht die wesentlich größere Bandbreite des geologischen Risikos. Unabhängig vom Erkundungsaufwand besteht weiterhin das unbekannte Potential an „außergewöhnlichen Baugrundrisiken“.

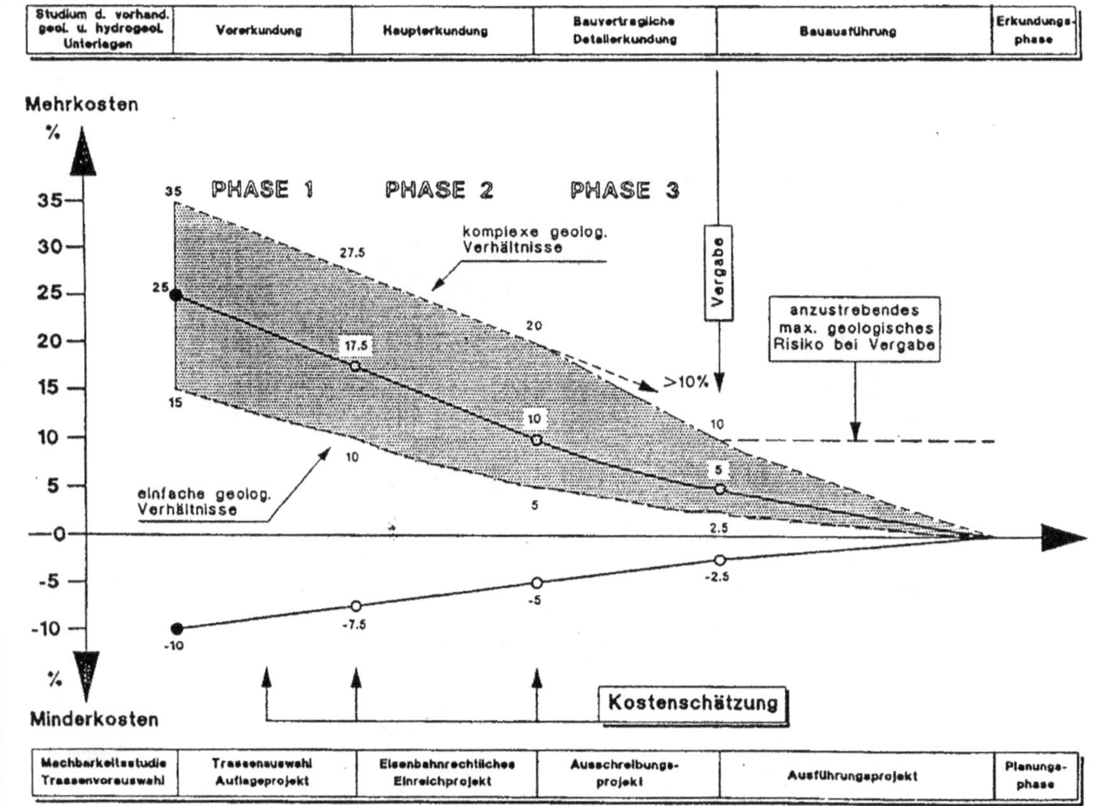

Abbildung 7-20: *Einfluß des Erkundungsaufwandes auf die Einschränkung der Kostenbandbreite aus geologischem Risiko (aus STEMPKOWSKI R. 1996*[425]*, nach VAVROVSKY G.M. 1992* [426]*); ohne außergewöhnliche Baugrundrisiken; Vergabezeitpunkt steht hier für den Fall eines Einheitspreisvertrages.*

[425] STEMPKOWSKI R. a.a.O., S. 218.

[426] VAVROVSKY G.M. a.a.O.

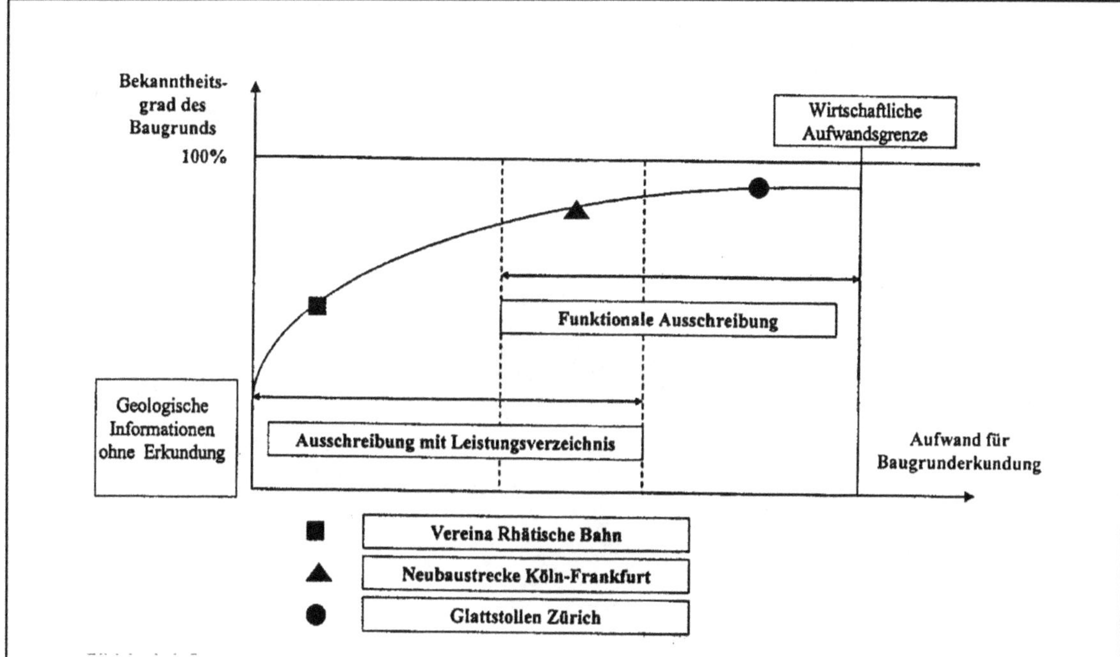

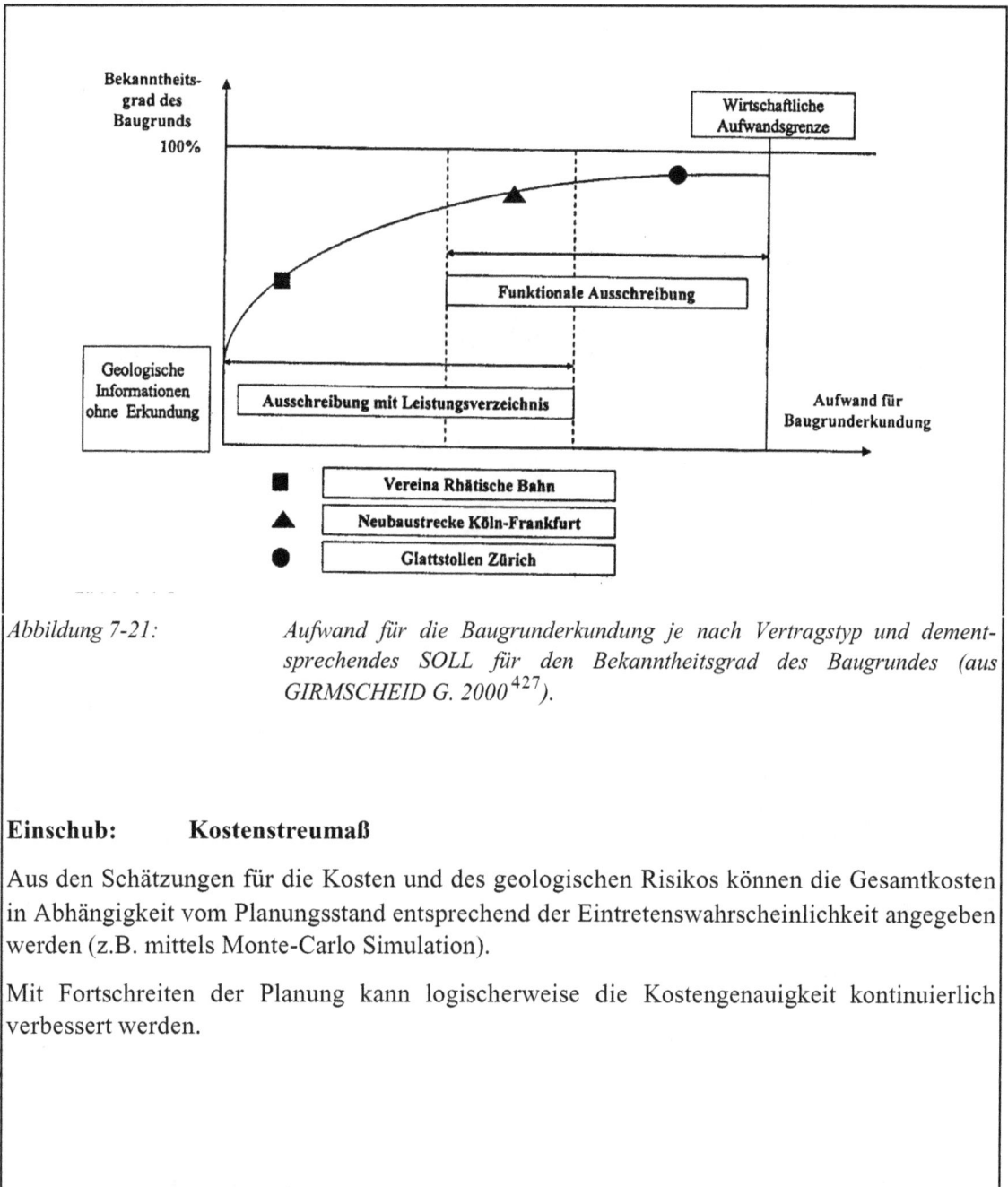

Abbildung 7-21: *Aufwand für die Baugrunderkundung je nach Vertragstyp und dementsprechendes SOLL für den Bekanntheitsgrad des Baugrundes (aus GIRMSCHEID G. 2000[427]).*

Einschub: Kostenstreumaß

Aus den Schätzungen für die Kosten und des geologischen Risikos können die Gesamtkosten in Abhängigkeit vom Planungsstand entsprechend der Eintretenswahrscheinlichkeit angegeben werden (z.B. mittels Monte-Carlo Simulation).

Mit Fortschreiten der Planung kann logischerweise die Kostengenauigkeit kontinuierlich verbessert werden.

427 GIRMSCHEID G. 2000 a.a.O., S. 628.

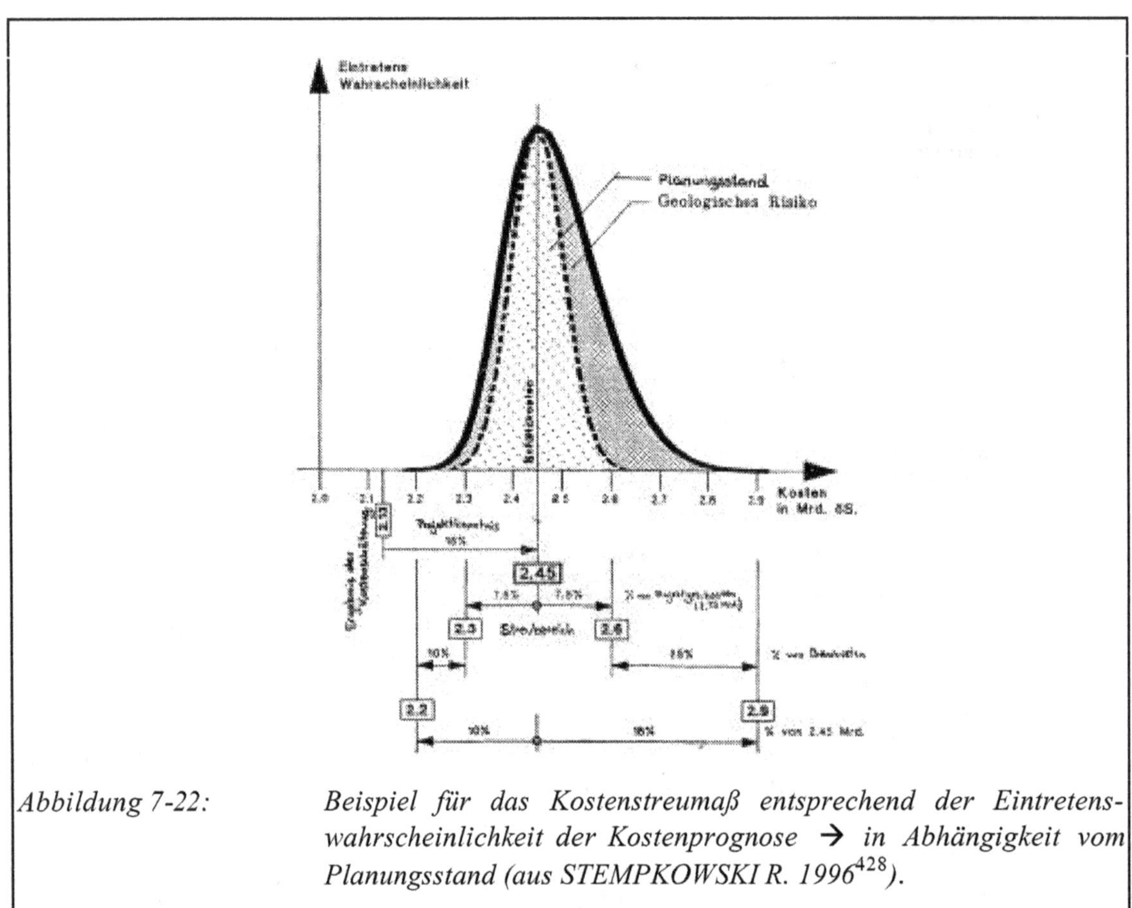

Abbildung 7-22: *Beispiel für das Kostenstreumaß entsprechend der Eintretenswahrscheinlichkeit der Kostenprognose → in Abhängigkeit vom Planungsstand (aus STEMPKOWSKI R. 1996[428]).*

Für die Annahme einer sinnvollen Grenz-Bonität (GBA) durch den Konzessionsgeber ist eine entsprechende Planungstiefe von Vorteil (bzw. notwendig) und gerade dann kann die Grenz-Bonität des Angebots (GBA) für den Konzessionsgeber als Steuerinstrument dienen, um eine realistische Preisbildung zu forcieren. Die Grenz-Bonität ist somit nicht eine mathematisch bestimmbare Größe, sondern eine Steuergröße im Interessenkonflikt:

Wettbewerb ➡ Innovation/Know-how ➡ Spekulation ➡ Risikoteilung ➡ Projekterfolg

Mittels der Wahl der Grenz-Bonität des Angebots (GBA) können drei verschiedene Fälle realisiert werden (die Pauschal-Preis-Erwartungshaltung des Konzessionsgebers (PE_{KG}) und Kosten-Obergrenzen-Erwartungshaltung (KOE_{KG}) werden den Konzessionswerbern nicht bekannt gegeben).

[428] STEMPKOWSKI R. a.a.O., S. 219.

[a] GBA = PE_{KG}: Keine Baugrundrisikoübernahme durch den Konzessionsnehmer über die Konzessionsgeberprognose hinaus.
→ entspricht Einheitspreisvertrag (ÖN, VOB, SIA usw.)

[b] PE_{KG} < GBA < KOE_{KG}: Vorgeschlagene Lösung für den Modellansatz. Konzessionsnehmer übernimmt Baugrundrisiko von seiner eigenen Prognose bis zur Grenz-Bonität des Angebots (GBA); darüber Konzessionsgeber.

[c] KOE_{KG} < GBA: Konzessionsnehmer muß mehr, als die für den Konzessionsgeber vorstellbaren Baurundrisiken übernehmen → Entsprechend dem Modellgedanken nicht sinnvoll → entspricht im Endeffekt eigentlich einem Pauschalpreis mit faktischer Risikoübernahme durch den Konzessionsnehmer.

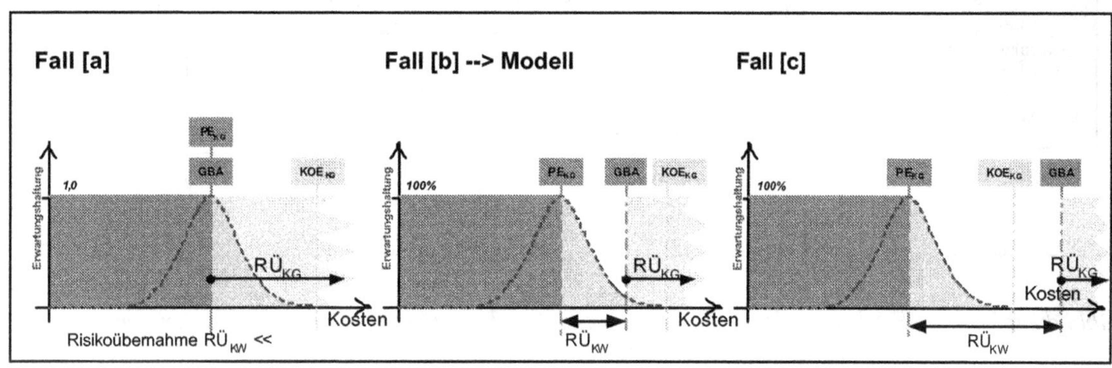

Abbildung 7-23: Mögliche Fälle der Vorgabe der Grenz-Bonität des Angebots (GBA) durch den Konzessionsgeber in Relation zu seiner Pauschalpreis-Erwartungshaltung (PE_{KG}) bzw. seiner Kosten-Obergrenze-Erwartungshaltung (KOE_{KG}).

Der Fall, daß der Konzessionsgeber die Grenz-Bonität des Angebots (GBA) in falscher Größenordnung vorgibt (Fall [c]), wird weiter unten behandelt.

Wesentlich ist, daß keine Vortriebsklassen, Mengen oder Bauverfahren explizit mit der Grenz-Bonität des Angebots (GBA) verknüpft werden, sondern daß diese eine monetäre Größe darstellt, welche von jedem Angebot abgedeckt werden muß.

Die Grenz-Bonität des Angebots (GBA) basiert damit auch nicht auf einer Bandbreite von möglichen Vortriebsklassen oder Bodenkennwerten – sondern auf einem monetären Wert, der in der Risikoanalyse als Obergrenze für die Risikotragung steht.

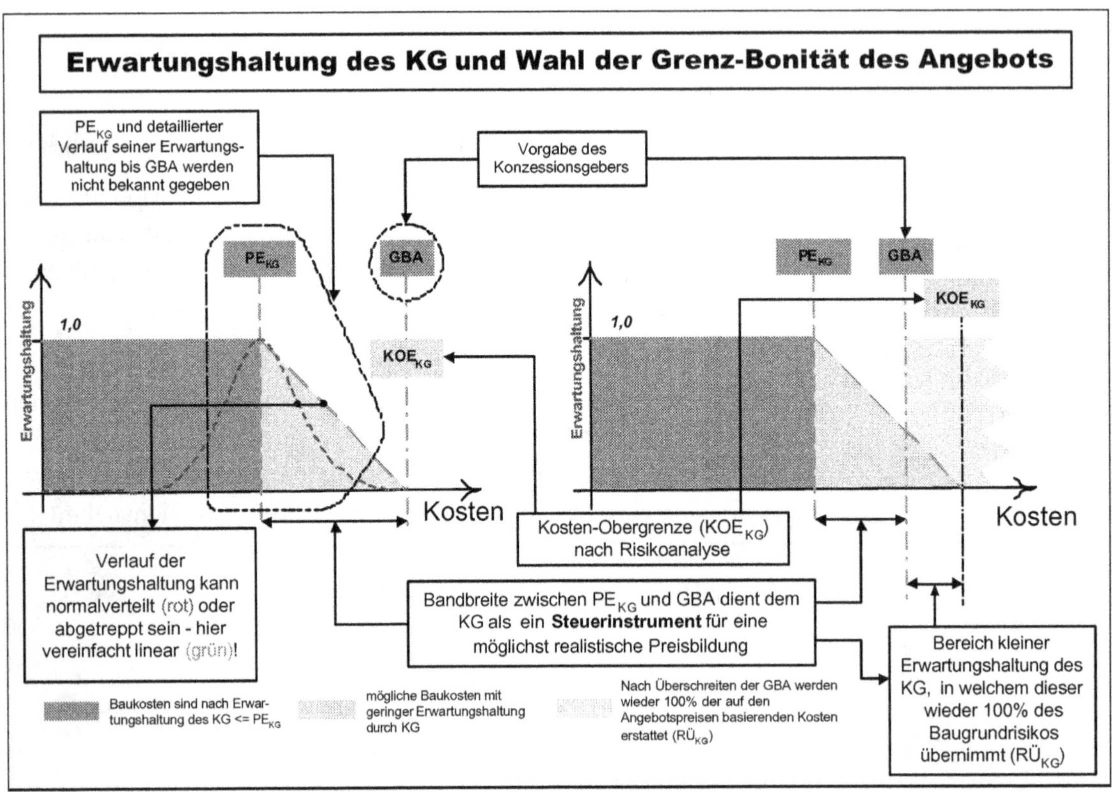
Erwartungshaltung des KG und Wahl der Grenz-Bonität des Angebots
PE KG und detaillierter Verlauf seiner Erwartungshaltung bis GBA werden nicht bekannt gegeben
Vorgabe des Konzessionsgebers
PE KG
GBA
KOE KG
1,0
Erwartungshaltung
Kosten
Kosten-Obergrenze (KOE KG) nach Risikoanalyse
Verlauf der Erwartungshaltung kann normalverteilt (rot) oder abgetreppt sein - hier vereinfacht linear (grün)!
Bandbreite zwischen PE KG und GBA dient dem KG als ein Steuerinstrument für eine möglichst realistische Preisbildung
Bereich kleiner Erwartungshaltung des KG, in welchem dieser wieder 100% des Baugrundrisikos übernimmt (RÜ KG)
Baukosten sind nach Erwartungshaltung des KG <= PE KG
mögliche Baukosten mit geringer Erwartungshaltung durch KG
Nach Überschreiten der GBA werden wieder 100% der auf den Angebotspreisen basierenden Kosten erstattet (RÜ KG)

Abbildung 7-24: Festlegung der Grenz-Bonität des Angebots (GBA) im Verhältnis zu den durch den Konzessionsgeber geschätzten Kosten. Die Pauschal-Preis-Erwartungshaltung des Konzessionsgebers (PE_{KG}) ist bestimmt durch die geologische Erwartungshaltung des Konzessionsgebers und die dafür geschätzten Preise; die Risikoanalyse führt zum Verlauf bis KOE_{KG}.

Theoretisch ist der Fall möglich, daß die Grenz-Bonität des Angebots (GBA) vom Konzessionsgeber vollkommen unzutreffend[429] vorgegeben wird. Folgende Fälle müssen dabei unterschieden werden:

Majorität der Konzessionswerber liegt mit ihrem

- Angebotspreis über der Grenz-Bonität des Angebots (GBA) → Fall [a]
- Angebotspreis im Bereich der Grenz-Bonität des Angebots (GBA) → Fall [b]
- Angebotspreis wesentlich unterhalb der Grenz-Bonität des Angebots (GBA) → Fall [c]

---

[429] unzutreffend deshalb, weil nicht bewußt falsch, sondern die Einschätzung des Baugrundes durch den Konzessionsgeber differiert von der der Konzessionswerber.

Falsch bedeutet hier nicht bewußt falsch vorgegeben, sondern daß die Erwartungshaltung von Konzessionsgeber und Konzessionswerber stark differenzieren - somit schon eine erste Verifikation der Projektsidee bzw. der geschätzten Kosten → eventuell Überarbeitung des Projektes erforderlich bzw. Alternativvorschläge der Konzessionswerber.

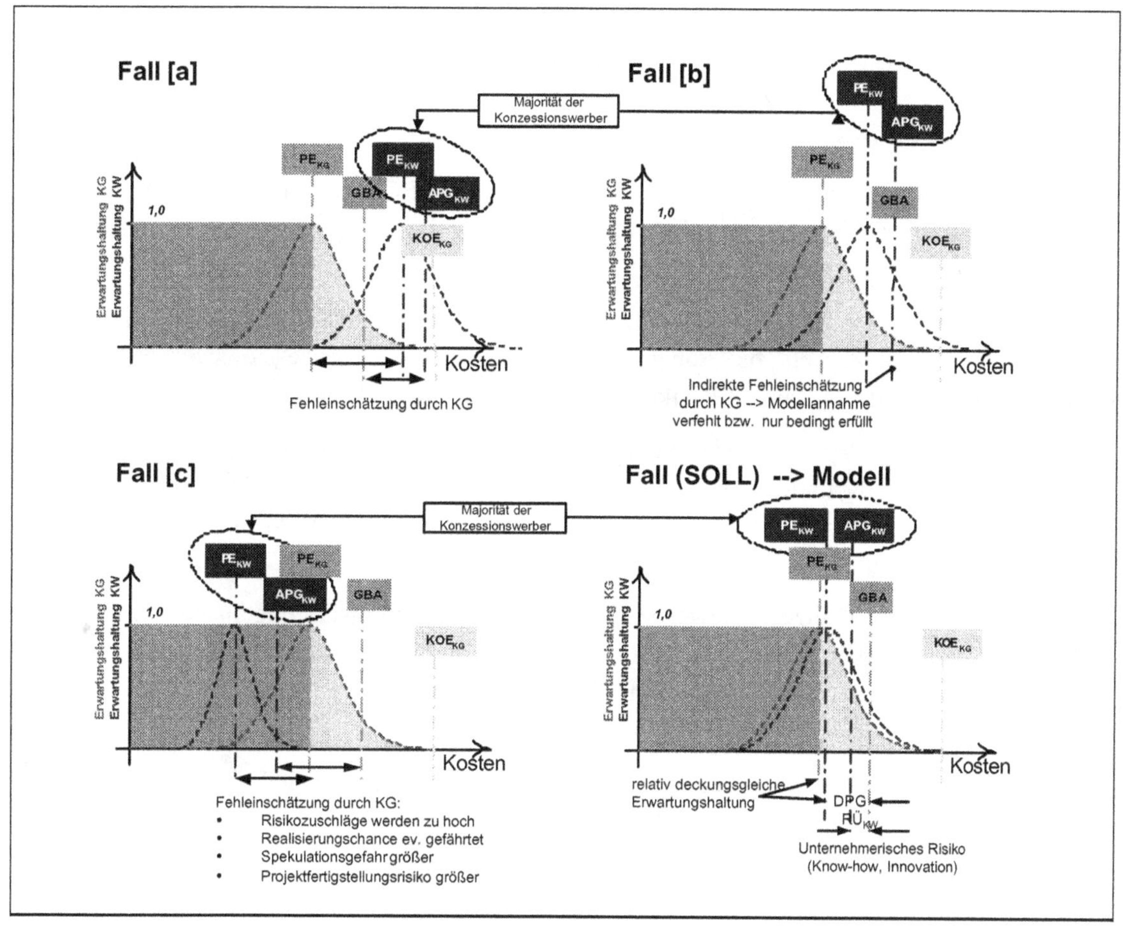

Abbildung 7-25: Modellfälle für Wahl der Grenz-Bonität des Angebots (GBA) bzw. anzustrebender SOLL-Fall für Modellannahme.

Praktisch bedeutet die Grenz-Bonität des Angebots (GBA), daß der Konzessionswerber sich seinen wahrscheinlichen Preis aufgrund seiner Erwartungshaltung[430] ermittelt und für die Differenz zwischen seiner Pauschalpreis-Erwartungshaltung (PE_{KW}) und der Grenz-Bonität des Angebots (GBA) einen Risikozuschlag entsprechend seiner eigenen Risikoanalyse aufschlägt.

[430] Geldwert basierend auf dem technisch spezifizierten und funktional beschriebenen Projekt.

Der Zuschlag ermittelt sich aus Geldeinheiten zwischen seiner Pauschalpreis-Erwartungshaltung (PE_{KW}) und der Grenz-Bonität des Angebots (GBA) indem dafür abgestufte Vergütungsprozentsätze (VPS) angegeben werden. → führt zum Angebotspreis bis zur Grenz-Bonität für den Konzessionswerber (APG_{KW}).

Zusätzlich gibt es einen „insentiven Anreiz" durch den Mindesterlös der Pauschalpreis-Erwartungshaltung (PE_{KW}), selbst wenn die Verhältnisse sich als besser herausstellen.

7.4.1.7 Abgeminderte Mehrkostenerstattung (AMK)

Den Konzessionswerbern steht es frei, die Differenz (DPG) zwischen der Pauschalpreis-Erwartungshaltung (PE_{KW}) und der Grenz-Bonität des Angebots nach individuellen Risikoanalysen in das Angebot mit aufzunehmen.

Der „Pauschalpreis" im Sinne des Modells ist weiterhin die Pauschalpreis-Erwartungshaltung (PE_{KW}). Der Angebotspreis bis zur Grenz-Bonität für den Konzessionswerber (APG_{KW}) beinhaltet hingegen den gesamten Risikozuschlag bis zur Grenz-Bonität.

Dem Konzessionswerber muß klar sein, daß bei schlechteren Verhältnissen – als seiner Erwartungshaltung zugrundeliegen – er bis zur Grenz-Bonität (GBA) einen Erlösfehlbetrag (EFB), entsprechend seinen angebotenen Abschlägen verkraften muß (AMK → Abgeminderte Mehrkostenerstattung).

Die Idee ist, daß die Konzessionswerber ihre eigene Erwartungshaltung in den Wettbewerb einbringen, aber die vom Konzessionsgeber vorgegebene Grenz-Bonität des Angebots (GBA) als Risikotragungsgrenze weiter bestehen bleibt. Es liegt aber auch im Interesse des Konzessionswerbers, daß er:

- die Differenz (DPG) zwischen seiner Pauschalpreis-Erwartungshaltung und der Grenz-Bonität für sich nicht zu groß wählt, weil er bei schlechteren Verhältnissen bis zur Grenz-Bonität des Angebots (GBA) das Risiko trägt und
- dafür nur die entsprechend seinem Angebot abgeminderten Mehrkosten erhält (AMK),
- die (eventuell zu niederen) Preiskomponenten des Angebots bis zu seiner Pauschalpreis-Erwartungshaltung (PE_{KW}) bei Überschreiten der Grenz-Bonität des Angebots (GBA) fortgeschrieben werden.

Am praktikabelsten in der Umsetzung ist wohl eine Intervallabstufung auf der Kostenachse. Die einzelnen Intervalle werden dann mit dem Vergütungsprozentsatz (VPS) in die Berechnung aufgenommen.

$$APG_{KW} = PE_{KW} + \sum_i KI_i \cdot VPS_i(\%) / 100(\%)$$

Der Ansatz für APG_{KW} ist nur für die Ermittlung der Anrechenbaren Baukosten (ABK) interessant.

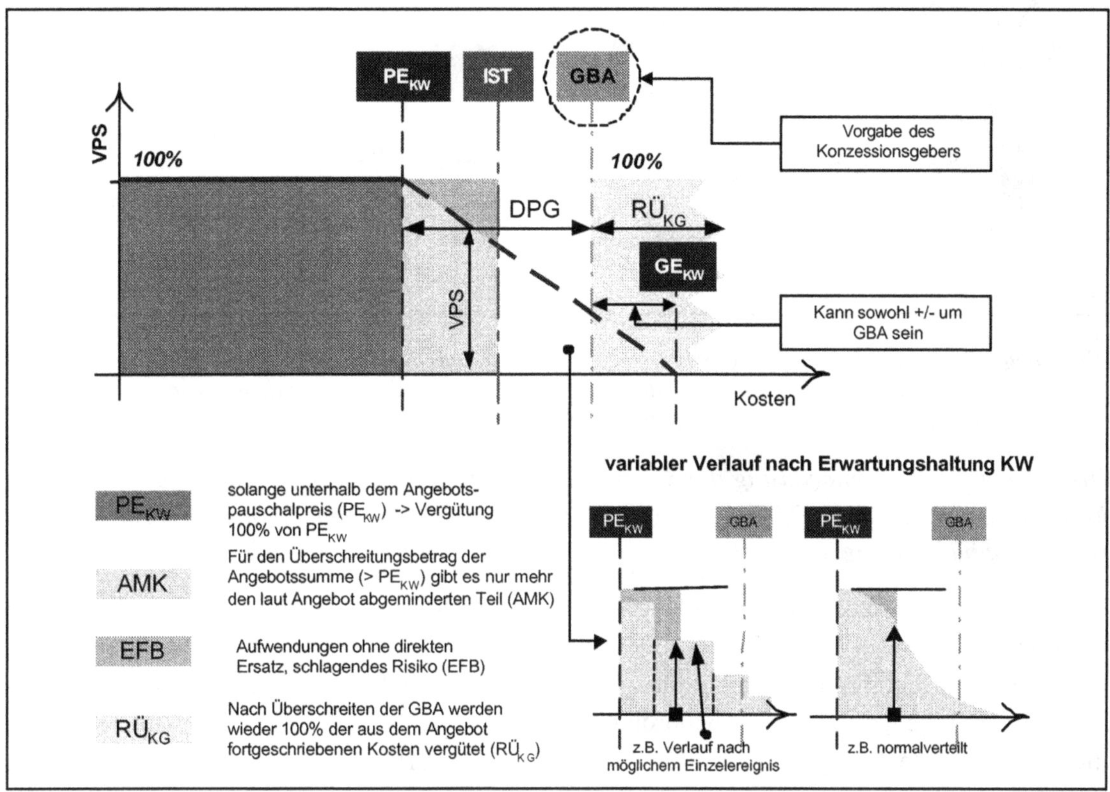

Abbildung 7-26: Vom Konzessionswerber werden die Preisanteile über der Angebotssumme bis zur Grenz-Bonität des Angebots (GBA) mit Abschlägen entsprechend seiner Erwartungshaltung versehen. Der Verlauf entspricht im Idealfall seiner Erwartungshaltung, bzw. kann aus einer Risikoanalyse mit z.B. Monte Carlo Simulation angenähert werden. Der Verlauf diese Zwischenbereiches kann z.B. normalverteilt sein oder auch auch potentiell größere Einzelereignisse widerspiegeln.

Im Wettbewerb kann also nicht nur die Höhe der Pauschalpreis der einzelnen Konzessionswerber differieren, sondern auch der Verlauf des Vergütungsprozentsatzes im Bereich bis zur Grenz-Bonität des Angebots – siehe beispielhaft in Abbildung 7-28.

Dadurch unterliegt die individuelle Bewertung dieses Differenz (DPG) der Risikoanalyse jedes einzelnen Konzessionswerbers und in weiterer Folge auch dem Wettbewerb → über das „Handling" dieses Verlaufs in der Bewertung siehe Punkt 7.4.3.3.

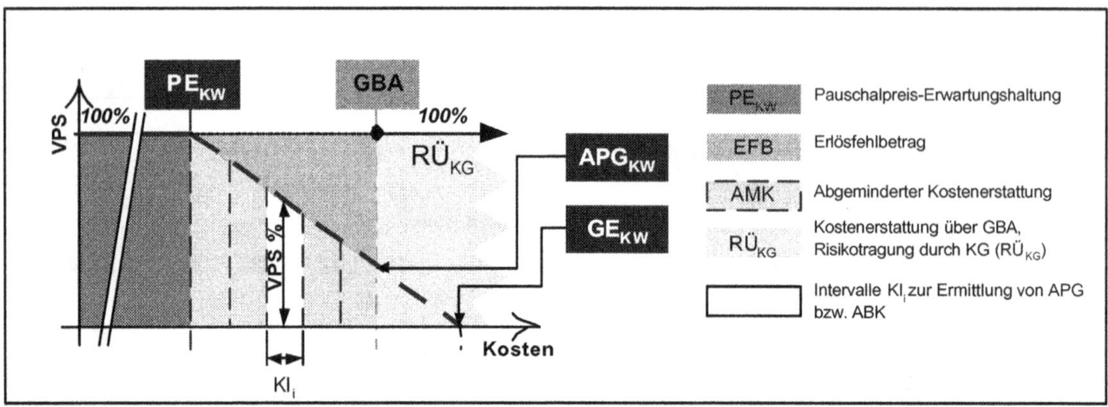

Abbildung 7-27: Ermittlung des Angebotspreises bis zur Grenz-Bonität (APG) bzw. der Anrechenbaren Baukosten (ABK) nach dem Verlauf des Angebots zwischen dem Pauschalpreis (PE_{KW}) und der Grenz-Bonität (GBA).

Diskussion der Größenordnung der Grenz-Bonität des Angebots (GBA), der Abgeminderten Mehrkostenerstattung (AMK) und der Differenz zwischen dem Pauschalpreis und der Grenz-Bonität des Angebots (DPG):

Wie in einigen Absätzen vorher (vgl. Abbildung 7-23, 7-24 und 7-25) bereits erwähnt ist die Wahl einer treffenden Grenz-Bonität des Angebots (GBA) für die Steuerung der Preisbildung (und im Endeffekt für die Risikoteilung) wesentlich. Unabhängig davon stellt sich grundsätzlich die Frage um welche Größenordnung es dabei gehen kann, bzw. welche Auswirkungen die Abgeminderte Mehrkostenerstattung (AMK) auf die Erlössituation je nach IST-Situation hat.

In der Modellrechnung wird wieder der simplifizierte lineare Abfall vom Pauschalpreis (PE_{KW}) angenommen, bzw. wird die Pauschalpreis-Erwartunghaltung von Konzessionsgeber und Konzessionswerber ($PE_{KG} = PE_{KW}$; entspricht 100%).) gleichgesetzt.

Fall [A] und [B]:

Die Fälle [A] und [B] gehen von einer sehr weitgesteckten Grenz-Bonität des Angebots (GBA) aus (200%). Der Konzessionswerber-Risikoanalyse werden die beiden Modellfälle [A] GBA = GE = 200% und [B] GE = 150% unterstellt.

Fall [C] und [D]:

Die Fälle [C] und [D] gehen von einer weniger weitgesteckten Grenz-Bonität des Angebots (GBA) aus (150%). Der Konzessionswerber-Risikoanalyse werden die beiden Modellfälle [A] GBA = GE = 150% und [B] GE = 125% unterstellt.

Fall [E] und [F]:

Die Fälle [E] und [F] gehen von einer sehr enggesteckten Grenz-Bonität des Angebots (GBA) aus (130%). Der Konzessionswerber-Risikoanalyse werden die beiden Modellfälle [A] GBA = GE = 130% und [B] GE = 115% unterstellt.

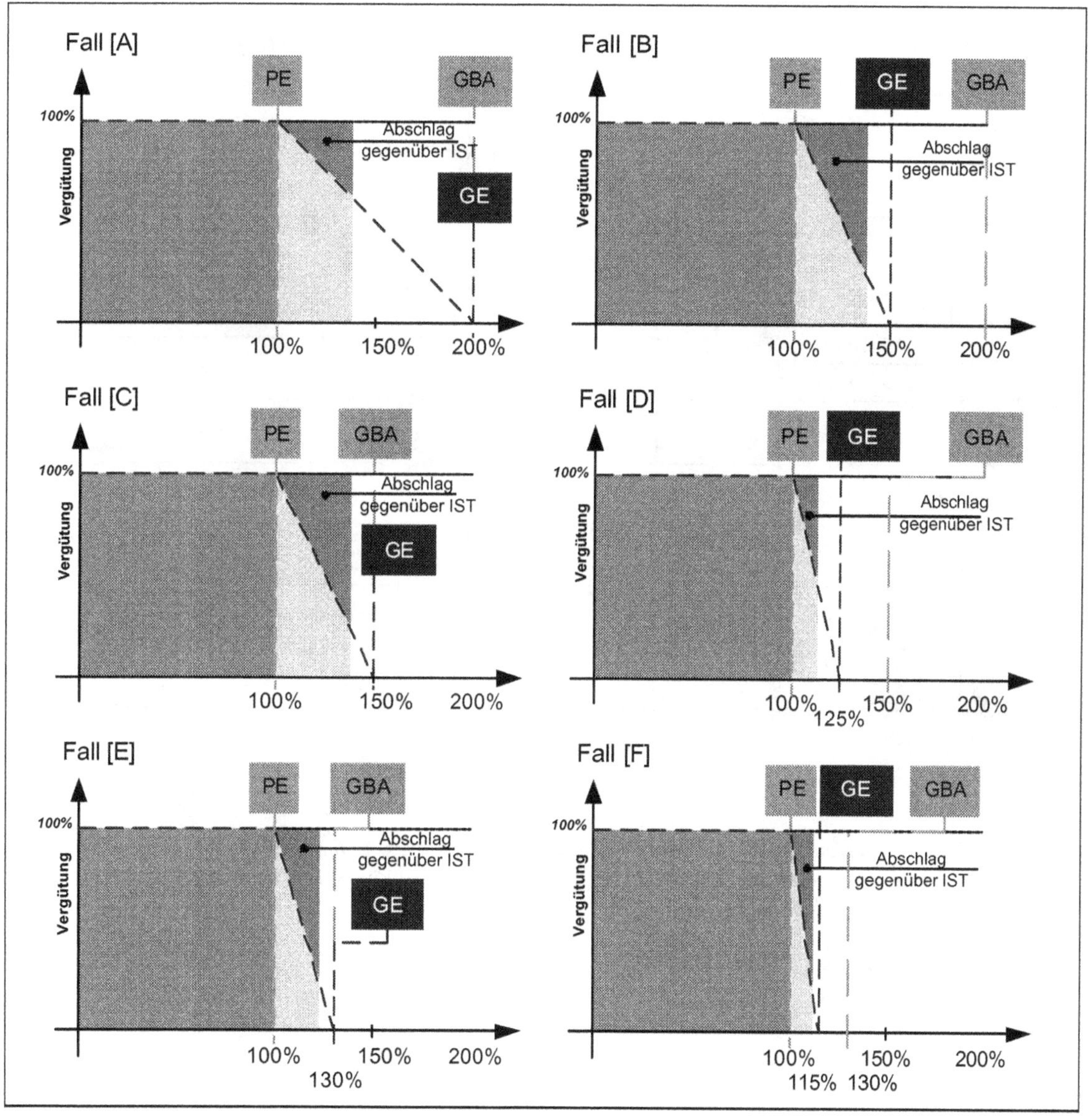

Abbildung 7-28: Beispielhafte Demonstration der Risikoübernahme des Konzessionswerbers ($RÜ_{KW}$) durch die Wahl der Grenzerwartungshaltung (GE) und des Verlaufes des Vergütungsprozentsatzes (VPS).

Die Rechenergebnisse zu obigen Modellbeispielen sind in nachfolgender Abbildung 7-29 zusammengestellt. Auf der Abszisse sind die IST-Baukosten aufgetragen und auf der Ordinate die daraus resultierenden Erlösfehlbeträge (EFB). Wobei die Modellvorstellungen einer Grenz-Bonität des Angebots (GBA) von +50 bzw. +100% auf die Erwartungshaltung (schon) eher ein Extrembeispiel darstellen. Als Fall [E] und [F] ist noch die Kurve für eine Grenz-Bonität des Angebots von 130% (GE = 115%) dargestellt. → Der Erlösfehlbetrag (EFB) beläuft sich dabei auf max. 11,5% (Fall [E]).

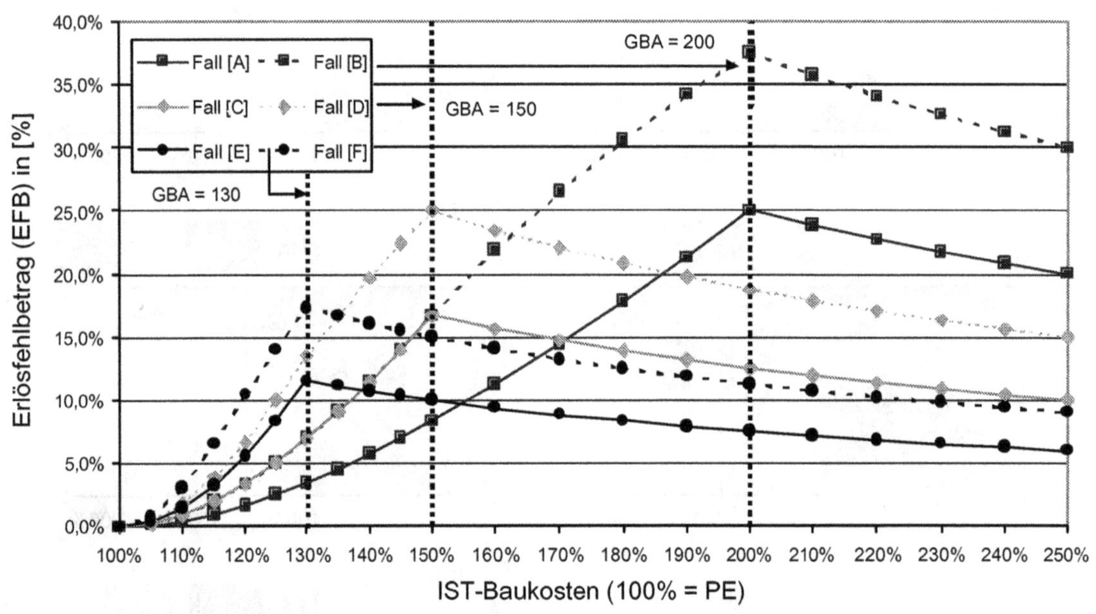

Abbildung 7-29: Verlauf des Erlösfehlbetrags (in % des Umsatzes) je nach Wahl der Grenz-Bonität des Angebots (GBA) durch den Konzessionsgeber und Risikoeinschätzung der Konzessionswerber an einigen Modell-Rechenbeispielen unter Annahme, daß die Pauschalpreiserwartungshaltung von Konzessionsgeber und Konzessionsnehmer gleich ist ($PE_{KG} = PE_{KW}$). Der Knick im jeweiligen Verlauf resultiert aus der wieder vollen Übernahme der „außergewöhnlichen" Baugrundrisiken durch den Konzessionsgeber über der Grenz-Bonität des Angebots (je nach Fall).

Auswirkung der Abschläge über dem Pauschalpreis (PE_{KW}):

Sinn dieses Modells ist es, die Balance zwischen den Interessen der Parteien zu halten:		
Konzessionswerber/-nehmer		**Konzessionsgeber**
Spekulative bzw. allgemeine Tendenz zu optimistischen Erwartungshaltungen unter Auftragsdruck.	←→	Erwartungshaltung des Konzessionsgebers dient als Referenz zur Verifikation der Erwartungshaltung der Konzessionswerber.
Pauschalpreis (PE_{KW}) soll der tatsächlichen Einschätzung des Konzessionswerbers im Wettbewerb entsprechen, eventuelle Mehrkosten bis zur Grenz-Bonität des Angebots (GBA) können vom Konzessionswerber durch Abschläge versehen in das Angebot mit aufgenommen werden → beide fließen in die Angebotsbewertung mit ein!	←→	Bei Vergabe an einen Konzessionswerber mit niedrigem Pauschalpreis und Vergütungsprozentsätzen profitiert der Konzessionsgeber von der Abminderung über einen größeren Differenzbereich (DPG) → Risiko für zu optimistische Einschätzung trifft primär Konzessionsnehmer (soll Spekulation über niedrigsten Angebotspreis verhindern).
Erwartungshaltung der Konzessionswerber muß auch durch entsprechende Risikoübernahme qualifiziert untermauert werden.	←→	Erlösfehlbetrag aus Risikotragung für den Konzessionsnehmer.
Freistellen des Konzessionsnehmer von „außergewöhnlichen Baugrundrisiken" → über der Grenz-Bonität.	←→	Übernahme außergewöhnlicher Risiken aus dem Baugrund durch den Konzessionsgeber über den „Geological Risk Fund".

7.4.2 Zusammensetzung des Angebots

Bei einem solchen Modell kann das Angebot nicht nur aus einem Endpreis oder einigen Teilpauschalen bestehen. Erforderlich ist ein mehrteiliges Paket, welches sich an folgenden Vorgaben orientiert:

- **Funktionale und technische Projektausfertigung (DPR)**
- **Preiskomponentenschema (PKS) für Regelvortrieb und Sondermaßnahmen**
- **Störfallkatalog**
- **Bauzeitplan**
- (Finanzierung usw. → hier nicht behandelt → Bankable Project Report)

7.4.2.1 Funktionale und technische Projektsausfertigung (DPR)

Schriftliche und planliche Darstellung des Projektes in Form eines „Detailed Project Report (DPR)".

Beschreibung der geplanten Bauverfahren und deren zeitlicher Abfolge (Regelvortrieb und Sondermaßnahmen), energie- und wasserwirtschaftliche Darstellungen des Projektes usw.

7.4.2.2 Preiskomponentenschema (PKS)

Ausgehend von den zwei Hauptphasen:

- Projekterrichtung (inkl. Planung, Ausführung und Finanzierung)
- Betrieb (O&M)

wird das Preiskomponentenschema aufgebaut. Zwischen den Bau- und Finanzierungskosten gibt es eine wichtige Interaktion durch die eventuelle Verkürzung- oder Verlängerung der Bauzeit.

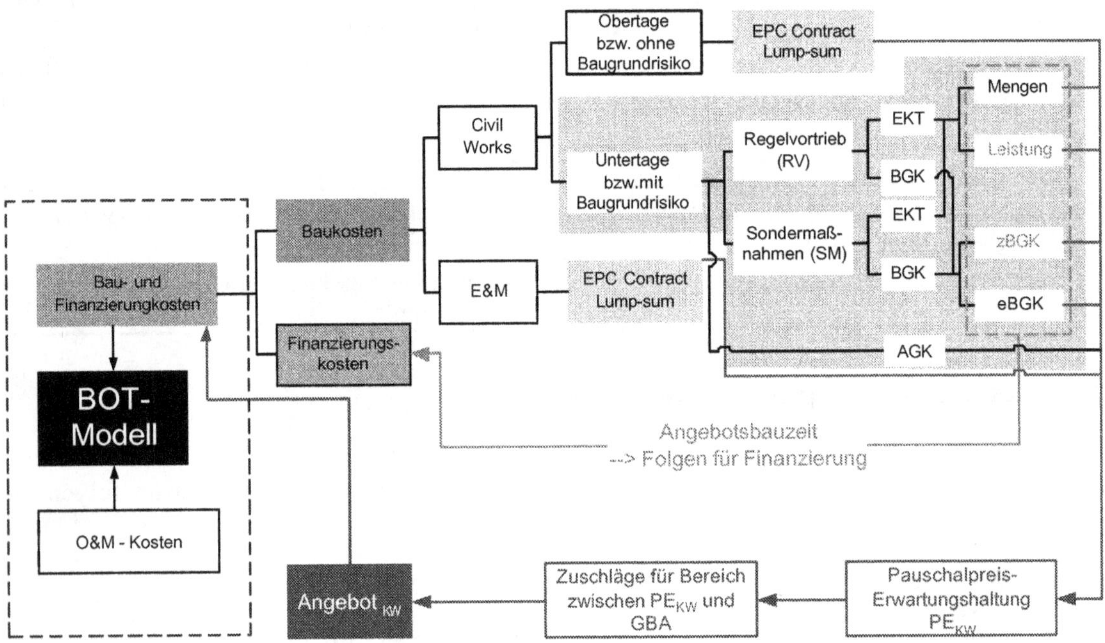

Abbildung 7-30: Vorschlag für das Preiskomponentenschema eines Hohlraumbaues im Zuge eines BOT-Modells → nur für die Bauleistung (Civil Works) vollständig ausgeführt.

All jene Arbeiten, welche nicht durch Baugrund- oder ähnliche Risiken beeinflußt sind, werden mittels z.B. EPC Contract auf Basis Lump-sum abgewickelt (siehe gelbe Felder). In den weiteren Ausführungen wird nur mehr der restliche Teil betrachtet (siehe Abbildung 7-30, hellgrün hinterlegtes Feld).

Aus der konkretisierten Projektvorstellung des Konzessionsgebers resultiert die Erwartungshaltung für die Hohlraumbauten nach den 3 Kategorien:

- **Regelvortrieb (RV)**
- **Sondermaßnahmen (SM)**
- **Störfälle (STF)**

welche in gleichartigen Teilabschnitten (→ Teilpauschalen) zusammengefaßt werden können (sollen) und welche jedoch für sich aufgegliedert werden müssen in:

- Einzelkosten der Teilleistungen (EKT)
- Baustellengemeinkosten (BGK)
  - einmalige Baustellengemeinkosten (eBGK)
  - zeitgebundene Baustellengemeinkosten (zBGK)
    - Vorhaltung ohne Betrieb
    - Vorhaltung Regelvortrieb
    - Vorhaltung Sondermaßnahmen
    - Vorhaltung Stillstand
  - Stillstandszeiten
  - eventuell Sonderbehandlung von Spezialgeräten (z.B. TBMs)
- zugehörige Zeiteinheiten (Bauzeit) bzw. garantierte Leistungen

Ziel: Herstellung einer vergleichbaren Angebotsbasis für alle Konzessionswerber auf Basis der Erwartungshaltung des Konzessionsgebers und Festschreibung der Kostenstruktur nach ihrer Zeitabhängigkeit und den garantierten Leistungen auf Basis der Erwartungshaltung der Konzessionswerber. → **Fortschreibbarkeit des Vertrages bei Änderungen.**

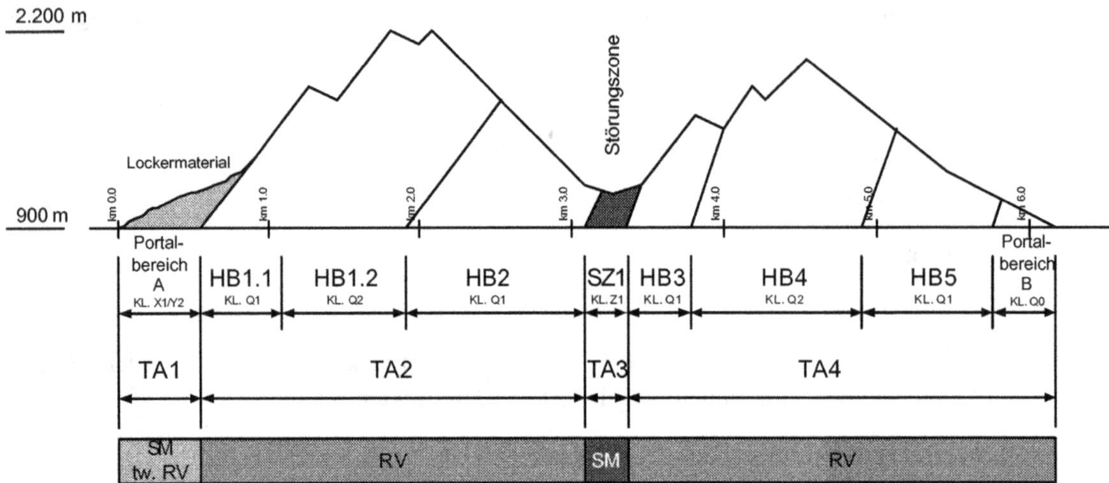

Abbildung 7-31: *Konzessionsgeber: Sektorierung der Hohlraumachse in Klassen und Homogenbereiche (HB) und deren Zusammenfassung in Teilbereiche für die Preisbildung bzw. die Verfahrenswahl (fiktives Beispiel).*

Wäre für das alternative Modellkonzept eine „Open Books"-Lösung sinnvoll?

Eine „Open Books"-Lösung ist in Zusammenhang mit BOT-Modellen nicht sinnvoll – unternehmerisches Handeln soll sich nicht nach vorgegebenen fixen Gewinnen orientieren (z.B. Mindesteigenkapitalverzinsung u.ä.). Die „Offenlegung" aller Konten usw. ist zudem oft begleitet von mehr oder weniger großen Manipulationen.

Ein Wettbewerb unter gleichrangigen Bietern, mit Einbeziehung ihrer Erwartungshaltung an den Baugrund in die Preisbildung wird im Modellkonzept angestrebt.

7.4.2.2.1 Geotechnische Interpretation und Gegenüberstellung der Erwartungshaltung des Konzessionsgebers mit jener der Konzessionswerber

Sektorierte und zuordenbare Beschreibung der Erwartungshaltung der Konzessionswerber sowie der dabei vorgesehenen Bauverfahren, garantierten Vortriebsleistungen und erforderlich Zeiten (z.B. TBM-Installation, Verfahrensumstellung usw.)

Grundsätzlich ist es möglich, daß z.B. der Konzessionswerber eine Störzone für sein geplantes Vortriebsverfahren als unproblematisch erachtet und daher die lfm-Preise geringer sind (vgl. z.B. Zeile 11, 12 in Tabelle 7-2).

Die Detailergebnisse führen zur Pauschalpreiserwartungshaltung (PE_{KW}) wie sie in Abbildung 7-32 dargestellt ist. Notwendig ist diese detaillierte Aufgliederung zum einen, um die „Mischrechnung" mit der Erwartungshaltung des Konzessionsgebers durchführen zu können (eindeutige zeitliche und örtliche Zuordnung der Kostenkomponenten) und zum anderen, um die Fortschreibbarkeit des Vertrages bei erforderlichen Änderungen gegenüber dem Angebot sicherstellen zu können.

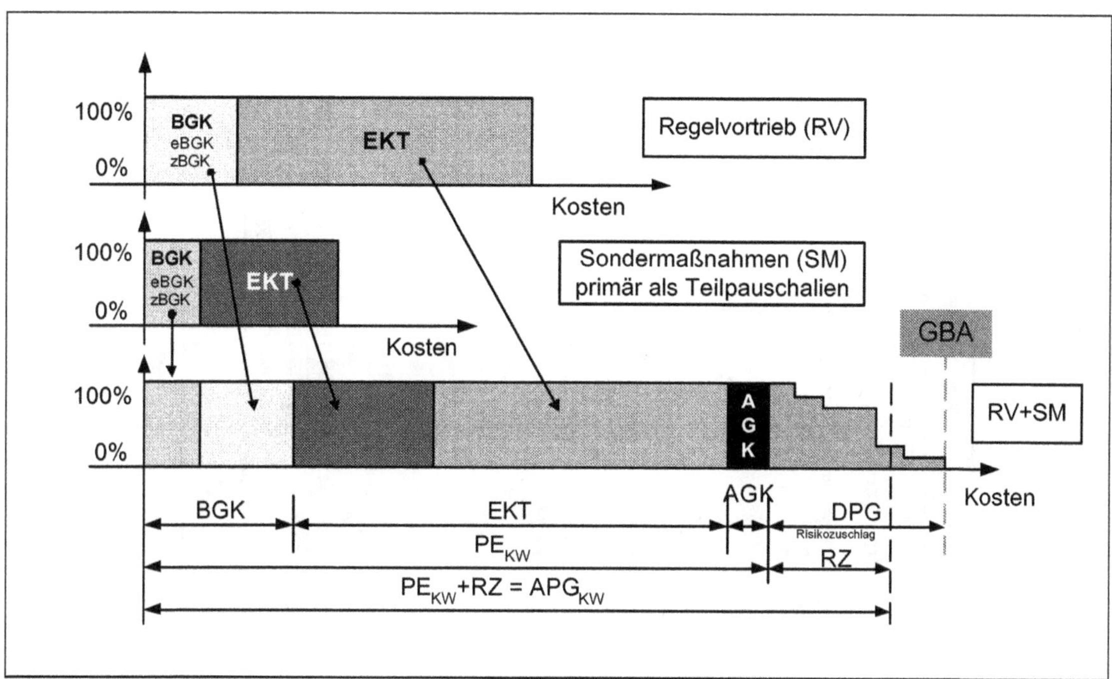

Abbildung 7-32: *Grobschema der Kostengliederung für den Regelvortrieb und die Sondermaßnahmen bzw. deren Unterteilung in Baustellengemeinkosten (eBGK + zBGK) und Einzelkosten der Teilleistungen. Zusammensetzung der zwei Kennwerte Pauschalpreis-Erwartungshaltung (PE_{KW}) und Angebotspreis bis zur Grenz-Bonität (APG_{KW}).*

[nächste Seite]
Tabelle 7-2: *Vorgabe der sektorierten Stollentrasse des Konzessionsgebers (auf Grundlage der Geotechnischen Bezugsbasis - GBB), mit Konzessionsgeber Erwartungshaltung und Bauzeit → Gegenüberstellung der Erwartungshaltung der Konzessionswerber mit Untersektorierung inkl. Bauverfahren, Maßnahmen, Leistungsannahmen, Bauzeit und Preisen.*

	Konzessionsgeber (KG)							Konzessionswerber (KW)					
Zeile	Teilabschnitte	Homogen-Bereich	KG Prognose	[lfm]	Ver-fahren	VTL [m/AT]	Bauzeit [KT]	KN-Prognose	[lfm]	Ver-fahren	VTL [m/AT]	Bauzeit [KT]	Angebots-details
1	TA1	Portalbereich A	KL. X1	350	KV	5	70	KL.X1	200	KV	4	50	verbale Beschreibung der Erwartungs-haltung, lfm-Preise, garantierte Leistungen, erforderliche Maßnahmen u.ä.
2								Ver.Um.				30	
3								KL.Y2	150	DS-TBM	15	10	
4			KL. Y2	250	KV	10	25	KL.Y2	250	DS-TBM	15	17	
5			Verf.Um.				20	------					
6	TA2	HB1.1	KL. Q1	500	O-TBM	25	20	KL.Q1	200	DS-TBM	32	6	
7								KL.Q2	300	DS-TBM	42	7	
8		HB1.2	KL. Q2	950	O-TBM	30	32	KL.Q2	950	DS-TBM	42	23	
9		HB2	KL. Q1	1.100	O-TBM	25	44	KL.Q2	150	DS-TBM	42	4	
10								KL.Q1	950	DS-TBM	32	30	
11	TA3	SZ1	KL. Z1	210	Spieß-schirm	2,1	100	KL.Z1	150	DS-TBM	12	13	
12								KL.Q1	60	DS-TBM	20	3	
13	TA4	HB3	KL. Q1	500	O-TBM	25	20	KL.Q1	500	DS-TBM	32	16	
14		HB4	KL. Q2	1.050	O-TBM	30	35	KL.Q2	900	DS-TBM	42	21	
15								KL.Q1	150	DS-TBM	32	5	
16		HB5	KL. Q1	900	O-TBM	25	36	KL.Q2	800	DS-TBM	42	19	
17								KL.Q1	100	DS-TBM	32	3	
18		Portalbereich B	KL. Q0	300	O-TBM	10	30	KL.Q1	150	DS-TBM	32	5	
19								KL.Q0	150	DS-TBM	20	8	
20				**6.110**			**432**		**6.110**			**268**	

VTL ... Vortriebsleistung

7.4.2.2.2 Anrechenbare Baukosten (ABK)

Die anrechenbaren Baukosten für das BOT-Modell ergeben sich aus dem Vergleich der IST-Baukosten mit dem Angebot des Konzessionsnehmer:

- **IST < PE_{KN} :** „Vergütung" entspricht dem „Angebotspauschalpreis" (PE_{KN}), solange das IST < PE_{KN} bleibt, resultiert daraus ein → **„Benefit" für den Konzessionsnehmer**.
- **PE_{KN} = IST:** Die „Vergütung" entspricht dem „Angebotspauschalpreis" (PE_{KN}). Bedingt verbleibt dem Konzessionsnehmer ein „Benefit" aus kalkulierten Risikozuschlägen, welche nicht schlagend wurden (falls in den Pauschalpreis einkalkuliert) → bedingt wahrscheinlich.
- **PE_{KN} < IST < GBA:** Die Vergütung für die Kosten über dem Pauschalpreis werden nur entsprechend dem angebotenen Vergütungsprozentsatz (VPS) anerkannt. Der Konzessionsnehmer steht risikomäßig bis zur Grenz-Bonität des Angebots (GBA) für sein Angebot (= seine Erwartungshaltung) ein. Erlösfehlbetrag entsprechend seinem angebotenen Verlauf.
- **GBA < IST:** Der Konzessionsgeber bezahlt wieder 100% der Mehrkosten über der Grenz-Bonität des Angebots (GBA) → Risikoübernahme durch den Konzessionsgeber ($RÜ_{KG}$). Erlösfehlbetrag entspricht dem Verlauf des Vergütungsprozentsatzes zwischen dem Pauschalpreis (PE_{KN}) und der Grenz-Bonität des Angebots.

  Unter der Voraussetzung, daß die Preise des Konzessionsnehmer kostendeckend sind, kann jetzt die Erlössituation nur mehr besser werden, d.h. das Prozentverhältnis des Erlösfehlbetrages am Umsatz fängt mit steigenden Baukosten (= Umsatz) zu sinken an (vgl. Verlauf der Kurven in Abbildung 7-29). Durch die das Modell begleitenden Regelmechanismen gilt es zu verhindern, daß der Konzessionsnehmer diese Situation während der Bauausführung spekulativ ausnützt.

Einschub: Diskussion Sondermaßnahmen

Eine der wesentlichen Kostenkomponenten ist der Umfang der Sondermaßnahmen. Es stellt sich die Frage, ob eine getrennte Behandlung der Erwartungshaltung für den Regelvortrieb und die Sondermaßnahmen Sinn macht.

Praktisch besteht das Problem darin, daß der Konzessionswerber die lfm-Preise für den Regelvortrieb überhöht und dafür den Umfang der erforderlich Sondermaßnahmen spekulativ nieder ansetzt.

Diese Spekulation hat aber durch die Risikotragung des Konzessionsnehmers bis zur Grenz-Bonität des Angebots (GBA) wenig Bedeutung, bzw. hängt dies sehr davon ab, wie „richtig" die Grenz-Bonität des Angebots (GBA) vorgegeben wurde bzw. wie groß die sich daraus ergebende Differenz (DPG) ist (vgl. dazu Abbildungen 7-23, 7-24, 7-25).

Trotzdem kann zu einer weiteren Verbesserung ein getrennter Risikozuschlag für den Regelvortrieb und jede Sondermaßnahme als Bedingung aufgestellt werden.

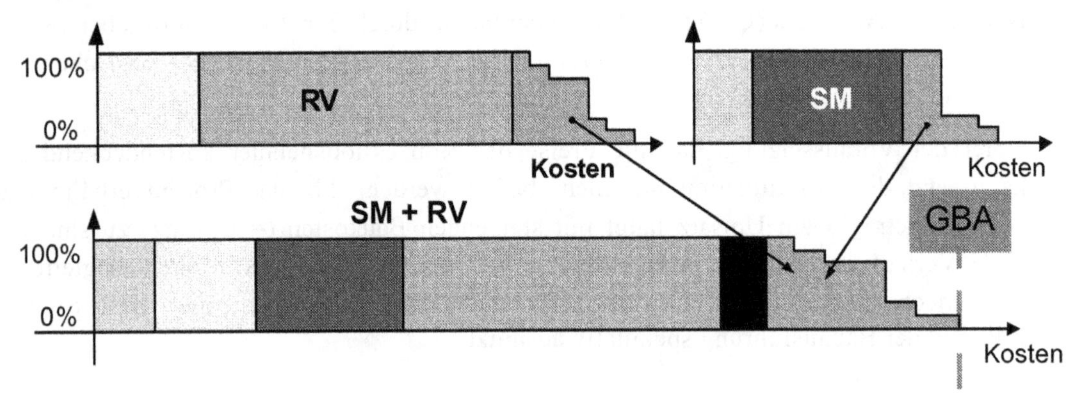

Abbildung 7-33: Getrennte Risikozuschläge für den Regelvortrieb und die erforderlichen Sondermaßnahmen.

7.4.2.2.3 Bauverfahren

Beschreibung der angewandten Bauverfahren und Auflistung der geplanten einzusetzenden Großgeräte inkl. Spezialgeräte nach Typ, Einsatzzeit, -ort und Vorhaltekosten sowie Stillstandskosten.

Tabelle 7-3: Groß- und Spezialgeräteliste (exemplarisch).

Kosten							
Geräte	***Neuwert***	***Regelvortrieb***			***Stillstandskosten***		
		A+V	***Rep.***	***Bedienung***	***A+V***	***Rep.***	***Bedienung***
DS-TBM							
Nachlauf							
....							

Geplanter Einsatz							
Geräte	***Ort***			***Einsatzzeit***			***gepl. Stillstände***
	von km	bis km	**km**	von	bis	**AT**	Stillstands-Tage
DS-TBM	0,2	6,110	**5,910**	01.06.95	28.4.96	**268**	30
Nachlauf	0,2	6,110	**5,910**	01.06.95	28.4.96	**268**	30
....							

7.4.2.2.4 Bauzeitplan

Detaillierter Bauzeitplan (als Weg-Zeit-Diagramm) aufbauend auf der Sektorierung des Konzessionsgebers mit Untersektorierung der Konzessionswerber, basierend auf den garantierten Leistungen.

[siehe Abbildung 7-34]

[nächste Seite]

Abbildung 7-34: Bauzeitplan für Konzessionsgeber- (O-TBM mit Ortbetoninnenring) und Konzessionswerber-Vorstellung (DS-TBM mit hexagonalem Volltübbing) und angebotener Leistung bzw. daraus resultierender Bauzeitverkürzung.

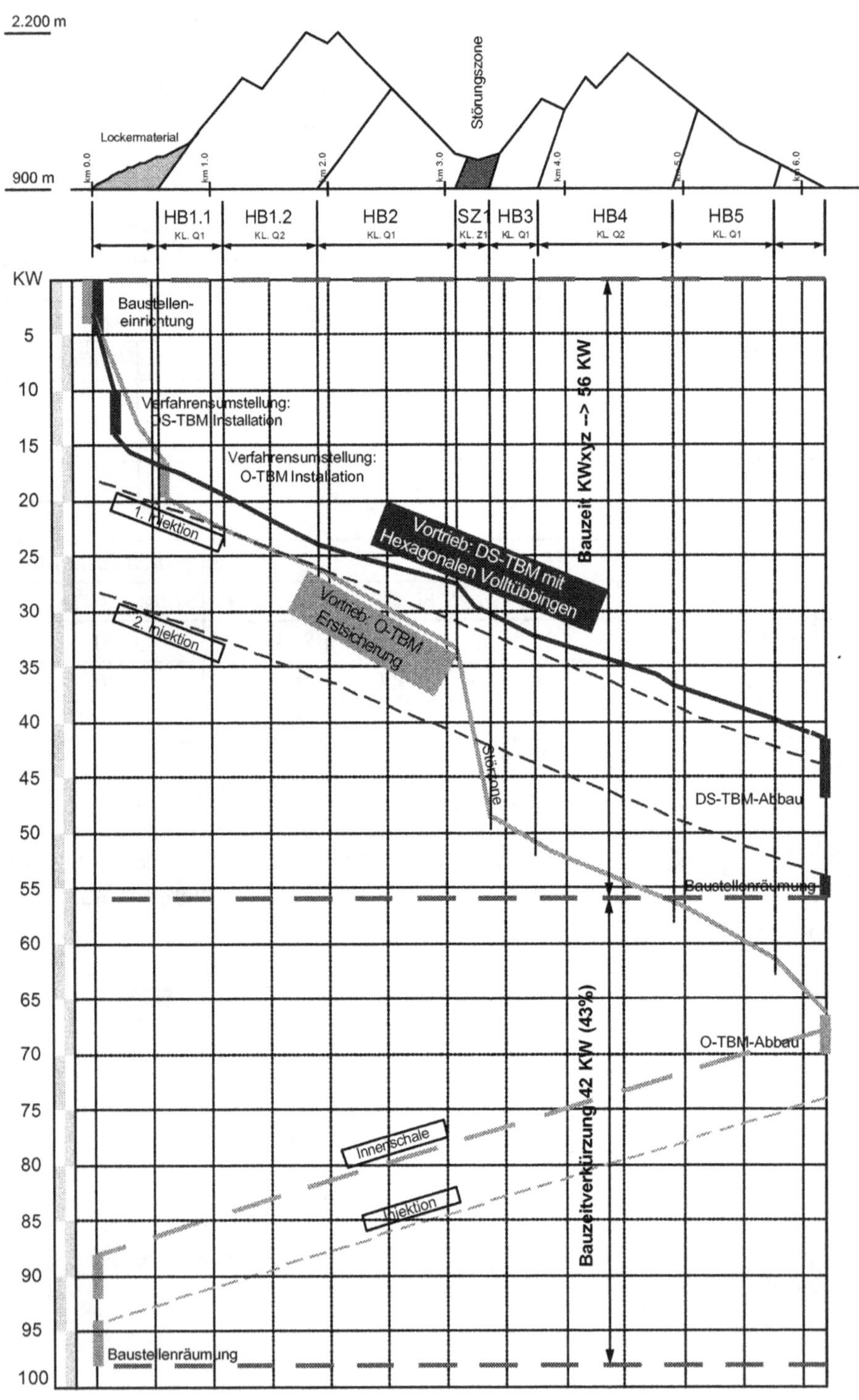
2.200 m
900 m
Lockermaterial
Störungszone
km 0.0
km 1.0
km 2.0
km 3.0
km 4.0
km 5.0
km 6.0
HB1.1
HB1.2
HB2
SZ1
HB3
HB4
HB5
KW
Baustellen-einrichtung
Verfahrensumstellung: DS-TBM Installation
Verfahrensumstellung: O-TBM Installation
1. Injektion
2. Injektion
Vortrieb: DS-TBM mit Hexagonalen Volltübbingen
Vortrieb: O-TBM Erstsicherung
Störzone
DS-TBM-Abbau
Baustellenräumung
O-TBM-Abbau
Innenschale
Injektion
Baustellenräumung
Bauzeit KWxyz --> 56 KW
Bauzeitverkürzung 42 KW (43%)

7.4.2.2.5 Nullpunktverschiebung

Jeder Konzessionswerber hat eventuelle Bauzeitverkürzungen oder Bauzeitverlängerungen, die seinem Angebot zugrunde liegen, hinsichtlich der Finanzierungskosten bzw. der daraus resultierenden Risiken zu bewerten.

Das monetäre Ergebnis wird im Angebot in Form einer Nullpunktverschiebung (+/-) umgesetzt. Die Risikotragung für seine Einschätzung besteht aber weiterhin bis zur Grenz-Bonität des Angebots (GBA).

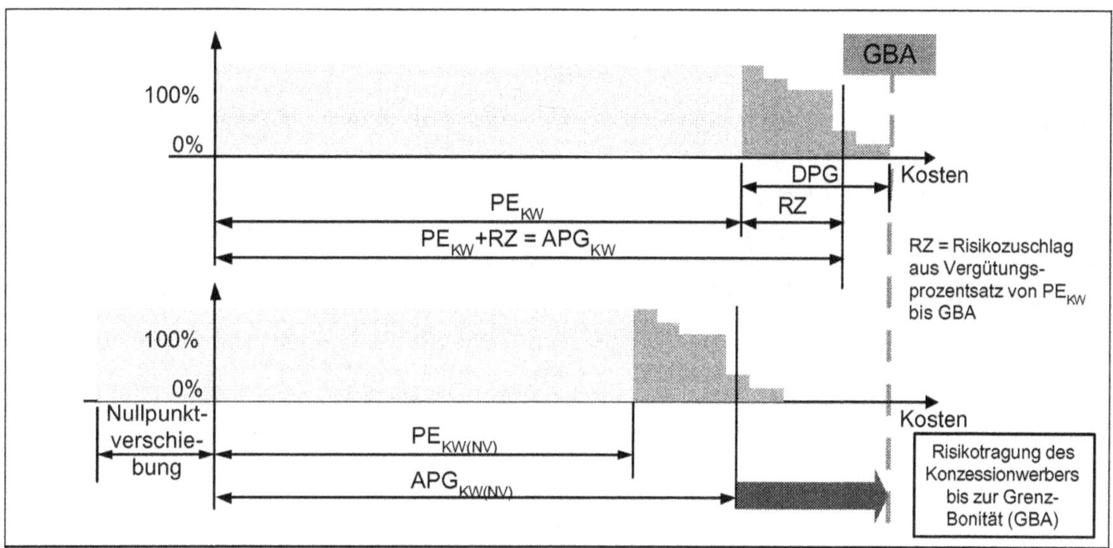

Abbildung 7-35: Der monetäre Vorteil aus einer eventuellen Bauzeitänderung (inkl. Finanzierungskosten) muß durch eine Nullpunktverschiebung (NV) von jedem Konzessionswerber selbst bewertet werden. Die Risikotragung bis zur Grenz-Bonität des Angebots (GBA) bleibt aufrecht.

7.4.2.2.6 Störfallanalyse / Störfallkatalog

Alle vom Konzessionsgeber angedachten Störfälle sind einzeln auszupreisen, wobei das Preiskomponentenschema als Vorgabe dient.

Weitere zusätzliche Störfälle, welche aus dem Konzessionswerber-Vorschlag resultieren können, sind vollständig aufzulisten, preislich und bauzeitmäßig zu bewerten und in einer Störfall-Matrix einzutragen.[431] Störfälle aus dem Konzessionswerber-Vorschlag, welche nicht

[431] vgl. z.B. Modell bei der 4. Röhre Elbtunnel, in BERGER R.: Risikoverteilung zwischen Auftraggeber und Auftragnehmer beim Bau der 4. Röhre Elbtunnel. a.a.O., S. 207-209 – dort wurden insgesamt 131 Störfälle eruiert und kostenmäßig bewertet.

aufgelistet wurden, werden nicht in die Anrechenbaren Baukosten mit aufgenommen und sind daher vom Konzessionsnehmer alleine zu tragen.

Tabelle 7-4: Störfallkategorien

Kategorie Konzessionsgeber:	Einkalkulierte Störfälle im Pauschalpreis (PE_{KW}) enthalten, Bauzeitwirksamkeit einkalkuliert (aus Vorgabe Konzessionsgeber). Auch wenn der Konzessionsnehmer diese Störfälle für sein Angebot als nicht relevant erachtet, gelten sie als einkalkuliert und damit vom Angebot als abgedeckt.
Kategorie Konzessionswerber:	Störfälle im Pauschalpreis (PE_{KW}) enthalten, Bauzeitwirksamkeit einkalkuliert (aus Erfordernissen des Konzessionswerber-Angebotes) umfaßt alle aus dem Bauverfahren des Konzessionswerber resultierenden Störfälle (Vollständigkeitsgarantie durch Konzessionswerber).
Kategorie NE_{KN}:	Nicht gelistete Störfälle, aus der Sphäre des Konzessionsnehmers sind von diesem selbst zu tragen (z.B. Bohrkopfbruch oder Lagerschaden der TBM).
Kategorie NE_{KG}:	Vom Konzessionsgeber nicht gelistete Störfälle sind Mehrkosten und werden dementsprechend in die Anrechenbaren Baukosten aufgenommen, werden aber erst explizit vergütungswirksam wenn die Grenz-Bonität überschritten wird.

Die Kategorie NE_{KG} ist notwendig, damit nicht Risiken, welche die Konzessionswerber erkennen, aber vom Konzessionsgeber nicht erkannt wurden, unterschlagen werden, um dadurch den Pauschalpreis zu drücken (spekulativ zu optimistische Erwartungshaltung). So muß der Konzessionsnehmer immer bis zur Grenz-Bonität für sein Angebot gerade stehen, erst darüber hinaus gehende Risiken (vgl. Punkt 5.1, ausgenommen Force Majeure), werden vom Konzessionsgeber übernommen.

→ Forciert realistische Preisbildung und seriöse Angebotsgestaltung

Im Einzelfall können dazu Einschränkungen vorgenommen werden, z.B. können bestimmte Einzelrisiken wie z.B. Methangaseinbrüche u.ä. aus der Risikotragung herausgenommen werden.

7.4.3 Bewertungs- und Reihungskriterien für Definition des Bestbieters

Theoretisch könnte ja jener Konzessionswerber, welcher den geringsten Pauschalpreis (PE_{KW}) gelegt hat, beauftragt werden. → Dieser Zuschlagsmodus ist auf Dauer deshalb problematisch, weil:

- nicht davon ausgegangen werden kann, daß der Angebotspreis nicht vollkommen spekulativ zustande gekommen ist, um das BOT-Projekt zu akquirieren → im Falle, daß sich die Verhältnisse als schlechter herausstellen, steigt das Projektfertigstellungsrisiko und die Schwierigkeiten in der Umsetzung sind auf Dauer vorprogrammiert.
- im Wettbewerb nur die risikoreich operierenden Unternehmen Erfolg hätten und die qualifizierten, seriös arbeitenden Unternehmen keine Auftragschance hätten (vgl. z.B. die Probleme des öffentliches Vergabewesen in Österreich, betreffend Diskussion Best- bzw. Billigstbieter).
- innovative Unternehmen, welche neue Bauverfahren einsetzen, aufgrund der dafür erforderlichen Risikozuschläge keine Auftragschancen gegenüber diesen Billigstbietern hätten (widerspricht den Ideen und Zielsetzungen des Konzepts vgl. Punkt 7.1).

7.4.3.1 Begründung

Die konkretisierte Projektsvorstellung des Konzessionsgebers ist im Normalfall ja nicht völlig aus der Luft gegriffen. Im Fall extremer Abweichungen müßte im Detail untersucht werden, ob die Erwartungshaltung des Billigstbieters begründbar ist oder nur auf Spekulation beruht → niemand schließt einen „Billigstbieter" gerne aus, denn die Magie des niedrigsten Preises stellt allgemein einen sehr hohen Anreiz dar.

Um das Argument des niedrigsten Pauschalpreises zu entkräften, werden die darüber hinausgehenden Angebotsbestandteile in die Bewertung mit hineingenommen.

Die Bewertung der verschiedenen Komponenten des Angebots erfolgt durch eine individuell je nach Projekt und Einschätzung nach der Präqualifikation vom Konzessionsgeber vorgegebenen Gewichtung. Damit wird ein Ausgleich der Erwartungshaltung zwischen Konzessionsgeber und Konzessionswerber herbeigeführt. Der Konzessionsgeber kann die Gewichtung seiner Erwartungshaltung somit der durch die Präqualifikation sichergestellten Erfahrung, dem Know-how und der Innovationskraft der Konzessionswerber überordnen, gleichstellen oder unterordnen.

Zusätzlich bietet sich durch die Vorgabe der „Grenz-Bonität des Angebots (GBA)" ein weiteres Steuerelement für die Sicherstellung einer fundierten Preisbildung, in dem die Schranke höher gezogen wird.

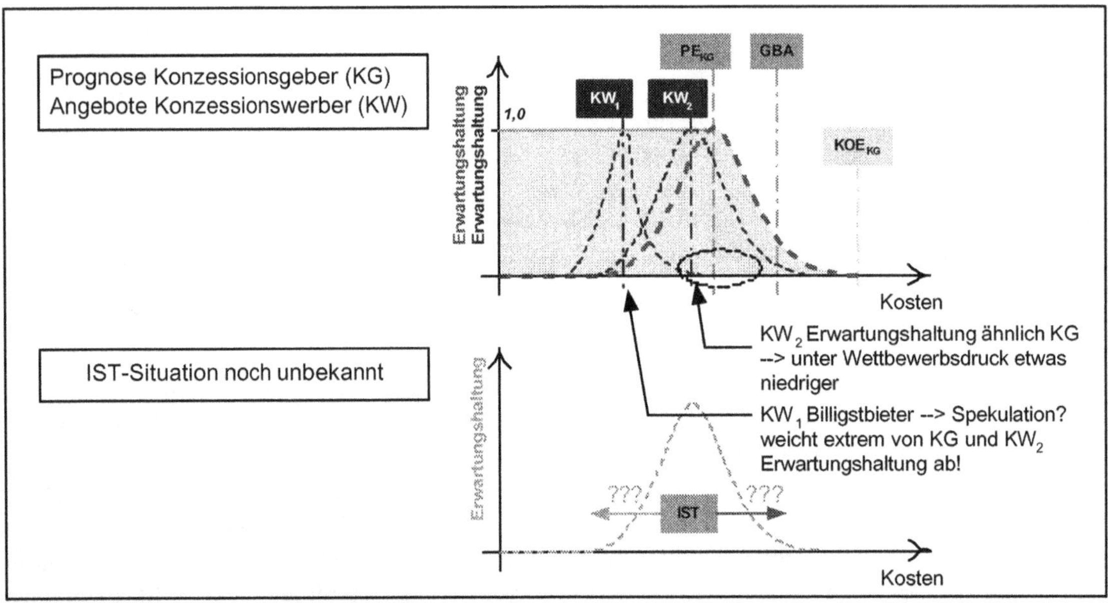

Abbildung 7-36: *Prüfung der Erwartungshaltung der Konzessionswerber in Relation zur Erwartungshaltung des Konzessionsgebers. Bei zu großer Abweichung des Billigstbieters ist eine grundsätzliche Prüfung erforderlich. Durch die Miteinbeziehung der Erwartungshaltung des Konzessionsgebers in die Angebotsbewertung werden „Ausreißer" relativiert.*

Ziel: Ermittlung des Bestbieters mittels einer „Mischrechnung" aus Erwartungshaltung des Konzessionsgebers und Erwartungshaltungen der Konzessionswerber.

7.4.3.2 Modellkonzept

Das Modellkonzept setzt eine intensive Prüfung der verschiedenen Angebotsbestandteile der Konzessionswerber voraus. Nachfolgend soll aber nur jener Teil besprochen werden, der sich originär mit der Gewichtung der monetären Angebotsbestandteile für die Hohlraumbauarbeiten beschäftigt.

Ziel: Die Erwartungshaltung von Konzessionsgeber und Konzessionswerbern soll in eine gemeinsame Bewertung einfließen. Simplifiziert formuliert, es weiß ja im vorhinein keiner wer „recht" haben wird. Der Konzessionsgeber kann nach der Präqualifikation durch die Vorgabe der Bewertungskriterien die Gewichtung seiner Erwartungshaltung zu jener der Konzessionswerber steuern.

Wie können diese Erwartungshaltungen zusammengeführt bzw. verglichen werden?

Erwartungshaltung des Konzessionsgeber

- Die Erwartungshaltung des Konzessionsgebers in Form von Regelvortrieb (lfm, Klassen usw.) und Sondermaßnahmen (Art, lfm usw.) wird mit den Preiskomponenten des Konzessionswerbers durchgerechnet → Vergleichs-Pauschalpreis-Erwartungshaltung (VPE). Die eventuell zu günstige Einschätzung des Baugrundes durch den Konzessionswerber wird dadurch relativiert.

- Der Konzessionsgeber gibt neben der Grenz-Bonität des Angebots (GBA) noch eine Gewichtungsfunktion für seine Erwartungshaltung vor, welche auf seiner Erwartungshaltung beruht. Wobei den Konzessionswerbern nur der prinzipielle Verlauf bekannt gegeben wird. Die restlichen Daten, wie die Pauschalpreis-Erwartungshaltung (PE_{KG}), die Kosten-Obergrenzen-Erwartunghaltung (KOE_{KG}) und der Detailverlauf der Gewichtungsfunktion des Konzessionsgebers werden verschlossen hinterlegt und werden zeitgleich mit der Angebotsöffnung den Konzessionswerbern bekannt gegeben. → führt zum Gewichteten-Angebotspreis (GAP).

  Im Wettbewerb wird dadurch zusätzlich die Spekulation verhindert, weil die Gewichtungskriterien zu diesem Zeitpunkt noch nicht öffentlich bekannt sind.

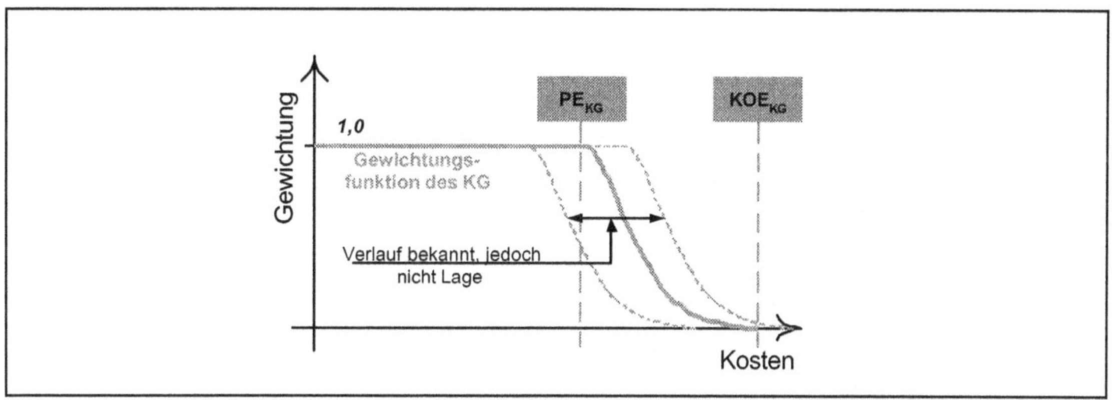

Abbildung 7-37: Vorgabe der Form der Gewichtungsfunktion durch den Konzessionsgeber ohne Preisgabe deren exakter Lage.

Problem: Eine eventuell grobe Fehleinschätzung des Konzessionsgebers gegenüber der Erwartungshaltung der Konzessionswerber sowohl der Grenz-Bonität des Angebots (GBA), als auch der Pauschalpreiserwartungshaltung könnte einen ungerechtfertigten Bietersturz mit sich bringen.

Wobei noch immer nicht bekannt ist, wie sich die IST-Situation tatsächlich herausstellen wird → Erwartungshaltung des Konzessionsgebers oder der Konzessionswerber zutreffender?

Erwartungshaltung der Konzessionswerber

Die Konzessionswerber sind in der Gestaltung ihres Angebotes sehr flexibel:

- Ein niederer Pauschalpreis (PE_{KW}) ist ein Kriterium.
- Daneben spielt aber der Verlauf innerhalb des Diffenzbereiches (DPG) eine entscheidende Rolle für die Bewertung des Konzessionswerber-Angebotes. Der Angebotspreis bis zur Grenz-Bonität (APG_{KW}) ist nur bedingt interessant, weil er nur den Grenzfall für die Risikotragung darstellt. Im Regelfall sollte jedoch das IST im Bereich der Pauschalpreis-Erwartungshaltung liegen bzw. bei "normalen Abweichungen" knapp darüber.

  Daher ist die Größe des Vergütungsprozentsatz (VPS) knapp über dem Pauschalpreis von der Eintretenswahrscheinlichkeit her relevanter, als die Vergütungsprozentsätze knapp vor der Grenz-Bonität des Angebots (GBA). In der nachfolgenden Abbildung 7-38 sind einige mögliche Verläufe beispielhaft dargestellt.

Diskussion zu den Fällen aus Abbildung 7-38:

Konzessionswerber [1] hat seinen Pauschalpreis nieder gehalten (spekulativ?), das Angebot inklusive den Risikozuschlägen bis zur Grenz-Bonität des Angebots (→ APG_{KW}) fällt aber relativ hoch aus. Bei einer differenzierten Gewichtung dieser beiden Angebotsbestandteile kann es (soll es) zu einer Umreihung kommen.

Im Endeffekt muß die Erwartungshaltung des Konzessionsgebers mit jener der Konzessionswerber abgeglichen werden, um deren Erwartungshaltung einer Plausibilitätsprüfung zu unterziehen und eventuelle Spekulationsversuche durch diesen Bewertungsschritt noch weiter auszuschalten

→ Folge nicht Billigst- sondern Bestbieterprinzip

→ aus Angebotspreisbestandteilen und Gegenrechnung mit Erwartungshaltung des Konzessionsgebers.[432]

[432] Unter der Annahme, daß die Erwartungshaltung des Konzessionsgebers vollkommen unzutreffend wäre, könnte dies im „Worst-case Szenario" dazu führen, daß die eventuell treffendste Erwartungshaltung eines Bieters nicht entsprechend bewertet wird. Diese Gefahr ist aber gering, in Relation zu der Unterpreistendenz bzw. im Wettbewerb zu optimistisch angenommenen Baugrundverhältnissen.

Tabelle 7-5: *Reihung der Angebote nach verschiedenen Kriterien (Gewichtung (GAP) führt hier zufällig zum selben Ergebnis wie der Angebotspreis bis zur Grenz-Bonität (APG) – weil die Erwartungshaltung laut Konzessionsgeber Annahme in diesem Bereich immer 1,0 ist→ Frage der Gewichtungsfunktion).*

	Pauschalpreis (PE)	Reihung	Angebots-Preis bis zur Grenz-Bonität (APG)	Reihung	Gewichteter Angebotspreis (GAP)	Reihung	ABK für die IST-Baukosten	Ergebnis-Reihung
KW [1]	48 WE	1.	69 WE	3.	69 WE	3.	61 WE	3.
KW [2]	52 WE	3.	61 WE	2.	61 WE	2.	60 WE	2.
KW [3]	50 WE	2.	58 WE	1.	58 WE	1.	55 WE	1.
WE entspricht monetären Werteinheiten								

In unten beispielhaft dargestellten Modellfällen zeigt sich, daß zwar der Pauschalpreis (PE) des Konzessionswerbers [1] am niedrigsten ist, aber sobald die IST-Baukosten davon abweichen, fällt Konzessionswerber [1] beim Angebotspreis bis zur Grenz-Bonität (APG) und den Anrechenbaren Baukosten (ABK) hinter die Konzessionswerber [2] und [3] zurück. Unter Einbeziehung einer gewichteten Ermittlung (Gewichteter Angebotspreis - GAP; auf Basis der Erwartungshaltung des Konzessionsgebers) für die Risikozuschläge fällt Konzessionswerber [1] auch hinter die Konzessionswerber [2] und [3] zurück.

Beispiele zu möglichen Verläufen des Vergütungsprozentsatzes im Bereich der Differenz (DPG) zwischen dem Pauschalpreis (PE_{KW}) und der Grenz-Bonität des Angebots (GBA):

In den unten dargestellten Fällen handelt sich immer um denselben Pauschalpreis, jedoch um unterschiedliche Verläufe des Vergütungsprozentsatzes, welche aber alle zum selben Angebotspreis bis zur Grenz-Bonität führen (APG).

Welche Auswirkung die Gewichtung mit der vom Konzessionsgeber vorgegebenen Gewichtungsfunktion hat, wird in Abbildung 7-42 gezeigt (siehe die zwei beispielhaften Gewichtungsfunktionen [G I], [G II] in Abbildung 7-39).

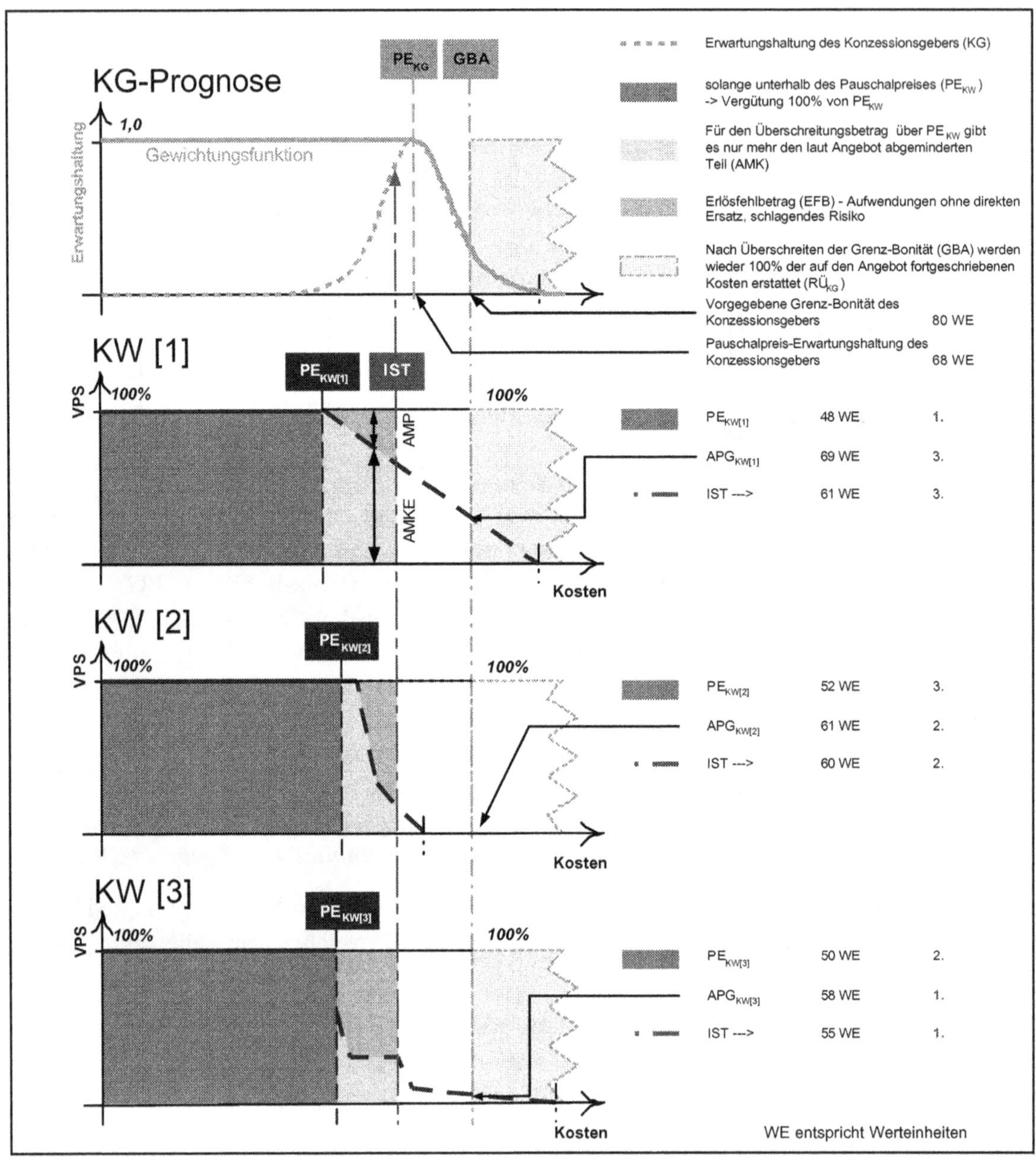

Abbildung 7-38: Drei beispielhafte Fälle für Angebote nach dem beschriebenen Modell – dazu Erwartungshaltung des Konzessionsgebers, welche den Konzessionswerbern nur teilweise bekannt gemacht werden.

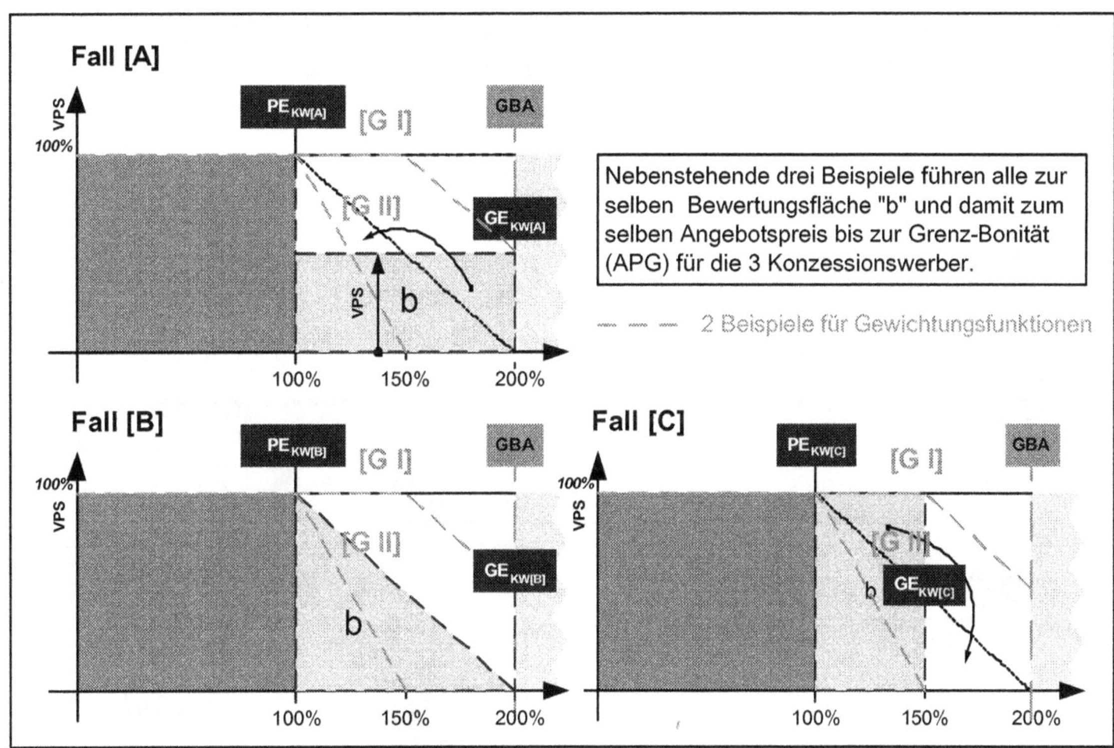

Abbildung 7-39: Beispiel zum Verlauf des Vergütungsprozentsatzes im Differenzbereich (DPG), welche alle zum selben Angebotspreis bis zur Grenz-Bonität (APG) führen, aber sich von der Risikotragung unterschiedlichst verhalten.

7.4.3.3 Gewichtung des Pauschalpreises und der darüber liegenden Risikozuschläge

Wie im Punkt vorher angesprochen, spielt das Verhältnis von Pauschalpreis zum Verlauf der Vergütungsprozentsätze (entspricht Risikozuschlägen) eine wichtige Rolle, für jene Fälle in denen das IST größer als der Pauschalpreis ist.

Sinnvoll ist es daher die Erwartungshaltung des Konzessionsgebers mit dem Vergütungsprozentsatz zu verbinden, um die Bewertung zu verbessern. Eine vom Konzessionswerber mitgelieferte Erwartungshaltung würde zu keiner Verbesserung des Ergebnisses beitragen, weil:

- sie nicht mit den anderen Konzessionswerbern vergleichbar ist.
- die Erwartungshaltung über die Eintretenswahrscheinlichkeit des Konzessionswerbers sich ja in seinen Vergütungsprozentsätzen schon niedergeschlagen haben sollte, und daher diese Verknüpfung keinen Sinn mehr macht.

- es wie in Abbildung 7-40 unten gezeigt, noch eine spekulative Möglichkeit gibt, um den gewichteten Anteilen der Vergütungsprozentsätze nieder zu halten, welcher aber vorgebeugt werden muß.

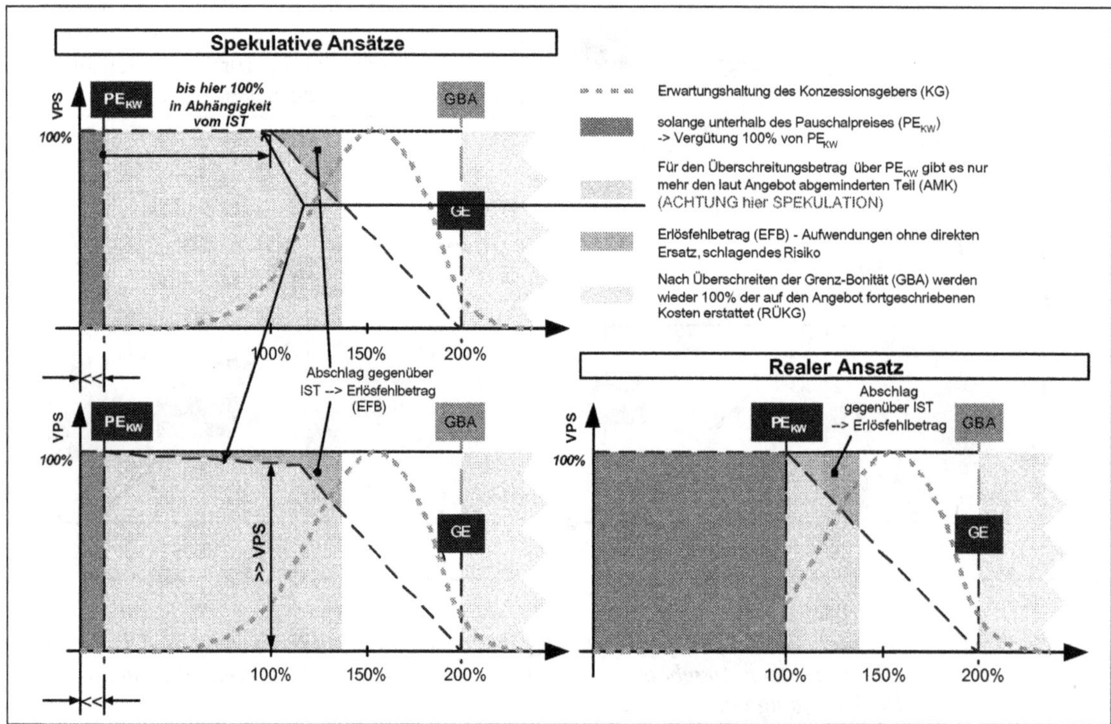
Spekulative Ansätze
VPS
100%
PE_{KW}
bis hier 100%
in Abhängigkeit
vom IST
GBA
GE
100%
150%
200%
Abschlag gegenüber
IST --> Erlösfehlbetrag
(EFB)
>> VPS
Erwartungshaltung des Konzessionsgebers (KG)
solange unterhalb des Pauschalpreises (PE_{KW})
-> Vergütung 100% von PE_{KW}
Für den Überschreitungsbetrag über PE_{KW} gibt es nur
mehr den laut Angebot abgeminderten Teil (AMK)
(ACHTUNG hier SPEKULATION)
Erlösfehlbetrag (EFB) - Aufwendungen ohne direkten
Ersatz, schlagendes Risiko
Nach Überschreiten der Grenz-Bonität (GBA) werden
wieder 100% der auf den Angebot fortgeschriebenen
Kosten erstattet (RÜKG)
Realer Ansatz
Abschlag
gegenüber IST
--> Erlösfehlbetrag

Abbildung 7-40: Spekulative Sonderfälle der Angebotsgestaltung, denen durch umfassende Bewertungs- und Reihungskriterien vorgebeugt werden kann.

Dieser Versuchung kann nur durch eine hohe Gewichtung der Preisanteile im Differenzbereich (DPG) begegnet werden (bzw. abgeschwächt werden).

Vorgaben für eine Mindestneigung des Verlaufs im Berich Pauschalpreis bis zur Grenz-Bonität sind nicht praktikabel [a], bzw. widersprechen diese teilweise dem Modellgedanken [b]:

[a] Ein realistischer Fall wäre z.B. eine Normalverteilung für den Verlauf des Vergütungsprozentsatzes (VPS). Die Tangentenneigung wäre in diesem Fall am Hochpunkt aber Null (könnte die Vorgabe einer Mindestneigung nicht erfüllen!).

[b] Der Verlauf soll ja das Ergebnis einer Risikoanalyse sein, d.h. daß eventuell gewichtige Einzelereignisse mit geringer Erwartungshaltung (geringer Eintretenwahrscheinlichkeit), aber großen monetären Folgen nicht abgebildet werden könnten.

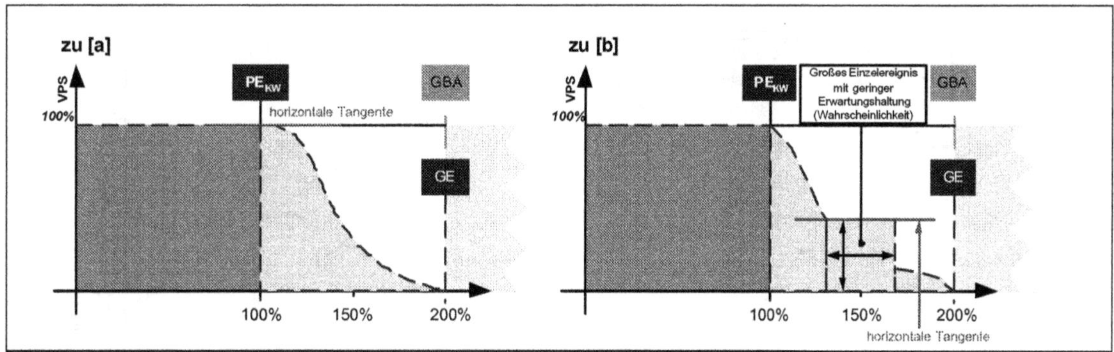

Abbildung 7-41: Vorgabe einer Mindesttangentenneigung für den Verlauf des Vergütungsprozentsatz im Differenzbereich (DPG) führt nicht zum gewünschten Erfolg bzw. widerspricht dem Modellgedanken.

Als beste Lösung erweist sich somit die Gewichtung mit einer vom Konzessionsgeber vorgegebenen Gewichtungsfunktion:

(a) welche seine Erwartungshaltung in die Gewichtung einbringt und damit ausgleichend wirkt.

(b) der Tendenz folgend, daß die Konzessionswerber eher mit niedrigen Angeboten in den Wettbewerb gehen, ist der unmittelbare Bereich über der Pauschalpreis-Erwartungshaltung (PE_{KW}) mit einer hohen Erwartungshaltung des Konzessionsgebers gewichtet. Dadurch ist der mit großer Wahrscheinlichkeit innerhalb der Schwankungsbreite der Projektsabwicklung liegende Bereich einer hohen Gewichtung unterworfen.

(c) alle Konzessionswerber gleich behandelt.

Rechenbeispiel zur Gewichtungsfunktion (Werte aus Abbildung 7-39):

Die in der Abbildung 7-39 dargestellten Verläufe des Vergütungsprozentsatz bis zur Grenz-Bonität des Angebots (GBA) führen alle zum selben Angebotspreis bis zur Grenz-Bonität (AGP), von der Erwartungshaltung sind sie jedoch gänzlich unterschiedlich zu bewerten. Beispielhaft wurden 2 Gewichtungsfunktionen [G I], [G II] vorgegeben und die Angebote damit ausgewertet.

Der Fall [A] ist der günstigste, was in diesem Fall aus logischen Gründen schon vorher erkennbar war.

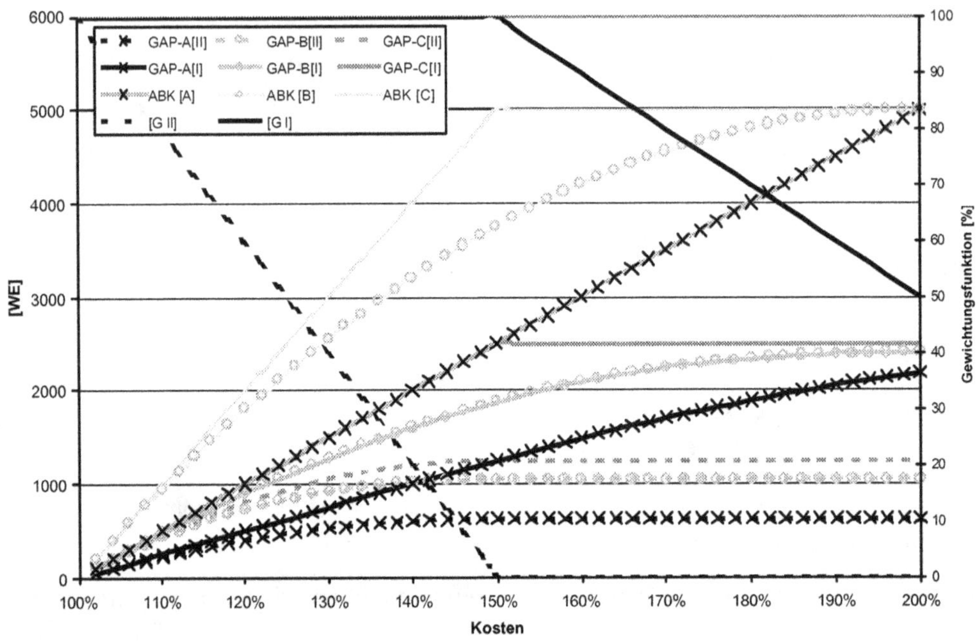

Abbildung 7-42: *Verlauf der Anrechenbaren Baukosten (ABK) bis zur Grenz-Bonität des Angebots (GBA), bzw. mit den durch die vom Konzessionsgeber angenommene Erwartungshaltung (Gewichtungsfunktion) gewichteten Angebotsverläufen.*

7.4.3.4 Organigramm zum Ablauf des Bewertungsverfahrens

Der Vorschlag zielt darauf ab, daß zuerst die zwei Werte:

- **Gewichteter-Angebotspreis – GAP**
- **Vergleichs-Pauschalpreis-Erwartungshaltung - VPE**

ermittelt werden und danach mit den vom Konzessionsgeber vorgegebenen Gewichtungsfaktoren (GF 1, GF 2) multipliziert und danach addiert werden.

Wenn die Intention dahin geht, daß allgemein ein niedriger Pauschalpreis forciert werden soll (was nur bedingt den Zielsetzungen des Modellkonzepts entspricht, bzw. stark projektsabhängig beurteilt werden muß), dann kann dieser mit dem Faktor GF 3 gewichtet noch zusätzlich in die Bewertung mit aufgenommen werden.

Die Gewichtungsfaktoren müssen in Summe immer 1,0 (=GF 1+GF 2+[GF 3]) ergeben.

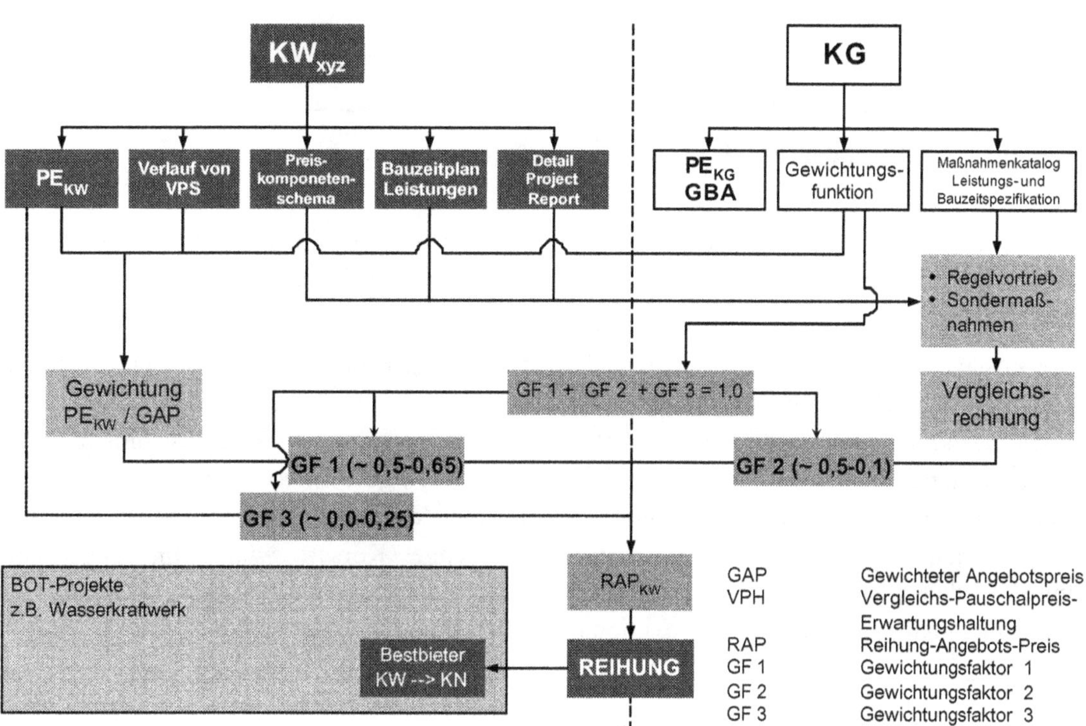

Abbildung 7-43: Organigramm zur Verdeutlichung des Ablaufes des Bewertungsverfahrens. Die Reihung der Konzessionswerber erfolgt nach dem Reihungs-Angebots-Preis (RAP).

Vergleichs-Pauschalpreis-Erwartungshaltung (VPE):

Voraussetzung für eine einfache Durchführung dieser Vergleichsrechnung ist die Einhaltung des Preiskomponentenschemas und der Sektorierung der Hohlraumachse durch die Konzessionswerber.

Je detaillierter z.B. die Preismatrix für den Regelvortrieb gestaltet wird, desto häufiger ist es der Fall, daß während der Ausführung gerade das Nachbarfeld (welches nicht ausgepreist ist) zur Anwendung kommt (kommen soll). Daher wurde im Punkt 7.4.1.2 vorgeschlagen, zumindest alle Nachbarfelder zusätzlich auszupreisen. In die Ermittlung des Vergleichs-Pauschalpreis (VPE) kann zur Verbesserung des Ergebnisses ein gewichtetes Mittel für jede Klasse verwendet werden. Dadurch wird sichergestellt, daß auch die konkret nicht erwarteten

Klassen dem Wettbewerb unterzogen werden, und damit eine plausible Vertragsfortschreibung Sinn macht.[433]

Einschub: Mathematische Verfahren zur Bewertung

Über die hier gezeigte prinzipielle Art der Vergleichsrechnung hinaus, könnten spezifische mathematische Verfahren wie z.B. Fuzzylogic bzw. unscharfe Zahlen angewandt werden.

Im gegenständlichen Fall trägt dies nur bedingt zu einer Ergebnisverbesserung bei, weil die Bandbreiten der Unbekannten im Hohlraumbau – verknüpft mit betriebswirtschaftlichen Überlegungen und zwei eventuell divergierenden Erwartungshaltungen – ein Ergebnis mit sich brächte, das eine Genauigkeit vortäuscht, die dadurch nicht gerechtfertigt ist. Zudem müßten die Vorgaben an das PKS noch detaillierter sein, um die Vergleichbarkeit und die Anwendung dieser Rechenverfahren zu ermöglichen. Dieses enge Korsett würde im Zuge von Betreibermodellen speziell Nachteile in Hinblick auf die freie Wahl des Bauverfahrens, die Einbringung von Know-how und Innovation mit sich bringen.

7.4.4 Kosten des Verfahrens

Dem eventuellen Einwand, daß das beschriebene Verfahren mit zu hohen Kosten verbunden sei, muß differenziert begegnet werden.

7.4.4.1 Wo und wem entstehen Kosten bei der Anwendung dieses Verfahrens?

Kosten entstehen beim Konzessionsgeber wie auch bei den n Konzessionswerbern, wobei jene des Konzessionsgebers am Anfang höher sind als derzeit üblich und jene der n Konzessionswerbern geringer. In der Projektsabwicklung des Gesamtportfolio wird sich aber durch breiteren Wettbewerb, geringere Risikozuschläge und weniger Projektfertigstellungsrisiko eine besseres Verhältnis einstellen.

In nachfolgender Aufstellung sollen in Stichworten die Vor- und Nachteile des Verfahrens bezüglich Kosten gegenübergestellt werden.

[433] darüber hinaus fehlende Felder können in erster Näherung durch Extrapolation bestimmt werden (hat sich bei enggestufter Matrix nach ÖN B2203 bewährt) bzw. müssen die Vertragsanpassungsmechanismen wie unter Punkt7.5, 7.6 beschrieben eingreifen und den Claim prüfen.

Tabelle 7-6: Gegenüberstellung der Kostenfolgen für den Konzessionsgeber und die Konzessionswerber.

	Konzessionsgeber	**Konzessionswerber**
Vorarbeiten, Baustellen-erschließung	(-) lange vorlaufende Anfangsinvestitionen (+) > Interessentenkreis (+) > Realisierungschance	(+) Risikominimierung (-) größerer Kreis an Mitbewerbern
Höherer Erkundungsaufwand	(-) Kosten (+) bessere Kenntnis der Projektsrandbedingungen	(+) Risikominimierung
Größere Planungstiefe	(-) Kosten (+) eigene konkretisierte Projektsvorstellung	(+) Risikominimierung (-) eventuell zu starre Projektsvorgaben
Präqualifikation	(+) Verifikation der Projektsidee und Erwartungshaltung (+) Input durch Konzessionswerber-Vorschläge (+) Vorgabe der Gewichtungskriterien nach Einschätzung des Bewerberfeldes (Request for Proposal (RFP))	(+) Projektsidee kann beeinflußt werden (-) größerer Kreis an Mitbewerbern (+/-) geringe Präqualifikationskosten
International Competitive Bidding (ICB)	(+) mehr Interessenten (+) geringere Projektskosten (+) mehr Wettbewerb	(-) allgemein hoher Akquisitionsaufwand für BOT-Modelle (hier verringert durch bessere Projektsaufbereitung) (+/-)größerer Kreis an Mitbewerber (+) bessere Projektkenntnis (-) geringere Risiken
K E F I R	(+) Know-how der Konzessionswerber wird forciert → Erwartungshaltung (+) Konzessionswerber müssen für ihre dem Wettbewerb unterstellte Erwartungshaltung gerade stehen (+/-) kein Billigstbieterprinzip (+/-) Prüfung von Varianten erforderlich	(+) Einbringung von Know-how und Innovation → eigene Erwartungshaltung wird dem Wettbewerb unterstellt. (-) Risikoübernahme → eigene Erwartungshaltung wird Wettbewerb unterstellt. (+) Varianten möglich
Bewertung	(-) höherer Bearbeitungsaufwand (+) transparente Kosten	(-) vorgegebenes Preiskomponentenschema

[Fortsetzung nächste Seite]

Fortsetzung zu Tabelle 7-6		
Risikoübernahme „außergewöhnlicher Baugrundrisiken" durch den Konzessionsgeber	(-) erforderlich Installation eines Geological Risk Fund (+) mehr Interessenten (+) geringere Risikozuschläge (+) mehr Wettbewerb (+) geringere Projektskosten (+) geringes Projektfertigstellungsrisiko	(+) keine großen Einzelprojektsrisiken (-) größerer Kreis an Mitbewerbern
Ausführung	(+) geringes Projektfertigstellungsrisiko (+) weniger Meinungsverschiedenheiten (+) Risikotragung erst ab der Grenz-Bonität des Angebots (GBA) (+) Ausführungsüberwachung durch Independent Consultant	(+) geringes Projektfertigstellungsrisiko (+) weniger Meinungsverschiedenheiten (+) definitive monetäre Risikogrenze (Grenz-Bonität des Angebots-GBA)
Ermittlung der Anrechenbaren Baukosten (ABK)	(+) transparentes Kostenschema (-) weniger Claimmanagement	(+) transparentes Kostenschema (-) weniger Spekulationsmöglichkeit (-) massiv eingeschränkte Möglichkeit für Claims
Schiedsgerichts-verfahren / USG	(+) schnelle Entscheidung	(+) schnelle Entscheidungswege

7.4.4.2 Akquisitionskosten der Konzessionswerber

Request for Qualification (RFQ):

Im Allgemeinen sind die Kosten für Präqualifikation eher gering; im wesentlichen standardisierte Verfahren (vgl. FIDIC).

Kosten fallen bei der Akquisition von Betreibermodellen in der 1. Phase für die Voruntersuchungen, Planung und den gesamten Tendering-Prozeß an. Gerade die dafür anfallenden Kosten bzw. vielfach auch die fehlende Möglichkeit für geologische Untersuchungen bringen als Ergebnis ein risikominimiertes Projekt für eben diesen Erkenntnisstand, aber eine in jeglicher Weise optimale Lösung kann davon weit entfernt sein.

Request for Proposal (RFP):

Der Aufwand bei der Bearbeitung von Angeboten für Konzessionsprojekte wird stark vom Erkenntnisstand und der Planungstiefe[434] zum Zeitpunkt der Auslobung bestimmt. Mit

[434] siehe auch GIRMSCHEID G., BENZ P. a.a.O., S. 3-19 bzw. REISMANN W. 1996a, a.a.O.

Erkenntnisstand ist in den folgenden Überlegungen vor allem die geologische Prognose und deren bautechnische Interpretation angesprochen (→ Hohlraumbauten).

Die Überlegungen im Konzept gehen davon aus, daß die Vorleistungen des Konzessionsgebers größer sein sollen, damit im Endeffekt die Risikozuschläge der Konzessionswerber aufgrund der besseren Projektskenntnis geringer ausfallen können. Dies trifft nicht nur auf den Baugrund, sondern auch auf die Aufschließung der Baustelle zu (gerade dadurch können viele länderspezifische Risiken minimiert werden).[435]

Teil der Überlegung ist auch, daß nur eine fundierte Erwartungshaltung des Konzessionsgebers und der Konzessionswerber sich sinnvoll vergleichen läßt. Zudem ist die Vorgabe der Grenz-Bonität des Angebots (GBA) nur dann sinnvoll möglich, wenn man die Bandbreite der möglichen Ereignisse fundiert einschätzen kann.

Kostenerstattung für Bewerbung:

Eine teilweise Kostenerstattung für die Angebotsausarbeitung ist derzeit nicht üblich, würde im gegebenen Fall Indiens auch nicht den gewünschten Effekt bringen (sinnvoller ist vielmehr eine konkretisierte Projektsvorstellung des Konzessionsgebers, welche er mit Hilfe eines renommierten Consulters gewinnt; Beratungsleistung fällt nur einmal an).

In Einzelfällen kann eine teilweise Kostenerstattung für die Angebotsbearbeitung sinnvoll sein – vor allem sind die Konzessionswerber dann eher bereit, mehr intellektuelle Leistung zu investieren, was die Qualität der Angebotsvariante im Allgemeinen steigert.

→ **Besser größere Vorleistungen in Form von Aufschließungen und Baugrunderkundungen.**

[435] vgl. auch die neuen Intentionen der indischen Policy on Hydro Power Development a.a.O. bzw. die Bemerkungen dazu unter Punkt 4.3.3.

Aus volkswirtschaftlicher[436] und betriebswirtschaftlicher[437] Sicht problematisch einzustufen ist der vielfach höhere Aufwand für intellektuelle Leistungen in Form von Planungen, Finanzierungsüberlegungen und rechtlicher Beratung der am Wettbewerb beteiligten (Konzessionsgeber und *n* Konzessionswerber).

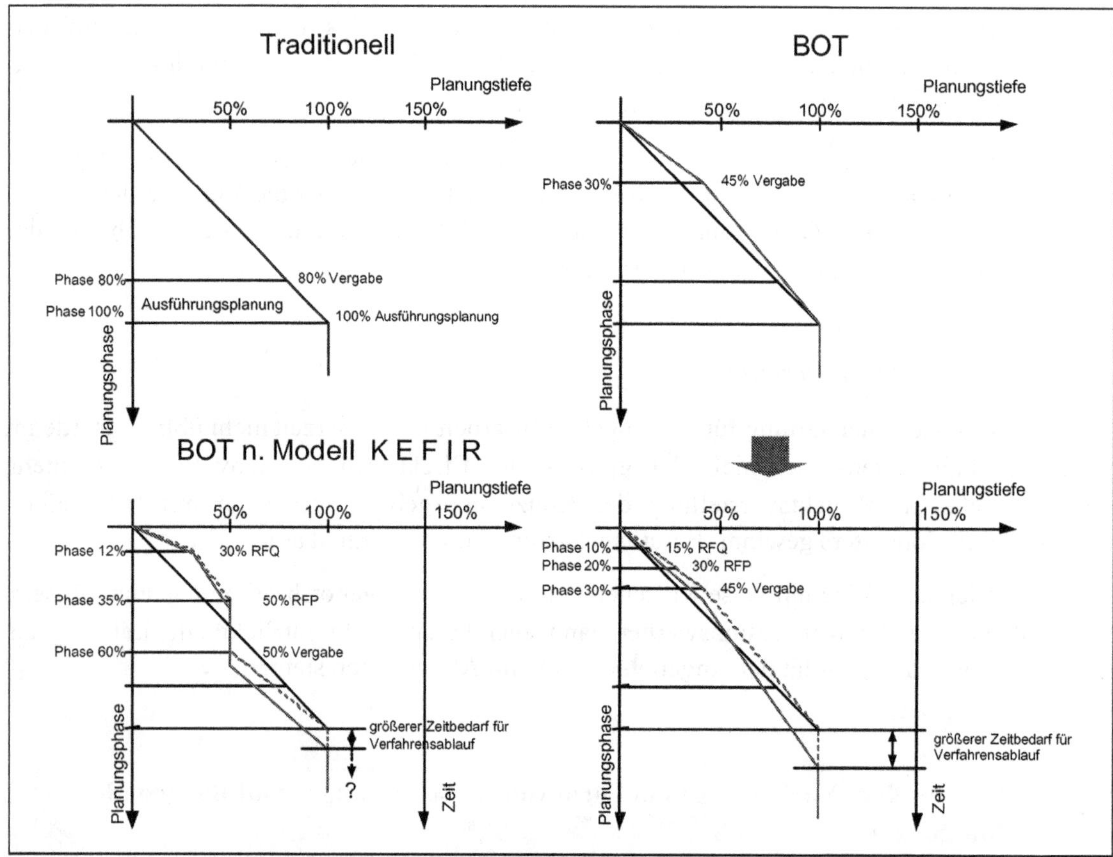

Abbildung 7-44: Vergleich der Planungsleistung nach Phasen und zeitlichem Ablauf bei konventionellen Projekten, BOT-Projekten und BOT nach Modell K E F I R (Abbildung angelehnt an REISMANN W. 1996a, geändert und ergänzt).

436 Volkswirtschaftlich ist diese Frage vor allem dann von Bedeutung, wenn es sich um nationalstaatliche Verfahren handelt. Nachdem diese durch Globalisierung und Liberalisierung an Bedeutung verlieren, ist diese Problematik zusehends gegenstandslos. Oder anders gesagt, wieso soll ein südostasiatischer Staat Bedenken gegen den vielfachen Planungsaufwand im Zuge eines BOT-Modell haben, wenn die Konzessionswerber aus Norwegen, USA oder Japan kommen? Siehe auch Fußnote 437.

437 den anfallenden Kosten müssen ja mittelfristig auch Erlöse gegenüberstehen, die Kosten dieser vielfachen, umfangreichen Bearbeitungen müssen auf die Projekte umgelegt werden und schlagen so mittelfristig voll auf die Projektkosten durch.

Je früher in der Planung der Wettbewerb beginnt, desto mehr Planungsleistung wird von *n* Konzessionswerbern erbracht.

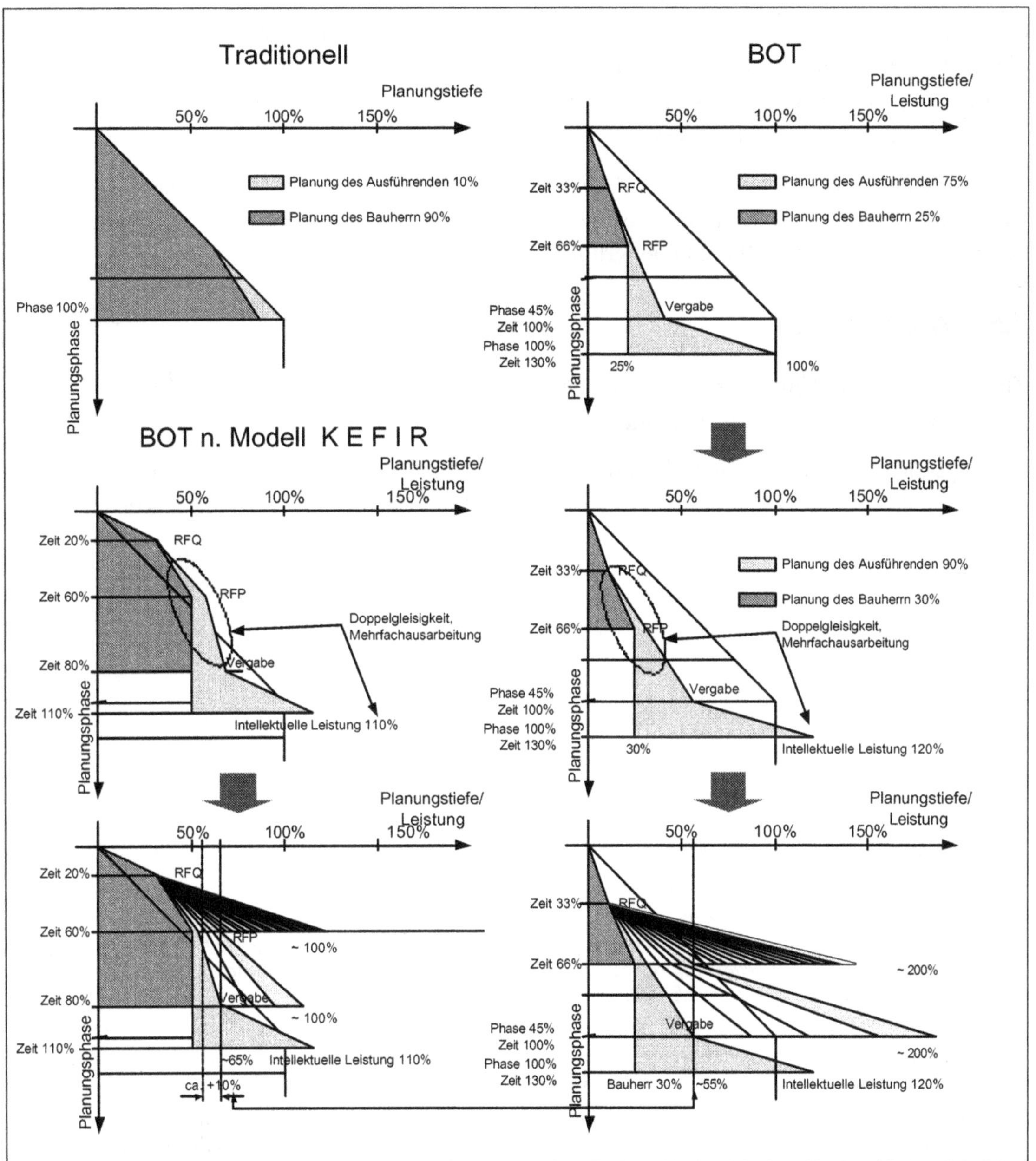

Abbildung 7-45: *Vergleich der Planungsleistung von Konzessionsgeber und Konzessionswerbern bei konventionellen Projekten, BOT-Projekten und BOT nach Modell K E F I R (Abbildung angelehnt an REISMANN W. 1996a, geändert und ergänzt).*

Zu Beginn steht der Aufruf zum Wettbewerb und das daran anschließende Präqualifikationsverfahren. Die in dieser 1. Phase anfallenden Aufwände sind im Allgemeinen als eher gering einzustufen. Die Kosten der präqualifizierten Konzessionswerber im Wettbewerb der 2. Phase sind aber beträchtlich, eine Regelung über eine zumindest teilweise Erstattung dieser Kosten kann im Einzelfall sinnvoll sein[438], ist aber nicht die Regel.[439] Sinn des Wettbewerb ist neben der Preisbildung auf einer möglichst breiten Basis auch die Absicherung der Konstruktionsidee des Konzessionsgebers mittels Falsifizierung durch die Bieter.

Bei Anwendung des Modell K E F I R wird weniger intellektuelle Leistung mehrfach erbracht, was zum einen diesen Kritikpunkt abschwächt und gleichzeitig die Realisierungschancen unter den Randbedingungen in Indien aber erhöht.

7.5 Ausführung

Zur erfolgreichen Umsetzung des in den Punkten vorher beschriebenen Modellkonzeptes bedarf es effektiver Begleitmaßnahmen vor Ort.

Dazu gehört eine mehrstufige Hierarchie der Planungs- und Ausführungsüberwachung mit institutionalisierten Konsultationsmechanismen als Regelkreise zur Konfliktlösung und Streitbeilegung.

---

[438] vgl. FIDIC/EPC Contract, Guidance, S.4: *„Understandably, tenderers are often reluctant, in the face of intense competition, to incur great expense in the preparation of tender designs. When preparing the instructions to Tenderers, thought should be given as to the extent of detail which tenderers can realistically be expected to prepare and include in their Tenders. The extent of detail required should be described in the Instructions to Tenderers. Note that there can be no description in the documents which will constitute the contract, which only comes into full force and effect when the Agreement is signed.*

Consideration may be given to offering some remuneration to tenderers if, in order to provide a responsive Tender, they have to undertake studies or carry out design work of a conceptual nature".

[439] Diese Fragestellung stellt sich auch bei der funktionalen Leistungsbeschreibung - speziell im Spezialtiefbau und Tunnelbau - vor allem wenn man erreichen möchte, daß ein wirklicher Konstruktionswettbewerb (der nur in einer wirklich frühen Planungsphase beginnen kann) stattfindet, siehe dazu die Arbeiten von BARTSCH R.H. basierend auf den Erfahrungen an der NBS-Köln-Rhein/Main: BARTSCH R.H. 1999a: Funktionale Leistungsbeschreibung mit Konstruktionswettbewerb. Ein neuer Weg für den Tunnelbau. Dissertation am Institut für Baubetrieb, Bauwirtschaft und Baumanagement, Universität Innsbruck, S. 100-103 und BARTSCH R.H. 1999b: Funktionalausschreibung im Tunnelbau. Zu Vorteilen der Funktionalausschreibung (Teil 1). a.a.O., S. 24–25.

7.5.1 Planungs- und Ausführungsüberwachung, Streitbeilegung

Vorgeschlagen wird dazu eine 4 stufige Pyramide, bestehend aus (von unten nach oben):

- **Fachplaner und Bauleitung des Konzessionsnehmers**
- **Independent Consultant (IPC)**
- **Unabhängiger Schiedsgutachter (USG)**
- **Dispute Adjudication Board (vgl. FIDIC)**

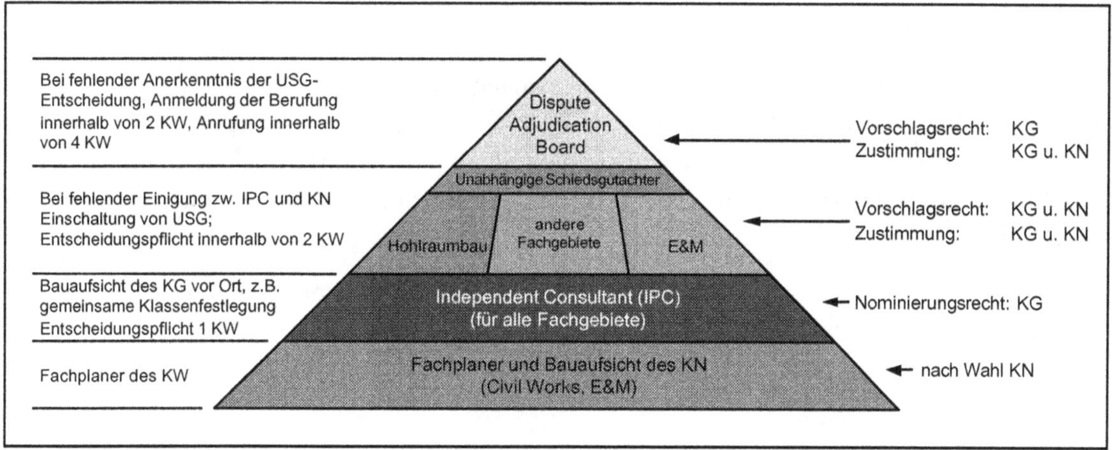

Abbildung 7-46: Vierstufige Hierarchie der Projektsprüfung und Ausführungsüberwachung mit möglichst baustellennahen, kurzfristigen Entscheidungswegen.

7.5.1.1 Fachplaner und Bauleitung des Konzessionsnehmers

Die Konzessionsgesellschaft wird für alle Fachgebiete bei Bedarf eigene Fachplaner beschäftigen, sofern diese nicht auch Teil der Konzessionsgesellschaft sind.

Praktischerweise sollten diese das Projekt schon seit dem Präqualifikationsstadium bearbeiten.

Das Aufgabengebiet umfaßt alle Planungsphasen, die Ausführungsüberwachung und das Qualitätsmanagement für den Konzessionsnehmer.

7.5.1.2 Independent Consultant (IPC)

Die Installation eines Independent Consultant ist bei BOT-Modellen üblich, um die Interessen des Konzessionsgebers in der Projektsausführung zu wahren, bzw. die Übereinstimmung der Ausführung mit den vertraglichen Vereinbarungen und dem vereinbarten technischen Standard sicherzustellen (→ im Tagesgeschäft involviert).

→ **Nominierungsrecht für den Konzessionsgeber**

7.5.1.3 Unabhängiger Schiedsgutachter (USG)

Nachdem die Praxis zeigt, daß Rechtsstreitigkeiten auf Baustellen in den seltensten Fällen zu einem befriedigenden Ergebnis für die beteiligten Parteien führen, ist es gerade in einem PPP-Modell (BOT-Modell) wichtig, bis ans Ende der Laufzeit die „win-win“ Situation aufrecht zu erhalten. Nachdem die Unabhängigkeit des Independent Consultant nur bedingt gegeben ist, muß eine von beiden Seiten unabhängige Schiedsstelle installiert werden.

Durch die Vorschaltung eines unabhängigen Schiedsgutachters, einer Art Clearing-Stelle, in möglichst zeitlicher und örtlicher Nähe zur Baustelle, sind die offenen vertraglichen Punkte während der Bauausführung aufzugreifen und schnellst möglich einer Klärung zuzuführen.

In Österreich gibt es z.B. für Untertagebauten nach der ÖN B2203 für alle tunnelbautechnischen Belange die Funktion des „Tunnelbautechnischen Sachverständigen“ [440]. Solche USG sind derzeit ganz allgemein in Mitteleuropa sehr im kommen, bieten sie doch einen Weg aus der verfahrenen Situation des Werkvertragsrechts auf unseren heutigen Baustellen.[441]

Der bestellte „unabhängige Schiedsgutachter“ dient als Steuerelement in einem kybernetischen Prozeß, einem Regelkreis in der Übertragung des Konzessionsvertrages auf die Bauausführung, speziell in Hinblick auf die im Modell wichtigen Vertragspunkte (z.B. für die Hohlraumbauten):

- **Geotechnische Bezugsbasis**
- **Regelvortrieb**
- **Sondermaßnahmen**
- **garantierten Leistungen**
- **Bauzeit (Regelvortrieb und Sondermaßnahmen)**
- **Störfallkatalog**

---

[440] vgl. ÖN B2203 Punkt 1.4.13 Tunnelbautechnischer Sachverständiger: *Zum Zwecke der geotechnischen und tunnelbautechnischen Beratung der Vertragspartner sowie zur Entscheidungsfindung bei Meinungsverschiedenheiten bei den Vortriebsarbeiten sollte insbesondere bei schwierigen Bauvorhaben ein vorher mit dem Projekt nicht befaßter tunnelbautechnischer Sachverständiger mit langjähriger einschlägiger Erfahrung vorgesehen werden.*
Es ist Vorsorge zu treffen, daß der Sachverständige von Baubeginn an laufend alle Informationen über Vortrieb und Gebirge erhält. Zu seinen Aufgaben zählen:
(1) Schlichtung bei technischen Meinungsverschiedenheiten zwischen AG und AN
(2) Geotechnische Beratung, insbesondere bei setzungsempfindlichen und oberflächennahen Tunnelvortrieben;
(3) Fallweise sachverständige Vertretung gegenüber Dritten in Fragen von Vortrieb und Ausbau.

[441] HÜRLIMANN R.: Mediation bei Infrastrukturvorhaben. Das neue Streiterledigungsmodell nach der VSS-Empfehlung 641 510; VSS → siehe www.vss.ch (Stand 20.01.00)
SINNINGER R.: Die schwierige Beziehung Ingenieur-Jurist, SIA, Nr. 41,15.Okt. 99.
SOBau 1998: Schlichtungs- und Schiedsgerichtsordnung für Baustreitigkeiten. ARGE Baurecht, 1998

7.5.1.4 Dispute Adjudication Board (DAB)

Im Prinzip bzw. sinnvollerweise ident mit den FIDIC-Regelungen, nur daß im Sinne des Modellgedankens der zeitliche Ablauf weiter gestrafft wird.

→ Dispute Adjudication Board (DAB)

Darüber hinaus besteht weiterhin die Möglichkeit, internationale Schiedsgerichtshöfe anzurufen, z.B.:

- International Chamber of Commerce (ICC) [442]
- Schiedsgerichtsregeln der UNCITRAL usw. [443]

7.5.2 Regelkreise

Die Disput-Regelungsmechanismen sind in Form von Regelkreisen vorgegeben, welche die Verhältnisse innerhalb der Hierarchie regeln bzw. welche Stellen an wen zu rapotieren haben.

Wesentlich ist die zeitliche Straffung der Vorgänge, um unmittelbar Entscheidungen herbeizuführen um damit geregelt, d.h. mit Vergütungsregelungen weiter zu bauen. Die Usance, daß ohne Vergütungsregelung weitergebaut wird, führt nur zu einer Folge von Differenzen und langwierigen Diskussionen und ist somit für keinen der Beteiligten zufriedenstellend. Gerade im Hohlraumbau, wo es pro Vortrieb nur eine Angriffsstelle gibt und die Kontinuität der Arbeit an dieser für den zeitlichen Verlauf bestimmend ist, sind schnelle Entscheidungswege zwingend erforderlich.[444]

---

[442] International Chamber of Commerce http://www.iccwbo.org (Stand 04/04/2000).

[443] Schiedsgerichtsregeln der UNCITRAL http://www.uncitral.org/en-index.htm (Stand 04/04/2000).

[444] ITA Workinggroup 3: A Dispute Resolution Procedure for Tunnelling: *„The dispute resolution mechanismen of a tunnelling contract requires the ability for rapid intervention“.*

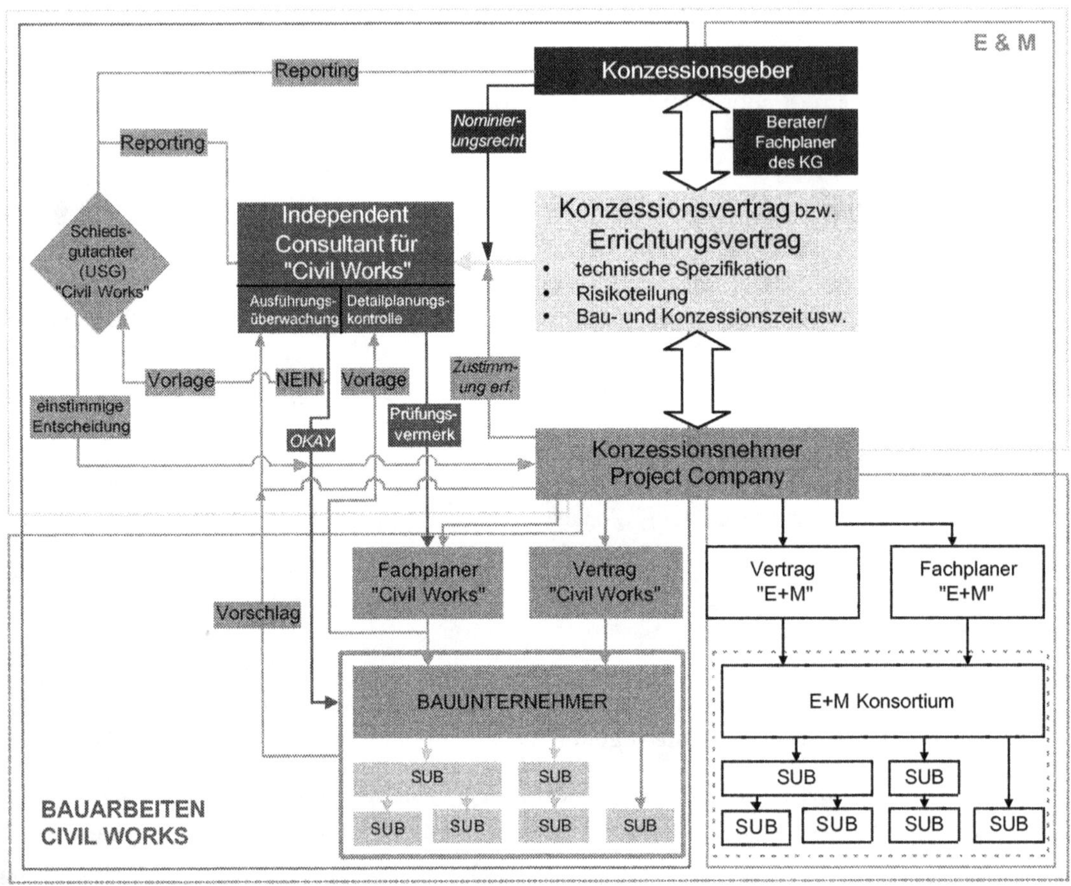

Abbildung 7-47 *Beispiel für Regelkreis „Civil Works" – Prüfung der Ausführungsplanung, Vorschlag für Klassen im Hohlraumbau und Einbringung von Ausführungsänderungsvorschlägen und Mehrkostenforderungen.*

7.5.3 Verifikation der Ausführung mit der Geotechnischen Erwartungshaltung

Für das Modell ist der wichtigste Punkt die „Geotechnische Erwartungshaltung" ausgedrückt in der „Geotechnischen Bezugsbasis (GBB)" für den Regelvortrieb und die erforderlichen Sondermaßnahmen.Wie bei allen Hohlraumbauten liegt auch hier der Schlüssel zum wirtschaftlichen Erfolg. Bei einem Pauschalpreis mit voller Risikoübernahme könnte es dem Konzessionsgeber monetär gesehen ja egal sein, welche Klassen vom Konzessionsnehmer entlang der Stollentrasse aufgefahren werden. Trotzdem kann die Dauerhaftigkeit bzw. die Sicherheit der Ausführung für den Konzessionsgeber ein Grund sein, sich in die Überwachung dieser Arbeiten zu involvieren → die Praxis auf internationalen Tunnelbaustellen ist in diesem Bereich sehr unterschiedlich.

Nachdem das Modellkonzept jedoch eine Risikoübernahme des Konzessionsgebers ab einer vorgegebenen monetären Größe vorsieht (Grenz-Bonität des Angebots - GBA), ist es von entscheidender Bedeutung, daß nicht nur der Konzessionsnehmer die Klassenfestlegung vornimmt (und die damit verbundene „fiktive Vergütung") sondern dies in Übereinstimmung mit dem Vertreter des Konzessionsgebers vor Ort (Independent Consultant) passiert.

In der Abbildung 7-48 ist ein Vorschlag für den Verfahrensablauf skizziert.

7.6 Regelkreise zur Vertragsanpassung (Sub-surface works)

Alle hier gemachten Vorschläge im Rahmen des Modellkonzeptes betreffen nur die Tätigkeiten, die von Baugrundrisiken betroffen sind, alle anderen Arbeiten sollen mittels EPC Contract abgewickelt werden.

7.6.1 Abweichungen vom vertraglichen SOLL

Bei Abweichung der Ausführung vom vertraglich vereinbarten SOLL müssen zwei Kategorien unterschieden werden:

- **Ausführungsbedingte Änderungen**
  Zwingend notwendig weil sich im Zuge der Ausführung eine negative Abweichung von der Prognose herausstellt, z.B. daß die Trasse verschwenkt werden muß, um einer nicht prognostizierten Störung (Konzessionsgeber, Konzessionsnehmer) auszuweichen.
  → **Einstimmigkeitsprinzip**
- **Änderungsvorschläge des Konzessionsgebers oder Konzessionsnehmers ohne zwingenden Grund**
  Änderungsvorschläge zur Verbesserung des Projektes in technischer wie betrieblicher Hinsicht, welche aber nicht zwingend notwendig sind. → **Einstimmigkeitsprinzip**

Wie können die Änderungen an den Vertrag angepaßt werden?

Die einfachste Möglichkeit wäre, daß der Vertrag entsprechend seinem Preiskomponentenschema (PKS) fortgeschrieben wird. In Bereichen des Regelvortriebes ist das über die Preis-/Leistung-Matrix auch kein Problem.

Über die Preis-/Leistungs-Matrix für den Regelvortrieb hinaus kann es gerade bei grundsätzlich anderen Sondermaßnahmen als geplant (SM_{STF}) notwendig werden, eine neue Vergütungsregelung für diese Teilabschnitte zu vereinbaren. Dieser Umstand sollte jedoch der absolute Sonderfall bleiben.

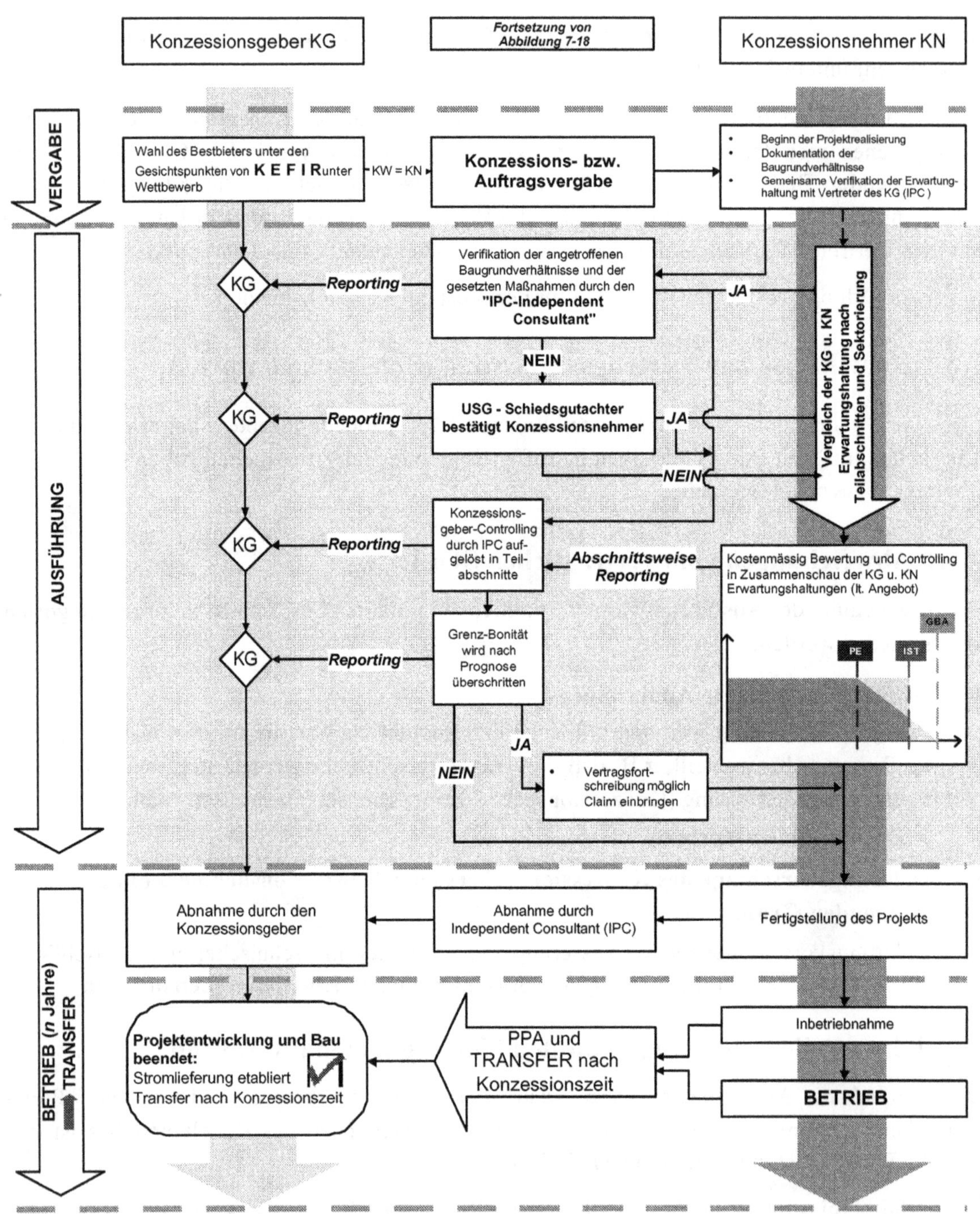

Abbildung 7-48: Verfahrensablauf für die Verifikation der angetroffenen Bodenverhältnisse mit der Erwartungshaltung von Konzessionsgeber und Konzessionsnehmer.

Die sich aus den erforderlichen Maßnahmen ergebenen Anrechenbaren Baukosten, sind getrennt davon zu betrachten. Solange die Kosten all dieser Ereignisse unterhalb der Grenz-Bonität des Angebots (GBA) bleiben, kriegt der Konzessionswerber nur jenen Teil vergütet, der von ihm mit dem Vergütungsprozentsatz angeboten wurde → Konzessionsnehmer steht für seine Erwartungshaltung ein, unabhängig davon, daß die SM_{STF} auch vom Konzessionsgeber nicht prognostiziert war.

7.6.2 Ausführungsbedingte Änderungen

Ausführungsbedingte Änderungen durch Abweichung von der Erwartungshaltung (z.B. nicht prognostizierte Störung) führen nur insofern zu einer Vergütung als der Konzessionsnehmer bis zur Grenz-Bonität des Angebots (GBA) für seine Erwartungshaltung gerade steht (vgl. Absatz vorher) → d.h. Vergütungsregelung entsprechend angebotenem Vergütungsprozentsatz.

7.6.3 Änderungsvorschläge des Konzessionsgebers oder Konzessionsnehmers ohne zwingenden Grund

Solche Änderungsvorschläge – so sie einvernehmlich getroffen werden – führen zu einer Vergütung, wenn das BAUSOLL dabei verändert wird (monetär), z.B. wird die Leistung des Kraftwerks vor der Ausführung auf Wunsch des Konzessionsgebers nachträglich erhöht (6 Turbinen x 100 MW anstelle von 5 Turbinen x 100 MW, mit allen Folgen auf Krafthausgröße, größeren Stollendurchmesser und plus 1 Turbine usw.)

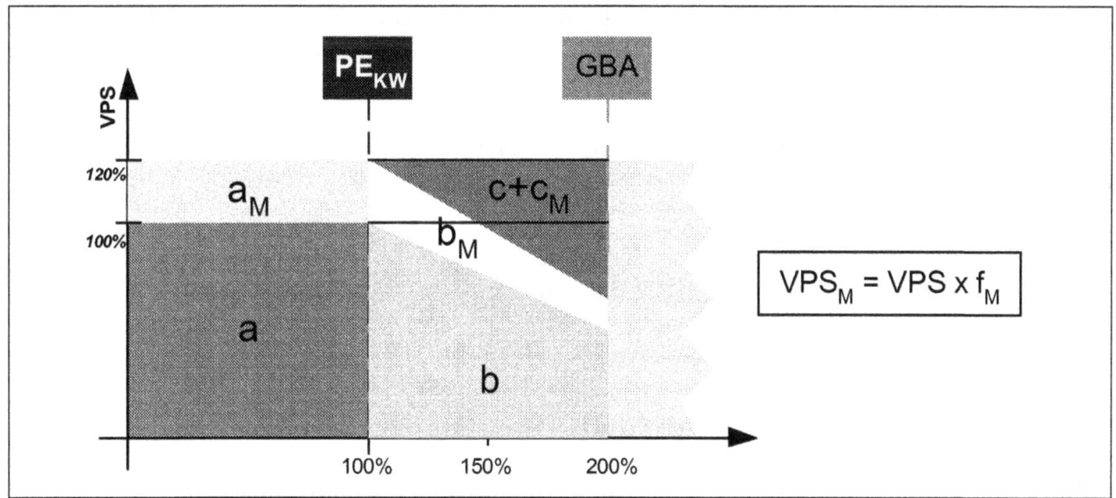

Abbildung 7-49: Modellanpassung an geändertes BAUSOLL durch Multiplikation mit dem Faktor f_M (entspricht dem Verhältnis BAUSOLL-Neu / BAUSOLL-Alt).

Der Vergütungsprozentsatz wird im Verhältnis BAUSOLL-Neu / BAUSOLL-Alt = f_M verändert. Der Verlauf der Risikotragung im Differenzbereich (DPG) bleibt grundsätzlich gleich, nur wird die Höhe des Vergütungsprozentsatz um den f_M verzerrt.

7.6.4 Leistungsminderung

Unwahrscheinlicher Fall, weil Konzessionsnehmer bzw. speziell seine Konsortialpartner kein Interesse an einer Auftragsminderung haben werden. Sonderfall wäre die Stornierung und Vertragsauflösung (siehe Punkt 7.6.7).

7.6.5 Mengenänderung

Mengenänderung (Anker, Spritzbeton usw.) aus dem Baugrund[445] bei unverändertem BAUSOLL gehen zu Lasten des Konzessionsnehmer, das Mengenrisiko liegt beim hier vorgestellten Modellkonzept beim Konzessionsnehmer.

Es macht wenig Sinn Mengenänderungsklauseln zu installieren, wenn das Projekt auf Basis eines BOT-Modells realisiert wird und dieses einem Wettbewerb unterstellt wurde, in welchem die Bieter ihre eigene Erwartungshaltung einbringen konnten (vgl. Punkt 7.4.1.2).

Vertraglich vereinbart wird nicht eine explizite Mengenverteilung, sondern primär ein monetärer Wert, der auf einer Erwartungshaltung aus Mengen, Leistungen, Zeiten und Preisen basiert.

Durch die gesplittete Vorgabe der Preiskomponenten und die vertragliche Vereinbarung von garantierten Leistungen sowohl bei Regelvortrieb und Sondermaßnahmen ist eine relative Mengenunabhängigkeit gegeben, bzw. dient die Splittung primär der einfacheren Vertragsfortschreibung.

Bei einer weitergehenden Berücksichtigung der Mengenänderungsklausel läuft man zudem Gefahr, sich auf die Abwicklung in Form eines reinen Einheitspreisvertrages zu begeben.

→ was dem Grundgedanken der Einbringung von Know-how, Innovation und Geotechnischer Erwartungshaltung des Konzessionsnehmers in den Wettbewerb widerspricht.

7.6.6 Störfallszenarien aus Baugrund

vgl. Punkt 7.4.1.4

---

[445] die anderen Bereiche des Projekts werden mittels EPC Contract auf Basis Lump-sum abgewickelt.

7.6.7 Vertragsausstieg/EXIT-Szenario

Aus welchen Gründen eine Vertragspartei aus dem BOT-Vertrag aussteigen möchte, soll hier nicht näher diskutiert werden. Aber die Regelungen, soweit sie für die Hohlraumbauarbeiten erforderlich sind, sollen kurz angesprochen werden → unabhängig davon sollen allgemein die Regelungen des EPC Contract gelten[446] (Rücktrittsrechte, Vergütung, Fristen usw.).

Bei Vertragsrücktritt sind vor allem die vom Konzessionsnehmer getätigten Investitionen für Spezial- und Großgeräte wie z.B. TBM, Nachlaufeinrichtung, Kippeinrichtung usw. wichtig.

Der aktuelle Gerätewert ergibt sich aus dem im Preiskomponentenschema angegebenen Wert zu Baubeginn, abzüglich der monatlichen Abschreibungsprozentsätze, welche über die erbrachte Leistung bzw. anerkannte Stillstände abgegolten wurden. Welcher Anteil des Geräterestwertes dem Konzessionsnehmer bei Vertrags-EXIT abgegolten wird, soll in den Konzessionsgeber-Vorgaben des Request for Proposal (RFP) vorgegeben werden (z.B. 50% der noch nicht verbrauchten aber kalkulierten Abschreibung).

Unter der Voraussetzung, daß der Vertragsausstieg berechtigt erfolgt, soll der Verschulder jedenfalls keinen Benefit daraus ziehen.

Der zeitabhängige Verlauf soll deshalb so konzipiert sein, daß ein provozierter Vertragsausstieg für den Ausstiegsbetreiber kein Erfolg wird.

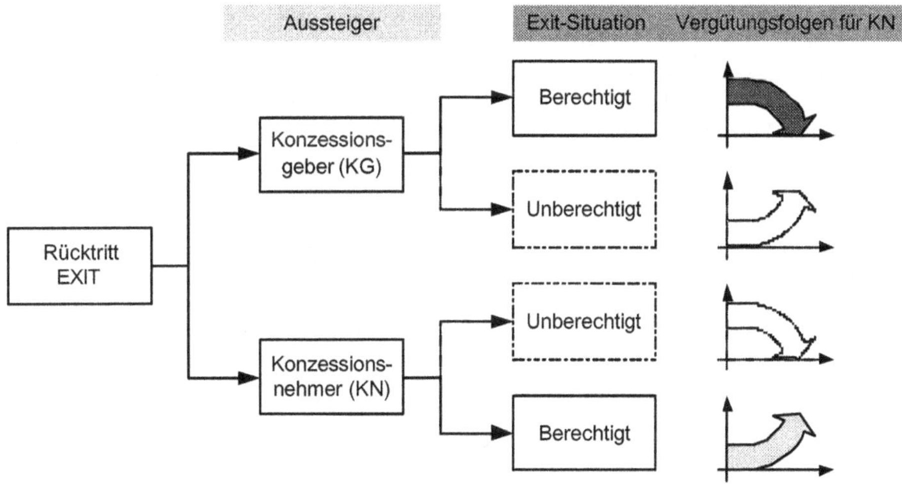

Abbildung 7-50: Vertragsausstieg je nach Rechtsposition und Vergütungsfolgen für den Konzessionsnehmer.

[446] FIDIC, EPC Contract, Cl. 15 Termination by Employer, Cl. 16 Suspension and Termination by Contractor, a.a.O., S. 41-44.

7.7 Standard-Forms für K E F I R

Zu einer konkreten Umsetzung ist es erforderlich, Standardformblätter und Verfahrensorganigramme auszuarbeiten, welche den Konzessionswerbern zur Hilfestellung bzw. zum Ausfüllen übergeben werden.

Teilweise sind diese Verfahrensorganigramme und Standardformblätter in den vorherigen Punkten schon rudimentär skizziert, deshalb wird wo möglich darauf verwiesen.

In einer praktischen Umsetzung ist die Ausarbeitung nachfolgend aufgelisteter Punkte sicher hilfreich:

Tabelle 7-7: Verfahrensorganigramme und Standardformblätter.

▪ Organigramm über Verfahrensablauf	→	*Abbildung 7-18 / Abbildung 7-30* *Abbildung 7-47 / Abbildung 7-48*
▪ Erklärung zu Bewertungsflächen, Gewichtungsfunktion	→	*Abbildung 7-13 / Abbildung 7-14* *Abbildung 7-35 / Abbildung 7-36*
▪ Verfahrenssketch mit Kilometrierung	→	*Abbildung 7-31 / Tabelle 7-2* *Abbildung 7-34*
▪ Bauzeitplan	→	*Abbildung 7-34 / Abbildung 7-35*
▪ Preiskomponentenschema (PKS)	→	*Abbildung 7-30 / Abbildung 7-32* *Abbildung 7-33*
▪ Sektorierung der Stollenachse nach Bauverfahren, Leistung und Preisen	→	*Abbildung 7-34 / Tabelle 7-8*
▪ Preismatrix Regelvortrieb	→	*Abbildung 7-17 /Tabelle 7-3* *Tabelle 7-8 / Tabelle 7-10*
▪ Preisblatt für Sondermaßnahmen	→	*Tabelle 7-3 / Tabelle 7-9*
▪ Abschlagsblatt Regelvortrieb und Sondermaßnahmen	→	*Abbildung 7-26 / Abbildung 7-27* *Abbildung 7-51*
▪ Monetäre Bewertung einer eventuellen Bauzeitverkürzung oder Bauzeitverlängerung	→	*Abbildung 7-35*

Tabelle 7-8: Sektorierung der Hohlraumachse und Gegenüberstellung der Erwartungshaltungen von Konzessionsgeber und Konzessionswerber mit Preisen.

Teilabschnitt TA1

KG-Erwartungshaltung						KW-Erwartungshaltung								BGK		Stillst.
KL.	v.km	b.km	[lfm]	Bauverfahren	BZ [d]	KL.	v.km	b.km	[lfm]	Bauverfahren	BZ [d]	VTL [m/d]	EKT [WE/Einh.]	eBGK [WE]	zBGK [WE/d]	Kost. [WE/d]
LB	- 0,005	0	5	Konv. Luftbogen	4	LB	- 0,005	0,000	5	Konv. Luftbogen	5	1,0	x.xx	x.x	x.x	x.x
									0							
									0							
									0							
									0							
									0							
									0							
X1	0,000	0,345	345	Konv. Sprengvortrieb	70	X1	0,000	0,200	200	Konv. Sprengvortrieb	50	4,0	x.xx	x.x	x.x	x.x
						Y2	0,200	0,350	150	DS-TBM+Hex.Tübbing	10	15,0	x.xx	x.x	x.x	x.x
									0							
									0							
									0							
									0							
									0							
Y2	0,345	0,595	250	Konv. Sprengvortrieb	20	Y2	0,350	0,595	245	DS-TBM+Hex.Tübbing	17	15,0	x.xx	x.x	x.x	x.x
									0							
									0							
									0							
									0							
									0							
									0							

Tabelle 7-9: Beispielhafte Preismatrix für Sondermaßnahmen.

Preismatrix	Sondermaßnahmen															
KG-Erwartungshaltung						**KW-Erwartungshaltung**								BGK		Stillst.
KL.	v.km	b.km	[lfm]	**Bauverfahren**	BZ [d]	KL.	v.km	b.km	[lfm]	**Bauverfahren**	BZ [d]	VTL [m/d]	EKT [WE/Einh.]	eBGK [WE]	zBGK [WE/d]	Kost. [WE/d]
SM1	0,100	0,120	20	Spießschirm	10	SM1	0,095	0,130	35	keine SM erforderlich →DS-TBM Regelvortrieb	2	17,5	x.xx	x.x	x.x	x.x
						SM1 a	**0,170**	**0,200**	**30**	**keine SM erforderlich →DS-TBM Regelvortrieb**	**2**	**15,0**	x.xx	x.x	x.x	x.x
									0							
									0							
SM2	0,320	0,450	130	Störzone, große Konvergenzen	70	SM2	0,320	0,380	60	DS-TBM+verstärktem Tübbing, Betonitschmierung	**4**	**15,0**	x.xx	x.x	x.x	x.x
						SM2	**0,320**	**0,380**	**60**	DS-TBM+verstärktem Tübbing, **Betonitschmierung**	**4**	**15,0**	x.xx	x.x	x.x	x.x
									0							
									0							
SM3	1,100	1,250	150	stark gebräch, Nachbrüche aus der Firste	20	SM3	**1,100**	**1,250**	**150**	**DS-TBM+Hexagonaler** Tübbing	**10**	**15,0**	x.xx	x.x	x.x	x.x
									0							
									0							
									0							

Tabelle 7-10: Beispielhafte Preismatrix für den Regelvortrieb inkl. der nicht prognostizierten Klassen, d.h. mit auszufüllenden Nachbarfeldern.

Preismatrix		**Regelvortrieb**					
RMR		**I**	**II**	**III**	**IV**	**V**	**Summe**
KG-Erwartungshaltung	[lfm]						
	VTL [m/d]						x.xx KT
KW-Erwartungshaltung	[lfm]						
	VTL [m/d]						x.xx KT
	EKT						
	eBGK						
	zBGK						

Neben der tabellarischen Umsetzung der Konzessionswerber-Erwartungshaltung, ist auch eine graphische Darstellung sinnvoll - damit eine einfache Orientierung und visuelle Kontrolle möglich ist.

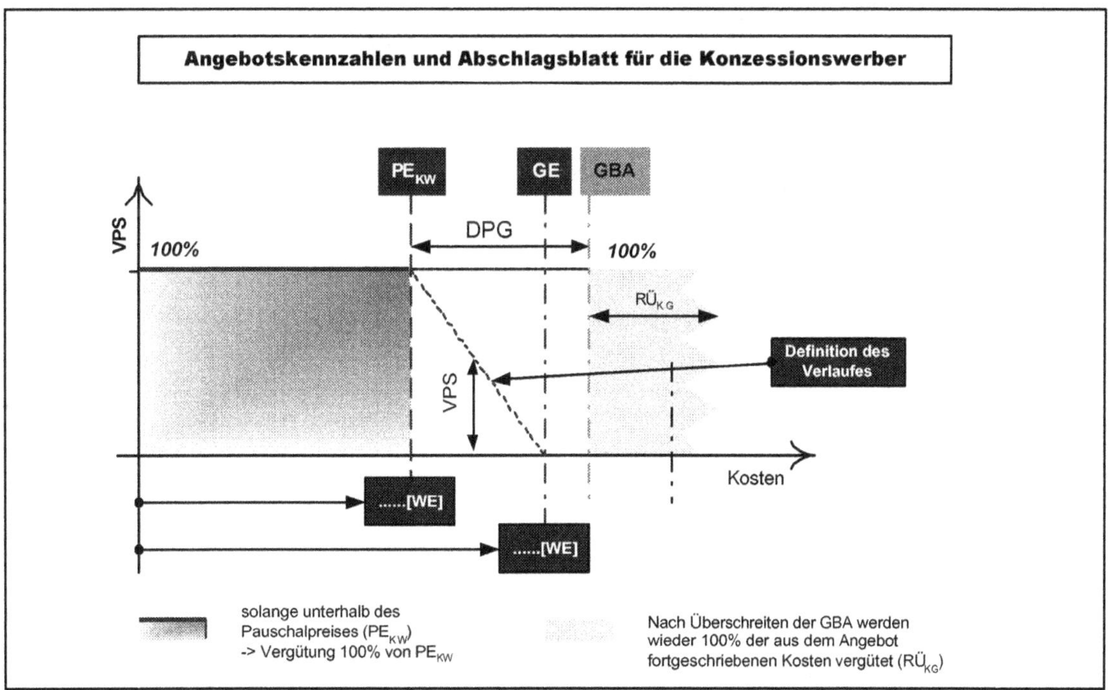

Abbildung 7-51: Standardformular für Angebotskennzahlen und Abschlagsblatt.

8 Parameterstudie des Modellkonzeptes

Im folgenden sollen nochmals einige Zahlenbeispiele zu gewünschten und/oder zu verhinderten Effekten im Vertragsmodell veranschaulicht werden.

8.1 Wahl von der Grenz-Bonität des Angebots (GBA) bzw. der Grenzerwartungshaltung des Konzessionswerbers (GE)

Im Punkt 7.4.1.7 (siehe auch Abbildung 7-28, 8-1) wurde versucht, den Einfluß durch die Vorgabe der Grenz-Bonität des Angebots (GBA) durch den Konzessionsgeber bzw. der Wahl der Grenzerwartungshaltung des Konzessionswerbers (GE) zu demonstrieren.

Die dahinterstehenden Zahlenreihen sind nachfolgend nochmals dargestellt:

Tabelle 8-1: Zahlenreihen, für Abbildung 7-28 bzw. Abbildung 8-1.

GBA	Fall [A]	Fall [B]	Fall [C]	Fall [D]	Fall [E]	Fall [F]
100%	0,0%	0,0%	0,0%	0,0%	0,0%	0,0%
105%	0,1%	0,2%	0,2%	0,5%	0,4%	0,8%
110%	0,5%	0,9%	0,9%	1,8%	1,5%	3,0%
115%	1,0%	2,0%	2,0%	3,9%	3,3%	6,5%
120%	1,7%	3,3%	3,3%	6,7%	5,6%	10,4%
125%	2,5%	5,0%	5,0%	10,0%	8,3%	14,0%
130%	3,5%	6,9%	6,9%	13,5%	11,5%	17,3%
135%	4,5%	9,1%	9,1%	16,7%	11,1%	16,7%
140%	5,7%	11,4%	11,4%	19,6%	10,7%	16,1%
145%	7,0%	14,0%	14,0%	22,4%	10,3%	15,5%
150%	8,3%	16,7%	16,7%	25,0%	10,0%	15,0%
160%	11,3%	21,9%	15,6%	23,4%	9,4%	14,1%
170%	14,4%	26,5%	14,7%	22,1%	8,8%	13,2%
180%	17,8%	30,6%	13,9%	20,8%	8,3%	12,5%
190%	21,3%	34,2%	13,2%	19,7%	7,9%	11,8%
200%	25,0%	37,5%	12,5%	18,8%	7,5%	11,3%
210%	23,8%	35,7%	11,9%	17,9%	7,1%	10,7%
220%	22,7%	34,1%	11,4%	17,0%	6,8%	10,2%
230%	21,7%	32,6%	10,9%	16,3%	6,5%	9,8%
240%	20,8%	31,3%	10,4%	15,6%	6,3%	9,4%
250%	20,0%	30,0%	10,0%	15,0%	6,0%	9,0%

Interpretation

Die Vorgabe einer Grenz-Bonität des Angebots (GBA; vgl. Abbildung 8-1) die um ca. 100% höher liegt, als die Pauschalpreis-Erwartungshaltung des Konzessionswerbers (PE_{KW}), ist als eher unrealistisch einzustufen. Wobei jedoch die Pauschalpreis-Erwartungshaltung des Konzessionswerbers (PE_{KW}) zum Zeitpunkt der Vorgabe der Grenz-Bonität des Angebots durch den Konzessionsgeber noch nicht bekannt ist (kennt nur seine eigene Pauschalpreis-Erwartungshaltung (PE_{KG}). Eine solche Differenz würde aber schon auf eine grundsätzliche andere Erwartungshaltung in das Projekt zeugen, bzw. eine der beiden Vertragspartner (auf Seiten der Konzessionswerber mehrere Konzessionswerbern) liegt offenbar falsch.

→ Überarbeitung des Projektes erforderlich, bzw. Abstimmung im Sinne einer ähnlichen Erwartungshaltung notwendig.

Eine Festlegung der Grenz-Bonität in der Höhe von +10 % bis +30 % macht praktisch Sinn → führt in dem dargestellten Beispiel zu einem Erlösfehlbetrag von max. ca. 17 %. Nachdem dieser Erlösfehlbetrag nur die Hohlraumbauten bzw. damit im Zusammenhang stehende Arbeiten betrifft, wirkt sich das auf die Gesamtrentabilität des Betreibermodells entsprechend reduziert aus.

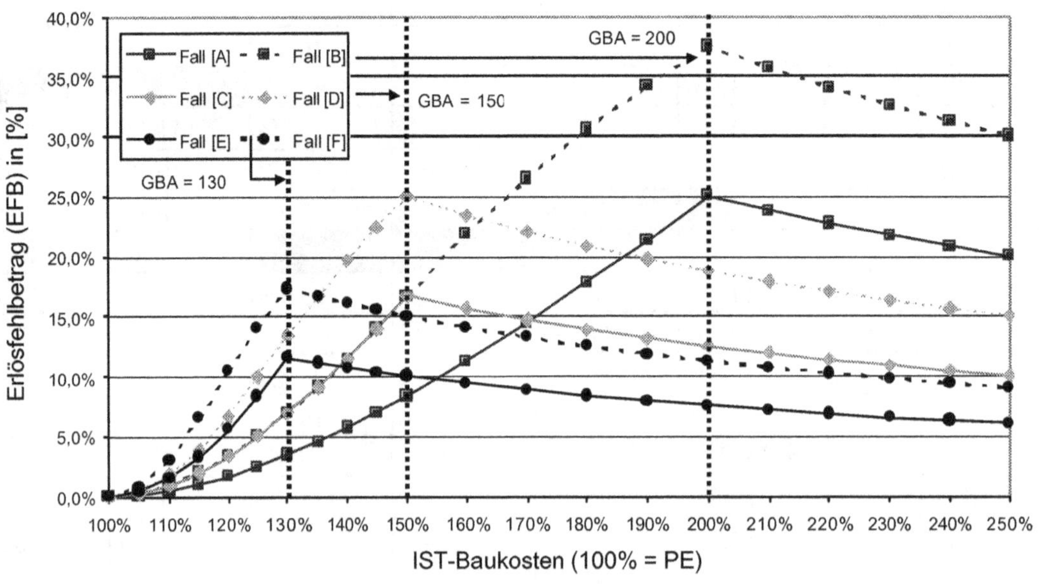

[vorhergehende Seite]

Abbildung 8-1: *Verlauf des Erlösfehlbetrags (in % des Umsatzes) je nach Wahl der Grenz-Bonität des Angebots (GBA) durch den Konzessionsgeber und Risikoein-schätzung der Konzessionswerber an einigen Modell-Rechenbeispielen unter Annahme das die Pauschalpreis-Erwartungshaltung von Konzessionsgeber und Konzessionsnehmer gleich sind (PE_{KG} = PE_{KW}). Die Knicke im Verlauf resultieren aus der wieder vollen Übernahme der „außergewöhnlichen" Baugrundrisiken durch den Konzessionsgeber über der Grenz-Bonität des Angebots (GBA; je nach Fall).*

8.2 Vortriebsleistungen im Stollenbau

Die Vortriebsleistung im Stollenbau hängt unabhängig von den geologischen Bedingungen auch vom gewählten Vortriebskonzept ab. Vorausgesetzt die Konzeption (Logistik usw.) der Baustelleneinrichtung ermöglicht bei einer angenommenen Einzelvortriebslänge von ca. 8 km einen optimierten Betrieb, können die unten angeführten Vortriebsleistungen erreicht werden.

→ Achtung: keine Verallgemeinerung möglich; können in Einzelfällen sowohl nach oben, wie auch nach unten davon abweichen – Werte beruhen auf eigenen Auswertungen, aus Projektreporten der letzten Jahre und Information von Mitarbeitern an derzeit lfd. Projekten[447]).

Als Vergleichsfall wurde ein Ausbruchsdurchmesser rd. 4,2 m gewählt:

→ A_A = 13,85 m² → D_i = 3,5 m, A_i = 9,6 m²

- angenommene Fließgeschwindigkeit[448] ca. 5,0 m/sec → Q = 48,1 m³
- angenommene Fallhöhe 250 m → L = ca. 8,5 Q x H = ca. 100 MW

Entspricht in etwa den zuletzt von österreichischen Firmen in Indien bearbeitenden Projekten (UHL III 100 MW , SEWA II 12 MW).

Randbedingungen für die Kostenannahmen

Stollen mit ca. 8 km Länge (für O-TBM und DS-TBM, 2x4 km für konv. Vortrieb).

- D_A = 4,2 m
- D_i = 3,5 m

[447] Zur Ermittlung siehe auch BRULAND A.: Hard rock tunnel boring – Advance Rate and Cutter Wear. a.aO. / BRULAND A.: Hard rock tunnel boring – Design and Construction. a.a.O. / BRULAND A.: Hard rock tunnel boring – Cost. a.a.O.

[448] vgl. SEEBER G.: Druckstollen und Druckschächte – Bemessung, Konstruktion, Ausführung. a.a.O.: S. 21

20 cm Betoninnenring bzw. hexagonalem Tübbing, technische Spezifikation für einen Druckstollen mit geringem Innendruck (< 100 mWS), Konsolidierungsinjektion erforderlich.

Preisbasis: Jahr 2000, Österreich, Preise (netto) inkl. aller Zuschläge usw.

Tabelle 8-2: Regelstützmaßnahmen für die Vergleichsannahme.

<table>
<tr><td colspan="4">Konventioneller Vortrieb</td></tr>
<tr><td colspan="4">RMR nach Bieniawski, Ausbau nach folgender Tabelle:</td></tr>
<tr><td>RMR</td><td>Firste</td><td>Ulme</td><td>Sohle</td></tr>
<tr><td>I</td><td>---</td><td>---</td><td>---</td></tr>
<tr><td>II</td><td>lokal Spritzbeton wo erforderlich</td><td>---</td><td>---</td></tr>
<tr><td>III</td><td>5 cm Spritzbeton mit Baustahlgitter wo erforderlich, Kopfschutz Baustahlgitter</td><td>Spritzbeton wo erforderlich</td><td>---</td></tr>
<tr><td rowspan="2">IV</td><td colspan="3">Bogen wo erforderlich, a = 1,5m</td></tr>
<tr><td>5-7 cm Spritzbeton mit Baustahlgitter</td><td>5-7 cm Spritzbeton</td><td>Sohlgewölbe nach Bedarf</td></tr>
<tr><td rowspan="2">V</td><td colspan="3">Geschlossener Bogen, a = 0,75-1,0m</td></tr>
<tr><td>7-10 cm Spritzbeton mit Bstg</td><td>7-10 cm Spritzbeton</td><td>Sohlgewölbe</td></tr>
<tr><td colspan="4">O-TBM – Vortrieb</td></tr>
<tr><td colspan="4">RMR nach Bieniawski, Ausbau nach folgender Tabelle:</td></tr>
<tr><td>RMR</td><td>Firste</td><td>Ulme</td><td>Sohle</td></tr>
<tr><td>I</td><td>Kopfschutz wo erforderlich</td><td>---</td><td>Sohltübbing</td></tr>
<tr><td>II</td><td>Kopfschutz Baustahlgitter und UNP100, a = 1,5 m, 2 Swellex</td><td>---</td><td>Sohltübbing</td></tr>
<tr><td>III</td><td>5 cm Spritzbeton mit Baustahlgitter wo erforderlich, Kopfschutz Baustahlgitter und UNP100, a = 0,75-1,5m, 2 Swellex</td><td>Spritzbeton wo erforderlich</td><td>Sohltübbing</td></tr>
<tr><td rowspan="2">IV</td><td colspan="3">HEB100 Ring wo erforderlich, a = 1,5m</td></tr>
<tr><td>5-7 cm Spritzbeton mit Baustahlgitter, Kopfschutz nur wo kein Spritzbeton</td><td>5-7 cm Spritzbeton</td><td>Sohltübbing</td></tr>
<tr><td rowspan="2">V</td><td colspan="3">HEB100 Ring, a = 0,75–1,5m</td></tr>
<tr><td>7-10 cm Spritzbeton mit Bstg</td><td>7-10 cm Spritzbeton</td><td>Sohltübbing</td></tr>
<tr><td colspan="4">DS-TBM – Vortrieb</td></tr>
<tr><td colspan="4">RMR nach Bieniawski, Ausbau nach folgender Tabelle:</td></tr>
<tr><td>RMR
I – V</td><td colspan="3">Hexagonaler Volltübbingring, ohne Verbindungsmittel</td></tr>
</table>

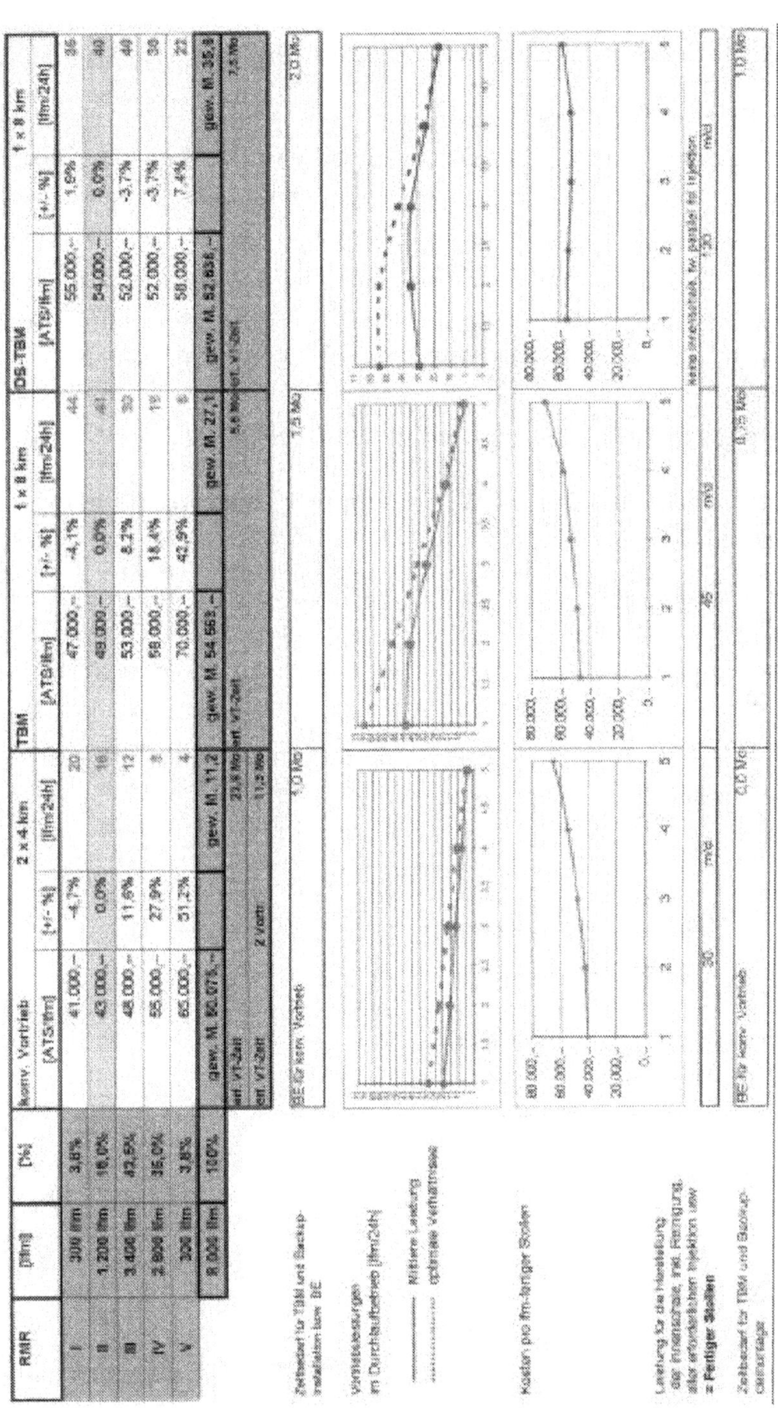

RMR	[lfm]	[%]	konv. Vortrieb 2 x 4 km [ATS/lfm]	[+/- %]	[lfm/24h]	TBM 1 x 8 km [ATS/lfm]	[+/- %]	[lfm/24h]	DS-TBM 1 x 8 km [ATS/lfm]	[+/- %]	[lfm/24h]
I	300 lfm	3,8%	41.000,–	-4,7%	20	47.000,–	-4,1%	44	55.000,–	1,9%	36
II	1.200 lfm	15,0%	43.000,–	0,0%	16	49.000,–	0,0%	41	54.000,–	0,0%	40
III	3.400 lfm	42,5%	48.000,–	11,6%	12	53.000,–	8,2%	30	52.000,–	-3,7%	40
IV	2.800 lfm	35,0%	55.000,–	27,9%	8	58.000,–	18,4%	19	52.000,–	-3,7%	38
V	300 lfm	3,8%	65.000,–	51,2%	4	70.000,–	42,9%	8	58.000,–	7,4%	22
	8.000 lfm	100%	gew. M. 50.075,–		gew. M. 11,2	gew. M. 54.563,–		gew. M. 27,1	gew. M. 52.838,–		gew. M. 35,8
			erf. VT-Zeit		23,8 Mo	erf. VT-Zeit		5,8 Mo	erf. VT-Zeit		7,5 Mo
			erf. VT-Zeit 2 Vortr.		[illegible]						
Zeitbedarf für TBM und Backup-installation bzw. BE			BE für konv. Vortrieb		1,0 Mo			1,5 Mo			2,0 Mo

Abbildung 8-2: *Kosten und Vortriebleistungen bei Konventionellem Sprengvortrieb, TBM- und DS-TBM-Vortrieb (D_A = 4,2 m / A_A = 13,85 m²).*

8.3 Variation der Vortriebsklassenverteilung

Wesentliches Element ist die Verhinderung der Spekulation über zu optimistisch angenommene Vortriebsklassen. D.h. die Konzessionswerber-Erwartungshaltung kann nicht alleiniger Maßstab für den Zuschlag sein, daher wird eine Variationsrechnung mit der Konzessionsgeber-Erwartungshaltung und den Preisen des Konzessionswerber durchgeführt → Vergleichs-Pauschalpreis-Erwartungshaltung (VPE).

Hier nicht weiter ausgeführt, aufgrund der beispielhaften Demonstration an der Variationsrechnung für das Modell der NBS-Köln-Rhein/Main (Punkt 6.2.3.3.3).

8.4 Demonstration der Abgeminderten Mehrkostenerstattung (AMK)

Ein niedriger Pauschalpreis kann im Wettbewerb durch entsprechende Gewichtung forciert oder hintangehalten werden.

Zudem ist wie in Punkt 7.4.3.3 ausgeführt die Gewichtung der Angebotsbestandteile über der Pauschalpreiserwartungshaltung (PE_{KW}) in Relation zur Erwartungshaltung des Konzessionsgebers (PE_{KG}) von Bedeutung, um im Falle dessen, daß sich die Erwartungshaltung des Konzessionsnehmer als zu optimistisch herausstellt, die möglichen Mehrkosten zu bewerten.

Beispielhaft demonstriert an untenstehendem Fall:

Tabelle 8-3: Fallbeispiel

	PE_{KW}	PE_{KG}
KW [A]	90	100
KW [B]	100	100
KW [C]	105	100

VPS	0	90	95	100	105	110	115	120	125	130
KW [A] [%]	100,0	100,0	93,8	87,5	81,3	75,0	68,8	62,5	56,3	50,0
KW [B] [%]	100,0	100,0	100,0	100,0	75,0	50,0	25,0	25,0	25,0	25,0
KW [C] [%]	100,0	100,0	100,0	100,0	100,0	25,0	12,5	0,0	0,0	0,0
Gewichtungsfkt. d. KG	100,0	100,0	100,0	100,0	95,0	90,0	85,0	58,3	41,7	25,0

Die graphische Darstellung der Eingangswerte für die Bewertung ist in Abbildung 8-2 (nächste Seite) dargestellt.

Interpretation

Das Beispiel ist im Sinne einer Demonstration etwas überzeichnet; soll heißen, es wurde an der Zahlenschraube etwas gedreht, um den Effekt möglichst plakativ zu erreichen.

Konzessionswerber [A] legt den niedrigste Pauschalpreis, die Vergütungsprozentsätze für den Bereich bis zur Grenz-Bonität des Angebots (GBA) bleiben aber sehr hoch (mind. 50% bei GBA).

Die Pauschalpreis-Erwartungshaltung des **Konzessionswerber [B]** deckt sich mit der des Konzessionsgebers; der Vergütungsprozentsatz sinkt aber sehr schnell auf einen tiefen Level.

Konzessionswerber [C] legt den höchsten Pauschalpreis vor; die Vergütungsprozentsätze bis zur Grenz-Bonität des Angebots (GBA) gehen allerdings gegen Null.

Ab IST-Baukosten von 110% kommt es zu einem Bietersturz, Konzessionswerber [A] steigt auf 120/130[449] bei GBA an.

Durch die Gewichtung mit der Konzessionsgeber-Erwartungshaltung dämpft sich der Anstieg bis zur Grenz-Bonität des Angebots (GBA) etwas ab, der Bietersturz bleibt jedoch in diesem Bereich aufrecht.

Nur mit einer Risikoanalyse des Konzessionsgebers kann das eventuelle Potential aus dem Bietersturz gegenüber dem geringeren Pauschalpreis des Konzessionswerber [A] beurteilt werden. Im Modell wurde auch die Installation des Gewichtungsfaktors GF 3 empfohlen, um den Pauschalpreis gewichtet in die Bewertung mit auf zu nehmen.

[449] 120/130 bedeutet die Anrechenbaren Baukosten (ABK) betragen 120 von 130 IST-Baukosten → der Erlösfehlbetrag (EFB) ergibt sich damit zu 10 %

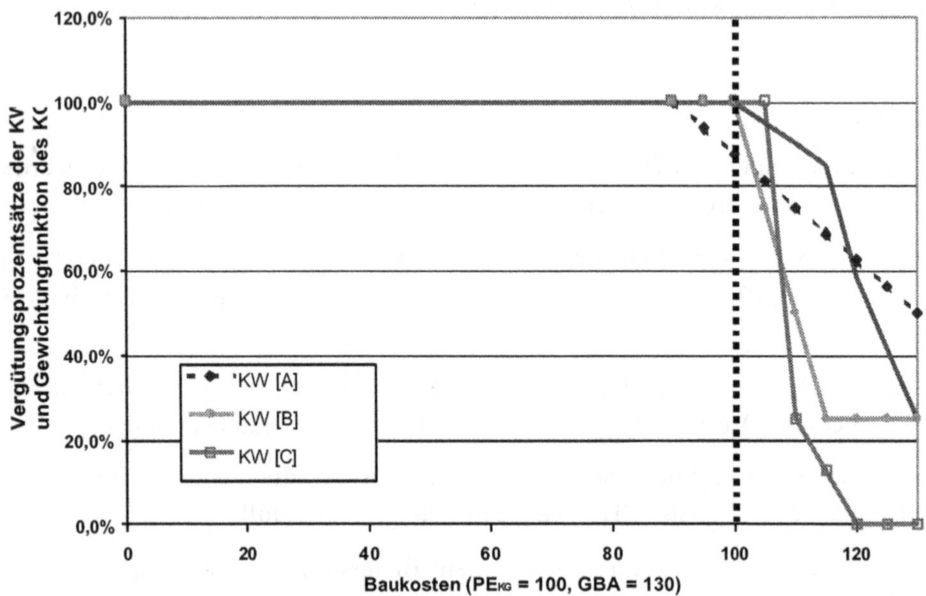

Abbildung 8-3: *Beispielhafte Verläufe für den angebotenen Vergütungsprozentsätze bzw. der Gewichtungsfunktion des Konzessionsgebers (rote Linie).*

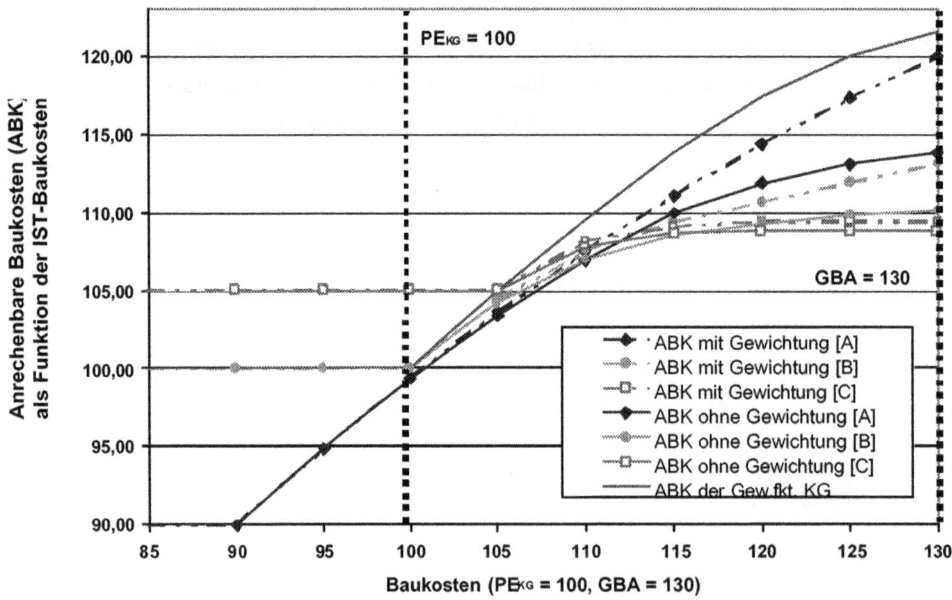

Abbildung 8-4: *Entwicklung der Anrechenbaren Baukosten (ABK), je nach Angebotsgestaltung.*

9 Zusammenfassung

Betreibermodelle stellen die Zukunft in der Infrastrukturentwicklung dar. Gerade gegen Ende der Bearbeitung dieser Dissertation wurde in Österreich die Realisierung des Brennerbasistunnels mittels BOT zur Diskussion gestellt. Die gesamte Brennerachse München - Verona steht auf der Liste der TEN - Projekte an erster Stelle – prognostizierte Baukosten ca. 170 Mrd. ATS.

Das „Risk-Sharing" für solche Hohlraumbauten stellt den Schlüssel zur erfolgreichen Umsetzung dar. Die Realisierung einer „win-win"-Situation kann nur durch eine faire Teilung der Risiken sichergestellt werden.

Die Vergabe von Projekten unter Wettbewerb, welche durch die Hohlraumbauten kosten- und zeitmäßig dominiert werden, erfordert spezielle Wettbewerbs- und Vertragsformen.

Dafür wurde das alternative Konzept K E F I R entwickelt, es soll ein weiterer Denkanstoß hin zur Anwendung neuer Vertragsformen sein..

K E F I R berücksichtigt die Erwartungshaltung des Konzessionsgeber und der Konzessionswerbern in den Baugrund. Unterstellt damit diese Erwartungshaltung – ausgedrückt durch Geotechnische Erwartungshaltung, Preise, Bauzeit, Leistungen und gewähltem Bauverfahren; bei gleichzeitiger Vorgabe einer für alle Bieter gleich hohen monetären Risikogrenze (Grenz-Bonität des Angebots - GBA) – dem Wettbewerb. Diese Risikogrenze ist insofern notwendig, um die Bieter von „außergewöhnlichen Baugrundrisiken" freizustellen und gleichzeitig die Verantwortung aller Bieter für ihr Angebot bis zu dieser Grenze festzuschreiben und damit die Problematik der Billigstbieter an diesen kritischen Projekten hintanzuhalten.

K E F I R beinhaltet aber ein Bündel von Maßnahmen, um diesen Idealzustand umzusetzen. Dazu gehören z.B. die Abschläge für die Erwartungshaltung über dem Pauschalpreis der Bieter, welche auch dem Wettbewerb unterzogen werden, oder die Regelmechanismen der Vertragsumsetzung von Independent Consulter, Unabhängigen Schiedsgutachtern und Schiedsgerichtsverfahren – alle in zeitlich gestraffter Form – um das Bauen nicht durch ungeklärte Vergütungsfragen an den wenigen Angriffsstellen im Hohlraumbau zu beeinträchtigen.

Einer der kritischen Faktoren ist die Bauzeit, bzw. die damit in Zusammenhang stehenden hohen Finanzierungskosten für solche großen Infrastrukturvorhaben. Das vorgeschlagene Modell zielt auf den Einsatz moderner, leistungsfähiger Vortriebsverfahren (TBM, DS-TBM), um die Bauzeiten zu reduzieren und damit die Finanzierungskosten geringer zu halten.

Dieser Aspekt spielt bei kameralistischer Budgetierung aus öffentlichen Töpfen eine untergeordnete Rolle. Sobald sich aber der private Sektor in Infrastrukturvorhaben engagiert, wird die Projektfinanzierung zum Kernpunkt der Umsetzung.

Das alternative Vertragskonzept K E F I R ist noch fern von einer praktischen Umsetzung, aber es beinhaltet viele der Erfordernisse, welche bei der Umsetzung von Hohlraumbauten im Zuge von Betreibermodellen zwingend notwendig sind (→ Vertragsform, Managementmethoden).

Die Abstimmung mit den vergaberechtlichen Randbedingungen des jeweiligen Anwendungslandes muß im Anlaßfall erfolgen.

10 ANHANG

10.1 Verwendete Abkürzungen

Modellspezifische Abkürzungen, siehe Punkt 7.4.1

ADB	Asian Development Bank
BGK	Baustellengemeinkosten
CEA	Central Electricitiy Authority (Indien)
D&B	Design&Build; oder auch Drill & Blast
DAB	Dispute Adjudication Board
DAUB	Deutscher Ausschuß für Unterirdisches Bauen
DS-TBM	(Teleskopierbare-)Doppelschild-TBM
E&M	Electrical & Mechanical
eBGK	einmalige Baustellengemeinkosten
EIC	European International Contractors
EKT	Einzelkosten der Teilleistungen
EPC	Engineer, Procure, Construct → FIDIC - Standardvertrag
FIDIC	Fédération Internationale des Ingenieurs-Conseils (Internationale Vereinigung beratender Ingenieure)
GDP	Gross-Domestic-Product → Bruttosozialprodukt
GMP	Guaranteed-Maximum-Price
HL-AG	Eisenbahn Hochleistungsstrecken AG (Österreich)
IPP	Independent Power Producer → unabhängiger Stromproduzent
IRN	International Rivers Network
IRR	Internal rate of return
IWF	Internationaler Währungsfond - International Monetary Fund (IMF)
JV	Joint Venture
K E F I R	Abkürzung für das alternative Modellkonzept → Kapitel 7
KG	Konzessionsgeber
KMU	Klein- und mittelständische Unternehmen
KN	Konzessionsnehmer → Projektgesellschaft (PC)
KW	Konzessionswerber
MOU	Memorandum of Understanding
MPP	Merchant Power Plant; oder auch Multi-Purpose Project
NATM	New Austrian Tunnelling Method – Neue Österreichische Tunnelbauweise → NÖT
NBS	Neubaustrecke der Deutschen Bundesbahnen
NEC	New Engineering Contract
NHPC	National Hydroelectric Power Corporation Limited (Indien)

IA	Implementation Agreement
ICB	International Competitive Bidding
ICE	Institution of Civil Engineers, engl. Verband der Bauingenieure
ICOLD	International Conference on Large Dams
ICOLD	International Conference on Large Dams
ÖNORM	Österreichisches Normenwerk
ÖPP	Öffentlich Private Partnerschaften, eingedeutschte Abkürzung für PPP
O-TBM	Offene-TBM
PC	Project Company (PC) Projekt (Konzessions)gesellschaft
PFC	Power Finance Corporation (Indien)
PFI	Private Finance Initiative → siehe Punkt 3.4.1.3
PLF	Plant Load Factor
PPA	Power Purchase Agreement → Stromabnahmevertrag
PPI	Private Participation in Infrastructure
PPP	Public Private Partnership; o.a. Private Public Partnership
RFP	Request for Proposal
RFQ	Request for Qualification
NÖT	Neue Österreichische Tunnelbauweise → NATM
NPV	Net present value → dt. Barwert
O&M	Operation & Maintenance
ÖN	Österreichisches Normenwerk
ÖN	Österreichisches Normenwerk
ROE	Return on Equity → Eigenkapitalverzinsung
SEB	State Electric Board (Indien)
SIA	Schweizerisches Normungswerk
S-TBM	Schild-TBM
TEC	Techno-Economical Clearance (durch CEA-Indien)
TSM	Teilschnittmaschine
TVM	Tunnelvortriebsmaschine
UCTE	Union for the Coordination of Transmission of Electricity
UNCITRAL	United Nations Commission on International Trade Law
VOB	Verdingungsordnung für Bauleistungen, BRD
VSM	Vollschnittmaschine → TBM
zBGK	zeitgebundene Baustellengemeinkosten

Eine Hilfe für die Abkürzungen, die die Energiewirtschaft in Indien betreffen, ist unter folgendem Link zu finden → http://powermin.nic.in/nrg23.htm (Stand 25/05/00).

10.2 Wichtige Begriffe

Arbitration	Schiedsgericht
Bauvertrag	Vertrag zwischen der Projektgesellschaft und dem Baukonsortium → im Modellfall Teil des Implementation Agreement (IA).
Civil Works	Bau(meister)arbeiten
Claim	Forderung einbringen, z.B. Mehrkostenforderung, aber auch für eine Verlängerung der Bauzeit.
Contractor	Auftragnehmer → AN
Employer	entspricht Auftraggeber in FIDIC-Standard-Forms.
Feasibility Study	Untersuchung über alle wichtigen Aspekte betreffend Planung, Ausführung und Betrieb eines Projekts. Liefert Entscheidung über die Machbarkeit und ist Basis für die Investitionsentscheidung.
Force Majeure	allgemein höhere Gewalt, z.B. Krieg, Revolution, Streiks, Naturgewalt – den Boden betreffend vor allem Kontamination, Kriegsrelikte bzw. Sprengmittel und Radioaktivität.
GMP	„Guaranteed-Maximum-Price" – Vertrag: Target-Vertragsmodell
Green-Field Project	Projekte, die frei von Beschränkungen realisiert werden können.
HERMES	Die Hermes-Kreditversicherungs-AG wurde geschaffen, um Exporte der deutschen Wirtschaft, insbesondere in Länder mit hohem wirtschaftlichem und politischem Risiko staatlich abzusichern und dadurch zu ermöglichen. Der Zweck ist die Exportförderung (österr. Gegenstück – Kontrollbank).
K E F I R	Abkürzung für das alternative Modellkonzept: Kosten - Einbringung von Know-how - Finanzierung - Innovation - Risikobereitschaft.
Konzession	Vereinbarung zw. dem Konzessionsgeber und Konzessionsnehmer mit Rechten und Pflichten → Concession Agreement, Project Agreement.
Konzessionär	Projektgesellschaft, Project Company - PC
Lump-sum	Pauschalpreis
Partnering	Managementmethode für Bauvertrag
Power Purchase Agreement	Stromabnahmevertrag von einem IPP → Power Purchase Agreement (PPA)
Präqualifikation	Verfahren zum Nachweis der technischen und wirtschaftlichen Leistungsfähigkeit von Bietern (→ Request for Proposal (RFQ)).

Project Compay	siehe Projektgesellschaft
Projektgesellschaft	Konzessionsgesellschaft; Gesellschaft, welche die Aktivitäten um den Konzessionserwerb, die Projektfinanzierung und den Bau mit anschließendem Betrieb in sich vereint.
Shortlist	Liste der präqualifizierten Bewerber

10.3 Literaturverzeichnis

ADAMS P. RYDER G. 1999	The Three Gorges Dam. A great leap backward for China's Electricity Consumers and Economy. http://www.irn.org/programs/threeg/991216.probe.html (Stand 06/02/00)
AHPCM 1998	RECOMMENDATIONS – Austrian Hydel Power Construction Methodology (unveröffentlicht), 1998
ALFEN H.W. 1999	Projektentwicklung – Infrastruktur als Geschäftsfeld der Bauindustrie (Teil 2). Bauwirtschaft 5, 1999
ALFEN H.W. KNOP D. 2000	Durchbruch bei Betreibermodellen in Deutschland. Bauingenieur. Heft Januar/00, Band 75, 2000
ALTENHOFER ST. 1997	Contracting – Kostenkiller oder strategische Option? Wirtschaftsingenieur 40, Heft 4, 1997
ANDRASKAY E. 1994	Überlegungen zur Definition der Ausbruchsklassen in der SIA-Norm 198 Untertagebau, Ausgabe 1993. Felsbau 12, Heft 6, 1994
ASTM 1988	American Society for Testing and Materials: Rock Mass Classification Systems for Engineering Purpose. STP 984, ASTM 1988
ATKINSON D. 1999	Raising money for tunnelling projects. T&T, März 1999
AYAYDIN N. 1994	Entwicklung und neuester Stand der Gebirgsklassifizierung in Österreich. Felsbau 12, Heft 6, 1994
BAIRD A. 1995	Pioneering the NEC system of documents. Engineering, Construction and Architectural Management, Heft 4, Blackwell Science Ltd., 1995
BANNER G. 1994	Neue Trends im kommunalen Management. Verwaltungsführung VOP, Nr. 1, 1994
BARTON N. 1999	TBM performance estimation in Rock using Q_{TBM}. T&T, September, 1999
BARTSCH R.H. 1999a	Funktionale Leistungbeschreibung mit Konstruktionswettbewerb. Ein neuer Weg für den Tunnelbau. Dissertation am Institut für Baubetrieb, Bauwirtschaft und Baumanagement, Universität Innsbruck, 1999
BARTSCH R.H. 1999b	Funktionalausschreibung im Tunnelbau. Zu Vorteilen der Funktionalausschreibung (Teil 1). Bauwirtschaft 9, Bauverlag 1999
BARTSCH R.H. 1999c	Funktionalausschreibung mit Konstruktionswettbewerb – Ein neues Modell für den Tunnelbau. Taschenbuch für den Tunnelbau 2000, Verlag Glückauf Essen, 1999
BAUDENDISTEL M. 1994	Zur Vortriebsklassifizierung in Deutschland. Felsbau 12, Heft 6, 1994
BEHNEN O. 1998	Betreibermodelle bei Wasserkraftwerken: Chancen für Bauunternehmungen. Hrsg.: Institut für Bauplanung und Baubetrieb, ETH Zürich, Zürich 1998

BEHNEN O. 1999	BOT als Basis zu unternehmerischem Erfolg durch Systemanbieterschaft. 22. Deutscher Außenwirtschaftstag-Betreibermodell für das Ausland, 11. Feb. 1999
BERGER R. 1999	Risikoverteilung zwischen Auftraggeber und Auftragnehmer beim Bau der 4. Röhre Elbtunnel. Felsbau 17, Heft 4, 1999
BGBL. Nr. 215/1959	Wasserrechtsgesetz BGBL. Nr. 215/1959 §21(2) bzw. aktuelle Novelle 1990
BIENIAWSKI Z.T. 1974	Geomechanics Classification of Rock Masses and its Application in Tunneling. 3. Kongreß der IGFM Denver, in: Advances in Rock Mechanics, Band Iia, 1974
BIENIAWSKI Z.T. 1989	Engineering Rock Mass Classification. A Complete Manual for Engineers and Geologists in Mining, Civil, and Petroleum Engineering, Verlag John Wiley & Sons, 1989
BIENIAWSKI Z.T. 1995	Proper Use and Limitations of Rock Mass Classification in Tunneling with special reference to the R.M.R. System and the Evinos Tunnel. Gutachten für E.T.J.V. SELI-Jäger, unveröffentlicht, Pennsylvania 1995
BIENIAWSKI Z.T. 1997	Quo Vadis Rock Mass Classification. Felsbau 15, Heft 3, 1997
BIENIAWSKI Z.T. ALBER M. 1994	Effektive Gebirgsklassifizierung durch systematisches Entwurfsverfahren. Felsbau 12, Heft 6, 1994
BIGGARD A. 2000	The win-win solution. T&T, April 2000
BILLAND F. 1989	Erfahrungen und Entwicklungen im Auslandsbau. Die private Finanzierung von Verkehrsinfrastruktur. BbauBI, Heft 5, 1989
BINGHAM 1998	Building. April 1998
BINQUET J. LARA A. TARDIEU B. 1997	Bénéfices de la Gestion des Risques Philosophie et Examples Récents. ICOLD, 19. International Congress on Large Dams, Florence, 1997
BRENNER R.P. LAUFER F. KRUMDIECK M.A. 1997	Technical Risks Affecting the Financing of Dam Projects: Identification and Evaluation. ICOLD, 19. International Congress on Large Dams, Florence, 1997
BROCKMANN CH. 2000	Weltrekord im Brückenbau – 55 km Brücke sechsspurig und fast in 20 m Höhe. Bauwirtschaft 2, 2000
BRULAND A. 1998	Hard rock tunnel boring – Advance Rate and Cutter Wear. NTNU Trondheim, 1998
BRULAND A. 1999	Hard rock tunnel boring – Design and Construction. NTNU Trondheim, 1999
BRULAND A. 1999	Hard rock tunnel boring – Costs. NTNU Trondheim, 1999

BUDÄUS D.
GRÜNING G. 1997 Public Private Partnership - Konzeption und Probleme eines Instruments zur Verwaltungsreform aus Sicht der Public Choice-Theorie, in: Budäus D., Eichhorn P. (Hrsg.), Public Private Partnership – Neue Formen öffentlicher Aufgabenerfüllung. Schriftenreihe der Ges. für öffentl. Wirtschaft, Heft 41, Nomos Verlagsgesellschaft, Baden-Baden, 1997

CADEZ I. 1999 Richtigen Bauvertragstyp wählen – Risikowertanalyse als Entscheidungshilfe zur Wahl des optimalen Vertragstyps. Bauwirtschaft, Heft 3, 1999

CADEZ I. 2000 Ein Mix aus Chancen und Risken. Bauwirtschaft 1, 2000

CZAYKA L. 1974 Systemwissenschaft. Eine kritsiche Darstellung mit Illustrationsbeispielen aus den Wirtschaftswissenschaften. Verlag Dokumentation, Pullach b. München, 1974

DALLER J.
RIEDMÜLLER G.
SCHUBERT W. 1994 Zur Problematik der Gebirgsklassifizierung im Tunnelbau. Felsbau 12, Heft 6, 1994

DAUB 1997 Funktionale Leistungsbeschreibung für Verkehrstunnelbauwerke – Möglichkeiten und Grenzen für die Vergabe und Abrechung. Tunnel Nr. 4, 1997

DAUB 1998 Empfehlungen zur Risikoverteilung in Tunnelbauverträgen. Deutscher Ausschuß für Unterirdisches Bauen, Tunnel Nr. 3, 1998

DAUB, ÖGG, FGU 1997 Empfehlung zur Auswahl und Bewertung von Tunnelvortriebsmaschinen. Deutscher Ausschuß für unterirdisches Bauen (DAUB), Österreichischen Gesellschaft für Geomechanik (ÖGG), Arbeitsgruppe Tunnelbau der Forschungsgesellschaft für das Verkehrswesen- und Straßenwesen-Fachgruppe für Untertagebau der SIA, Tunnel 5, 1997

DEERE D.U. 1964 Technical description of rock cores for engineering purpose. Rock Mechanics and Engineering Geology. Jhg. 1, Nr. 1, 1964

DIEDERICHS C.J. 1996 Handbuch der strategischen und taktischen Unternehmensführung. Bauverlag, Wiesbaden 1996

DIETZ W. 1999 Schidlvortrieb, Rohrvortrieb, TBM-Vortrieb – Möglichkeiten und Risiken im Auslandseinsatz. Felsbau 17, Heft Nr. 4, 1999

DIN 18 299 VOB/C 18 299: Allgemeine Regelung für Bauarbeiten jeder Art. Deutsches Institut für Normung e.V., Verlag Beuth, Berlin, 1992

DIN 18 312 VOB/C 18 312: Untertagebauarbeiten. Deutsches Institut für Normung e.V., Verlag Beuth, Berlin, 1992

DIN 1960 siehe VOB Teil A

DIN 1961 siehe VOB Teil B

DOBLER ST. 1999	Gebirgsklassifizierung im Tunnelbau – Entwicklung – Stand der Technik – Aussichten. Diplomarbeit am Institut für Baubetrieb, Bauwirtschaft und Baumanagement, Universität Innsbruck, 1999
DUDEN 1989	Deutsches Universal Wörterbuch, Dudenverlag 1989
DULHASTI Financial and Economical Evaluation 1983	DULHASTI Financial and Economical Evaluation v. Dez. 83, DULHASTI CONSORTIUM 1983
DULHASTI Projekt Report 1983	DULHASTI Project Report v. Juni 83, DULHASTI CONSORTIUM 1983
DULHASTI Projekt Report 1984	DULHASTI Project Report v. Januar 84, DULHASTI CONSORTIUM 1984
DULTINGER J. 1980	Die Brennerbahn-Gestern Heute Morgen. Verlag Rudolf Erhard, Rum 1980
DULTINGER J. 1985	Die „Erzherzog Johann-Bahn", Verlag Erhard, Rum 1985
DUNLAVY C.A. 1993	Politics and Industrialization. Early railroads in the United States and Prussia. Princeton University Press, 1993
ECO U. 1998	Wie man eine wissenschaftliche Abschlußarbeit schreibt : Doktor-, Diplom- und Magisterarbeit in den Geistes- und Sozialwissenschaften / Umberto Eco. Ins Dt. übers. Von Walter Schick. – 7., unveränd. Aufl. d. dt. Ausg.. – Heidelberg : Müller, 1998.
ECONOMIC TIMES Artikel 1998	ECONOMIC TIMES v. 25. Sept. 1998: Open the Sluice Gate
EICHHORN P. 1997	Public Private Partnership und öffentlich-privater Wettbewerb, in: Budäus D., Eichhorn P. (Hrsg.), Public Private Partnership – Neue Formen öffentlicher Aufgabenerfüllung. Schriftenreihe der Ges. für öffentl. Wirtschaft, Heft 41, Nomos Verlagsges., Baden-Baden, 1997
ESCHENBURG K.D. STERNATH R. 1997	Die Tunnelbauwerke der Neubaustrecke Köln-Rhein/Main: Projekt, funktionale Ausschreibung, Vergabe und geotechnische Probleme. Vortrag im Zuge der STUVA-Tagung Berlin 1997
EUPHRATES BARRAGE AT BIRECIK 1996	Euphrates Barrage at Birecik. Prospekt des Civil Works JV – Ph. Holzmann, Gama, Strabag Österreich, 1996
FGStW74 1981	Neue österreichische Tunnelbaumethode – Definition und Grundsätze. Forschungsgesellschaft für das Straßenwesen, Heft 74, 1981
FIDIC-EPC Turnkey Projects 1999a	Conditions of Contract for EPC Turnkey Projects. First Edition, Lausanne 1999
FIDIC-Plant and Design-Build 1999b	Conditions of Contract for Plant and Design-Build. First Edition, Lausanne 1999
FIDIC- Standard pre-qualification form for contractors 1982	Standard pre-qualification form for contractors. First Edition 1982

FINANCIAL EXPRESS Artikel 1998 Artikel in the FINANCIAL EXPRESS v. 26. Mai 1998: New hydel policy to allow private participation; fresh initiatives for Power Projects, 1998

FREEMAN R.1996 in: Public Private Partnership in Mitteleuropa. Enquete 7.5.96 und Workshop 26.-28.3.96 (Hrsg.: Roland Berger & Partner, Weiss-Tessbach und Geoconsult), Wien 1996

FstrPrivFinG 1994 Fernstraßenprivatfinanzierungsgesetz, BRD, 1994

GAUCH P. 1996 Der Werkvertrag. Schulthess Polygraphischer Verlag Zürich 1996

GEHART F. 1996 Öffentlich-Private Partnerschaften, Versorgung mit Infrastruktur durch Private: Rezente Erfahrungen anhand ausgewählter Beispiel in EU-Staaten. Studie im Auftrag des Bundesministeriums für Finanzen, Wien 1996

GEILINGER R.E. 1995 Private Finanzierung öffentlicher Bauvorhaben. Straße+technik 49, Heft 3, 1995

GIRMSCHEID G. 1999a Das Systemanbieterkonzept als Querschnittsthema. Jahresbericht des Instituts für Bauplanung und Baubetrieb, ETH Zürich, Zürich 1999

GIRMSCHEID G. 1999b Fast Track Projects im Brückenbau – Anwendung und Bauprozeß der Segmentbauweise mit externer Vorspannung. Bauingenieur, Bd. 74, Heft 7/8, 1999

GIRMSCHEID G. 1999c Projektabwicklungsformen als Schlüssel zu Innovation, Risikomamagement sowie Kostenoptimierung. Vortrag im Zuge des Internationalen Tunnelbau-Symposiums: Städtischer Tunnelbau - Bautechnik und Funktionelle Ausschreibung, ETH-Zürich, 1999

GIRMSCHEID G. 2000 Baubetrieb und Bauverfahren im Tunnelbau. Ernst & Sohn, Berlin 2000

GIRMSCHEID G. BEHNEN O. 2000a Strategien sind gefragt – Wettbewerbsstrategien für den Auslandsbau. Bauwirtschaft, Heft 1/00, 2000

GIRMSCHEID G. BEHNEN O. 2000b Das Systemanbieterkonzept – Ausweg aus dem Preiswettbewerb. Bauwirtschaft, Heft 3, 2000

GIRMSCHEID G. BENZ P. 1998 Neue Geschäftsfelder für Bauunternehmungen. BOT-Build Operate Transfer, Generelle Studie zum BOT-Ansatz, Diplomarbeit an der ETH Zürich, Zürich 1998

GÖLLES H. 1997 Finanzierung von Verkehrsinfrastruktur aus öffentlichen Mitteln – und sonst nichts?. VIBÖ, Heft 210, Wien 1997

GÖLLES H. 1999 Der GMP-Vertrag eine neue Bauvertragsvariante? VIBÖ, 1999

GOVIL K.K. 1999 Speedy Hydro Power Development – Project Preparation & Financing. In Accelerated Development of Hydro Power Resources in the 21st Century. World Council of Power Utilities-WCPU-Green Power 2-2nd International Conference. Three Gorges Project Site, China, 28.-30. Oktober 1999

GRALLA M. 1999	Neue Wettbewerbs- und Vertragsformen für die deutsche Bauwirtschaft – Produktivitätssteigerung und partnerschaftliche Zusammenarbeit durch den Einsatz innovativer Wettbewerbs- und Vertragformen. Dissertation Universität Dortmund, Wissenschaftliche Schriften zur Wohnungs-, Immobilien- und Bauwirtschaft – Band 4, WIB Kolleg, Berlin 1999
GREINER O. **DÖPPER H. 1997**	Bauvertrag und Risikoverteilung bei Untertagebauten am Beispiel der Triebwasserführung eines Kraftwerkes. Tunnel for People, ITA-Kongreß Wien 97, S. 769-755. Balkema:Rotterdam, 1997
HAARMEYER D. **MODY A. 1997**	Private Capital in Water and Sanitation, World Bank Discussion Paper, Finance & Development, März 1997 http://www.imf.org/external/pubs/ft/fandd/1997/03/index.htm (Stand 29/12/99)
HABISON R. 1975	Risikoanalyse im Bauwesen. Bericht der VDI-Z, Reihe 4, Nr. 23/75, VDI-Verlag, Düsseldorf 1975
HABISON R. 1997	Baubetriebslehre 3 – Vergabe, Baupreisermittlung, Abrechnung, Integration. Manz-Verlag, Wien 1997
HALLER, LEMBKE 1992	Risiko-Management, 1992
HAMEL G. **PRAHALAD C.K. 1995**	Wettlauf um die Zukunft – Wie Sie mit bahnbrechenden Strategien die Kontrolle über Ihre Branche gewinnen und Märkte von morgen schaffen. Wirtschaftsverlag Ueberreuter, Wien 1995
HEIERMANN W. **RIEDL R.** **RUSAM M. 1994**	Handkommentar zur VOB Teil A und B. Bauverlag, Wiesbaden und Berlin, 7. Aufl., 1994
HENTSCHEL H. 1997	Privatfinanzierung und Bau der Arlandabanan zum Flughafen Stockholm. Tunnel 6, 1997
HOEK E. **BROWN E.T. 1980**	Underground Excavations in Rock. Chapman & Hall, London 1980
HOFMANN H. 1996	Private Public Partnership, in: Diederichs C.J. (Hrsg.) Handbuch der strategischen und taktischen Bauunternehmensführung, Bauverlag, Wiesbaden und Berlin, 1996
HONIES H.F. 1997	Das künftige Milliardengeschäft. A3bau, Heft 12/97, Gießhübl 1997
HÖNLINGER H. 1996	Liberalisierung des Strommarktes – Konsequenzen für die Wasserkraft. Referat am 28. Nov. 96, im Zuge der Vortragsreihe Plattform Wasserbau Innsbruck gehalten von Vorstandsdirektor DI Dr.tech. Hönlinger der TIWAG, Institut für Wasserbau, Universität Innsbruck, 1996
HÜLSKÖTTER E. 2000	Neue Wege für die Bauindustrie-Modularisierung und Systemgeschäft in der Bauwirtschaft, Teil 2, Bauwirtschaft, Heft 8/00, 2000
HÜRLIMANN R. 1999	Mediation bei Infrastrukturvorhaben. Das neue Streiterledigungsmodell nach der VSS-Empfehlung 641 510, Schweizer Ingenieur und Architekt, Nr. 41, 1999

IMHOF A. 1997 The Asian Development Bank's Role in Dam-Building in the Mekong. INR, Working Paper 7, 1997

IMPREGILIO Report 2000 High speed segments for Yellow River diversion. T&T, July 00, 2000

IRN-Power Struggle 1999 IRN-Power Struggle – The impacts of Hydro-development in Laos, IRN International Rivers Network, 1999

ITA-Recommendations 1988 Recommendations on Contractual Sharing of Risks. Journal Tunnelling and Underground Space Technology, Pergamon Press, Vol. 3, No. 2, 1988

JÄGER M. RUDIGIER G. 1994 Baudurchführung des 30 km langen Trinkwasserstollens Evinos-Mornos in Griechenland. Felsbau 12, Heft Nr. 6, 1994

JOHN K.W. BAUDENDISTEL M. 1981 A Compromise Approach to Tunnel Design. 22. US-Symposium für Felsmechanik am MIT, 1981

JOHN M. 1994 Zielsetzung der Gebirgsklassifikation – Ein kritischer Rückblick. Felsbau 12, Nr. 6, 1994

JOHN M. 1997 Sharing of risk under changed ground conditions in design/build contracts. In GOLSER J., HINKEL W.J., SCHUBERT W. (Hrsg.): Proceedings World Tunnel Congress 97, Vienna, Tunnels for People, Bd.2, Balkema, Rotterdam 1997

JOHN M. PÖTTLER R. 1982 Stellungnahme zur DVS 853, unveröffentlicht, 1982

JURECKA, GÖRRES 1994 Vortrag JURECKA u. GÖRRES im Zuge der Vorlesung Bauen im Ausland, Block 2, WS 94/95, Institut für Baubetrieb und Bauwirtschaft, TU Wien, 1994

KAPELLMANN K.D. SCHIFFERS K.-H. 1996 Vergütung, Nachträge und Behinderungsfolgen beim Bauvertrag. Einheitspreisvertrag. Band 1, 3. Auflage, 1996

KAPELLMANN K.D. SCHIFFERS K.-H. 1997 Vergütung, Nachträge und Behinderungsfolgen beim Bauvertrag. Pauschalvertrag einschließlich Schlüsselfertigbau. Band 2, 2. Auflage, 1997

KAUPA H. HARREITER H. 1997 Privatwirtschaftlich orientierte Modelle zur Finanzierung von wasserbaulichen Maßnahmen. in Wasserbau, in: Visionen für das nächste Jahrtausend, Hrsg. Friedrich R., Innsbruck 1997

KIRCHHOFF U. 1997 Aktuelle Organisations- und Finanzinstrumente im öffentlichen Infrastrukturbereich, in: Zimmerman Gebhard (Hrsg.): Neue Finanzierungsinstrumente für öffentliche Aufgaben. Schriftenreihe der Ges. für öffentl. Wirtschaft, Heft 39, Nomos Verlagsgesellschaft, Baden-Baden, 1997

KIRSCH D. 1997 Public Private Partnership. Eine empirische Untersuchung der kooperativen Handlungsstrategien in Projekten der Flächenerschließung und Immobilienentwicklung, Verlag Rudolf Müller, Köln, 1997

KLEIN M. 1994 Back to the future. The potential in infrastructure privatization, World Bank, Washington D.C 1994

KOLKO G. 1970 Railroads and Regulation 1877-1916. W.W.Norton & Company Inc., New York, 1970

KOUWENHOVEN V. 1993 Public Private Partnership: A Model for the Management of Public-Private Cooperation, in: Jan Kooiman (Hrsg.), Modern Governance – New Goverment-Society Interactions, London 1993

KOVARI K. 1994 Gibt es eine NÖT? Fehlkonzept der Neuen Österreichischen Tunnelbauweise. Tunnel 1, 1994

KOVARI K. 1995 Präsident der FGU im Vorwort zur Tagung Vertragswesen im Untertagebau; der FGU und VST am 2. Feb. 95 in Bern, SIA, Bern 1995

KROPIK A. KRAMMER P. 1999 Mehrkostenforderung beim Bauvertrag. Österreichischer Wirtschaftsverlag, Wien 1999

KVELDSVIK V. AAS G. 1998 The Norwegian Tunneling Contract System. Felsbau 16, Nr. 5, 1998

LANGE K. 1996 Wird sich das neue Vertragswerk behaupten? Bauwirtschaft, Heft 10, 1996

LAUFFER H. 1958 Gebirgsklassifizierung für den Stollenbau. Geologie und Bauwesen, Jhg. 24, Nr,. 1, 1958

LAUFFER H. 1960 Die neue Entwicklung der Stollenbautechnik. Österreichische Ingenieurzeitschrift 3, 1960

LINK D. 1999 Risikobewertung von Bauprozessen. Modell ROAD-Risk and Opportunity Analysis Device.Disssertation am Institut für Baubetrieb und Bauwirtschaft, TU Wien, 1999

MAIDL B. 1988 Handbuch des Tunnel- und Stollenbaus, Band II: Grundlagen und Zusatzleistungen für Planung und Ausführung, Verlag Glückauf GmbH, Essen 1988

MAIDL B. 1994 Handbuch des Tunnel- und Stollenbaus, Band I: Konstruktion und Verfahren, 2. überarbeitete Auflage, Verlag Glückauf GmbH, Essen 1994

MÄRKI E. et.al. 1998 Vertragsplanung AlpTransit Gotthard – Ein Ergebnis von Risikoanalyse und Projektplanung. Felsbau Nr. 5, 1998

MARTIN A. 1992 Railroads Triumphant. The Growth, Rejection, and Rebirth of a Vital American Force. Oxford University Press, 1992

McFEAT-SMITH I. 2000 Breakthrough in the Philippines. Part 1, T&T, June 00 und Part 2, T&T, July 00, 2000

MIROW T. 1997 Public Private Partnership – eine notwendige Strategie zur Entlastung des Staates. In: Budäus D., Eichhorn P. (Hrsg.), Public Private Partnership – Neue Formen öffentlicher Aufgabenerfüllung. Schriftenreihe der Ges. für öffentl. Wirtschaft, Heft 41, Nomos Verlagsgesellschaft, Baden-Baden 1997

MOESCHLIN F. 1947 Wir durchbohren den Gotthard (Roman), Bd. I u. II, Büchergilde Gutenberg, Zürich 1947

MONOD J. 1982 The private sector and the management of public drinking water supply. World Bank, 1982

MORTON A. 1998 Der EUROTUNNEL – Gründung, Finanzierung und Verwirklichung: Lehren für andere Tunnel-Großprojekte. Vortrag beim Verkehrsforum Seefeld, 1998

MUTHESIUS TH. 1997 Praktische Erfahrungen und Probleme mit Public Private Partnership in der Verkehrswirtschaft, in: Budäus D., Eichhorn P. (Hrsg.), Public Private Partnership – Neue Formen öffentlicher Aufgabenerfüllung. Schriftenreihe der Ges. für öffentl. Wirtschaft, Heft 41, Nomos Verlagsgesellschaft, Baden-Baden 1997

NADERER R. EDLMAIR G. ZENZ G 1997 Geotechnical Investigations and Analysis for the Foundation of the Birecik Dam. Felsbau 15, Nr. 5, 1997

NOLL W. EBERT W. et.al. 1997 Finanznot der Kommunen im Kontext von Bund und Ländern, in: Zimmerman Gebhard (Hrsg.): Neue Finanzierungsinstrumente für öffentliche Aufgaben. Schriftenreihe der Ges. für öffentl. Wirtschaft, Heft 39, Nomos Verlagsgesellschaft, Baden-Baden, 1997

ÖN B2061 Preisermittlung für Bauleistungen, Verfahrensnorm, Österreichisches Normungsinstitut, Wien 1987, überarbeitete Neuauflage 1999

ÖN B2112 Regieleistungen im Bauwesen. Österreichisches Normungsinstitut, Wien 1990

ÖN B2113 Beistellung von Baugeräten. Österr. Normungsinstitut, Wien 1990

ÖN B2203 Untertagebauarbeiten-Werkvertragsnorm. Österreichisches Normungsinstitut, Wien 1994

PACHER F. 1978 Die neue österreichische Tunnelbauweise – Entwicklung, Prinzipien und Grundlagen. Quelle unbekannt, ca. 1978

PELLAR A. WATZLAR W. 1998 Neues Vertragsmodell für konventionelle Tunnelvortriebe. Felsbau 16, Heft 5, 1998

PFI 1998 Constructors' key guide to PFI. Construction Industry Council, Thomas Telford, London 1998

Policy on Hydro Power Develpoment 1998 Policy on Hydro Power Develpoment. Government of India, 1998

PRADEEP P. 1997 Artikel in Business Standard-Economy, 5. Sept. 1997: Hydro Electric generation capacity addition in Ninth Plan to fall woefully short of target. 1997

Public Private Partnership in Mitteleuropa 1996 Public Private Partnership in Mitteleuropa. Enquete 7.5.96 und Workshop 26.-28.3.96 (Hrsg.: Roland Berger & Partner, Weiss-Tessbach und Geoconsult), Wien 1996

PÜRER E. 1998 The Development of Hydro Power in Austria. Vortrag beim Workshop: AUSTRIAN HYDEL POWER CONSTRUCTION METHODOLOGY. 25.-27. Mai 1998, New Dehli 1998

PURRER W. 1998 Ausgewogene Risikoverteilung des Baugrundrisikos im Hohlraumbau – Der österreichische Weg. Felsbau 16, Heft Nr. 5, 1998

PURRER W. 1999 Comparison of Man-Hours for Excavation and Support – The alternative substituting the support factor for ground classification of Austrian Standard ÖN B 2203. Felsbau 17, Heft 3,1999

RABCEWICZ L. 1950 Verfahren zum Ausbau von unterirdischen Hohlräumen, insbesondere Tunneln. Patentschrift Nr. 165573, Österr. Patentamt, 1950

RAMP 1998 Risk analysis and management for projects, Hrsg. British Institution of Civil Engineers. Verlag Telford, London1998

REICHL M. 1996 in: Public Private Partnership in Mitteleuropa. Enquete 7.5.96 und Workshop 26.-28.3.96 (Hrsg.: Roland Berger & Partner, Weiss-Tessbach und Geoconsult), Wien 1996

REISMANN W. 1996a Nichttraditionelle Vergabeverfahren. Referat im Zuge des Baubetrieb und Bauwirtschafts Professorentreffens, TU Wien 26.9.1996

REISMANN W. 1996b Neue Organisationsformen bei Infrastrukturprojekten, ÖIAZ, Jg. 141, Heft 10, 1996

RIGBY P. 1999 Identifying and managing ground risks. T&T, Oktober 1999

RITZ W. 1995 Wie ist ein korrektes Angebot zu formulieren, in: Tagung Vertragswesen im Untertagebau; der FGU und VST am 2. Feb. 95 in Bern, SIA, Bern 1995

ROOKE J. SEYMOUR D. 1995 The NEC and the culture of the industry: some early findings regarding possible sources of resistance to change. Engineering and Architectural Management, Heft 4, Blackwell Science Ltd., 1995

ROTHKEGEL U. BAUCH U. 1992 Sicherungsstrategie für Bauprozesse. Veröffentlichung der Gesellschaft für Projektmanagement, Beiträge zum Projektmanagementforum, Mannheim 1992

SARAN K. 1999 Electricity Pricing for Hydro Projects – Issues and options for Private Sector in Developing Countries, in: Accelerated Development of Hydro Power Resources in the 21st Century. World Council of Power Utilities-WCPU-Green Power 2-2nd International Conference. Three Gorges Project Site, China, 28.-30. Oktober 1999

SCHLEYER H.E. 1997 Weniger Staat – mehr Privatinitiative: Veränderte Spielräume für Investitionen? Vortrag anläßlich der „Gothaer Zukunftsgespräche", 18.9.97, Göttingen 1997

SCHMIDT-GAYK A. 1999 Erfahrungen mit dem New Engineering Contract. Bauwirtschaft, Heft 5, 1999

SCHNEIDER E. 1997 Gedanken eines Praktikers zum Bau alpiner Basistunnel. Antrittsvorlesung, Universität Innsbruck, 1997

SCHNEIDER E. BARTSCH R.H. SPIEGL M. 1999 Vertragsgestaltung im Tunnelbau. Felsbau 2, Jhg. 17, 1999

SCHNEIDER E.
BLAIKNER D. 1997 Behandlung der zeitgebundenen Kosten in Tunnelverträgen. Tunnel for People, ITA-Kongreß Wien 97, S. 769-755. Balkema:Rotterdam, 1997

SCHUBERT P. 1992 Die Ungewißheit bei der Standsicherheitsanalyse von Felsbauwerken. Felsbau 10, Nr. 4, 1992

SCHUBERT W. 1994 Gebirgsdruck und Tunnelbau – aus der Sicht von Rabcewicz 1944. Felsbau 12, Heft 5, 1994

SCHUBERT W.
RIEDMÜLLER G. 1999 Critical Comments on Quantitative Rock Mass Classification. Felsbau 17, Heft 3, 1999

SCHWARZ J. 1997 Neue Chancen für die Wasserkraft: BOT Modelle. In: Visionen für das nächste Jahrtausend, Hrsg. Friedrich R., Innsbruck 1997

SEEBER G. 1973 Problematik der Gebirgsklassifikation in druckhaftem Gebirge. XXII. Geomechanikkolloquium, Salzburg 1973

SEEBER G. 1999 Druckstollen und Druckschächte: Bemessung – Konstruktion – Ausführung. Enke-Verlag, Stuttgart, New York 1999

SHARMA J.C. 1999 Integrated Hydro-Power Development in Beas-Basin Himachal Pradesh (India). in: Accelerated Development of Hydro Power Resources in the 21st Century. World Council of Power Utilities-WCPU-Green Power 2-2nd International Conference. Three Gorges Project Site, China, 28.-30. Oktober 1999

SHARMA P.N.
SHRESTHA G.L. 1999 Hydropower Potential and Underground Construction Risk in Himalaya Region, in: Accelerated Development of Hydro Power Resources in the 21st Century. World Council of Power Utilities-WCPU-Green Power 2-2nd International Conference. Three Gorges Project Site, China, 28.-30. Oktober 1999

SIA 118 1991 Allgemeine Bedingungen für Bauarbeiten. Schweizer Ingenieur- u. Architekten-Verein, Zürich, 1991

SIA 198 1993 Untertagebau. Schweizer Ingenieur- u. Architekten-Verein, Zürich, 1993

SIA 199 1975 Erfassung des Gebirges im Untertagebau. Schweizer Ingenieur- u. Architekten-Verein, Zürich, 1975

SINNINGER R. 1999 Die schwierige Beziehung Ingenieur-Jurist, Schweizer Ingenieur und Architekt, Nr. 41, 1999

SKLAR L.
McCULLY P. 1994 Damming the Rivers – The World Bank's Lending für Large Dams. INR, Working Paper 5, 1994

SOBau 1998 Schlichtungs- und Schiedsgerichtsordnung für Baustreitigkeiten. ARGE Baurecht, 1998

SPÄTH L.
MICHELS G.
SCHILY K. 1998 Das PPP-Prinzip. Die Privatwirtschaft als Sponsor öffentlicher Interessen, Verlag Droemer, München 1998

SPIEGL M. 1995 Mechanischer Stollenvortrieb: Vergleich zwischen einer offenen bzw. geschlossenen Tunnelbohrmaschine – Fallbeispiel: Evinos-Mornos Projekt, Griechenland. Diplomarbeit am Institut für Wasserbau der Universität Innsbruck, 1995

SPIEGL M. 1998 Baugrundrisiko bei Betreibermodellen. Verbund-Seminar, TU Wien, unveröffentlicht 1998

SRIVASTAVA R.N. KHERA D.V. DUBEY S.D. 1999 Hydro Power Development Scenario in India, in: Accelerated Development of Hydro Power Resources in the 21st Century. World Council of Power Utilities-WCPU-Green Power 2-2nd International Conference. Three Gorges Project Site, China, 28.-30. Oktober 1999

STADLER G. REINISCH A. 1998 StilfOs – Kalkulatorische Verknüpfung von Zeit- und Leistungsbezogenen Vergütungselementen für Bauleistungen. Wirtschaftsingenieur 41, 1998

STEFFES-MIES M. MÜSCH T. 2000 Nicht Abwehr ... sondern Partnerschaft. Bauwirtschaft, Heft 1, 2000

STEINER H. 1995 Der erneuerbare Energieträger Wasserkraft. Stand und Möglichkeiten des Ausbaues in Österreich und in der EU sowie Vergleich mit den Nicht-EU-Staaten Norwegen und der Schweiz unter besonderer Berücksichtigung der Umweltfrage. Forschungsarbeit, Europaakademie des Bundes, Wien 1995

STEMPKOWSKI R. 1996 Kosten und Leistungsanalyse im maschinellen Tunnelbau. Dissertation am Institut für Baubetrieb und Bauwirtschaft, TU Wien, 1996

STINI J. 1950 Tunnelbaugeologie – Die geologischen Grundlagen des Stollen- und Tunnelbaues, Springer Verlag, Wien 1950

T&T Debate 2000 This house believes that partnering has not achieved the promised benefits to date. T&T, May 2000

T&T Report 1998 Øresund keeps funding costs down, in T&T, Nov. 1998

T&T Report 2000 TBM progress at the Great Wall, in T&T, May 2000

TERZAGHI K. 1977 Rock Defects and Loads on Tunnel Supports, in: Proctor R.V. and White T., Rock Tunneling with Steel Support, Youngstown, Ohio, 1946, Reprint 1977

TETTINGER P.J. 1997 Die rechtliche Ausgestaltung von Public Private Partnership, in: Budäus D., Eichhorn P. (Hrsg.), Public Private Partnership – Neue Formen öffentlicher Aufgabenerfüllung. Schriftenreihe der Ges. für öffentl. Wirtschaft, Heft 41, Nomos Verlagsgesellschaft, Baden-Baden, 1997

TIONG R. YEO K.T. McCARTHY S.C. Critical Success factors in winning BOT Contracts. Quelle: unbekannt

TIPL P.J. SCHOEMAN K.D. 1977 Precast concrete liners lead to tunnel award 25% lower. Civil Engineering-ASCE, November 1997

TUNNELBAU „1980“ 1979 Tunnelbau 1980, Verlag Glückauf, Essen 1979

UHL III Hydroelectric Project Report 1993 Hydroelectric Project UHL III Report, Austrian Consultants Uhl Group, Dez. 1993

UMIKER B. KUHN H. 2000 Risken fordern das Management heraus ... - ... und sind mehr als nur technischer Natur, in: IOmanagement, Heft 6/2000

UNIDO 1996 UNIDO/General Studies Serie: BOT-Guidelines for Infrastructure Development through Build-Operate-Transfer (BOT) Projects. United Nations Industrial Development Organization, Wien 1996

VAVROVSKY G.-M. 1992 Grundsätzliche Überlegungen zu Kostenschätzungen der HL-AG, unveröffentlicht, Wien 1992

VAVROVSKY G.-M. 1994 Gebirgsdruckentwicklung, Hohlraumverformung und Ausbaudimensionierung. Felsbau 12, Heft Nr. 5, 1994

VAVROVSKY G.-M. 1996 Modell zur Aufteilung des Baurundrisikos bei zyklischen Tunnelvortrieben im Rahmen eines Konzessionsvertrages. Forschungsarbeit aus dem Eisenbahnwesen, Bundesministerium für Wissenschaft,Verkehr und Kunst, Band 10, Wien 1996

VIGL A. 1998 State of the art Tunnelling and Tunnel Design for Hydropower Projects and Watertransfer Tunnels. Vortrag beifm Workshop: AUSTRIAN HYDEL POWER CONSTRUCTION METHODOLOGY. 25.-27. Mai 1998, New Dehli

VIGL A. GÜTTER W. JÄGER M. 1999 Doppelschild-TBM – Stand der Technik und Perspektiven. Felsbau 17, Heft 5, 1999

VIW 1992 VIW, Geotechical Data Report, für das Evinos-Tunnel JV (GR), 1992

VOB Teil A 1992 Allgemeine Bestimmungen für die Vergabe von Bauleistungen. DIN 1960, Ausgabe 1992, Deutsches Institut für Normung e.V., Verlag Beuth, Berlin 1996

VOB Teil B 1996 Allgemeine Vertragsbestimmungen für die Ausführung von Bauleistungen. DIN 1961, Deutsches Institut für Normung e.V., Verlag Beuth, 1996

WALDIS A. 1996 Alpenbahnprojekte schon von Anfang an. Der Gotthard-Durchstich als Ergebnis eines langen Ringens, in Neue Zürcher Zeitung v. 4. Jan. 1996

WALKER C. SMITH A.J. 1995 Privatized infrastructure. The BOT approach. Thomas Telford, London 1995

WALLIS SH. 1999 Northside ‚Alliance' for Sydney's cleaner harbour. T&T, März 1999

WALLIS SH. 2000 Sydney's Northside Storage Tunnel alliance holding up under pressure. T&T, May 2000

WEISSENBACH P. 1905 Die Eisenbahnverstaatlichung in der Schweiz. Sonderdruck aus „Archiv für Eisenbahnwesen", Springer, Berlin 1905

10.4 Internetlinks

Die Problematik bei Verweisen ins Internet besteht ganz einfach darin, daß die Links oft schnell an Aktualität verlieren, d.h. nicht mehr bestehen. Trotzdem werden die zitierten Links hier geschlossen anführen, auch wenn viele davon mittelfristig nicht mehr existieren werden.

Nichts desto trotz ist das Internet heute eine wichtige Recherchequelle für Information rund um den Globus.

Link/URL	Thema	Datum
http://www.eicontractors.de/vonoc.htm	European International Contractors (EIC) Overseas Contracts Statistic	20/04/00
http://www.irn.org/programs/threeg/991216.probe.html	ADAMS P., RYDER G. 1999: The Three Gorges Dam. A great leap backward for China's Electricity Consumers and Economy	06/02/00
http://www.imf.org/external/pubs/ft/fandd/1997/03/index.htm	HAARMEYER D., MODY A. 1997: Private Capital in Water and Sanitation, World Bank Discussion paper, Finance & Development, März 1997	29/12/99
http://www.bauindustrie.de/hdb0004.htm	Hauptverband der Deutschen Bauindustrie – Auftragsvolumen Inland/Ausland	20/04/00
http://powermin.nic.in/nrg23.htm	Abkürzungen die die Energiewirtschaft in Indien betreffen.	25/05/00
http://www.bauholding.at	Homepage der BAUHOLDING STRABAG AG	12/08/00
http://www.suezcanal.com	Suez Canal	01/12/99
http://www.ea-nrw.de/presse/effizienz.htm	Energiecontracting	20/12/98
http://www.oresundskonsortiet.com/newsinfo/status/index.htm	Bonität von Schuldnern	20/02/00
http://www.railway-technology.com/projects/arlanda/index.html	Lieferant für Fahrzeugmaterial der Arlandabahnen	09/06/00
http://www.transfield.com.au/internetsite/airportlink.nsf	Australischer Baukonzern der stark an Betreibermodellen engagiert ist.	09/06/00
http://europa.eu.int/en/comm/dg1b/ecip/index_en.html	EU-Programm für die ALAMEDSA -Länder	26/04/00
http://www.tourist-mv.de/tourist-mv/umwelt/umwelt-3.html	Informationen zur Warnow-Querung in Rostock	15/08/00
http://www.hochtief.de/hochtief/deutsch/html/index_a.htm	Hochtief AG - Homepage → Trave-Querung	15/08/00
http://www.philipp-holzmann.de	Ph. Holzmann AG - Homepage	15/08/00
http://www.suez-lyonnaise-eaux.fr/english/index.htm	Eine der weltweite größten Gesellschaften am Sektor Betreibermodelle, primär am Sektor Wasserver- u. -entsorgung	20/12/99

http://www.dumez-gtm.fr/english/index.htm	Französischer Baukonzern	01/05/00
http://www.bouygues.fr/version_anglaise/groupe/groupe/nous.htm	Französischer Baukonzern	30/04/00
http://www.statkraft.no	Staatliche norwegsiche Stromgesellschaft	15/08/00
http://www.vattenfall.se	Staatliche schwedische Stromgesellschaft	15/08/00
http://powermin.nic.in/nrg75.htm	Seiten des indischen Energieministeriums	25/04/00
http://www.maheshwar-hydel.com	Homepage des Maheshwar-Hydel Power Projekt	25/04/00
http://www.flagstaff.com.au	Australisches Consulting Unternehmen, welches stark bei Betreibermodellen engagiert ist.	12/12/99
www.cordis.lu	Informatioshomepage der EU-Kommission	20/05/99
http://www.irn.org/programs/threeg/991216.probe.html (	Wasserkraftkritischer Artikel zum Three Gorges Project	10/01/00
http://www.nic.in/ninthplan	IX. Fünfjahresplan der indischen Regierung	08/02/00
http://nhpcindia.com	Homepage der NHPC (National Hydroelectric Power Corporation Limited -A Central Public Sector Enterprise, Goverment of India)	08/02/00
http://powermin.nic.in/nrg22.htm	Common Minimum Action Plan for Power (Indien, MoP)	08/02/00
http://www.nhpcindia.com/policy.htm	POLICY ON HYDRO POWER DEVELPOMENT	08/02/00
http://www.eia.doe.gov/emeu/cabs/india.html	Energy Information Administration, National Energy Information Center, Washington, D.C.	04/05/00
http://powermin.nic.in	Ministery of Power (MoP, Indien)	08/02/00
http://powermin.nic.in/report/english/6.htm	CEA -Central Electricity Authority (Indien)	08/02/00
http://www.ntpc.co.in	NTPC -National Thermal Power Corporation Limited (A Central Public Sector - Enterprise, Goverment of India)	24/06/00
http://www.nic.in/indiainfra/chap2_1.htm	Homepage India's Infrastructure Investment Opportunities	05/04/00
http://www.ieo.org/xxx002.html	The Indian Economoy overview	25/04/00
http://www.teriin.org/reports/rep02/rep0207.htm	Tata Energy research Institute	26/06/00
http://1997.business-standard.com/97sep06/economy1.htm	Artikel über Projekt Dulhasti	25/09/98
http://www.worldbank.org/html/opr/procure/othrmeth.html#p313	Guideline der Weldbank für den Beschaffungsvorgang bei Infrastrukturvorhaben.	16/08/00
http://www.expressindia.com/fe/daily/19980526/14655354.html	Artikel in the FINANCIAL EXPRESS v. 26. Mai 1998: New hydel policy to allow private participation; fresh initiatives for Power Projects.	28/02/00
http://www.oenorm.at	Österreichisches Normungsinstitut	30/11/99

http://www.vob-online.de	Homepage Onlineausgabe der VOB	30/11/99
http://www.sia.ch	Homepage des Schweizersichen Ingenieur- und Architektenvereins.	30/11/99
http://www.fidic.org	Homepage der FIDIC: französisches Akronym für Federation Internationale des Ingenieurs-Conseils (dt. Internationale Vereinigung beratender Ingenieure.	30/11/99
http://www.ice.org.uk	Homepage of the Institution of Civil Engineers (GB)	30/11/99
http://www.t-telford.com/ nec/publications/index.asp	NEC-Homepage	30/11/99
http://www.uncitral.org/ en-index.htm	*Homepage UN-Organisation: International Contracts for the Construction of Industrial Works (UNCITRAL)*	02/02/00
http://www.ita-aites.org	ITA - INTERNATIONAL TUNNELLING ASSOCIATION	20/03/00
http://www.iccwbo.org	International Chamber of Commerce	04/04/00
http://www.uncitral.org/ en-index.htm	Schiedsgerichtsregeln der UNCITRAL	04/04/00
http://www.cbip.org/cmci	Central Board of Irrigation and Power (Indien)	10/12/99
www.vss.ch	Vereinigung Schweizerischer Strassenfachleute	20.01.00
http://www.iccwbo.org	International Chamber of Commerce	04/04/00

10.5 Abbildungsverzeichnis

10.6 Tabellenverzeichnis

10.7 Modell für Zyklischen Vortrieb (nach VAVROVSKY G.-M.)

Bei den nachfolgenden Abbildungen handelt es sich auszugsweise um das Konzept von VAVROVSKY G.-M. (1996) für einen zyklischen Vortrieb. Die dort angestellten Überlegungen dienten anfänglich als Diskussionsbasis für das im Kapitel 7 vorgestellte Konzept. Im Endergebnis unterscheiden sich die Konzepte jedoch grundsätzlich.

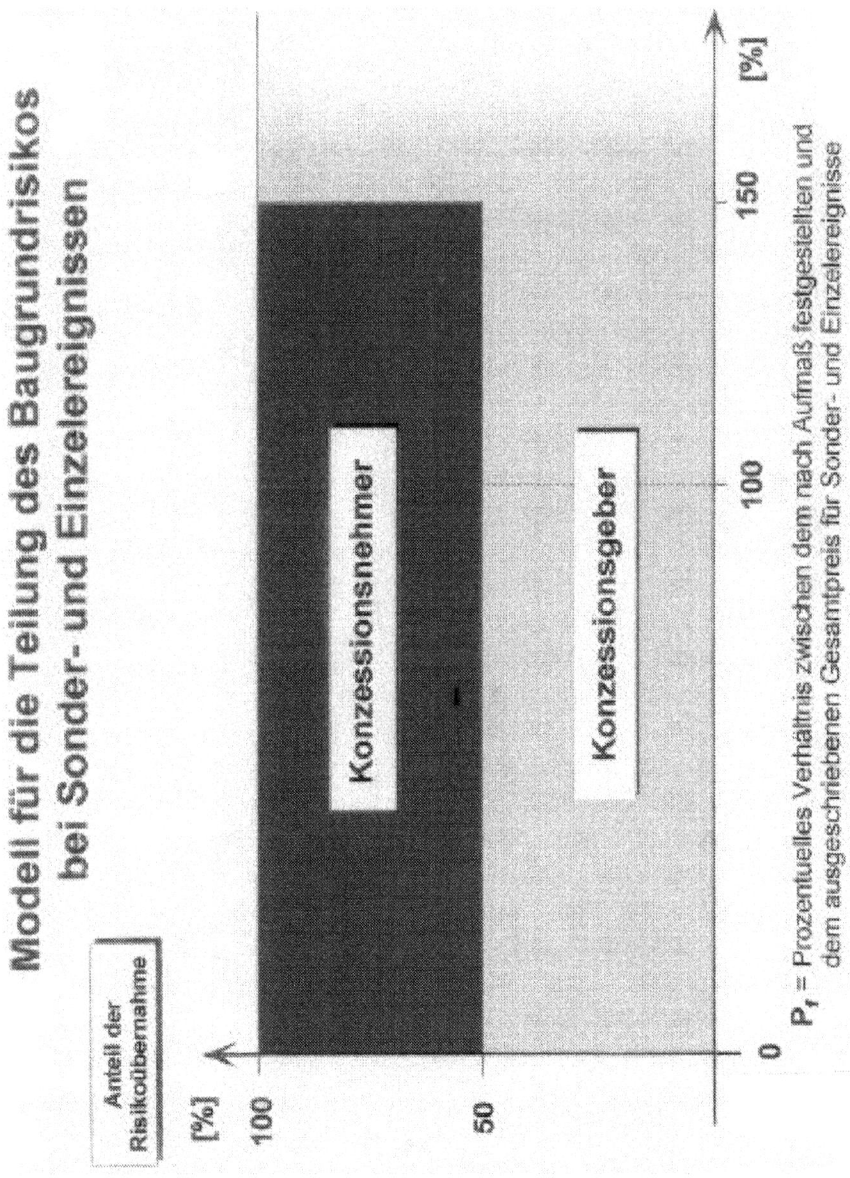

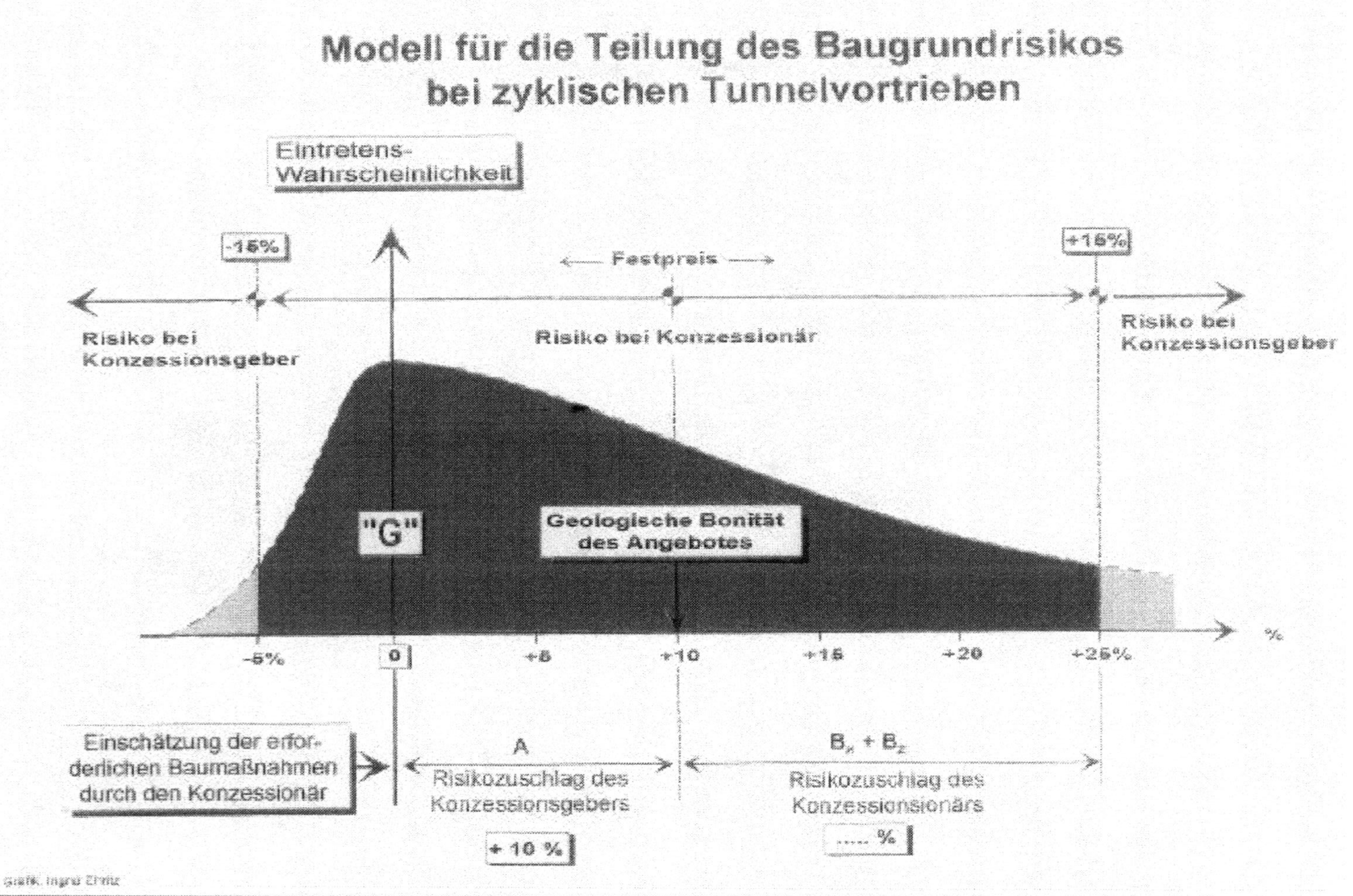
Modell für die Teilung des Baugrundrisikos
bei zyklischen Tunnelvortrieben
Eintretens-
Wahrscheinlichkeit
-15%
Festpreis
+15%
Risiko bei
Konzessionsgeber
Risiko bei Konzessionär
Risiko bei
Konzessionsgeber
"G"
Geologische Bonität
des Angebotes
-5%
0
+5
+10
+15
+20
+25%
%
Einschätzung der erfor-
derlichen Baumaßnahmen
durch den Konzessionär
A
Risikozuschlag des
Konzessionsgebers
+ 10 %
$B_K + B_Z$
Risikozuschlag des
Konzessionsionärs
..... %

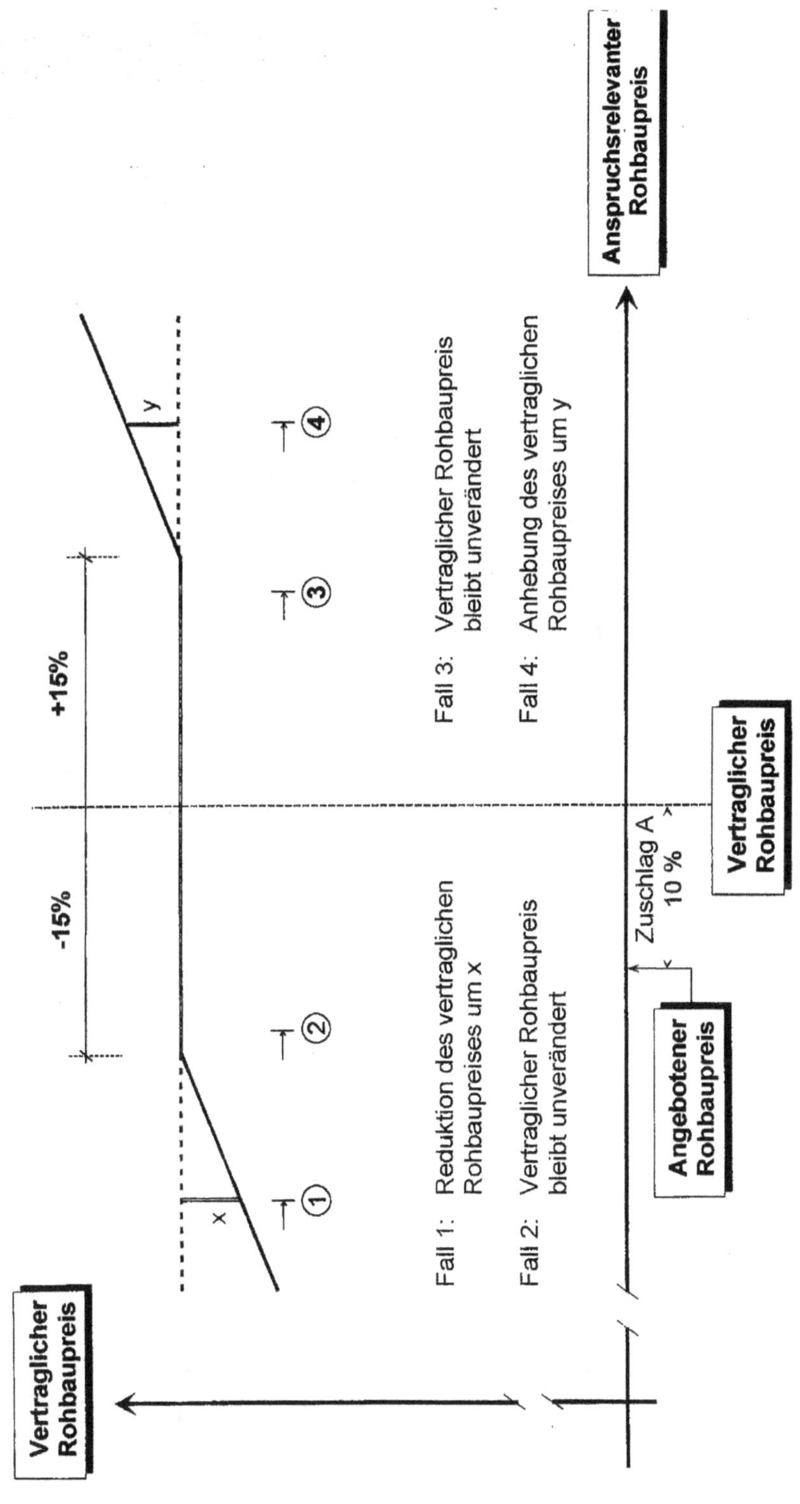
Vertraglicher Rohbaupreis
-15%
+15%
x
y
①
②
③
④
Fall 1: Reduktion des vertraglichen Rohbaupreises um x
Fall 2: Vertraglicher Rohbaupreis bleibt unverändert
Fall 3: Vertraglicher Rohbaupreis bleibt unverändert
Fall 4: Anhebung des vertraglichen Rohbaupreises um y
Zuschlag A 10 %
Angebotener Rohbaupreis
Vertraglicher Rohbaupreis
Anspruchsrelevanter Rohbaupreis

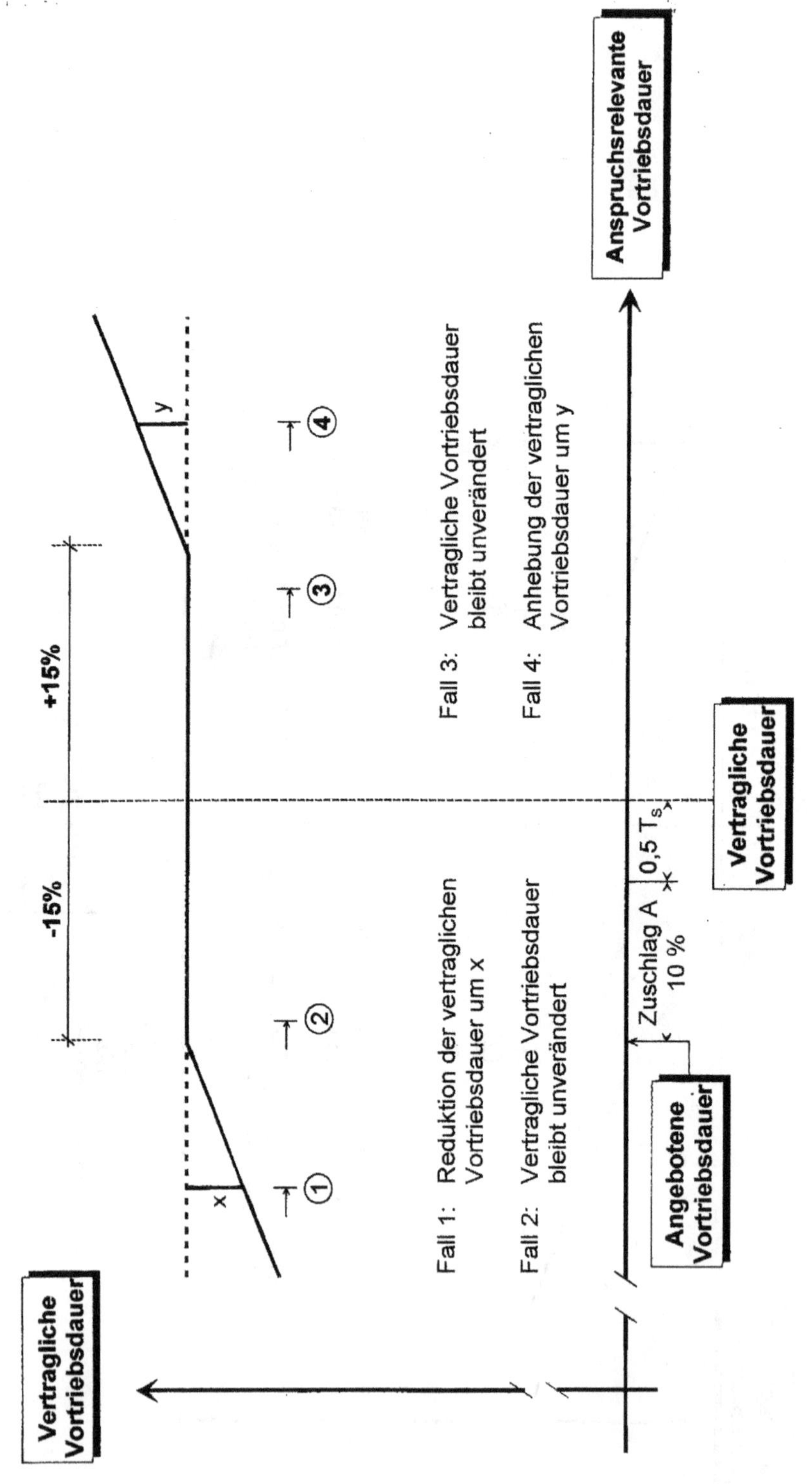
Vertragliche Vortriebsdauer
-15%
+15%
x
y
①
②
③
④
Fall 1: Reduktion der vertraglichen Vortriebsdauer um x
Fall 2: Vertragliche Vortriebsdauer bleibt unverändert
Fall 3: Vertragliche Vortriebsdauer bleibt unverändert
Fall 4: Anhebung der vertraglichen Vortriebsdauer um y
Zuschlag A 10 %
0,5 T_S
Angebotene Vortriebsdauer
Vertragliche Vortriebsdauer
Anspruchsrelevante Vortriebsdauer

10.8 Lebenslauf, Ausbildung und beruflicher Werdegang

Persönliche Daten:

❑ * 25.03.1968 in Innsbruck

Beruflicher Werdegang und Ausbildung:

❑ seit 04/2002	Ingenieurkonsulent für Bauingenieurwesen (r) mit ruhender Befugnis
❑ 04/2001 - 05/2002	Verantwortlich für das Qualitätsmanagement am Institut für Baubetrieb. Bauwirtschaft und Baumanagement, Zertifizierung 11/2001nach ISO9001
❑ seit 12/2001	Mitarbeiter der ÖNorm AG169.02 (Neufassung B2203-2 Untertagebau TBM)-Vortriebe)
❑ 12/2001	Ziviltechnikerprüfung, beim Amt.d. Tiroler Landesregierung
❑ seit 08/2001	Baumeister (Gewerberechtlicher Geschäftsführer SSP BauConsult GmbH®)
❑ seit 12/2000	Vertragsverlängerung als Univ.Assistent am Institut für Baubetrieb, Bauwirtschaft und Baumanagement bei Prof. Schneider, Baufakultät der Universität Innsbruck (bis Ende 2002)
❑ seit 02/2001	Geschäftsführender Gesellschafter SSP BauConsult GmbH® Technikerstr. 32, A-6020 Insbruck, +43/(0)512/294743 email: office@sspbauconsult.at www.sspbauconsult.at
❑ 02/2001	Baumeisterprüfung (Amt. d TLR)
❑ 1996/11 – 2000/10	Univ.Assistent und Dissertant am Institut für Baubetrieb, Bauwirtschaft und Baumanagement bei o.Univ.Prof. Schneider, Baufakultät der Universität Innsbruck, Tätigkeitsbereiche in Lehre und Forschung sowie Mitarbeit an baubetrieblichen, bauwirtschaftlichen und tunnelbauspezifischen Gutachten
❑ 1996/6 - 1996/11	ENTEC – Environment Technology; Fussach, Projektleiter im Umwelttechnikbereich (international)
❑ 1996 - 1998	Freier Mitarbeiter von em.Univ.Prof. Dr. Gerhard Seeber, techn. Mitarbeit am Buch „Druckstollen und Druckschachtbau“ erschienen im Enke-Verlag (1999)
❑ 1995 - 1996	Freier Mitarbeiter der Baustelle ARGE Klärwerk Innsbruck (ARGE Mayreder/Innerebner)

❑ 1995/3	Abschluß des Bauingenieurstudiums an der Fakultät für Bauingenieurwesen und Architektur, Universität Innsbruck, Diplomarbeit zum Thema: „Mechanischer Stollenvortrieb: Vergleich zwischen einer offenen bzw. geschlossenen Tunnelbohrmaschine; Fallbeispiel: Evinos-Mornos Projekt Griechenland" bei em.Univ.Prof. G. Seeber am Institut für Wasserbau
❑ 1994/Sommer	Baustellenaufenthalt bei der ARGE E.T.J.V–Evinos-Tunnel JV, Griechenland (JV Jäger Bauges.m.bH., Schruns (AUT) und SELI, Rom (ITA))
❑ 1988 - 1993	Regelmässige Ferial- und Werkvertragstätigkeit in Ingenieurbüros und auf Baustellen
❑ 1988/10 - 1995/3	Bauingenieurstudium an der Fakultät für Bauingenieurwesen und Architektur, Universität Innsbruck
❑ 1987/9 - 1988/10	Techn. Angestellter im Ingenieurbüro Helmut Passer – Innsbruck
❑ 1982 - 1987	HTL II Innsbruck - Abteilung Tiefbau

www.ingramcontent.com/pod-product-compliance
Lightning Source LLC
Chambersburg PA
CBHW082137210326
41599CB00031B/6008
* 9 7 8 3 9 0 1 2 4 9 5 7 0 *